中华现代学术名著丛书

卢前曲学论著三种

卢前 著

商务印书馆
创于1897
The Commercial Press

2014年·北京

图书在版编目(CIP)数据

卢前曲学论著三种 / 卢前著. —北京:商务印书馆,2014
(中华现代学术名著丛书)
ISBN 978-7-100-09921-9

Ⅰ.①卢… Ⅱ.①卢… Ⅲ.①散曲—文学史—中国—古代 ②戏剧史—中国 ③词(文学)—文学史—中国—古代 Ⅳ.①I207.2 ②J809.2

中国版本图书馆CIP数据核字(2013)第072639号

《散曲史》据成都大学1931年版排印
《中国戏剧概论》据世界书局1934年版排印
《词曲研究》据中华书局1934年版排印

中华现代学术名著丛书
卢前曲学论著三种
卢 前 著
苗怀明 整理

商 务 印 书 馆 出 版
(北京王府井大街36号 邮政编码 100710)
商 务 印 书 馆 发 行
北京瑞古冠中印刷厂印刷
ISBN 978-7-100-09921-9

2014年5月第1版 开本 880×1240 1/32
2014年5月北京第1次印刷 印张 17¾ 插页 2
定价: 52.00元

卢　前

(1905—1951)

卢前像（丰子恺绘）

卢前肖像（宋敏恒木刻）

《词曲研究》书影
(中华书局 1934 年版)

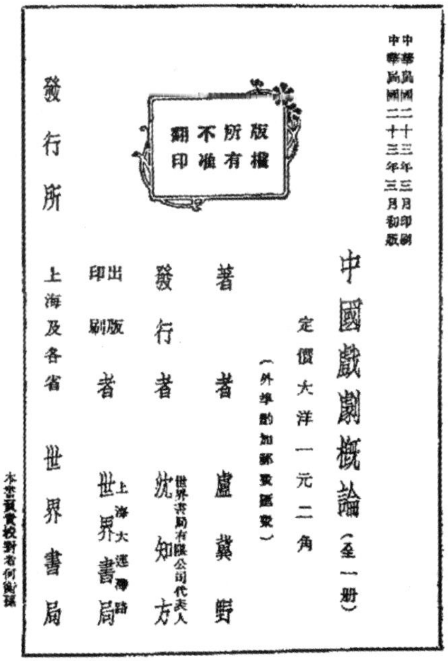
中華民國二十三年三月印刷
中華民國二十三年三月初版

版權所有 不准翻印

中國戲劇概論（全一册）

定價大洋一元二角
（外埠酌加郵費匯費）

著者 盧冀野

發行者 沈知方（世界書局有限公司代表人）

出版印刷者 世界書局（上海大連灣路）

發行所 上海及各省 世界書局

本書責任校對者何[illegible]

《中国戏剧概论》版权页
(世界书局 1934 年版)

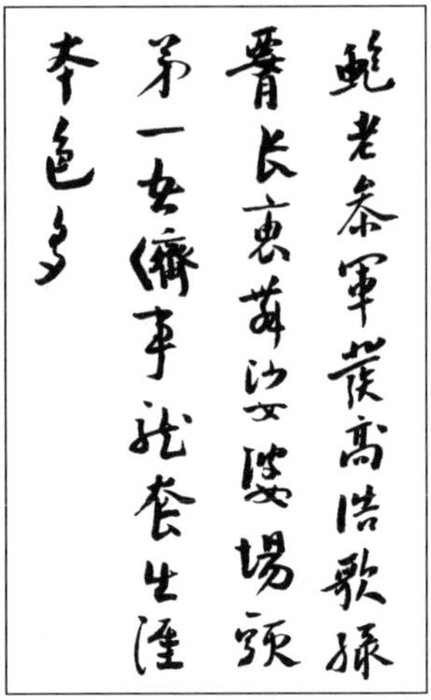

作者手迹

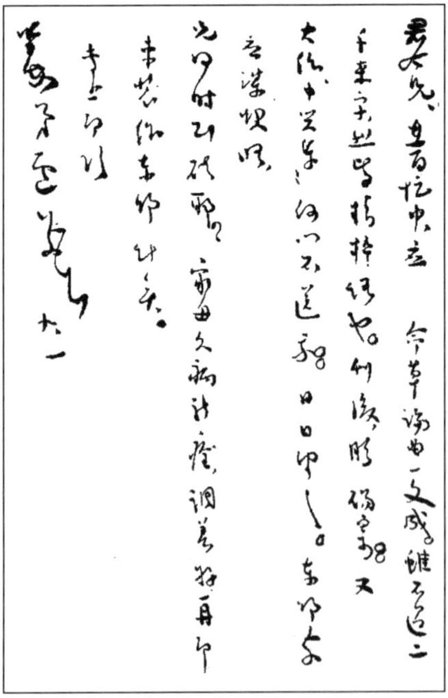

作者书简

出版说明

百年前，张之洞尝劝学曰："世运之明晦，人才之盛衰，其表在政，其里在学。"是时，国势颓危，列强环伺，传统频遭质疑，西学新知亟亟而入。一时间，中西学并立，文史哲分家，经济、政治、社会等新学科勃兴，令国人乱花迷眼。然而，淆乱之中，自有元气淋漓之象。中华现代学术之转型正是完成于这一混沌时期，于切磋琢磨、交锋碰撞中不断前行，涌现了一大批学术名家与经典之作。而学术与思想之新变，亦带动了社会各领域的全面转型，为中华复兴奠定了坚实基础。

时至今日，中华现代学术已走过百余年，其间百家林立、论辩蜂起，沉浮消长瞬息万变，情势之复杂自不待言。温故而知新，述往事而思来者。"中华现代学术名著丛书"之编纂，其意正在于此，冀辨章学术，考镜源流，收纳各学科学派名家名作，以展现中华传统文化之新变，探求中华现代学术之根基。

"中华现代学术名著丛书"收录上自晚清下至20世纪80年代末中国大陆及港澳台地区、海外华人学者的原创学术名著（包括外文著作），以人文社会科学为主体兼及其他，涵盖文学、历史、哲学、政治、经济、法律和社会学等众多学科。

出版“中华现代学术名著丛书”，为本馆一大夙愿。自1897年始创起，本馆以“昌明教育，开启民智”为己任，有幸首刊了中华现代学术史上诸多开山之著、扛鼎之作；于中华现代学术之建立与变迁而言，既为参与者，也是见证者。作为对前人出版成绩与文化理念的承续，本馆倾力谋划，经学界通人擘画，并得国家出版基金支持，终以此丛书呈现于读者面前。唯望无论多少年，皆能傲立于书架，并希冀其能与“汉译世界学术名著丛书”共相辉映。如此宏愿，难免汲深绠短之忧，诚盼专家学者和广大读者共襄助之。

商务印书馆编辑部

2010年12月

凡　　例

一、“中华现代学术名著丛书”收录晚清以迄20世纪80年代末，为中华学人所著，成就斐然、泽被学林之学术著作。入选著作以名著为主，酌量选录名篇合集。

二、入选著作内容、编次一仍其旧，唯各书卷首冠以作者照片、手迹等。卷末附作者学术年表和题解文章，诚邀专家学者撰写而成，意在介绍作者学术成就，著作成书背景、学术价值及版本流变等情况。

三、入选著作率以原刊或作者修订、校阅本为底本，参校他本，正其讹误。前人引书，时有省略更改，倘不失原意，则不以原书文字改动引文；如确需校改，则出脚注说明版本依据，以“编者注”或“校者注”形式说明。

四、作者自有其文字风格，各时代均有其语言习惯，故不按现行用法、写法及表现手法改动原文；原书专名（人名、地名、术语）及译名与今不统一者，亦不作改动。如确系作者笔误、排印舛误、数据计算与外文拼写错误等，则予径改。

五、原书为直（横）排繁体者，除个别特殊情况，均改作横排简体。其中原书无标点或仅有简单断句者，一律改为新式标点，专名号从略。

六、除特殊情况外，原书篇后注移作脚注，双行夹注改为单行夹注。文献著录则从其原貌，稍加统一。

七、原书因年代久远而字迹模糊或纸页残缺者，据所缺字数用“□”表示；字数难以确定者，则用“（下缺）”表示。

目　　录

散曲史

中国戏剧概论

词曲研究

散 曲 史

第一　散曲、散曲史发端

“曲之名古矣，近世所谓曲者，乃金、元之北曲，及后复溢为南曲者也”（刘熙载语）。王世贞以为：“词之变，自金、元入中国，所用胡乐，嘈杂凄紧，缓急之间，词不能按，乃更为新声以媚之。”（说见《艺苑卮言》）是曲之始，其所以名，初与词相对待，自文章而言谓之词，自声乐而言谓之曲。曲既成体，并有文章，且以曲达情事见胜，则曲之所以为曲，可念也。或称之为词余者，曲故非词体之所能尽，不得不别立于词之外，岂拾词之坠绪之意？不可不辨焉。顾近今言曲，寻常止知沿曲之流，尽曲之变，厥有戏曲，不知溯曲之源，探曲之本，端在散曲，偶有知者，目为余事，妄矣。大概别之，此诗歌之曲，彼戏剧之曲，迥不相侔。尝以散曲例之于诗，一首小令犹一首绝句、律诗也；例之于词，一首小令亦犹一首短调、中调之词也。作者缘调填词，既写一首，倘意有未尽，则同调不妨连拈二三首、四五首，乃至七八首，随意增附，明人谓之重头。或不愿取同调为重头者，则竟选宫调成套数，其格局、长短，仍可听人取舍，绝无一定。要不过与诗中之联章、词中三四叠之长调相当而已（任二北语）。用见散曲承诗词而后，为韵文之正宗。

散曲二字，旧无定称。或谓成文章者曰乐府，有尾声名套数，时行小令唤叶儿（说详元《燕南芝庵论曲》中）。而市井所唱小曲，亦可名为小令（王骥德《曲律》说），或又谓“散曲”为“清曲”（张旭初《吴骚合编·凡例》曰:"《南词韵选》及《遴奇振雅》诸俗刻所载清曲,大略雷同")。曰乐府者,原歌诗之通名,以论曲子,意其为雅乐之辞,曾经藻饰,与流诸市井所有俚歌绝不相近;云清曲者,以其清唱坐冷板凳(魏良辅《曲律》:"清唱,俗语谓之冷板凳,不比戏场,借锣鼓之势,全要闲雅、整肃、清俊、温润"),无打身段、下金锣之苦也(李斗《扬州画舫录》:"清唱以笙笛、鼓板、三弦为场面。"又:"清唱鼓板与戏曲异:戏曲紧,清曲缓;戏曲以打身段、下金锣为难,清唱无是苦,而有生熟口之别")。最其要义,不以锣鼓排场,合用清唱之法;不以科白联贯,遂得散曲之名,固大有别于戏曲者也。

小令、套数,实为散曲之二体。小令与套数于短长、单复、尾声有无之间,并不足以识别。而令曲首各一韵,套曲套守一韵,分划最显,无烦申说。

大抵小令有二类:直写胸臆,不演故事者;纪述本末,而演故事者。

不演故事者,又可划为五种:

一、寻常之小令。体制最简,与诗词埒。惟此一首之中,一韵到底,无换韵之便耳(曲之换头,可以自立,不在此例)。

二、摘调。摘套曲之调而为小令也,亦犹词中摘大曲之遍而为慢词。《作词十法》第四于"用"字条中尝及之。

三、过带曲。于北曲甚盛。所谓过带一调,未尽所欲言,续拈他调以承之。然二调之音节,必能衔接始可。使二调不足,得用三调;三调以上者,元人无此也。其后南曲、南北合套内,偶尔仿效之。明康沜东复有过带四调之例,未可取法。

四、集曲。于南曲甚盛。如词之有犯与摊破、过带曲,以整调联续。此则取各调零句,联续复为之,易一新名。有以所集调数名者，如〔九回肠〕、〔巫山十二峰〕等是；有据所集原调名者，如〔醉罗歌〕、〔罗江怨〕等是，多者若三十腔，集三十调中句。

五、重头。“重头歌韵响琤琮”，晏殊词句也。《中山诗话》亦云：“重头、入破，皆弦管家语。”用见此名，夙有于曲。则徐渭编杨升庵夫人词曲，始标此目。重者以相同之调，重复至再，乔吉西湖〔梧叶儿〕百首之多，南曲次韵，李开先、王九思〔傍妆台〕亦各百阕。在南曲中，两调、四调之重头，同叶一韵，便可成套。是重头者，介乎令、套之间焉。

演故事者，亦可划为二种：

一、同调重头。重头自必同调，其所以称，示异于间列也。小令之演故事，犹诗之有长庆，非如戏剧之用代言，复以动作显见也。《雍熙乐府》有《摘翠百咏小春秋》，足以为例。“小春秋”者，谓西厢也。用〔小桃红〕一百首，每首各一韵，叙一事，曰：

生离洛阳，生至蒲东，生游普救，生遇红娘，生见莺莺，生私扣红，红娘答生，莺自嗟叹，生步月吟，莺和生诗，生看修斋，军围普救，生自悲叹，夫人许亲，张生答允，张生致书，惠明发怒，惠明送书，杜确得书，确追飞虎，生谢杜确，白马回营，夫人背盟，莺莺递酒，生怨夫人，生回书舍，红献生策，张生弹琴，莺莺听琴，莺莺染病，红教生柬，生央递柬，红递与莺，莺得生书，莺遗生书，生赴莺约，莺莺抢生，张生羞退，张生自叹，张生自缢，僧劝张生，生答法聪，夫人问生，生答夫人，莺探生病，生答莺莺，莺柬期生，红娘不允，红递生柬，生得莺书，生盼莺莺，红送铺陈，莺至书斋，雨云欢会，云雨初歇，红促莺归，生送莺归，红贴莺归，事闻夫人，红行莺嘱，夫人诘红，红娘受责，红答夫人，莺莺自念，红劝夫人，夫人允诺，红娘邀生，生答红娘，红娘邀莺，莺羞不行，夫人责莺，夫人嘱生，红怨莺生，莺生谢红，夫人送生，生答夫人，法本送生，生答法本，莺莺送生，生答莺莺，生投旅馆，生梦莺莺，生至长安，张生入试，张生及第，生授学士，莺想张生，莺莺自念，生寄莺书，莺得生书，莺寄生衣，生得莺衣，郑恒求配，夫人答恒，生出长安，张生至家，生拜夫人，确拜夫人，郑恒触树，生莺赴任。

以词纪言，以题纪事，井然有条，自成一格。

二、异调间列。亦小令之别体，钟嗣成所谓王日华“有与朱士凯题《双渐小青问答》①，人多称赏”者（见《录鬼簿》）。其例也，明钞本《乐府群玉》中《风月所举问汝阳记》，自《黄肇退状》至《议拟》，共十六首。一问一答，情节毕陈，其调名、题目与所叶之韵为：

庆东原	黄肇退状	天田
天香引	问苏卿	庚亭
	答	真文
凤引雏	再问	庚亭
	答	天田
凌波仙	驳	天田
	招	天田
天香引	问冯魁	江阳
凌波仙	答	萧豪
天香引	问双渐	江阳
凌波仙	答	庚亭
天香引	问黄肇	姑模

① “青”当作“卿”。——整理者注

凌波仙	答	家麻
天香引	问苏妈妈	天田
凌波仙	答	萧豪
	议拟	庚亭

观其体制，排列错综，既非套数，亦与寻常小令迥别也。

套数就性质言有二类：或南或北，自成套数者，南北合而成套数者；就法式言，亦有二类：有尾声者，无尾声者。

套数之成也，厥有三端：

一、至少二首同宫调之曲相联，宫调或异，亦必管色相同，互借入套（惟北曲有专用于小令之调，如李玄玉《北词广正谱》各卷目录后所列举者，不可成套。南曲如仙吕中〔美中美〕等，越调中〔包子令〕等，特殊者亦例外）。

二、有尾声，以示此套之乐已阕。

三、全套首尾同叶一韵。至于南北合套，创自沈和，由来已久。以北曲每套只可一人独唱，殊不便于歌者，况南北声音有所偏，合二者以调和，遂得中和之美。按《九宫大成谱》，仙吕以下十一宫调，各举合套二式，仙吕入双调中，有十二套之多。许书（许之衡《曲律易知》）列七式（通行者有四，详本书第五），考其常情，率一北一南，或一南一北，相间不乱；亦有一北后继二南，又继三北；亦有一南后继二北，又继二南，又继四北。凡此成例，知各调所以相连，其音律必谐美而应适也。

套数之无尾声者，虽不多见，间亦有之。推论其故，有三：

所用之调为特制者（如《货郎担》杂剧，南吕一套〔一枝花〕后，用〔九转货郎儿〕，〔九转〕既完，乐遂阕，不用尾。因〔九转货郎儿〕之曲，即特制者也），此其一。

用过带曲作结者（如乔吉南吕杂情一套〔一枝花〕、〔梁州〕之后，用〔骂玉郎〕、〔感皇恩〕、〔采茶歌〕，则不用尾），此其二。

所用末一调可以代尾者（如商调套曲以〔浪来里〕结，双调套曲以〔清江引〕结者，均不用尾），此其三。

类指北曲而言也，南曲以重头成套者，其重头之数为二、为四、为六，皆成双，曲中之可以叠用为套，有四十六调（仙吕五、羽调一、正宫三、大石一、中吕七、南吕五、黄钟二、越调四、商调四、双调九、仙吕入双调五），俱不必以加尾声为则。重头成套无尾声之说，沈璟《南曲谱》已言之（其言曰：一个牌名做二曲或四曲、六曲、八曲及两个牌名各止一二曲者，俱不用尾声），盖用一调或诸调重头以组成一套，无论引子、尾声，皆可取便，此又南曲之异也。

朱权列乐府十五体（见《太和正音谱》），并见曲境之广阔。曰黄冠体，神游广漠，寄情太虚，有餐霞服日之思，名曰道情；曰承安体，华观伟丽，过于佚乐。承安，金章宗正朔；曰玉堂体，公平正大；曰草堂体，志在泉石；曰楚江体，屈抑不伸，摅衷许志[1]；曰香奁体，裙裾脂粉；曰骚人体，嘲讥戏谑；曰俳优体，诡喻淫虐，即淫词。余则可以探曲之流派，曰丹丘体，豪放不羁；曰宗匠体，词林老作之词；曰盛元体，快然有雍熙之治，字句皆无忌惮；曰江东体，端谨严密；曰西江体，文采焕然，风流儒雅；曰东吴体，清丽华巧，浮而且艳；曰淮南体，气劲趣高。陈所闻据其说编订《南北宫词纪》，于《北纪》立门类八：谯赏、祝贺、栖逸（兼归田）、送别、旅怀（附悼亡）、咏物、宫室、闺情；于《南纪》立门类十三：美丽、闺怨、谯赏、祝贺、题

① “许”当作“诉”。——整理者注

赠、寄慰、送别、旅怀、伤逝、隐逸、游览、咏物、嘲笑。十五体固可以概之而有余矣。

孙麟趾曰："牛鬼蛇神，诗中不忌，词则大忌。"其实于曲始能不忌，亦大不忌。胡侍谓关、马、乔、张辈，皆终其身沉抑下僚，郁郁不得志者，激而愤也，放而玩世，于是喜笑怒骂，嘲讥戏谑，悉以曲出之，故王骥德列巧体于俳谐之外（见《曲律》）。

其体凡二十有五，关乎韵者二：每句两韵，或每两字一韵。元之所称六字三韵语者，为短柱体；通篇叶同一字韵者，为独木桥体。

关乎字者五：每句除韵脚都用叠韵字者，为叠韵体；每句首一字与末一字同韵者，为犯韵体；次句首一字即用前句末一字，俗所称联珠格者，为顶真体；通篇用叠字者，为叠字体；嵌五行或数目，每句分嵌一字者，为嵌字体。

关乎句者三：每句字面颠倒、重复，反复言之者，为反复体；如诗或词中之回文者，为回文体；一篇以内多同样口气之句者，为重句体。

关乎联章者一：次章首句，即用前章之末句（往往四首），重头如诗中之辘轳体者，为连环体。

关乎材料者八：通篇以取成句为主，而加衬以足之，使其合调者，为足古体；纯集前人语者，为集古体；集谚语者，为集谚体；集杂剧或传奇名者，为集剧名体；集词曲调名者，为集调名体；集药材名者，为集药名体；概括前人之诗文者，为概括体；取古乐府或词翻之，以就曲谱，或以北曲翻为南曲者，为翻谱体。

关乎用意者六：托咏物以暗中讽刺者，为讽刺体；托咏物或托咏事，明作嘲笑者，为嘲笑体；专嘲笑风流，警戒漂荡子弟者，为风流体（此体名见《诚斋乐府》）；谑浪淫亵，无所不至者，为淫虐体；

暗以一语次第嵌一字于每句第五字者，为简梅体；暗以一语次第嵌一字于每句第六字者，为雪花体（以上乐府十五体、俳体二十五种，任论内容篇，例证甚详，惟简梅、雪花二体见琐非复初《中原音韵》序，任谓简梅疑与五数有关，雪花疑与六数有关，均未得其详，置诸待考之列。予今作此解释，惜乎相去万里，不能就正于吾中敏也）。融斋尝以《胡叟传》（《魏书》）“既善为兴雅之词[①]，又工为鄙俗之句”语而论曲，曰：“其妙在借俗写雅，面子疑于放倒，骨子弥复认真。”（见《艺概》）游戏调笑之作，原不可以面子相绳也。

任讷曰：“词静而曲动，词敛而曲放，词纵而曲横，词深而曲广，词内旋而曲外旋，词阴柔而曲阳刚。词以婉约为主，别体则为豪放；曲以豪放为主，别体则为婉约。词尚意内言外，曲竟为言外而意亦外。”虽一家之品量，要足见散曲之精神焉。

于词，刘毓盘有《词史》矣；于剧曲，许之衡有《剧曲史》矣。散曲史之设学程，肇端于兹，不有述造，何以阐发。然今日散曲史之作也，有三难：曲集多佚，无以考究也；曲论不多，无以比证也；僻处西陲，无师友之商兑也。惟千里启于蹊步[②]，层台赖诸累土。草创之编，所望于他日论定尔。

---

① “兴”当作“典”。——整理者注

② “蹊”当作“跬”。——整理者注

第二　元一代散曲盛况

焦循曰："词之体尽于南宋，而金、元乃变为曲。关汉卿、乔梦符、马东篱、张小山等为一代巨手，乃谈者不取其曲，仍论其诗，失之矣（中略）。夫一代有一代之所胜，舍其所胜，而就其所不胜，皆寄人篱下者耳。余尝欲自楚骚以下至明八股，撰为一集，汉则专取其赋，魏晋六朝至隋则专录其五言诗，唐则专录其律诗，宋专录其词，元专录其曲，明专录其八股，一代还其一代之所胜。"（《易余籥录》）里堂所论允且明矣。元一代之所胜既在曲，杂剧之多，前人类能道之，而于令、套，颇少记载。幸杨朝英二选（《乐府新编阳春白雪》与《朝野新声太平乐府》）尚得保存其万一。钟嗣成《录鬼簿》所收亦剧家多于散曲作者。世之论元曲者，辄举关、马、郑、白四家，盖据高安周德清挺斋之说。挺斋曰：关、马、郑、白，一新著作，第论次时代，则郑宜居殿。其实四家皆以剧名，就中惟东篱为散曲巨擘。江都任氏尝辑四家之令、套，谓散曲既无杂剧骨董之嫌，又无传奇滞重之弊，昔谓伤雅，曾见疏于词林；今以率真，转重于文苑，可见元曲固以本色当行。

关汉卿，号已斋叟，大都人，金末官太医院尹。金亡不仕，好谈妖鬼，著有《鬼董》。杨维桢《元宫词》云：

开国遗音乐府传，白翎飞上十三弦。大金优谏关卿在，伊尹扶汤进剧编。

此“关卿在”，即指汉卿，岂汉卿犹逮元耶。所谓“白翎”，教坊大曲之白翎雀也（此雀生于乌桓朔漠之地，雌雄和鸣，自得其所，世皇因命伶人硕德闾制曲以名之）。至“伊尹扶汤”，是郑作，铁崖误记之耳。

《太和正音谱》评其词曰：“如琼筵醉客。”生平轶事，颇有可笑者。尝见一从嫁媵婢甚美，百计欲得之，为夫人所阻。关无奈，作小令一支贻夫人，云：

鬓鸦，脸霞，屈杀了将陪嫁。规模全似大人家，不在红娘下。巧笑迎人，文谈回话，真如解语花，若咱，得她，倒了蒲桃架。

盖〔朝天子〕也。夫人见之，答以诗云：

闻君偷看美人图，不似关王大丈夫。金屋若将阿娇贮，为君唱彻醋葫芦。

关见之，太息而已（见明蒋一葵《尧山堂外纪》卷六十八）。又〔题情·一半儿〕二支，亦脍炙人口。词云：

云鬟雾鬓胜堆雅①，浅露金莲簌绛纱，不比等闲墙外花。骂你个俏冤家，一半儿难当一半儿耍。

① “雅”当作“鸦”。——整理者注

其二云：

碧纱窗外悄无人，跪在床前忙要亲，骂了个负心回转身。虽是我话儿嗔，一半儿推辞一半儿肯。

若论奇丽之作，其〔不伏老〕一套为最著，而〔煞尾〕尤佳，曰：

我却是蒸不烂、煮不熟、捶不匾、炒不爆、响当当一粒铜豌豆。您子弟谁教钻入他锄不断、斫不下、解不开、顿不脱、慢腾腾千层锦套头。我玩的是梁园月，饮的是东京酒，赏的是洛阳花，扳的是章台柳。我也会吟诗、会篆籀、会弹丝、会品竹，我也会唱鹧鸪舞，垂手会打围、会蹴鞠、会围棋、会双陆。你便是落了我牙、歪了我口、瘸了我腿、折了我手，天与我这几般儿歹症候，尚兀自不肯休。只除是阎王亲令，唤神鬼自来钩，三魂归地府，七魄丧冥幽，那其间才不向这烟花路儿上走。

魄力之雄，他体所不多见者。

白朴，字仁甫，又字太素，号兰谷，澳州人①。有《天籁阁集》，集后有《摭遗》一卷，录所作曲也。卷前有元王博文、明孙大雅各一序。博文所述甚详，可以觇其生年。序云：

元、白为中州世契，两家子弟，每举长庆故事，以诗文相往来。仁甫为寓斋先生华之仲子，于元遗山为通家姓②。甫七

① “澳”当作“隩”。——整理者注
② “姓”当作“侄”。——整理者注

岁，遭壬辰之难，寓斋以事远适。明年春，京城变起，遗山遂挈以北行。自是不茹荤血，人问其故，曰：俟见吾亲则如初。尝罹疫，遗山昼夜持抱，凡六日，竟于臂上得汗而愈，盖视亲子侄不啻过之。读书颖悟异常儿，日亲炙遗山，謦欬谈笑，悉能默记。后数年，寓斋北归，以诗谢遗山云："顾我真成丧家狗，赖君曾护落巢儿。"居无何，父子卜筑于滹阳。时律赋为专家之学，而仁甫有能声，号后进之翘楚。遗山过之，必问为学次第，尝赠之曰："元白通家旧，诸郎独汝贤。"未几，生长见闻，学问博洽。然自幼经丧乱，仓皇失母，便有满目山川之叹。逮亡国后，恒郁郁不乐，以故放浪形骸，期于适意。中统初年，开府史公将以所业荐之于朝，再三逊谢。栖迟衡门，视荣利蔑如也。

《正音谱》评其词"如鹏抟九霄"，又云"风骨磊块，词源滂沛，若大鹏之起北溟，奋翼凌乎九霄，有一举万里之志，宜冠于首"。〔仙吕·寄生草·饮酒〕云：

长醉后方何碍，不醒时有甚思。糟腌两个功名字，醅渰千古兴亡事，曲埋万丈虹霓志。不达时皆笑屈原非，但知音尽说陶潜是。

〔双调·沉醉东风·渔父〕词云：

黄芦岸白苹渡口，绿杨堤红蓼滩头。虽无刎颈交，却有忘机友，点秋江白鹭沙鸥。傲杀人间万户侯，不识字烟波钓叟。

〔仙吕·醉中天·佳人黑痣〕云：

疑是杨妃在，怎脱马嵬灾。曾与明皇棒砚来①，美脸风流杀。叵奈挥毫李白，觑着娇态，洒松烟点破桃腮。

挺斋并称许之。

马致远，字东篱，大都人。江浙行省务官。元有两马致远，一秦淮人，不作曲者。《尧山堂外纪》取〔夜行船·秋思〕一套，称为元人第一，兹录全文：

〔双调·夜行船〕　百岁光阴一梦蝶，重回首往事堪嗟。今日春来，明朝花谢，急罚盏夜阑灯灭。

〔乔木查〕　想秦宫汉阙，都作了衰草牛羊野，不恁么渔樵没话说。纵荒坟横断碑，不辨龙蛇。

〔庆宣和〕　投至狐踪与兔穴，多少豪杰。鼎足三分半腰里折，魏耶？晋耶？

〔落梅风〕　天教你富，莫太奢，不多时好天良夜。富家儿更做道你心似铁，争辜负了锦堂风月。

〔风入松〕　眼前红日又西斜，疾似下坡车。不争镜里添白雪，上床与鞋履相别。休笑鸠巢计拙，葫芦提一向妆呆。

〔拨不断〕　利名竭，是非绝。红尘不向门前惹，绿树偏宜屋角遮。青山正补墙头缺，更那堪竹篱茅舍。

① “棒”当作“捧”。——整理者注

〔离亭宴煞〕 蛩吟罢一觉才宁贴，鸡鸣时万事无休歇。何年是彻，看密匝匝蚁排兵，乱纷纷蜂酿蜜，闹穰穰蝇争血。裴公绿野堂，陶令白莲社。爱秋来时那些：和露摘黄花，带霜分紫蟹，煮酒烧红叶。想人生有限杯，浑能个重阳节？人问我顽童记者：便北海探吾来，道东篱醉了也。

挺斋谓此方是乐府，不重韵，无衬字，无险语，押韵兼平、上、去，无一字不妥，万中无一，后辈宜法。而《正音谱》评其词“如朝阳鸣凤”。又云：“其词典雅清丽，可与灵光、景福相颉颃。”所作〔越调·天净纱〕云①：

枯藤老树昏鸦，小桥流水人家，古道西风瘦马。夕阳西下，断肠人在天涯。

“数语为秋思之祖”（见李调元《雨村曲话》卷上。案：雨村论东篱，颇多舛谬，张小山〔满庭芳·春晚〕、乔梦符之〔卖花声·香茶〕、白仁甫〔寄生草·饮酒〕、〔沉醉东风·渔父〕、徐甜斋之〔水仙子·夜雨〕，诸名作悉归马有，可谓妄言也已）。他如集中〔落梅风〕三十一首、〔四块玉〕二十三首，几无一不妙，惜乎散佚尚多。如小山有次东篱萧豪韵〔庆东原〕九首，今不见其原唱，而残阙不完之套，具见谱书。任讷谓其散曲以豪放为主，如天马脱羁，极尽驰骋之乐。于不期然中，又适成此体之典型、模楷。后之散曲，凡不如

① “纱”当作“沙”。——整理者注

此者，皆可谓非其正也（见《东篱乐府提要》）。余意以为，东篱，曲中之圣，非豪放一品所能尽，时有清丽之章，时有端谨之作。予尝以曲拟之西江诗派。东篱，一祖也，三宗则小山、梦符、希孟，于体则江东、西江、丹丘。至于宗匠，殆非马氏莫属矣（见《饮虹曲话》）。

郑光祖，字德辉，平阳襄陵人。以儒补杭州路吏。为人方直，不妄与人交，故诸公多鄙之，久则见其情厚，而他人莫之及也。病卒，火葬于西湖之灵芝寺，诸吊送客有诗文。公之所作，不待备述，名闻天下，声振闺阁，伶伦辈称郑老先生，皆知其为德辉也（见《录鬼簿》）。丑斋挽以〔凌波曲〕云：

> 乾坤膏馥润肌肤，锦绣文章满肺腑，笔端写出惊人句。解番腾，今共古，占词场老将伏输。翰林风月，梨园乐府，端的是曾下工夫。

德辉于剧所作不少，令、套则寥寥无几。搜辑诸选，三令、三套而已。〔蟾宫曲·梦中作〕一阕为最，词云：

> 半窗幽梦微茫。歌罢钱塘，赋罢高唐。风入罗帏，爽入疏棂，月照纱窗。缥渺见梨花淡妆，依稀闻兰麝余香。唤起思量，待不思量，怎不思量？

所谓四大家者，在散曲上，德辉固无足称焉。

元初贵宦亦有工为曲者，其功业久已彪炳史册，偶传其一二小令，亦词林之佳话也。余尝曰：曲中有姚（燧）、虞（集）、卢（挚）、刘

（秉忠），犹词中有欧、范诸公。同一名贵，同一以少许胜人多许（见《饮虹曲话》）。

姚燧，字牧庵，钟《录》于前辈已死名公中所称姚参政是也。《元史》有传，固以古文词名世者，曲则不经见，顾其所作，亦婉丽可诵。其〔寄征衣·凭栏人〕云：

> 欲寄君衣君不还，不寄君衣君又寒。寄与不寄间，妾身千万难。

霜厓居士谓其深得词人三昧。相传牧庵与阎静轩每于名伎张怡云家宴饮，一日，座有贵人，牧庵偶言“暮秋时”三字，贵人命怡云续歌之，牧庵戏作〔傍妆台〕云：“暮秋时，菊残犹有傲霜枝，西风了却黄花事。”贵人曰止，遂不成章，其意度可思也。其在翰林承旨日，玉堂设宴，歌伎罗列，中有一人秀丽闲雅，牧庵命歌。遂引吭而歌曰：“奴本是明珠擎掌，怎生的流落平康，对人前乔做作娇模样，背地里泪千行。三春南国怜飘荡，一事东风没主张，添悲怆，那里有珍珠十斛来赎云娘。”盖〔解三醒〕曲也。牧庵感其词之悲抑，使之近前，见其举动羞涩，而口操闽音。问其履历，初不实对。叩之再三，泣而言之：“妾乃建宁人氏，真西山之后人也。父官朔方时，禄薄不足以自给，侵贷公帑，无所偿，遂卖入娼家，流落至此。”牧庵命之坐，乃遣使诣丞相三宝奴，请为落籍。丞相素敬公，意公欲以侍巾栉，即令教坊检籍除之。公得报，语一小吏黄棣曰：“我以此女为汝妻，女即以我为父也。”吏忻然从命，后吏亦至显官，夫妇偕老京师。人相传以为盛事，其慷慨侠义如此。又〔醉高歌·感怀〕“十年燕市歌声，几点吴霜鬓影。西风吹老鲈鱼兴，晚节桑榆暮景”亦传诵至今。

虞集，字伯生，号道园。雍人也。其在翰苑时，宴散散学士家，有歌儿顺时秀者，唱〔折桂令〕云："博山铜细袅香风，两道纱笼，烛影摇红。翠袖殷勤来捧玉钟，半露春葱。唱好是会受用，文章巨公。绮罗丛，醉眼朦胧。漏转铜龙，夜宴将终，十二帘栊，月上梧桐。"一句而两韵，名曰短柱，极不易作。伯生爱其新奇可喜，时席上适谈及三国蜀汉事，伯生即赋〔折桂令〕云：

> 鸾舆三顾茅庐，汉祚难扶，日暮桑榆。深渡南泸，长驱西蜀，力拒东吴。美乎周瑜妙术，悲夫关羽云殂。天数盈灵，造物乘除。问汝何如？笑赋归欤。

两字一韵，平仄通押，较一句两韵者，其难倍蓰矣。先生文字道义，照耀千古，出其余绪，尤能工妙若此，洵乎大才，不可多得也。

卢挚，字道一，字莘老。钟《录》称之为疏斋学士。涿郡人，胡元瑞云永嘉人。至元五年进士。博洽，有文思，累迁少中大夫、河南路总管。大德初，授集贤学士，持宪湖南，迁江东道廉访使，复入翰林学士，迁承旨，卒。著有《疏斋集》，又《文章要诀》，见陶南村《辍耕录》卷九。元初，中州文献，东人往往称李、阎、徐，而能文章者曰姚、卢。盖谓李谦（受益）、阎复（子靖）、徐琰（子方）、姚燧（牧庵）及疏斋也。推诗专家，必以刘因与疏斋论，曲则以疏斋为首，徐子方、鲜于伯机次之。亦与刘秉忠齐名，尝往见金陵妓杜传隆不遇，题〔踏莎行〕词，诵在人口。又尝送别当时官妓珠帘秀〔落梅风〕一阕云：

才欢悦，早间别，痛杀俺好难割舍。画船儿载将春去也，空留下半江明月。

珠帘秀答之云：

山无数，烟万缕，憔悴煞玉堂人物。倚篷窗一身儿活受苦，恨不得随大江东去。

案珠帘秀，姓朱，姿容姝丽。杂剧为当时第一，胡紫山亦爱之，尝赠以〔沉醉东风〕云：

锦织江边翠竹，绒穿海上明珠。月淡时，风清处，都隔断江垩土。一片闲情任卷舒，挂书朝云暮雨①。

疏斋与孔退之，为先圣五十四代孙，亦有才名。疏斋一游一宴，未尝不与之同处。一日，廉使徐容斋集疏斋处，退之与焉。容斋曰："我有一对，君能属之乎？书中有女颜如玉。"退之即应曰："路上行人口似碑。"容斋大喜，疏斋不禁蹈舞矣。疏斋之为人，疏爽豁达，故其曲有疏朗之致，诚哉疏之为疏也。有〔殿前欢〕云：

酒杯浓，一葫芦春色醉疏翁，一葫芦酒压花梢重。随我奚童，葫芦干兴不穷。谁人共，一带青山送。乘风列子，列子乘风。

① "书"当作"尽"。——整理者注

可想见其风度矣。

刘秉忠，字子晦，邢台人。曾皈依释氏，又名子聪。后遇世祖，洊升台阁。晚年自号藏春散人，著有《藏春乐府》，〔干荷叶〕云：

干荷叶，色苍苍，老柄风摇荡。减了清香，越添黄。都因昨夜一场霜，寂寞秋江上。

此其自度曲《咏干荷叶》，即以“干荷叶”为牌名，犹唐辞之意也。又：

干荷叶，色无多，不耐风霜剉。贴秋波，倒枝柯。宫娃齐唱采莲歌，梦里繁华过。

又：

南高峰，北高峰，惨淡烟霞洞。宋高宗，一场空。吴山依旧酒旗风，两度江南梦。

《词品》云：“此借题别咏，后世词例也。然其曲凄恻感慨，千古寡和也。或云非秉忠作。秉忠助元凶宋，惟恐不早，而复为吊惜之辞，其俗所谓斧子砍了手摩挲之类也。”苟了然当时南北之大势，于子晦可以谅矣。《元史》本传所识，殆亦不得已耳。言为心声，于此可知其初心，又何必废而不取其言也。其〔三奠子〕曲云：

念行藏有命，烟水无涯。嗟去雁，羡归鸿①。半生身累影，一事鬓成华。东山客，西蜀道，且回家。〔幺篇〕壶中日月，洞里烟霞，春不老，景长佳。功名眉上锁，富贵眼前花。三杯酒，一觉睡，一瓯茶。

亦如置身羲皇以上者，殆已倦此世之纷纷欤。

四公外，赵孟頫亦有词名，尝欲置妾，以小词调管夫人云："我为学士，你为夫人，岂不闻陶学士有桃叶、桃根，苏学士有朝云、暮云。我便多娶几个吴姬越女，有何过分？你年纪已过四旬，只管占住玉堂春。"夫人答云："你侬我侬，忒煞情多。情多处，热似火。把一块泥，捻一个你，捻一个我。将咱两个一齐打破，用水调和。再捻一个你，再捻一个我。我泥中有你，你泥中有我。与你生同一个衾，死同一个椁。"此又仿佛汉卿之于从嫁媵徒，自太息而已。子昂，宋之宗室也，与管夫人并以书画，著曲亦余事耳。

张可久，字小山，庆元人。以路吏转首领官。有乐府盛行于世，又有《吴盐》、《苏堤渔唱》等曲，编于隐语中（见《录鬼簿》）。有元一代，不为剧曲而专为散曲者，惟小山，亦惟小山之散曲专集独传。今可知者约七种：一、在当时分别刊行之前集《新乐府》、后集《苏堤渔唱》、续集《吴盐别集·新乐府》；二、毛扆汲古阁珍藏秘本书目中之《小山北曲联乐府》三卷、外集一卷；三、贯云石序、刘时中等跋、不分卷之《小山乐府》；四、宋景濂、方孝孺明初编刻之二卷；五、嘉靖李开先编刻大字本及乾隆时厉鹗刻巾箱本之《小山小令》

① "鸿"当作"鸦"。——整理者注

二卷;六、康熙间吴兴夏煜宁枚选本六卷;七、道光间钱塘丁丙所刊《苏堤渔唱》一卷。

中麓《小山小令序》云:“《录鬼簿》谓人生斯世,但以已死为鬼,而不知未死者亦鬼也。身后无闻,则又不若块然之鬼为犹愈。《太和正音谱》评小山词如瑶天笙鹤,既清且新,华而不艳,有不食烟火气味,谓其如披太华之天风,招蓬莱之海月,若是可称词中仙才矣。李太白为诗仙,非其同类耶?小山词既为仙,迄今殆死而不鬼矣。世虽慕之,未有见其全词者。予为之编选成帙,亦有一二删去者,存者皆如《录鬼》及《太和》二书所称许,以其生平鲜套词,因名之曰《小山小令》云。”

或谓小山名伯远(《尧山堂外纪》),或谓仲远是小山字(《钦定四库全书总目录》词曲类存目),甚至有误其名为久可者(如刘燕庭藏明钞本《叶儿乐府》及《千顷堂书目》均有此误)。可见曲家掌故,自来隐晦、湮沉。名家如小山而有名字之讹,亦未足怪。

小山约生于大德、延祐间,而殁于泰定、天历之际。生平游屐,遍于浙中,他如金陵、维吴、门杨①、吴淞及长沙、洞庭、牛渚、采石,亦尝有其足迹。所交接者先辈为东篱,与疏斋、云石亦多倡和之作。任讷曰:“清华丽则,乃小山曲之特长。”此评最确(见《曲谐》)。如〔殿前欢·离思〕云:

月笼沙,十年心事赋琵琶。相思懒看帏屏画,人在天涯。春残豆蔻花,情寄鸳鸯帕,香冷荼蘼架。旧游台榭,晓梦窗纱。

① “维吴、门杨”当作“维扬、吴门”。——整理者注

〔水仙子·湖上〕云：

金鞭袅醉动花梢，翠袖揎香赠柳条。玉波流暖迎兰棹，西湖春事好。相逢酒圣诗豪，醉墨洒龙香剂，新弦调凤尾槽，草色裙腰。

可谓工练之至。

〔红绣鞋·宁元帅席上〕云：

鸣玉佩凌烟图画，乐云村投老生涯，少年谁识故侯家。青蛇昏宝剑，团锦碎袍花，飞龙闲厩马。

铸字琢句，何异乎词。无怪有谓其"遣辞命意，实能脱其尘蹊"者（见《四库全书总目》词曲类存目）。

套中〔湖上晚归·南吕·一枝花〕云：

长天落彩霞，远水涵秋镜。花如人面红，山似佛头青。生色围屏，翠冷松云径，嫣然眉黛横。但携将旖旎浓香，何必赋横斜瘦影。

〔梁州〕　挽玉手留连锦茵，据胡床指点银屏。素娥不嫁伤孤另。想当年小小，问何处卿卿。东坡才调，西子娉婷，总相宜千古留名。吾二人此地私行。六一泉亭上诗成，三五夜花前月明，十四弦指下风生。可憎，有情。捧红牙合和伊州令。万籁寂，四山静，幽咽泉流石上声。鹤怨猿惊。

〔尾〕　岩阿禅窟金磬，波底龙宫漾水精。夜气清，酒力醒。宝篆销，玉漏鸣。笑归来仿佛有鼓二更，煞强似踏雪寻梅灞桥冷。

沈德符曰："惟马东篱'百岁光阴'、张小山'长天落彩霞'为一时绝唱。"（见《顾曲杂言》）李开先曰小山此曲"千古绝唱，世独重马东篱'夜行船'，人生有幸不幸耳"。实则东篱苍古，小山清劲，瘦至骨立而血肉销化俱尽，乃孙悟空练成万转躯矣。

又〔春怨·南吕·一枝花〕云：

莺穿残杨柳枝，虫嚢损蔷薇刺，蝶搧干芍药粉，蜂蹙断海棠丝。怕近花时，白日伤心事，清宵有梦思。间阻了洛浦神仙，没乱杀苏州刺史。

〔梁州第七〕　俏姻缘别来久矣，巧魂灵梦寝求之。一春多少伤心事，着情疼热，痛口嗟咨。往来迢递，终始参差。一简书写就了情词，二般儿寄与娇姿。麝脐熏五花瓣翠羽香钿，猫眼嵌双转轴乌金戒指，獭髓调百和香紫蜡胭脂。念兹，在兹，愁和泪频传示，更嘱咐两三次。诉不尽心间无恨思，倒羞了燕子莺儿。

〔尾声〕　无心学写钟王字，遣与闲观李杜诗[1]，风月关情随人志。酒不到半卮，饭不到半匙，瘦损了青春少年子。

李开先曰："韵窄而字不重，句高而情更款，通首全对尤难。"

---

① "遣与"当作"遣兴"。——整理者注

（并不见陈所闻《北宫词纪》）。曲体之特长，本在流动活泼，且要于俗中见雅，小山之端整如此，实介乎词、曲之间，非曲之本色矣。虽然在当日，词、曲之分未划显，亦不得以此少小山也。

小山之曲，播及宫闱。武宗尝于中秋夜，与诸嫔妃泛月禁苑太液池中，开宴张乐，令宫女披罗曳縠，前为八展舞，歌小山〔一半儿〕词云："花边娇月静妆楼，叶底沧波冷翠沟，池上好风闲御舟。可怜秋，一半儿芙蓉一半儿柳。"极欢而罢（朱彝尊《日下旧闻》）。

其曲亦有渐入化境，疏而意广者。如〔迎仙客·括山道中〕曰：

> 云冉冉，草纤纤，谁家隐居山半崦。水烟寒，溪路险。半幅青帘，五里桃花店。

又〔凭栏人·暮春即事〕曰：

> 小玉阑干月半掐，嫩绿池塘春几家。鸟啼芳树丫，燕衔黄柳花。

皆绝妙好曲也。至如别开一境，水木清华，足为喻者，若〔落梅风·春晚〕：

> 东风景，西子湖，湿冥冥柳烟花雾。黄莺乱啼蝴蝶舞，几千秋打将春去。

〔清江引·春思〕云：

黄莺乱啼门外柳，细雨清明后。能消几日春，又是相思瘦。梨花小窗人病酒。

〔红绣鞋·湖上〕云：

无是无非心事，不寒不暖花时。妆点西湖似西施。控青丝玉面马，歌金缕粉团儿，信人生行乐耳。

又：

绿树当门酒肆，红妆映水鬟儿。眼底殷勤座间诗。尘埃三五字，杨柳万千丝，记年时曾到此。

〔水仙子·归兴〕云：

淡文章不到紫薇郎，小根脚难登白玉堂。远功名却怕黄茅瘴，老来也思故乡，想途中梦感魂伤。云莽莽冯公岭，浪淘淘扬子江，水远山长。

此等方是小山极诣，赏小山之端谨，而不知小山此类之曲，非所以知小山者也。至于逸情远概，以见其胸襟境地者，如〔殿前欢·次酸斋韵〕云：

钓鱼台，十年不上野鸥猜。白云来往青山在，对酒开怀。欠伊周济世才，犯刘阮贪杯戒，还李杜吟诗债。酸斋笑我，我笑酸斋。

又：

唤归来，西湖山上野猿哀。二十年多少风流怪，花落花开。望云霄拜将台，袖星斗安邦策，破烟月迷魂寨。酸斋笑我，我笑酸斋。

亦可谓得豪放之至。大概一大作手，固自有其独至处，其余亦未始不能为。小山固以端整开派，而豪放之词，并有足诵。又，元人多爱删落典语，以俚辞刻画者，小山之〔醉太平·感怀〕然也，词曰：

人皆嫌命窘，谁不见钱亲。水晶丸入面糊盆，才沾黏便滚。文章糊了盛钱囤，门庭改做迷魂阵，清廉贬入睡馄饨。葫芦提倒稳。

嬉笑怒骂，浑然元曲风趣也。然在全集中，直是别调矣。

小山之曲又往往为俗子更删，失其原来面目。杨升庵曰："张小山〔小桃红〕词云：'一汀烟柳索春饶，添得杨花闹。盻煞归舟木兰棹①，水迢迢，画楼明月空相照。今番瘦了，多情知道，宽尽翠裙腰。''蒌蒿春雪动，杨柳索春饶'，山谷诗也，此词用之，今刻本不

① "盻"当作"盼"。——整理者注

知，改‘饶’为‘愁’，不惟无韵，且无味矣。”（《词品》）

焦里堂曰：“《词综》选张可久〔风入松〕一首，咏九日，首四句云：‘哀筝一抹十三弦，飞雁隔秋烟。携壶莫道登临乐，双双燕为我留连。’按《小山乐府》载此，作‘双双为我留连’，无‘燕’字。‘双双’即指上飞雁，雁与燕不当杂出，且九日不复有燕矣。盖雁指筝上所有，‘双双’即此雁也。（中略）《小山乐府》世不多有，余适有之，乃得校出增多‘燕’字。又〔人月圆〕一首云：‘片时春梦，十年往事，一点诗愁。’彝尊改作‘闲愁’。又‘故人何在，前程那里，心事谁同’。彝尊改作‘前程莫问’。又‘白家亭馆，吴宫花草，长似坡诗。可人怜处，鸟啼夜月①，犹怨西施’。彝尊改作‘可似当时，最怜人处’。以音调推之，可谓削圆方竹杖矣。”（《易余龠录》卷十七）

徐阳初曰北词“马东篱、张小山自应首冠”（《三家村老委谈》），评论至当。而中麓谓“乐府之有乔、张，犹诗家之有李、杜”。伯良辨之曰：“夫李则实甫，杜则东篱，始当。乔、张盖长吉、义山之流，然乔多凡语，似又不如小山更胜也。”（《曲律》）融斋则谓“小山极长小令，梦符虽颇作杂剧、散套，亦以小令为最长。两家固同一骚雅，不落俳语，惟张尤翛然独远耳”（《艺概》）。予意以乔、张方诸李、杜，固有未当，目之为昌谷、义山，亦非允论；取各人之长，使之各标一派，又何必较其优劣哉。“骚雅”二字，自常州以之论词，而词学大敝。谢枚如曰：“夫古人乐府，专重典雅，竹垞操选，以此为准。试观小山、梦符二家小令，抑何宛转多风。”（《赌棋山庄词

① “鸟”当作“乌”。——整理者注

话》）直以常州词论论曲矣。张宗橚乃有“孰谓张小山不如晏小山”之叹（《词林记事》），于小山之曲终何补也。

以清丽之曲自成一局面者，惟乔吉。《录鬼簿》云：“吉（又作吉甫），字梦符，太原人。号笙鹤翁，又号惺惺道人。美容仪，能词章，以威严自饬，人敬畏之。居杭州太乙宫前，有题西湖〔梧叶儿〕百篇，名公为之序。胥疏江湖间四十年，欲刊所作，竟无成事。至正五年二月，病卒于家。”丑斋以〔凌波曲〕吊之云：“平生湖海少知音，几曲宫商大用心。百年光景还争甚，空赢得雪鬓侵，跨仙禽路绕云深。欲挂坟前剑，重听膝上琴，漫携琴载酒相寻。”陶宗仪曰：“梦符博学多能，以乐府称。尝云：作乐府亦有法，曰：凤头、猪肚、豹尾六字是也。大概起要美丽，中要浩荡，结要响亮。尤贵在尾贯穿[①]，意思清新。苟能若是，斯可以言乐府矣。”（见《辍耕录》）《太和正音谱》评云：“乔梦符之词，如神鳌鼓浪，若天吴跨神鳌，噀沫于大洋，波涛汹涌，截断中流之势。”沈德符谓梦符与德辉“俱以四折杂剧擅名，其余技则工小令为多”（《顾曲杂言》）。德辉诚然是非所语于梦符也，融斋已言之矣。

梦符之曲，除李中麓所辑小令本外，有文湖州集词本，为钱塘丁氏旧藏，何梦华原藏者。卷端题“文林郎双门吟隐拜校”，后有厉樊榭记，谓此本较李辑少数十阕，作文湖州，不知何故。

任讷曰：余按李辑小令二十调、百八十八首，文湖州集词仅五十八首，较少百余，何止数十，厉氏盖未详核耳。惟五十八首中，为李辑所无者，有十六首之多。而调名别致者，尤足记述，〔卖花声〕

① “尾”前少一“首”字。——整理者注

作〔秋云冷〕，或〔秋云冷孩儿〕，〔山坡羊〕作〔芳草多情〕，〔小桃红〕作〔采莲曲〕，〔凭栏人〕作〔万里心〕，〔喜春来〕作〔惜芳春〕，〔庆东原〕作〔郓城春〕，〔拨不断〕作〔钱丝泫〕，皆自来谱录所不载，不知是否创自梦符之手耳。文湖州集词之误，自不待言，惟此五十八首又何人所辑？据之何书？可惜失考矣。钱大昕《元史·艺文志》集部小说家类云：乔吉《青楼集》一卷；又词曲类云：《惺惺老人乐府》一卷。《历代诗余》等书，则“老人”作“道人”，此一卷当系梦符曲集最古之本矣。评梦符曲者，中麓语最详，以为涵虚子但赏其雄健，要未能尽，“蕴藉包含，风流调笑，种种出奇而不失之怪，多多益善而不失之繁，句句用俗而不失其为文”。所论亦是，惟句句用俗，则不确，不实。樊榭谓尤好其小令，洒落俊生，如遇翁之风韵于红牙锦瑟间，是诚有体会语也。

所谓“蕴藉包含，风流调笑”之作，中敏谓其集中莫过于〔小桃红·晓妆〕：

绀云分翠拢香丝，玉线界宫鸦翅，露冷蔷薇晓初试。淡匀脂，金篦腻点阑烟纸。含娇意思，殢人须是，亲手画眉儿。

自拢发至于插花种种，皆自为之，而画眉一事，必留以殢人亲手，信得美人娇韵无限，晓之咏曲中难以过此①。同调《赠朱阿娇》曰：

① 原文“晓”后少一字，当为“妆”字。——整理者注

郁金香染海棠丝，云腻宫鸦翅，翠靥眉儿画心事。喜孜孜，司空休作寻常事。尊前但得，身边伏倚，谁敢想那些儿。

此固属风流调笑，亦何尝不洒落俊生耶。出奇而不怪者，如〔水仙子·展转秋思京门赋〕云：

琐窗风雨古今情，梦绕云山十二层。香消烛暗人初定，酒醒时愁未醒。三般儿挨不到天明。㩳地罗帏静，森地鸳被冷，忽地心疼。

奇在末一句。〔水仙子·咏雪〕曰：

冷无香柳絮扑将来，冻成片梨花拂不开。大灰泥漫不了三千界，棱银了东大海，探梅的心噤难挨。面瓮儿里袁安舍，盐罐儿里党尉宅，粉缸儿里舞榭歌台。

"漫"字、"棱"字，与夫"瓮"、"缸"、"罐"之属，不可谓不奇。良以元人为曲，务必求新；取材未能新，说法务必新，如此方是曲也。

梦符又善于用俚辞，伯良谓其多凡语，便以为不如小山，非以曲言曲之评。如〔水仙子〕：

眼前花怎得接连枝，眉上锁新教配钥匙。描笔儿钩消了伤春事，闷葫芦铰断线儿，锦鸳鸯别对了个雄雌。野蜂儿难寻觅，蝎虎儿甘害死，蚕蛹儿别罢了相思。

取譬虫物，趣味盎然。又〔为友人作〕：

满腔子苦恨病相兼，一肚皮离情沉点点。豫章城开了座相思店，闷勾肆儿逐日添。愁行货顿塌在眉尖，税钱比茶船上欠。斤两去戥秤上掂，吃紧的历册般拘箝。

此等作皆奇寓于本色中者。丽采之中而出奇者，如〔春闺怨〕云：

黑海春愁浑无处躲，嫩香腻玉渐消磨，瘦啊也不似今春个。无奈何，自画双蛾，越添得愁多。

又〔折桂令·赠崔秀卿〕有云："水洒不着的春妆整整，风吹得倒的玉立亭亭。"〔水仙子·嘲楚仪〕有云："顺毛儿扑散翠鸾雏，暖水儿温存比目鱼，碎砖儿垒就的阳台路。"皆奇丽兼至之词。他如咏物题赠，一味鲜艳，是其骋才显处。咏物如〔水仙子·楚云所赠香囊〕：

玉丝寒皱雪纱囊，金翦裁成冰笋凉，梅魂不许香摇荡。和清愁一处装，芳心偷付檀郎。怀儿里放，枕袋藏，梦绕龙香。

题赠应无过于前调〔赠江云〕：

白蘋吹练洗闲愁，粉絮成衣怯素秋，高情不管青山瘦。伴浔阳一派流，寄相思日暮东州。有意能收放，无心尽去留，梨花梦湘水悠悠。

又《中原音韵》录〔卖花声·咏香茶〕:"细研片脑梅花粉,新剥真珠豆蔻仁。依方修合凤团春。醉魂清爽,舌尖香嫩,这孩儿那些风韵。"评曰:"俊词也。"

其他咏竹衫,咏睡鞋,皆极工巧。有时凝练过度,蹈小山端谨之弊,以至词曲混淆。如〔凭栏人·香梓〕有云:"宝衾余烬温,小池明月昏。"在梦符虽亦未能免,然究不多见。

要之,读梦符曲,自以清丽为主,间作楚江、草堂各体,语辄可诵,如〔山坡羊〕两首,一曰:

鹏抟九万,腰缠十万,扬州鹤背骑来惯。事间关,景阑珊,黄金不富英雄汉。一片世情天地间。白,也是眼;青,也是眼。

一曰:

冬寒前后,雪晴时候,谁人相伴梅花瘦。钓鳌舟,缆汀洲,绿蓑不耐风霜透。投至有鱼来上钩。风,吹破头;霜,皴破手。

语浅意深,耐人寻味焉。梦符套曲仅十套,亦大都见其清丽,如〔咏柳忆别·商调·集贤宾〕①云:

恨青青画桥东畔柳,曾祖送少年游。散晴雪杨花清昼,又一场心事悠悠。翠丝长不系雕鞍,碧云寒空掩朱楼。揎罗袖

① 本书中题目和曲调、曲牌名在一起的,以中圆点隔开,括以方括号。——整理者注

试将纤玉手，绾东风援损轻柔。同心方胜结，缨络绣文球。

〔逍遥乐〕　绾不成鸳鸯双扣，空惊散梢头，一对锦鸠。何处忘忧，听枝上数声黄栗留，怕不弄春娇巧转歌喉。惊回好梦，题起离情，唤醒闲愁。

〔醋葫芦〕　雨晴珠泪收，烟颦翠黛羞。殢风流还自怨风流。病多不耐秋，未秋来早先消瘦。晓风残月上帘钩。

〔浪里来煞〕　不要你护雕栏花甃香，荫苔苍石径幽。只要你盼行人终日替我凝眸，只要你重温灞陵别后酒。如今时候，只要向绿阴深处缆归舟。

豪放原为元曲之特长，有元曲家，无不优为之，似不必别立一派，其所以举之者，端谨、清丽，鼎足而三。既谓东篱为宗匠，更推以为此派之主将，私意莫有可与张养浩京者。

养浩，字希孟，号云庄，济南人。自幼有才名，游京师，献书于平章不忽木，大奇之。累辟御史台丞相椽，选授堂邑县尹，擢监察御史。疏时政万余言，为当国者所忌，除翰林待制，寻罢之。恐祸及，变姓名遁去。及尚书省罢，召为右司都事，迁翰林直学士。延祐设科，以礼部侍郎知贡举，累拜礼部尚书。天历二年，关中旱灾，特拜陕西行台中丞。到官四月，倾囊以赈饥民，每抚膺痛哭，遂得疾不起，谥文忠。有散曲集曰《云庄休居自适小乐府》。《正音谱》评其词“如玉树临风”。〔中吕·红绣鞋·警世〕最为人传诵，其一曰：

才上马齐声儿喝道，只这的便是那送了人的根苗，直引到深坑里恰心焦。祸来也何处躲，天怒也怎生饶。把旧来时威风不见了。

一曰：

正胶漆当思勇退，到参商才说归期，只恐范蠡、张良笑人痴。腆着胸登要路，睁着眼履危机，直到那其间谁救你。

骤视之，以为黄冠体中之道情语，其实考其人之生平，知此词自心中奔放而出，岂虚为旷达而以高士自拟哉。

三派以外，有以俳优体自成家数者，大都王鼎是也。鼎，字和卿，与汉卿最友善，数讥谑，汉卿虽极意还答，终不能胜。一日，和卿无疾而逝，而鼻垂涕尺余，人皆叹骇。汉卿来吊唁，询其由，或对云：此释家所谓坐化也。复问鼻悬何物乎？或又对云：此玉筋也。汉卿曰：我道你不识，不是玉筋，是嗓。咸发一大噱。或戏关云：你被王和卿轻侮半世，死后方才还得一筹。关亦不与辨也。和卿滑稽佻达，传播四方。中统初，燕市有一胡蝶，其大异常，或以为仙蝶，嬲王赋小曲一支，和卿遂拈〔醉中天〕云：

挣破庄周梦，两翅驾东风。三百处名园，一采一个空。难道风流种，唬杀寻芳蜜蜂。轻轻的飞动，卖花人搧过桥东。

又有〔天净沙〕云：

笠儿深掩过双肩，头巾牢抹到眉边，款款的把笠檐儿试掀。连荒道一句，君子人不见头面。

又，妓有于浴房中被打者，诉苦于王，为作〔拨不断〕云：

假胡伶，聘聪明。你本待洗腌臜，倒惹得不干净。精尻上匀排七道青，扇圈大膏药刚糊定，早难道假装无病。

其所作诸词，诙谐杂出，多半类此。自来硕儒士夫以曲在文章、技艺之间，品卑下，不足道者，殆俳优之淫虐，不足与于文艺之林。曲中之所以有此，和卿之功罪难言也。

贯云石、徐再思两家，并称酸甜乐府，品格介乎乔、张之间。云石，畏吾人，阿里海涯之孙。父名贯只哥，遂以贯为氏。自名小云石海涯，又号酸斋。袭父官，为两淮万户府达鲁花赤，镇永州。一日，解所佩黄金虎符，让弟忽都海涯。北从姚燧学，燧见其古文峭厉有法，及歌行、古乐府慷慨激昂，大奇之。俄选为英宗潜邸说书。秀才阿里西瑛者，亦善于曲词，新筑别业，名懒云窝。自作〔殿前欢〕云："懒云窝，醒时诗酒醉时歌。瑶琴不理抛书卧，无梦南柯。得清闲尽快活，日月似撺梭过，富贵比花开落。青春去也，不乐如何。"酸斋数和之，词皆超绝。酸斋生而神彩秀异，膂力绝人，长而折节读书。仁宗朝，拜翰林侍读学士，知制诏修国史。一日，忽喟然叹曰：辞尊居卑，昔贤所尚。乃称疾，隐江南，卖药钱塘市中，诡姓名，易冠服，人无识者。尝过染山泺①，以诗易芦花被，自号芦花道人。立春日所为〔清江引〕，每语嵌五行与一"春"字，传诵于人口。在湖上时游虎跑，应声叶泉字韵成诗，至今传为韵事，亦可见其玩世之情。

《正音谱》评其词"如天马脱羁"，指散曲而言也。酸斋生平不

① "泺"当作"泺"。——整理者注

作杂剧,其套数以〔粉蝶儿·西湖游赏〕最著。词曰:

描不上小扇轻罗,便是真蓬莱赛他不过。虽然是比不得百二山河,一壁厢嵌平堤,连绿野,端的有亭台百座。暗想东坡,逋仙诗有谁酬和。

〔南泣颜回〕 漫说凤凰坡,怎比繁华江左。无穷千古,真个是胜踪留多。烟笼雾锁,绕六桥翠嶂如螺错。青霭霭山抹如蓝,碧澄澄水泛金波。

〔北石榴花〕 我则见采莲人唱采莲歌,端的是胜景胜其他。看远峰倒影,蘸清波,晴岚翠锁,怪石嵯峨。我则见沙鸥数点湖光破,咿咿哑哑橹声摇过。则见女娇羞倚定雕栏坐,恰便是宝鉴对嫦娥。

〔南泣颜回〕 缘何,乐事赏心多。诗朋酒侣吟哦。花浓酒艳,破除万事无过。嬉游玩赏,对清风皓月安然坐。任春夏秋月冬天,但适兴四时皆可。

〔北斗鹌鹑〕 闹攘攘急管纷繁弦,齐臻臻兰舟画舸。娇滴滴粉黛相连,颤巍巍翠云朵。端的是洗古磨今锦绣窝。你不信试觑呵,绿依依杨柳千枝,红馥馥芙蕖万颗。

〔南扑灯蛾〕 清风送蕙香,岫月穿云破。清湛湛水光浮岚碧,响珰珰晓钟儿敲破,鸣咽咽猿啼占领,见对对鸳鸯戏着晴玻①。迢迢似渔舟钓艇,美甘甘一湖明镜照嫦娥。

〔北上小楼〕 密匝匝那一窝,疏剌剌这几伙。我这里对

① “玻”当作“波”。——整理者注

着清岚，倚着清风，泛着清波。微雨初收，微烟初散，微风初过，再休题浓妆淡抹。

〔南扑灯蛾〕　叠叠的层楼兼画阁，簇簇的奇葩与异果。远远的绿沙茵，茸茸的芳草坡，跎蹬的马蹄踏破。隐隐似长桥卧波，细袅袅绿柳金拖。我实丕丕放开眼界，这整齐齐楼台金碧天上也无多。

〔尾声〕　阴晴昼夜皆行乐，不信道好风景被横俗人摧挫，再寻个风雅的湖山何处可。

其小令，予最爱〔塞鸿秋·代人作战〕曰①：

西风遥天几点宾鸿至，感起我南朝千古伤心事。展花笺欲与岁句知心事，空教我停霜毫半晌无才思。往常得兴时，一扫无瑕疵，今日个病恹恹刚写下两个相思字。

又〔红绣鞋〕曰：

挨着靠着云窗同坐，看着笑着月枕双歌，听着数着怕着愁着早四更过。四更过情未足，情未足夜如梭。天哪，更闰一更妨甚么。

何其婉妙也。

① “战”当在下文“西风”前。——整理者注

再思，字德可，嘉兴人。或谓名饴，扬州人（吴瞿安师《麈谈》中语）。好食饴，故号甜斋。子善长，颇能维家声。其曲《正音谱》评为“桂林秋月”，词之美可知。〔折桂令·春情〕云：

平生不会相思，才会相思，便害相思。身似浮云，心如飞絮，气若游丝。空一缕余香在此，盼千金游子何之。证候来时，正是何时？灯半昏时，月半明时。

又〔水仙子·夜雨〕云：

一声梧叶一声秋，一点芭蕉一点愁，三更归梦三更后。落灯花棋未收，叹新丰孤馆人留。枕上十年事，江南二老忧，都到心头。

又二阕，咏佳人钉鞋云：

金莲脱瓣载云轻，红叶浮香带雨行，渍香泥印在苍苔迳。三寸中数点星，玉玲珑环佩交鸣。溅越女红裙湿，沁湘妃罗袜冷，点寒波小小蜻蜓。

咏红指甲云：

落花飞上笋牙尖，宫叶犹将冰筋黏，抵牙关越显得樱唇艳。怕阳春不卷帘，捧菱花红印妆奁。雪藕丝霞十缕，枣斑血半点，掐刘郎春在纤纤。

瞿安先生谓其“语语俊，字字艳，直可倒群英”矣。

酸、甜外，挺斋词亦端丽。挺斋者，高安周德清也，著有《中原音韵》。韵之分阴阳，自德清始。当时止及平声，明范善榛乃分去声，王鵕、周少霞始及上声。论荜路山林之功，不得不推德清矣。《正音谱》评其词曰：“玉笛横秋。”其〔喜春来·别情〕云：

> 月儿初上鹅黄柳，燕子先归翡翠楼。梅魂休暖凤香篝。人去后，鸳被冷堆愁。

胡祗遹，字紫山，号少凯，钟《录》所谓胡宣慰者是。《正音谱》评其词曰：“秋潭孤月。”其〔喜春来·春思〕云：

> 闲花酝酿蜂儿蜜，细雨调和燕子泥。绿窗觉来迟。谁唤起，帘外晓莺啼。

刘致，字时中，号逋斋，宁乡人。初任永新州判，尝与文子方过畅纯父，值其濯足。畅闻二人至，辍洗，迎笑曰：“佳客至，正有佳味。”于卧内取四大桃置案上，以二桃洗濯足水中，持啖二人。时中与子方不食，以其置案上者，人持一颗去，曰：“公洗者其自享之，无以二桃污三士也。”乃大笑而去。其曲以〔水仙子〕四支负盛名。自序云：

> 若把西湖比西子，淡妆浓抹总相宜，玉局翁诗也，填词者窃其意，演作世所传唱〔水仙子〕四首，仍以西施二字为断章，盛行歌楼乐肆间。每悔其不能佳也，且意西湖西子，有秦无人

之感。崧农有樵者，闻而是之，即以春、夏、秋、冬赋四章，命之曰《西湖四时渔歌》，共约首句韵以“儿”字，“时”字为之次，“西施”二字为句绝，然后一洗而空之。邀同赋，谨如约。

一曰：

湖山堂下斗竿儿，烂缦韶华三月时。朝来风雨催春事，把莺花撺断死。映苏堤红绿参差。浅绛雪缄桃萼，嫩黄金搓柳丝。风流呵斗草的西施。

其二曰：

虾须帘卷水亭儿，玉枕桃笙睡起时。荷香勾引薰风至，掬清涟雪藕丝。嫩凉生璧月琼月枝，鸾刀切银丝脍，蚁香浮碧玉卮。受用呵避暑的西施。

其三曰：

西风逗入北窗儿，一扇新凉暑退时。白蘋红蓼多情思，写秋光无限诗。占平湖树抹胭脂，云拥扇青摇柄，粟飘香金缀枝。快活呵玩月的西施。

其四曰：

梅花初试胆瓶儿，正是逋郎得句时。同云把断山中寺，软香尘不到此。怯清寒林下风姿，侵素体添肌粟，妒云鬟老鬓丝。清绝呵赏雪的西施。

任昱，字则明，四明人。少年狎游平康，以小乐章流布裙钗，多见于《乐府群玉》。〔红绣鞋·春情〕自是名制，词云：

暗朱箔雨寒风峭，试罗衣玉灭香销。落花时节怨良宵。银台灯影淡，绣枕泪痕交，团圆春梦少。

钱霖，字子云，松江人。弃俗为黄冠，更名抱素，号素庵。有《醉边余兴》，语极工巧，有〔清江引〕四支甚佳。曰：

梦回昼长帘半卷，门掩荼蘼院。蛛丝挂柳绵，燕嘴粘花片，啼莺一声春去远。

曰：

高歌一壶新酿酒，睡足蜂衙后。云深鹤梦寒，石老松花瘦，不如五株门外柳。

曰：

春归牡丹花下土，唱彻莺啼①。戴胜雨余桑，谢豹烟中树，人闲昼长深院宇。

① “莺啼”后少一“序”字。——整理者注

曰：

恩情已随纨扇歇，攒到愁时节。梧桐一叶秋，砧杵千家月。多的是几声儿檐外铁。

顾德润，字均泽，道号九山，亦松江人也。有《九山乐府》。《正音谱》评其词曰："雪中乔木。"〔中吕·醉高歌〕云：

长江远映青山，回首难穷望眼。扁舟来往蒹葭岸，烟锁云林又晚。

曾瑞，字褐夫，大兴人，喜南国才士之多，遂移家钱塘。有《诗酒余音》行世。〔一枝花·春思〕云：

春风眼底思，夜月心间事。玉箫鸾凤曲，金缕鹧鸪词。燕子莺儿，殢杀寻芳使。合欢连理枝，我为你盼望着楚雨湘云，担阁了朝经暮史。

〔梁州第七〕　你为我堆宝髻羞盘凤翅，淡朱唇懒注胭脂。东君有意偷窥视，翠鸾寻梦，彩扇题诗，花笺写怨，锦字传词。包藏着无限相思，思量杀可意人儿，几时得靠纱窗偷转秋波，几时得整云鬟轻舒玉指，几时得倚东风笑捻花枝。新婚，燕尔，到如今，抛闪的人独自。你那点志诚心有谁似，休把那海誓山盟作戏词。相会何时。

〔尾声〕　断肠词写就龙蛇字，叠做同心方胜儿。百拜娇姿谨传示，间别了许时。这关心话儿，尽在这殢雨尤云半张纸。

颇极低徊之致，想见洒然如神仙中人。之数子者，或偏于清丽，或偏于端谨。临川人陈克明美人八咏〔一半儿〕，香奁体之大作手也。其笔致亦未能出乎此，于戏小山、梦符，不谓之为元曲冠冕乌乎可。

与希孟最相近者，厥为汪元亨。元亨，字云林，官学士。有《云林清赏》、《小隐余音》。〔醉太平·归隐〕多逾百阕。有曰：

辞龙楼凤阙，纳象简乌靴。栋梁材取次尽摧折，况竹头木屑。结知心朋友着疼热，遇忘杯诗酒追欢悦，见伤情光景放痴呆。老先生醉也。

俨然曲中之渊明，非徒作黄冠语也，明之史忠、刘效祖多有和者。

刘庭信，南台御史，刘廷翰族弟，俗呼为黑刘五。《正音谱》评其词"如摩云老鹘"。其〔水仙子〕云：

秋风飒飒撼苍梧，秋雨潇潇响翠竹，秋云黯黯迷烟树。三般儿一样苦，苦的人魂魄全无。云结就心间愁闷，雨好似眼中泪珠，风做了口内长吁。

果然气若摩云也。

钟嗣成，字继先，号丑斋，汴人。累试有司，命不克遇，从吏则有司不能辟，亦不屑就，因作《录鬼簿》二卷以寄意。上卷记前辈才士有杂剧者，略记姓字、爵里及剧目，下卷则记并世才士，各作一小传，记其剧目。又作〔凌波曲〕吊之，盖亦风雅好事者也。《正音谱》评其词"如腾空宝气"。〔醉太平〕云：

俺是悲天院下司，俺是刘九儿宗枝。郑元和俺当日拜为师，传留下莲花落稿子。搠竹枝绕遍莺花市，提灰笔写就鸳鸯字，打爻棰唱会鹧鸪词，穷不了俺风流敬思。

间亦有委婉幽倩之作，如〔清江引·咏情〕云：

昨天话儿说甚的，今日都翻悔。直恁铁心肠，不管人憔悴，下场头送了我都是你。

至〔丑斋自序〕套，则又诙谐可宝矣：

〔一枝花〕 生居天地间，禀受阴阳气。既为男子体，须入壮俗机。所事堪宜，件件可咱家意。为评跋惹是非。折莫煞旧友新知，才见了着人笑起。

〔梁州〕 我为这外貌儿不中抬举，因此上内才儿不得便。半生未得文章力，空自古胸藏锦绣，口土珠玑①。只争奈灰容土貌，缺齿重颐，又兼着细眼单眉，人中短髭鬓稀稀。那里陈平般冠玉精神，何宴般风流面皮，那里取潘安般俊俏容仪。自

① "土"当作"唾"。——整理者注

知,就里,清晨倦把青鸾对,恨煞爹娘不争气。有一日黄榜招收丑陋的,准拟夺魁。

〔隔尾〕　有时软乌纱抓扎起钃天髻,干皂靴出落着簌地衣。向晚乘闲后门立,猛可的笑起,似一个甚的?恰便似见世钟馗号不杀鬼。

〔牧羊关〕　冠不正相知罪,貌不扬怨恨谁?那里尊瞻视貌招威。枕上寻思,心头怒起。空长三十岁,暗想九十回,恰便似水上节离镑锯,胎中疾没药医。

〔贺新郎〕　世间能走的不能飞。饶你千件千宜,百伶百俐。闲中解尽其中意。黑暗地自恁解释。倦闲游出塞临池。临池鱼恐坠,出塞雁惊飞,入园林宿鸟应回避。生前离入尽,死后不留题。

〔隔尾〕　写神的要得丹青意,不怕你巧笔难传造化机。不打草两般儿可团类。法刀鞘依着格式,妆鬼的添上嘴角。眼巧何须做样比。

〔哭皇天〕　饶你有拿云艺冲霄计,诛龙局段打凤机。近来论世态,世态有高低。有钱的高贵,无钱的低微。那里问风流子弟。折朱颜如灌口,貌赛神仙,洞宾出世,宋玉重生,没答了馒的,梦撒了寮丁。他采你不见得。枉自论黄数黑,谈说是非。

〔乌夜啼〕　一个斩蛟龙秀士为高第,升堂室今古谁及。一个射金钱武士为夫婿,韬略无敌,武艺深知。丑和好自有是和非,文共武便是傍州例。有鉴识,无嗔讳。自花白寸心不昧,若说谎上帝应知。

〔收尾〕　常记的半窗夜雨灯初昧,一枕秋梦未回。见一人,请相会。道咱家,必高贵。既通儒,又通吏,既通疏,又精细。一时间,失商议。既成形,悔不及。我教你,请俸给。子孙多,夫妇宜。货充盈,仓廪实。禄福增,寿笑齐。我特来,告你知。暂相别,恕情罪。叹息了几声,懊悔了一会。觉来时记得,记得是谁,元来是不做美当年的捏胎鬼。

冯子振,字海粟,攸州人。博洽经史,尝著《居庸赋》,首尾几五千言,闳衍巨丽。自号怪怪道人。金华宋濂曰:"海粟冯公,以博学英词名于时。当其酒酣气豪,横厉奋发,一挥万余言,少亦不下数千言,真一世之雄也。"所为〔鹦鹉曲〕最著。自序曰:

白无咎有〔鹦鹉曲〕云:"侬家鹦鹉洲边住,是个不识字渔父。浪花中一叶扁舟,睡煞江南烟雨。觉来时满眼青山,抖擞绿蓑归去。算从前错怨天公,甚也有安排我处。"余壬寅岁留上京,有伶妇御园秀之属,相从风雪中,恨此曲无续之者。且谓前后多亲炙士大夫,拘于韵度,如第一个"父"字,便难下语。又"甚也有安排我处","甚"字必须去声字,"我"字必须上声字,音律始谐,不然不可歌。此一节又难下语。诸公举酒,索余和之,以汴、吴、上都、天京风景试续之。

予最爱其〔故国归计〕云:

重来京国多时住,恰做了白发伧父。十年枕上家山,负我湘烟潇雨。断回肠一首阳关,早晚马头南去。对吴山结个茅庵,画不尽西湖巧处。

戛戛独造，词气劲遒。

周文质，字仲彬，其先建德人，后居杭州。《正音谱》评其词"如平原孤隼"。尝见〔自叹·叨叨令〕云：

筑墙的曾入高宗梦，钓鱼的也应飞熊梦，受贫的是个凄凉梦，做官的是个繁华梦。笑煞人也么哥，笑煞人也么哥，梦中又说人间梦。

邓玉宾，《正音谱》评其词"如幽谷芳兰"，实则气象恢宏，与希孟之徒为近，如〔道情·叨叨令〕云：

一个空皮囊包裹着千重气，一个干骷髅顶戴着十分罪。为儿女使尽拖刀计，为家私费尽担山力。你省的也末哥，你省的也末哥，这一个长生道理何人会。

高克礼，字敬德，号秋泉，小曲、乐府极工。或谓字敬臣，河间人。荫官至庆元礼官。有政声，简淡自处，名于时（见《元诗选》）。所作如〔黄蔷薇带庆元贞〕谱天宝遗事云：

又不曾看生见长，便这般割肚牵肠。唤奶奶酪子赐赏，撮醋醋孩儿也弄璋。断送他潇潇鞍马出咸阳，只因他重重恩爱在昭阳，引惹得纷纷戈戟闹渔阳。呀，三郎，睡海棠，都只为一曲舞霓裳。

阿鲁威，字叔重，号东泉，蒙古人。《正音谱》评其词“如鹤唳长空”，如〔落梅风〕云：

千年态，一旦空，惟有纸钱灰晚风吹送。尽蜀鹃啼血烟树中，唤不回一场春梦。

此等小令，出之以豪迈，是变调也。

严忠济，实之次子，《元史》有传。其〔天净沙〕云：

能可少活十年，休得一日无权。大夫时乖命蹇。有朝一日天从人愿，赛田文养客三千。

颇有杜陵大厦之意。之数子者，手意近辣，吐属滂沛，非特沁人心脾已也。

三派名手略如上方，尚未能竟其什一。他如以套曲名者，有朱庭玉、睢景臣及其子玄明、庾天锡、孛罗、宋方壶、李子中、徐琬、滕斌、李泂、班惟志、赵彦晖、沙正卿（卿一作学）、侯克中、王仲诚、孔文卿、康进之、吕天用、萧德润（萧一作黄）、马彦良、狄君厚、程景初、李邦基（余略）。而盍志①、张鸣善、奥敦周卿、赵善庆、曹明善、鲜于必仁、吴弘道、李爱山、孙周卿、吴西逸、赵显宏、李伯瞻、马九皋、李致远、王元鼎、卫立中、王敬甫、陈德和、景元启（景或作栗）、张子坚、吕止庵（庵或作轩）、薛昂夫、丘士元、商挺、马谦斋、查德

① “志”后少一“学”字。——整理者注

卿、赵佑、李德载、高栻（余略）诸家令曲，并有足观，然大都不入于杨，则入于墨，未能离乎谨、丽、豪三者也。有元曲学之盛，于兹昭然，尝鼎一脔，惜未能详尽之耳。

王国维曰："曲家多限于一地。元初制杂剧者（前按：散曲亦然），不出燕、齐、晋、豫四省，而燕人又占十之八九。中叶以后，则江浙人代兴，而浙人又占十之七八。即北人如郑德辉、乔梦符、曾瑞卿、秦简夫、钟丑斋辈，皆吾浙寓公也。"（见《曲录余谈》）予尝据杨氏二选，其间湖上之词一百一十余首（胡生世玉所统计者），小山〔苏堤渔唱〕、梦符〔西湖梧叶儿〕百首，并以湖名，可知西湖为散曲之中心。侨居于此，游赏于此，歌咏于此，西湖与元曲同此不朽矣。予《饮虹曲话》尝表而出之。鉴泉《说诗韵语》有"北人南客合刚柔"之句，此大可例之于曲。北莫北于畏吾，而贯云石终老江南，故其曲兼有刚柔之胜。治元之散曲者，不可不知焉。

第三　明曲前后两时期

余于《饮虹曲话》尝言之，元以后有明曲，犹唐以后有宋诗，明承元曲之遗而变之，亦犹宋承唐诗之遗而变之，孰谓唐后便无诗，元后便无曲邪？虽然明之于曲，固有异乎宋之于诗也。曲至于明，就文辞言，不如以声音言，盖昆腔之制作，其影响于曲也匪鲜。昆腔以前，犹存北曲；昆腔以后，所谓南词者，取北曲之地位而代之，于是非复元曲之旧观矣。是论明曲，必以昆腔为界，分别前、后两期，亦足觇此道之升降，匪徒为论列之便而已。

涵虚子以王子一、刘东生、王文昌、谷子敬、芳楚茅、陈克明、李唐宾、穆仲义、汤舜民、贾仲名、杨景言、苏复之、杨秀华①、杨文奎、夏均政、唐以初为明初十六家。其称最于散曲，惟汤舜民。

舜民，名式，号菊庄，四明人。独有五十余套，其余皆数套耳，未足称作家也。舜民之小令，豪放、清丽兼有之，而套曲偏于端谨。令中如〔折桂令〕用重句体，云：

> 冷冷清清人在西厢，叫一声张郎，骂一声张郎。乱纷纷花落东墙，问一会红娘，絮一会红娘。枕儿余，衾儿剩，温一半绣

① “秀”当作“彦”。——整理者注

床，闲一半绣床。月儿斜，风儿细，开一扇纱窗，掩一扇纱窗。荡悠悠梦绕高唐，萦一寸柔肠，断一寸柔肠。

何其婉妙也。

又〔书怀示友人·商调·山坡羊〕二首，其一云：

田园荒废，箕裘陵替，桃源有路难寻觅。典鹔衣，举螺杯，酕醄醉了囫囵睡。啼鸟一声惊觉起，悲，也未知；喜，也未知。

其二云：

驱驰何甚，乖离忒恁，风波犹自连头浸。自沉吟，莫追寻，田文近日多门禁。炎凉本来一寸心，亲，也自您；疏，也自您。（并见《乐府群珠》）

何其抗爽也。

周宪王（朱有燉）以贵胄之尊，耽文艺之乐。郁蓝生《曲品》所谓"色天散圣，乐国飞仙，嗣出天潢，才分月露"者。且以遭世隆平，勤学好古，留心翰墨，制《诚斋乐府》杂剧、传奇不下三十种。音律谐美，流传内府，中原弦索，多有用其新词者。李梦阳《汴中元宵》绝句云："中元孺子倚新妆，赵女燕姬总擅场。齐唱宪王新乐府，金梁桥外月如霜。"所为散曲，亦名《诚斋乐府》，有宣德九年刊本，小令二百六十九首。大抵工稳者多，翻腾者少，如〔夜避暑醉中戏作·商调·山坡羊〕云：

长天炎热，水心亭榭，乘凉避暑更深夜。漏未绝月半斜，筵前尊俎重罗列，放疏狂吃得金瓮竭。爷，沉醉也，歇，且慢者。

亦悠然自适之词也。

朱明之初，曲人咸集于金陵，犹元代之西湖。周晖《金陵琐事》有《曲品》一卷，缕列曲家，都三十人，可见当时词风之盛焉。《曲品》云：

马俊，小令不减元人（按：俊字惟秀，号讷轩）。

史痴，工小令。

陈全，秀才，有乐府行于世，无词家大学问，但工于嘲骂而已。

陈铎，字大声，有《秋碧乐府》、《梨云寄傲》、《公余漫兴》行于世。〔咏闺·三弄梅花〕一阕，颇称作家。所为散套，稳协流丽，被之丝竹，审宫节羽，不差毫末。

徐霖，字子仁。少年数游狭邪。所填南北词，大有才情，语语入律，妓家皆崇奉之。吴中文征仲题画寄徐，有句云："乐府新传桃叶渡，彩毫遍写薛涛笺。"乃实录也。武宗南狩时，伶人臧贤荐之于上，令填新曲，武宗极喜之。余所见戏文《绣襦》、《三元》、《梅花》、《留鞋》、《枕中》、《种瓜》、《两团圆》数种行于世。

陈鲁南，有《善知识》、《苦海回头记》行于世，人最脍炙者〔梅花序〕。

罗子修，雪词绝妙。

盛鸾，有《贻拙堂乐府》二卷。

邢太常一凤，字伯羽，所填南北词最新妥，堪入弦索。

郑仕，字子学，工小令。

胡懋礼，有《红线》杂剧，最妙。同时吴中梁辰鱼亦有《红线》杂剧，脍炙人口，较之懋礼者，当退三舍。

杜大成，工小令，有词评壹卷，名《纳凉偶笔》。

金銮，字在衡，有《萧爽斋乐府》，最是作家。华亭何良俊号为知音，常云："每听在衡诵小曲一篇，令人绝倒。"

吉山王逢元，最是词曲当家。

沈干峰越，工小令，铁面御史，能作风流软媚语。赋梅花者，岂独宋广平乎？

盛壶轩敏耕，工小令。

石楼高志学，秀才，工小令。

段炳，字虎臣，秀才。和元人马东篱〔百岁光阴〕一套，金在衡见之，极口赞赏，曰："押如此险韵，乃得如此妥贴乎，足以压倒东篱。"

张四维，字治卿，号五山，秀才。有《溪上间情集》，藏于家，友人刊其《变烈记》、《章台柳》两种戏文行之。

黄方胤，有《陌花轩小词》。

沈恩，江宁人，字复之，晚得一第，官止深州学正。司马西虹称其工乐府云。滏按：西虹亦自著有《龙广山人小令》。

黄文元，名井第，冯海浮门人，工小令。

汪肇邰，名宗姬，有传奇行于世。

武陵仙史，工小令。

皮元素，名光湄，最是作家。

徐惺宇，名维敬，工小令。

孙幼如起都，工小令。

黄畸凤，名戍儒，小令最工。

赵献之，工小令，家有女戏一班。

陈荩卿所闻，工乐府，《濠上斋乐府》外，尚有八种传奇：《狮吼》、《长生》、《青梅》、《威凤》、《同升》、《飞鱼》、《彩舟》、《种玉》。今书坊汪廷讷皆刻为已作。余怜陈之苦心，特为拈出云云。

就中以陈铎、金銮、陈所闻三家为一时冠冕，郁蓝生所谓“陈秋碧南音嘹喨”，“金白屿响振江南”，“陈散人高踪烟壑”者也。

铎本将家子，周晖尝记其逸事，至堪发噱，曰：“指挥陈铎以词曲驰名，偶因卫事谒魏国公于本府。徐公问：‘可是能词曲之陈铎乎？’陈应之曰：‘是。’又问：‘能唱乎？’陈遂袖中取出牙版，高歌一曲。徐公挥之去，乃曰：‘陈铎，金带指挥，不与朝廷作事，牙版随身，何其卑也。’”（见《金陵琐事》）所作惟《秋碧轩稿》、《梨云寄傲》今尚存。《公余漫兴》一种，殆已失传矣。其〔双调·胡十八〕，一曰：

天生下俏脸儿，所事的又相称。道倾国是倾城，腰肢袅娜步轻盈。半晌家定睛，越教人动情。模样儿都记得，悔不曾问姓名。

一曰：

方说些好话儿，烘的半脸儿变。道不本分使闲钱，伏低做小索从权。跪在他面前，曲膝似软绵。所事儿不敢说，一千个可怜见。

情思蓊茏，语甚可诵，第其品格，未臻上乘耳。又〔正宫·小梁州〕：

碧纱窗外月儿孤，两两啼乌，枕寒衾剩夜何如。愁难度，风露下高梧。秋声苦把人欺负，但合眼好梦全无。整翠鬟，开朱户，瑶阶闲步，惟赖影儿扶。

余亦赏其清隽。王元美曰："大声所为散套，既多蹈袭，亦浅才情，然字句流丽，可入弦索。"此评殊不当。其套数，如〔中吕·粉蝶儿·赏桂花〕云：

万斛秋香，想灵根产来天上。下瑶阶白露生凉，玉葳蕤，金烂熳，满枝争放。茜紫妖黄，花一名种分三样。

〔醉春风〕　银汉月华明，清秋天气爽。只愁风雨近垂杨，及早里赏。赏，在曲角栏边，太湖石畔，绿阴亭上。

〔迎仙客〕　且不索张代燕，列红妆，受西风半教帘幙敞。月在天，酒在觞，对着潇洒风光，一弄儿诗人况。

〔红绣鞋〕　太白有冲天豪放，渊明有傲世清狂。花月娱人不能双。采石月无花芙，彭泽菊带霜寒，爱良宵令胜往。

〔普天乐〕　玉栏遮，银屏障，游蜂谩采，浪蝶休忙。千花吐异芬，四出呈新样。举酒高歌花相向，把花神仔细端详。端的是香清似麝兰，色娇如金粉，品压尽群芳。

〔石榴花〕　想牡丹声价重花王，可怜春去太匆忙。漫山桃李总寻常。江梅有暗香，冷落在溪傍。想芙蓉几树秋江上，凄凉杀远水斜阳。浮名在眼身无恙，我这里痛饮待何妨。

〔斗鹌鹑〕　爱的是细蕊云稠，喜则喜繁枝翠穰。见如今露冷天寒，正值着风清月朗。拚着个酩酊花前醉几场，尽教人笑我狂。或是秉烛通宵，或是凭栏半晌。

〔上小楼〕 不是我词华过奖，不是我心情偏向。想起那好竹王猷，爱莲周子，采桑刘郎。争如我对月忘忧，折桂无心。看花想象，恁清风不教多让。

〔幺篇〕 我风味别，兴趣长。香惹乌纱，香袭书帷，香沁罗裳。花下闲眠，花外徐吟，花前凝望，受用足浅斟低唱。

〔满庭芳〕 烟滋露养，根深蒂固，叶茂枝昌。广寒宫阙高千丈，觅浮槎怎泝银潢。全不许莺喧燕嚷，只疑是凤翥鸾翔。想凡卉多般样，有浓妆艳妆，争如他正色占中央。

〔十二月〕 使不着吴刚伎俩，用不着韩寿心肠。待学赋淮南招隐，说甚么窦氏遗芳。正近着秋吟绿窗，写幽情费尽了思量。

〔尧民歌〕 这答儿赛杜陵流水浣花堂，胜裴公绿野午桥庄。疏英琐碎月黄昏，冷香飘荡露清凉。更长，更长漏转长，坐到斗柄西楼上。

〔耍孩儿〕 丹青巧笔难形状，不似那闲花朵三三两两。一团清气暗包藏，倩西风簇就金囊。分来月窟千季秀，夺尽东篱一片香，自一种超凡像。便休提樱唇点紫，宫额涂黄。

〔四煞〕 嫩枝柯含细雨，旧根基培沃壤，岁寒不改长兴旺。幽丛未肯依穷谷，仙迹合教贮粉墙，志节真高尚。论交少等，定价难偿。

〔三煞〕 花怜人似有情，人惜花劳稽颡。浅黄淡白闲摹彷，密攒玉糁连枝巧。斜妥金钗一股长，无语空惆怅。难留花事，易老韶光。

〔一煞〕　未安排赏玩心，先习学栽种方，频收新蕊归佳酿。静陪明月清尘梦，远逐凉飔入醉乡。听画角声悲怆，正蛩吟啾唧，烟霭苍茫。

〔尾声〕　清香自护持，知音谁过访。夜深时只恐嫦娥降，则听得环佩珊珊在半空里响。

洋洋缅缅，何尝有蹈袭之嫌耶。

白屿之《萧爽斋乐府》流传最远，其嘲弄小调，读之诚令人解颐。如《琐南枝集·常言》八首，无一不妙。其一云：

浮皮儿好，外面儿光，头发梢儿里使贯香。多大个傢儿，也来学冲象。那些个捏着疼，爬着痒，头上敲，脚下响。

其二云：

坚如石，冷似冰，识不透你心肠儿横竖生。只管里满口胡柴，倒把人拴缚定。谁撇虚，谁志诚，人的名，树的影。

其三云：

当不的取，算不的包，过的桥来还折桥。动不动熟脸子抢白，冷锅里豆儿炮。不是煎，便是炒，瓜儿多，子儿少。

其四云：

面不是面，油不是油，鸭弹里还来寻骨头①。瘦杀的羔儿，他是块真羊肉。见面的情，背地里口，不听升，只听斗。

其五云：

闲言来嗑，野话儿劖，偷嘴的猫儿分外馋。只管里吓鬼瞒神，吃的明吃不的暗。搭上了他，瞒定了俺，七个头，八个胆。

其六云：

长三丈，横八尺，说来的话儿葫芦提。每日家带醉佯醒，没气的还寻气。假若你瞒了心，昧了己，一尺天，一尺地。

其七云：

心肠儿窄，性气儿粗，听的风来就是雨。尚兀自拨火挑灯，一密里添盐加醋。前怕狼，后怕虎，筛破的锣，擂破的鼓。

其八云：

撒甚么咯，卖甚乖，三尺门儿难自开。把我那一担恩情，都漾做黄虀菜。说着不听，骂着不采，山不移，性不改。

① “弹”当作“蛋”。——整理者注

知吾乡谚语者见之而不掩口者,余不信也。又〔满庭芳·淮上追吴厚丘至扬州戏作〕云:

我你和西湖分手,实指望平和桥下,同上兰舟。谁知解缆争先后,早来到宝应湾头。又被你几篙子撑离了界首,一篷风使过了高邮。我这里望着露筋庙无昏昼,沿着邵伯湖边儿径走,只赶到扬州。

知淮上路径者见之,欲不捧腹,不可得也。〔闺情·河西六娘子〕八首亦集中名作。余尤爱其第一首,云:

海棠阴轻闪过凤头钗,没人处款款行来。好风儿不住的吹罗带。猜也么猜,待说口难开,待动手难抬。泪点儿和衣暗暗的揩。

其清丽处,元曲中所不多见。王元美曰:"白屿诸作,颇是当家,为北里所赏。"万历间,汪廷讷辑四词宗,萧爽斋其一也。套曲亦多有可取。兹录〔送汪小村归广陵·仙吕·点绛唇〕云:

四海高情,五湖佳兴。诗中景,都收入半卷丹青。落魄煞拍手歌随心令。

〔混江龙〕　他可也乐天知命,不通姓字不贪名。渔樵故侣,鸥鹭闲盟。欢乐较多愁较少,道情为重利为轻。常则是棋枰药里,清颂茶经厮傒幸。满面儿春风和气,秋水澄清。

〔天下乐〕　落得个半世青袍白发生,想着他前程水上萍。

畅好是哭穷阮步兵,才看破眼角儿怕待睁,惯转动脚跟儿怕待行,刚温热心肠儿怕待冷。

〔哪吒令〕 想着他与风云状形,笔精右丞。托江山寄情,诗工少陵。今日个困林泉此生,气消弥衡。甘守着原宪贫,枉耽了相如病,兀自惺惺。

〔鹊踏枝〕 爱你个老先生最多情,不忘了十载交游。又无甚千里途程,驾着个苕溪小艇,来访我曲水闲亭。

〔寄生草〕 只把你为平仲休猜咱是管宁,我和你五侯七贵曾相并,九衢六市闲相竞,千红万紫争相胜。还只待新篘一醉洞庭春,谁承望故人三叠阳关令。

〔幺篇〕 渐渐的秋容改,看看的暮景生。我只见半天残照风帆,正数声短笛渔舟横,霎时间一江凉月芦花映。明朝骑鹤上扬州,何时载酒来陶径。

〔六幺序〕 听落叶千林响,正潮回两岸平,最相关此际离情。你可门曾掩孤檠,漏下三更尚兀自拥寒情衾。梦绕金陵,我这里愁心况复逢病衰。怎禁他一片秋声,芙蓉未老霜花冷。凉飚渐起,残月犹明。

〔赚煞〕 还将来岁盟,重与今宵订。须记得江南风景,切莫教霜雁影。等闲间花老莺声,锦层,水秀山明。依旧王孙芳草青,折莫你楼书摘星。题桥广陵,你可也遥想着莫愁湖畔石头城。

又〔送吴怀梅归歙·双调·新水令〕云:

暖风芳草遍天涯,带沧江远山一抹。六朝堤畔柳,三月寺边花。

〔驻马听〕　少日豪华，狼藉千金频试马。中年身价，飘零数载远移家。岩头空自老桑麻，眼前那得辞婚嫁，镇流连无半霎，赤紧的归心渐远都门下。

〔雁儿落〕　我则见西风双桨划，落日孤帆挂，莺声巧似簧，山色明如画。

〔得胜令〕　坐对着野水漾晴沙，老树噪昏鸦。极浦招渔艇，前村问酒家。行咱，客舍逢初夏，看咱，长天映晚霞。

〔川拨棹〕　我和你旧情洽，闹场儿闲戏耍。你可甚判柳评花，唤酒呼茶。嫩蕊奇葩，翠袖红牙，别一个襟怀潇洒，笑春风雨鬓华。

〔七弟兄〕　拆莫你敬咱，爱咱，总非他。只为我惯风情不在他人下，弄风骚羞向外人夸，逞风流一任旁人骂。

〔梅花酒〕　你那里风景佳，有万顷霞。诵一烟卷南华①，就九转丹砂，栽两行陶令柳，种几亩邵平瓜，这搭儿快活杀。有一日临帝阙载仙槎，乘彩凤握黄麻，方显得秀才家高声价。

〔收江南〕　溶溶月色上檐牙，趁着个离离花过窗影纱。几能够笑沽春酒到君家，煮玉川细茶，下陈蕃旧榻，我和你再将幽恨诉琵琶。

〔南南吕·梧桐树〕②　生来洒落怀，还尽风流债。酒友诗朋，一任夸豪迈。莺期与燕约，总是春拖带，蝶梦与蜂魂，枉被

① “烟”字当在“万顷”后。——整理者注
② 这是另一套曲子，题目为《过吴七泉山居》。——整理者注

花禁害，丽春园赢得名在。

〔北骂玉郎〕 闲来一枕青山外，甚的是南柳市北街。见而今白云久隔红尘陌，糊涂了三百杯，打熬出三万场，超脱尽三千界。

〔南东欧令〕 闲亭榭，小楼台，半亩芳塘一鉴开。好山似画溪带，妆点出烟霞寨。桃花流水遍天台，切莫引人来世①。

〔北感皇恩〕 尽着他春去秋来，雾锁云埋。吟不就杜陵诗，写不出王维画，赋不尽子云才。自然铺叙，谁与安排。清风振丽泽堂，淡烟生水竹坞，明月满桂兰斋。

〔南浣溪沙〕 鹤泪中，猿啼外，刚一个幽雅襟怀。不争你玲珑剔透疏狂态，雪月风花锦绣排，无处买，这的是洛阳堤上寿春庄，有人绿野重开。

〔北采茶歌〕 青松岭手亲栽，绿荷裳手亲裁。陶潜元是旧彭泽，落得个日出三竿残睡醒，少甚么月明千里故人来。

〔南尾声〕 酒二行歌一派，紫藤鸠杖白芒鞋，随处春风不用买。

荩卿《濠上斋乐府》已失传，余尝据其《南宫词纪》辑录成集。所作似未能与大声、白屿相抗，然所录《两宫词纪》，元明散曲，赖以流传，功亦不可没焉。尝论曲云："凡曲忌陈腐，尤忌深晦；忌率易，尤忌牵涩。下里之歌，殊不驯雅。文士争奇炫博，益非当行。大都词欲藻，意欲纤，用事欲典，丰腴绵密，流丽清圆，令歌者不噎于喉，

① "切莫引人来世"当作"切莫引世人来"。——整理者注

听者大快于耳，斯为上乘。予所选有豪爽者，有隽逸者，有凄惋者，有诙谐者。总之，锦绣为质，声调合符，体贴人情，委曲必尽；描写物态，仿佛如生。”（见《南北宫词纪·凡例》）。而顾曲散人评其曲曰：“荩卿思路不幻，故小令少趣，大套亦不长于闺情。惟赠人之作，铺叙乃其胜场。”（见《太霞新奏》中）此语殊嫌太过，如〔阊门夜泊·驻马听〕云：

风雨萧然，寒入姑苏夜泊船。市喧才寂，潮夕还生，钟韵俄传。乌啼不管旅愁牵，梦回偏怪家山远，摇落江天。喜的是篷窗曙色，透来一线。

可以当得“流丽清圆”四字矣。至〔玉芙蓉·咏针〕云：

我爱他形容细又圆，怎说得分两轻还贱。往常时刺鸳鸯费尽钻研，寸肠铁硬曾经练，小眼星昏望欲穿。灯儿下，凭谁可怜，只落得绣床月冷一丝牵。

是孰能谓其思路不幻而少趣也？

此外，金陵曲人尚有史忠，向少知者，用特表之，以存吾乡词林掌故焉。

史痴，名忠，字端本，一字廷直，复姓为徐。生十有七岁方能言，外呆中慧，人皆以痴呼之，又谓之痴仙。性卓荦不羁，好披白布袍，方斗戴笠，鬓边插花，坐牛背，鼓掌讴吟，往来市井，旁若无人，诗写自已胸次，不以煅炼为工。盛仲交合金元玉之诗，编为江南二隐稿。喜画山水人物、花木竹石，有云行水涌之趣，不可以笔墨畦求之。自题其画云："名画法书无识者，良金美玉恍精神。世间纵有空青卖，百斛难医眼内尘。"才情长于乐府新声，每搦笔乘兴书之，略不构思，或五六十曲，或百曲，方搁笔。同时陈大声、徐子仁，皆以词曲名家，亦服其敏速。妙解音律，尝云："古今知音者不过数人，余少年游冶，得罪儒门，乃于此事目击心悟，颇窥见一斑。"

雪江汤宝，邳州卫指挥，雄武有文艺，爱与骚人墨客游。尝以事来金陵，闻痴翁之名，夜造其门。盛暑，痴翁散发披襟，捉蒲葵扇而出，握手欢甚，不告家人，即登舟游邳去。

痴翁无嗣，一女既笄，婿贫不能娶，与婿约：元夜略具只鸡斗酒，我当过饮。至元夜，诳其妻与女曰：家家走桥，人人看灯，曷亦随俗可乎？携妻与女，送至婿家，取笑而别。后补女妆奁，大半是平生诗画耳。

家世饶于资，不问生产，又复好施，晚年家用闲乏。有妻弟寡妇，自徐州携四男二女来依，痴翁欣然养之。凡书画器用，素所钟情不能舍者，尽鬻之，以供朝夕，略不介意，人多义之。

妻朱氏，号乐清道人，颇贤淑。爱姬姓何，号白云，聪敏解事，喜画小景，工篆书，知音律。痴翁寻两京绝手琵琶张禄授之，尽得其妙。每制一曲，即命白云被之于弦索。所居在冶城，去卞忠烈庙百余步，有卧痴楼，楼中几笔案砚①、图书、彝鼎、香茗、饮食，一一精良、雅洁。吴中杨吏部循吉与之作《卧痴楼记》。吴小仙画痴翁一小像，沈石田赞之云：眼角低垂，鼻孔仰露。傍若无人，高歌阔步。玩世滑稽，风颠月痴。洒墨淋漓，水走山飞，狂耶？怪耶？众问翁

① "几笔案砚"当作"几案笔砚"。——整理者注

而不答，但瞪目视于高天也。

相知具酒食，邀之作画，痴翁且饮且画，略不经意，顷刻数纸。酒醉，则兴愈豪，画愈纵，至发狂大叫以自快。

痴翁买舟，特访沈启南于吴中。到门，值启南他往，见堂中有幔素绢，濡墨摇笔，成山水一幅，不题姓名而去。苍头请留姓名，痴翁笑曰："汝主人见画，即为神交，何必留姓名乎。"启南归，见其画，曰："吾阅人画多矣，吴中无此人，非金陵史痴不能也。"遣人四觅之，邀回，果是痴翁。相与一笑，留话堂中，三月而返。后启南来京，多馆于卧痴楼中。

痴翁年八十余尚康健，饮酒、步履，如少壮人，预出一生殡，杂于亲友中，送出聚宝门外。又知死期，无疾而终。

余收痴翁诗画一册，痴自书于册尾云："余年六十矣，发白，精神尚健快。闲处终日，高卧痴楼，蒸香煮茗，四望皆远山拱翠，飞鸟时鸣，不留繁杂之冗，静观自得，而与车尘马足，了无所系，于心贫处如常，足以乐矣。日有诗人文士往来，以诗酒为谈笑，以风月为戏谑，弄笔作林木泉石，人以为债索，亦可笑也。吾妻乐清道人朱氏亦年五十七矣，更索吾作戏墨，乃为图此，若好奇博雅、求古者见之，则可发一胡卢耳。宏治丙辰十月十三日痴书。"①（见《金陵琐事》）。

又史痴翁诗不多传，予藏钞本一卷，王佩中撰序。尤以画名，不拘家数，天机浑成，大率以韵胜。当沈石田重之②，而真者绝少。有爱姬何玉仙，号白云道人。聪慧，解篆书及小画，知音律，求两京

① "宏治"当作"弘治"。——整理者注

② "当"后少一"时"字。——整理者注

绝手琵琶张禄授以曲。痴为作诗云:“白云仙子本良家,痴老平生好琵琶。”家在小仓山,有楼曰“卧痴”。其地有史墩焉,又云在望仙桥侧,今居人表其闾门曰史痴翁故里,且谓桥名望仙,即翁之望玉仙云,未知孰是。先大夫得痴翁自绘《卧痴楼图》,墨沈淋漓,气韵生动。上有题词云:

卧痴楼静悄,箪瓢巷清高。抟风弄影那龐豪,声名不小。懒功名,不受征贤诏。挥金珠,曾买吴娃笑。怕贪婪,不入虎狼巢。老先生见了。

南川后裔,东海根基,少年不肯事轻肥,待埋踪隐迹。怕劳神不学拿云艺。为怡情,博得抟风计,怕功名,毕罢上天梯。老先生见机。

无炎寒,故知有道义,山妻卧痴栖上足幽栖,乐穷通静里。怕红尘,常把衡门闭。远青云,便把功名弃。喜光头,懒把是非提。老先生悟矣。

曲木草屋,粗布衣服,年年依样画葫芦。伴高阳酒徒,闭着口不开言,惟恐伤世务。塞着耳,不闻声,只怕添心怒。撞着橛,不解缆,那个似尧夫。老先生感古。

正德改元春日书

〔逸情·醉太平〕四首,此又稿中所未载者也(见《白下琐言》)。前按:此〔醉太平〕四首,实脱胎于汪云林。

明初能知偏于豪者,殊不可觏。大率为端谨之风所囿,稍后则迥乎别于此矣。乃有专为豪放之曲者,有专为清丽之曲者。豪放中又各有异,多用本色,摆脱当时习气,而影响于后来者,惟康海。

海，字德涵，号对山，武功人。弘治十五年状元，授翰林院修撰，正德中落职。初，刘瑾恨李献吉代韩尚书草疏，系诏狱，必欲杀之。献吉狱急出片纸曰："对山救我。"秦人皆言，瑾恨不能致德涵。德涵往，献吉可生也。德涵曰："吾何惜一官不救李死。"乃往谒瑾。瑾大喜，盛称德涵真状元，为关中增光。德涵曰："海何足言，今关中自有三才，古今稀少。"瑾惊问曰："何也？"德涵曰："老先生之功业、张尚书之政事、李郎中之文章。"瑾曰："李郎中非李梦阳乎？"德涵曰："应则应矣。杀之，关中少一才矣。"欢饮而罢。明日，瑾奏上，赦李。瑾遂欲超拜吏部侍郎，德涵力辞之，乃寝。及瑾败，海亦落职为民，其义侠可以风世矣。

有《沜东乐府》，尝自序云："世恒言诗情不似曲情多，非也。古曲与诗同，自乐府作，诗与曲始歧而二矣。其实诗之变也，宋元以来，益变益异，遂有南词、北曲之分。然南词主激越，其变也为流丽；北曲主慷慨，其变也为朴实。惟朴实，故声有矩度而难借；惟流丽，故唱得宛转而易调。此二者，词、曲之定分也。予自谢事山居，客有过余者，辄以酒殽、声妓随之，往往因其声以稽其谱，求能稍合作始之意益鲜。盖沿袭之久，调以传讹，而其辞又多出于乐工、市人之手。音节既乖，假借斯谬，兹予有深惜焉。由是兴之所及，亦辄有作。"云云。余颇爱其〔答客·沉醉东风〕云：

国史院咱曾视草，奸和正不必是提着。文书上恁样来，条款里偌般造，画葫芦难减分毫。但把丹心自系牢，管甚么零煎细炒。

又同调云：

装几车儿羊毛笔管，载几车儿各样花笺。凤阳墨三两房，天来大三台砚，请孔门弟子三千，一夜离情写半年，添砚水尽都是离情泪点。

又〔仙吕·月云高〕云：

吞声宁耐，欲说谁偢采。惹得旁人笑，招着他们怪。欢喜冤家，分定恹缠害，去不去心头恨，了不了前生债。教我心上黄连苦自挨。

颇多北人本色。所作套曲如〔苦雨·仙吕·点绛唇〕云：

苦雨透幙侵箔，把人斯虐。何时了，彻夜滔滔，绿水人家绕。

〔混江龙〕 不知昏晓，滴滴点点斗寒蕉。愁心易感，业眼难交。阻栏岐路，蹭蹬渔樵。迷渡口黯林梢，崩岸谷涨波涛。吃紧的黄花寂寞东篱道，望不见三峰华岳，万顷秋郊。

〔寄生草〕 云初淡，势更骄。恍疑万里长空棹，忽如万井摇天例①，蓦然万弩平林落。旅魂香梦怎生堪，闺人嫠妇如何较。

呀②，没揣的封了山坳，忽剌的暗了市朝，便是庙堂中也战笃速鬼哭神号。怎生的借剑诛蛟，破瓿焚鸮，执简乘鹤，向天

① “例”当作“倒”。——整理者注

② “呀”前少曲牌名“〔六么序〕”。——整理者注

公细叩根苗。现如今干支死闭了青阳兆，又不是润春郊好雨如膏。良田一望皆池沼，家无四壁，闷彻三焦。

〔幺篇〕　一会家挥毫，划度，笑语儿曹，细和离骚，自酌香醪，强对佳肴。且把这难打荡的情肠按着。呀，蓦然间又怎学。忽地云消，刬地烟交，越越的奋撼咆哮。檐花万点檐前深瀑，便是个铁石人也魄散魂消。莫不是冯夷故把东洋倒，逐日家纷纷霭霭，溜溜漕漕。

〔后庭花煞〕　阴晴数所遭，亏盈无定约。焰爨家家闭，萍芜处处漂。怎生教，封姨知道，霎时间层阴净扫见层霄。

《曲品》曰："康翰林绝技矜庄。"良有以也。惟论者或以对山贪多务博，究嫌欠翦裁。而用俗之处，往往为俗所累。且其中极热、极怨而掩以解脱之语，时有捉衿露肘之感。全集不外愤世、乐闲两类之作，志趣固非真如是之恬淡。以较元贤，盖有间焉。虽然，此非康氏一人之咎也。王九思、李开先辈实启其端。明人每袒王而抑康，殊不可解。

九思，字敬夫，号渼陂，鄠县人。有《碧山新稿》、《续稿》，《曲品》所谓"秦韵铿锵"者。弘治丙辰成进士，授检讨。值刘瑾乱政，悉调部属，敬夫仍得吏部。不数月，长文选。瑾败，降寿州同知。其身世与对山相似，故曲境亦相近也。世传敬夫之将填词也，以厚赀募国工，杜门习学琵琶、三弦，熟案诸曲[①]，尽其技而后出之。故其词雄放、奔肆，〔双调·水仙子〕其最著者也，兹录二首。其一曰：

① "案"当作"谙"。——整理者注

紫泥封不要淡文章，白糯酒偏宜小肚肠，碧山翁有甚高名望，也只是乐升平不妄想。听濯缨一曲沧浪，瞻北阙心还壮，对南山兴转狂，地久天长。

其二曰：

一拳打脱凤凰笼，两脚蹬开虎豹丛，单身撞出麒麟洞。望东华人乱拥，紫罗襕老尽英雄。参详破邯郸一梦，叹息杀商山四翁，思量起华岳三峰。

王弇州谓敬夫“秀丽雄爽”，而“望东华”两语许为名语。伯良以为过情之论，然出于明人之手，亦未可厚非。

李开先，字伯华，号中麓，章邱人。官至太常少卿。罢归后，以词曲娱老。文采风流，照耀北国。钱牧斋云：“伯华罢归，治田产，蓄声伎，征歌度曲，为新声小令，挡弹放歌，自谓马东篱、张小山无以过也。为文一篇辄万言，为诗一首辄百韵，不循格律，诙谐调笑，信手放笔，所著词多于文，文多于诗。所藏词曲至富，自谓词山曲海。每大言曰：古来才士，不得乘时枋用，非以乐事系其心，往往发狂病死。今借此以坐销岁月，暗老豪杰耳。”王元美云：“北人自王、康后，推山东李伯华，伯华以百阕〔傍妆台〕为对山所赏。”其实百阕之中，佳者不多，录三首如次，云：

醉醺醺，瓮中干了玉壶春。劝君莫做千年调，苦了百年身。唾津咽却心头火，泪点休洇枕上痕。拳头硬，胳膊村，得饶人处且饶人。

又：

雨丝丝，冲风跃马欲何之。闲游正喜风吹袂，况有雨催诗。休图云里栽红杏，好向山中觅紫芝。磨而不磷，涅而不缁，得随时且随时①。

又：

曲参参，一轮残月照边关。恨来口汲尽黄河水，拳打碎贺兰山。铁衣披雪浑身湿，宝剑飞霜扑面寒。驱兵去，破虏还，得偷闲处且偷闲。

观此可窥其一斑矣。

与此相近者，尚有常伦。伦，沁水人，有《写情集》，一名《楼居乐府》。放肆豪快，实介康、王与冯惟敏之间。《曲品》云："常楼居艺林掞藻。"而《曲藻》谓其"词气豪逸，亦未当家"，殊非的评。尝有〔山坡羊〕云：

闷葫芦一摔一个粉碎，臭皮囊一挫一个蝉蜕，鸦儿守定兔窠中睡。曲江边混一回，鹊桥边撞一回，来来往往无酒也三分醉。空攒下个铜斗儿家缘也，单买那明珠大似椎。恢恢，试问青天我是谁。飞飞，上的青霄咱让谁。

① "得随时"后少一"处"字。——整理者注

中敏评云："亦愤慨，亦解脱，若颠若狂，的是楼居一生行径也。"

冯惟敏者，号海浮，山东临朐人。有《海浮山房词稿》。所作如活虎生龙，中敏所谓犹词中之辛弃疾也。且谓有明一代，此为最有生气、最有魄力之作。王世贞、王骥德之品评，皆嫌冯氏本色过多，北音太繁，多侠寡驯，时为纰类。盖皆昆腔发生以后、南词盛行时之议论。海浮长处，正在本色与寡驯。惟其如此，乃能豪辣。虽有时伤于犷悍，然终异乎康、王一派。海浮之意志亦极怨极愤，而好在率性，将其全部怨愤痛快出之以示人，较少做作，而才气横溢，笔锋犀利，无往而不淹盖披靡。篇幅虽多，各能自举，不觉其滥，此岂康、王所能及耶。中敏谓海浮曲全是一团拴缚不住之豪气，排奡而能妥贴，诚哉斯言也。惟与其拟诸词中稼轩，不若拟之陈维崧。余与中敏有同嗜，深爱海浮曲，余亦与中敏有同见。惜海浮之未能进一步以浑涵于灏烂之境，果进一步浑涵于灏烂境中，则与稼轩之词相当矣。余于词，固深爱稼轩，亦深爱迦陵。海浮之曲，乌得不酷嗜哉。弇洲谓其板眼、务头、撺抢、紧缓，无不曲尽，而才气亦足以发之，最为知言。〔朝天子·自遣〕曰：

> 海翁，命穷，百不会千无用。知书识字总成空。浮世干和哄。笑俺奔波，从他拨弄，您乖猾俺懞懂。就中，不同，谁认的鸡和凤。

读此词，可以想见其人也。有出以滑稽之趣者，如〔河西六娘子·笑园五咏〕，其一云：

问道先生笑甚么，笑的我一仰一合，时人不识余心乐。呀，两脚跳梭梭，拍手笑呵呵，风月无边好快活。

其二云：

人世难逢笑口开，笑的我东倒西歪，平生不欠亏心债。呀，每日笑胎晦，坦荡放襟怀，笑傲乾坤好快哉。

其三云：

闲看山人笑脸儿红，笑时节双眼儿朦胧，平白地笑入玄真洞。呀，也不辨雌雄，也不见西东，笑不醒风魔胡突虫。

其四云：

笑倒了山翁老傻瓜，为甚的大笑哈哈，功名不入渔樵话。呀，打鼓弄琵琶，睡着唱杨家，用尽你机关笑掉了我牙。

其五云：

名利机关没正经，笑的我肚子里生疼，浮沉胜败何时定。呀，个个哄人精，处处陷人坑，只落得山翁笑了一生。

诵之亦当忍俊不禁。又，以硬语盘空、呼叱而出者，如《遂闲》、《乞休》二曲，〔遂闲·醉太平〕云：

谁说俺不平，俺原无宦情。秋收田地到春耕，从来是本等。懒驴愁治不了传槽病，喂猫食救不的残命，放牛歌改不了旧声音，急归来笑听。

〔乞休·塞鸿秋〕云：

论形容合不着公卿相，看丰标也没个揞搜样，量衙门又省了交盘账，告尊官便准俺归休状。广开方便门，大展包容量，换春衣直走到东山上。

后一首较前首为闲静，然同一旷达之作也。又，以曲家训者，如〔醉太平〕云：

劝哥哥学好，休舍命贪饕。聪明伶俐莫心高，只随缘便了。抹了脸遮不尽傍人笑，肿了手拿不尽他人钞，放倒身吃不尽小人敲，急回头自保。

又：

劝哥哥休歹，把两眼睁开。一还一报一齐来，见如今天矮。人人心地藏毒害，家家事业多成败，时时局面有兴衰，到头来怎解？

不特体制新颖，词亦警切。至于情词而具本来面目者，如〔玉抱肚〕云：

冤家心变，这些时谁家鬼缠，打听的有个真实，我和他两命难全。神灵鉴察誓盟言，不叫冤家只叫天。

以南词而视元曲无愧色者，如〔月儿高·闺情〕云：

月缺重门静，更残五夜永。手托芙蓉面，背立梧桐影。瘦损伶仃，越端相越孤另，抽身转入转入房栊冷。又一个画影图形，半明不灭灯。灯，花烛杳无凭，一似灵鹊儿虚嚣，喜蛛儿不志诚。

究论其才情纵横，气象万千，为一代所罕有其匹者，不可不读其〔鸿门奏凯歌〕二首，一《谢诸公枉驾》云：

邀的是试春游张曲江，访的是耽酒病陶元亮，行的是快吟诗唐翰林，生的是会射策江都相。呀，这的是白云明月谢家庄，抵多少秋风野草镇边当。你只待平开了西土标名字，俺只待高卧在东山入醉乡。周郎，耳听着六律情偏畅；冯唐，身历了三朝老更狂。

一《谢会友枉顾》云：

又不曾费推敲将诗债担，又不曾闲包揽把风情勘。止不过下山来将公事勾，进城去把高亲探。呀，单想着洞天福地紫云庵，清风明月碧龙潭。但离了圣境多愁病，恰遇着游人共笑谈。意象儿虚涵，默坐处机心淡。魂梦儿沉酣，猛醒来世味语。

《曲品》云:“冯侍御绮笔鲜妍。”呜呼,此岂知海浮之言耶。如上举二曲,英姿飒爽,不特本来踔厉蹈扬面目矣。更录一小套为殿,〔恬退·双调·朝元歌〕云:

长歌短歌,尽日逍遥乐;诗魔酒魔,到处盘桓坐。明月清风,同咱三个,常把世情参破。万虑消磨,清闲垒成安乐窝。奉劝傻哥哥,休争少共多。(合)随缘且过。权当做东方高卧。

又:

心不恋三台八座,生来福相薄,勉强待如何。休想豪华,且耽寂寞,防备临时失错。难免张罗,会飞腾也将双翅儿缚。宦海有风波,平生涉历多(合前)。

又:

到处里追欢行乐,山童歌舞着,拍手笑呵呵。帽插岩花,酒斟江糯,慢把风骚酬和。信口开合,新诗小词渐积多。乌兔走如梭,都将今古磨。(合前)

又:

也不管花开花落,年年一短蓑,寒暑饱经过。顺水推船,随风倒舵，云影天光摊破。碾碎银河，烟村几家依碧波。喜听采莲歌，山花赛绮罗（合前）。

冯氏以后，更无来者。《曲律》谓陈沂、胡汝嘉“爽而放”。陈有雪词，爽而未能豪，胡更不必论也。

王磐亦能自成一派者。磐，字鸿渐，高邮州人。储柴墟、庄定山与善。生于富室，独厌绮丽之习，雅好古文词。家于城西，有楼三楹，日与名流谈咏其间，因号西楼。高邮间元宵向无张灯者，故古词云：依旧试灯何碍。正德初，邮守好事，令再张灯，西楼为曲以张之。盖是时高邮元宵最盛，好事者多携佳灯、美酒，即西楼为乐。公制新词，令从歌之，此类曲子是也。至公老年，虽灭囊心，而少年好事者犹然。公诗有云：“是谁东道遗灯火，为我西楼破寂寥。”又云：“年光已属诸年少，四座春风按六么。”后经荒岁、苛政，闾阎凋敝，良宵遂索然矣。及公谢世，愈不复睹盛世。西楼平生不见喜愠之色，其家尝走失鸡，公戏作〔满庭芳〕云：“平生淡薄，鸡儿不见，童子休焦。家家都有闲锅灶，任意烹炮。煮汤的贴他三枚火烧，穿炒的助他一把胡椒，倒省了我开东道。免终朝报晓，直睡到日头高。”（见《尧山堂外记》）。

盖鸿渐夙有隽才，好读书，洒落不凡，恶诸生之拘挛，弃之。纵情山水诗画间，尤善音律，度曲清洒。每风月佳胜，则丝竹觞咏，彻夜忘倦。性好楼居，构楼于城西僻地，坐卧其中，幅巾藜杖，飘然若神仙。一时名重，海内多愿与纳交。所著有《西楼乐府》、《野菜谱》等（见万历《扬州府志》中）。

所作《野菜谱》并缀以词，雅俗相杂，山家之公案也（徐𤊹《笔精》）。王骥德论咏物云：“小令北调，王西楼最佳。”论俳谐亦云：

"此体亦是西楼最佳。"举当时之为北调者,曰:"维扬则王山人西楼,济南则王邑佐舜耕。"又谓:"西楼工短调,翩翩都雅;舜耕多近人情,兼善谐谑。"又,客问今日词人之冠,曰:"于北词得一人,曰高邮王西楼。俊艳工炼,字字精琢,惜不见长篇。"又云:"今世所传西楼乐府有二:一为王磐,字鸿渐,高邮人;一为王田,字舜耕,济南人。二人俱号西楼。舜耕之词较鸿渐为富,然大不如鸿渐精炼。如《浴裙》、《睡鞋》、《闰元宵》、《转五方》等曲,皆鸿渐作。弇州所谓'颇警健,工题赠,而浅于风人之致'者,盖指舜耕,非鸿渐也。鸿渐乐府,曾见太学所存书籍,亦列其目,为时所重可知已。"(并见《曲律》)徐复祚《花当阁丛谈》云:"一日取读田子艺衡《留青日札》,其咏双行缠云云,不觉喷饭。此獠村鄙,煞风景。若是急取杜牧之诗及王磐词读之,始涤喉中之秽。"于兹足觇西楼乐府在当日之声望矣。余意全集当以〔秋夜同陆秋水湖上泛舟·脱布衫过小梁州〕一首为最。词云:

画船儿满载诗豪,问先生何处游遨。水晶宫中闻品箫,广寒乡尽回头棹,分付鱼龙稳睡着,等闲间休放波涛。老夫今夜弄风骚,搜诗料,翻动水云巢。一天星斗都颠倒,爱银蟾水底光摇。我这里用手捞,不觉的翻身落,也是俺形神俱妙,飞上紫金鳌。

其丽不仅工雅,且自出奇。其清中萧疏放逸,自尽其态。以视康、冯两派,一以精细,一以粗豪,迥不类矣。金陵曲人中,金白屿与之为近。

此外有沈仕别其门户者。沈德符《顾曲杂言》曰:"沈青门、陈大声辈，南词宗匠，皆本朝化、治间人。”又云：“我朝填词高手如陈大声、沈青门之属，俱南北散套，不作传奇。”吕天成《曲品》云：“沈仕青门，一字野筠，仁和人。”列上品。又云：“沈野筠，丹青入道。”徐又陵亦云：“成、弘间，沈青门、陈大声辈，南词宗匠。”（《蜗亭杂订》）岳岱曰：“青门山人沈仕，身本贵介，志则清真。野服山巾，江游海览，新篇雅调，远迩齐称，信乎野鹤之在鸡群，祥麟之游郊外。”（《今雨瑶华》）徐阳初《三家村老委谈》谓青门辈“皆海岳英灵，文章巨擘，羽翌大雅，黼黻王猷。正业之外，游戏为此。或滔滔大篇，或寥寥小令，含金跨元，真所谓种种殊别，新新无已矣”。所作有《唾窗绒》，顾皆艳词，如〔懒画眉〕云：

倚栏无语掐残花，蓦然间春色微烘上脸霞。相思薄幸那冤家，临风不敢高声骂，只教我指定名儿暗咬牙。

又：

东风吹粉酿梨花，几日相思闷转加。偶闻人语隔窗纱，不觉猛地浑身乍，却原来是架上鹦哥不是他。

王骥德曰：“南则金陵陈大声、金在衡，武林沈青门，吴门唐伯虎、祝希哲、梁伯龙，而陈、梁最著。唐、金、沈小令并斐亹有致。”又云：“时有合作处，然较之元人，则彼以工胜，而此以趣合。”张旭初曰：“与伯龙相后先者，吾乡之沈青门。峻志未就，托迹醉乡。其辞冶艳出俗，韵致谐和。”（《吴骚合编》）可谓知人之言。以香奁体为明曲开一天地。后来步趋于此者，不免时有淫亵之作，为功为罪，难断言矣。

按,明代前期作手,除集于金陵诸家,不外康、冯、王、沈四派(金陵诸家中,惟陈所闻在昆腔大行以后,而其曲品与大声为近,列诸后期,殊为不妥。杨升庵夫妇,例可附及于此。以升庵为蜀人,且夫妇作家,古今罕见,因另列之。至于此四派之分,取中敏言也)。

昆腔以后,有南词而北曲亡,北曲之亡,即曲之亡矣。所谓南词者,观冯梦龙《双雄记》自序可知也。其言曰:"词家于今日,佥谓南音盛,北音衰,盖时尚则然。余独以为不,不。北音幸而衰,南音不幸而盛也。夫北词畅于金、元杂剧,本勾栏之戏,后稍推广为传奇,而南词代兴,天下便之。《荆》、《刘》、《蔡》、《杀》而后,坊本彗出,日益滥荒。高者浓染牡丹之色,遗却精神;卑者学画葫芦之样,不寻根本。甚至村学究手摭一二桩故事,思漫笔以消闲;老优施腹数十种传奇,亦效颦而奏技。中州韵不问,但取口内连罗;九宫谱何知,只用本头活套。作者逾乱,歌者逾轻。调罔别乎宫商,惟凭口授;音不分乎清浊,只取耳盈。或因句长而板妄增,或认调差而腔并失。弄声随意,平、上、去、入之不清;识字未真,唇、舌、齿、喉之无辨。语云'童而习之,白首不解',南词之谓欤。而世多耳食,谬谓南词易,北词难。乌乎,南词岂独易哉。时尚在南,而为南者多;时尚不在北,而为北者少。为南者多而易之,为北者少则难之。易南而南之法已坏,难北而北之体犹存。由此言之,南非盛,北非衰也。孰幸孰不幸,亦可知也。"

观于梦龙之言所知,南词之弊,顾梦龙知之,而躬自蹈之。盖一时风气如此,欲自振拔不可得也。中敏尝论之云:"近见明末石阳张瘦郎《野青散曲》。子犹(即冯梦龙)序云:'楚人素不辨冰青,得此开山，尤为可幸。白雪故郢调，今其再振于黄乎？因名之曰：步雪初声。’按其文字，则江东白苎之末流。意境迂拘，音响糅杂，硁硁于字句之煊染，又只有零脂剩粉，敷衍堆嵌。拆碎，固不成片段；拚合，亦难象楼台。臣妾宋词，宋词不屑；伯仲元曲，元曲奇耻。天下依违于两可之间，欲兼擅其胜，卒至进退失据，成共弃之物者。昆腔以后，江东白苎派之散曲，乃其一也。”又曰：“起嘉、隆间，以迄明末，将近百年，主持词余坛坫者，皆必推伯龙为极轨，然后知昆腔。初初囿人之深，其后乃终于无由振拔，而元人之豪情万丈，竟斩而不复也。吴中派成风会，大著其势，固足以左右一世。如瘦郎浪仙（姓席）之辈，虽远起郢楚，亦惟有入彀而已。”（见《曲谐》中）

吴中曲人之著者，曰唐寅、祝允明。寅字伯虎，字子畏，吴趋里人。有《六如居士曲》。夙负俊才，博学多识，善属文，骈俪尤绝。为人放浪不羁，志甚奇，沾沾自喜，少从御史考，下第，以曹风之荐，得隶名末。后果中式第一，与允明齐名。允明，字希哲，右手枝指，因号枝指。生好酒色、六博，不修行检。屡为杂剧，少年习歌之（详《吴郡二科志》）。《曲品》云：“唐解元巧擅解衣，祝山人神凝洒翰。”希哲能为大套，富丽而多驳杂；子畏小词纤雅绝伦，而大套时有捉襟露肘之态。希哲有〔题情·画眉序〕云：

一见杜韦娘，恼乱苏州刺史肠。似奇花解语，软玉生香，彩云轻舞袖翩跹，金缕细歌喉清亮。料应夙世曾为伴，今生里再得成双。

〔黄莺儿〕　偏爱素罗裳。煞娉婷，忒恁狂，丹青怎画得娇模样。行思坐想，恩情怎当，俏冤家牵卦在心儿上。意彷徨，一时不见，如隔九秋霜。

〔集贤宾〕 一味至诚非勉强，他有铁石心肠。月下星前言不爽，我何曾着意关防。凭君移放，自不许蜂喧蝶嚷。秋江上，芙蓉花到老含芳。

〔琥珀猫儿坠〕 合欢未久，无奈往他方。渭北江东道路长，暮云春树两茫茫。凄惶，一种相思，分做两处悲伤。

〔尾声〕 归来依旧同欢赏，月下花前再举觞，只怕岁月无情两鬓霜。

子畏令曲，如〔商调·集贤宾〕云：

春深小院飞细雨，杏花消息何如。报道东君连夜去，须索要圈留他住。金杯满举，怎不念红颜春树。君看取，青冢上牛羊无主。

〔山坡羊〕云：

数过清明春老，花到荼蘼事了。花阴估价，估价钱多少？望酒标，先拚典翠袍，三更尚道归家早，花压重门待月敲。滔滔，滔滔醉一宵，萧萧，萧萧已二毛。

语殊婉约。

同时昆山郑若庸亦与唐、祝同为时重。若庸，字中伯。早岁以诗名，入邺，客赵康王幕。著有《蛣蜣集》。今传其〔沉醉东风·春闺〕一套。实则中伯以剧曲著，散曲远不及唐、祝二家也。

其后吴有张伯起，名甚显。伯起名凤翼，字灵墟。《阳春六集》

外,有《敲月轩词稿》。如〔桂枝香·风情〕,终嫌板滞,亦未及子畏,盖受梁派响影而然也①。

昆腔创始于太仓魏良辅。良辅以老教师居吴中,梁辰鱼就之商订曲律。词成,即为之制谱。梅村诗所谓"里人度曲魏良辅,高士填词梁伯龙"者是也。

伯龙,辰鱼字,有《江东白苎》。王元美诗:"吴阊白面冶游儿,争唱梁郎绝妙词。"当时之倾倒可知。张凤翼序之,谓掷地可作金声。张旭初于《吴骚合编》内推之为曲中之圣,未免溢美。自有昆腔,南曲之宫调、音韵,俱有准绳,犯调、集曲日盛。沈璟为《南曲谱》及《南词韵选》,学者翕然宗之。于是,梁之文章,沈之韵律,乃为两大正宗。伯龙《江东白苎》中,集曲如〔九疑山〕、〔巫山十二峰〕,体段颇长,非令非套,徒令人厌。然亦间有佳作,如〔懒画眉·情词〕云:

> 小名儿牵挂在心头,欲总欲丢时怎便丢,浑如吞却线和钩。不疼不痒常拖逗,只落得一缕相思万缕愁。

固戛戛独造之语,无一字不妥贴也。又〔山坡羊·代刘季招寄申椒居士〕云:

> 病淹淹难医疗的模样,软怯怯难存坐的形状,急煎煎难摆划的寸肠,虚飘飘难按纳的情和况。空自忙,全然没主张,盟

① "响影"当作"影响"。——整理者注

山誓海，誓海都成谎。辗转思来，更无的当。凄凉，为甚更长似岁长？萧郎，莫认他乡是故乡。

语亦圆俊。伯龙一派之曲，文雅蕴藉，细腻妥贴，正可见南人之性格。惟曲主放纵，胡元箅酪之风，亢爽激越之气，最为合色。南人阴柔之美，与此适反，无怪差以毫厘，谬之千里矣。袁于令曰："词才不同，梁伯龙以豪爽，张伯起以纤媚，沈伯英以圆美，龙子犹以轻俊。至于秀丽，不得不推王伯良。"噫，如伯龙者，乃以豪爽推之，可谓颠倒黑白也已。

沈璟一派文字，一如伯龙，而又求律正韵严。集曲外，更好翻谱。翻谱者，翻词为曲，翻北曲为南曲之谓。所为《曲海青冰》，皆此作也。为使南声繁衍，率取前人陈品，自己杼写者少，是为声，非为文也。自命曰青冰，非真青于蓝，而寒于冰，徒剥夺文章生气而已。李调元以为"生硬稚率"，"鄙俚可笑"（详《雨村曲话》），诚非太过。冯梦龙于《太霞新奏》竟于沈有"词家开山祖师"之称，无殊寝语。如〔八声甘州·集杂剧名〕翻元人吴昌龄北词云：

因缘簿冷，叹鸳鸯被卷，枉怨银筝。秦楼月影，蝴蝶梦中孤另。曾留汗衫余馥在，漫哭香囊两泪盈。柳眉，颦双峰为才子留情。

又：

春宵多月亭，记曲江池上，丽日初晴。蓝桥仙路，裴航恰遇云英。万花堂畔言誓盟，玉镜台前作证诚。他负心，几曾教鱼雁传情。

索然寡味，毫无机趣。有补于声音者甚少，而为害文章实多。曲之坠落，沈璟不能逃其罪也。

与梁、沈相近，而才情较长者，王骥德一人耳。骥德，字伯良，号方诸生，一署秦楼外史，万历间会稽文学。自幼性嗜歌乐，师同里徐渭，以知音互赏。维与吴江沈璟讨论音律，颇为沈氏推服。有《方诸馆乐府》二卷，而《曲律》四卷，为自来评曲、论曲之宝典。顾其所作套曲，亦伤庸腐，惟小令之尖新、妥溜，足以继响青门。〔一江风·见月〕云：

月华明，偏管人孤另。后会茫无定，信难凭。两处思量，今夜私相订。天边见月生，低低叫小名，我低低叫也你索频频应。

诚痴绝而复憨绝也。〔锁南枝·待归〕云：

灯花绽，蟢子飞，心心盼他郎马归。早起画蛾眉，红楼镇空倚。纱窗暝，日又西。多管是今宵，尚欠几行泪。

哀而不伤，缠绵尽致。又〔玉抱肚〕云：

萧萧郎马，怎教人不提他念他。俏庞儿怕吹破春风，瘦身躯愁触损桃花。不知今夜宿谁家，灯火章台处处纱。

风神洒落,《江东白苎》中所罕见者也。黄宗羲曰:“正法眼藏,似在吾越中。”(胡子藏院本序,见《南雷余集》)。徐、史、叶、王踵起其间,亦居然成派矣。至于不为梁、沈两宗暨越派所能限者,仅有施绍莘之《花影集》。

绍莘,字子野,华亭人。其曲融豪放、清丽,出之以绵整,是在词坛能独树一帜者。吾师推为明代一人。小令、套数,并臻精境,其令曲以精致胜,莫过于〔清江引·咏荷〕四首。然子野之所长者,在写情纯用白描工夫,如〔驻云飞·丢开〕云:

索性丢开,再不将他记上怀。怕有神明在,嗔我心肠歹。呆,那里有神来,丢开何害。只看他们,抛我如尘芥,毕竟神明欠明白。

又《闺恨》云:

短命冤家,道是思他又恨他。甜话将人挂,谎到天来大。嗏,倒是不归来,索须干罢。若是归来,休道寻常骂,须扯定冤家下实打。

学元人而能化之矣。又〔山坡羊·旅怀〕云:

意惺惺怕分离的相送,虚飘飘要相逢的痴梦,急煎煎算不定的归期,泪斑斑看不得的衣衫缝。怯晓钟更教人恼暮钟,灯花暗卜却被灯花哄。欢喜谁同,凄凉谁共。朦朦,拾相思在云树中;匆匆,记相思在诗句中。

他如夜泊怀人，亦跌荡之至。其写景也，如〔玉抱肚·小园〕，一味轻灵而情昧良厚。集曲长调，亦尚能一气包举，如〔六犯青音·咏夏闺〕曰：

倦抛针线，懒拈箫管，一味软疼柔怨。雕梁燕子，偏生恁地多言。低声似说芳春去，絮语应嘲翠黛残。萦飞絮，哭老鹃，恼人心性脱绵天。怎消得黄梅雨在芭蕉上，只落得粉泪痕交枕簟间。茫茫远信，云边树边，恹恹病骨，香前酒前，常常绣带移新眼。暗愁煎，绮琴偷弄，翻曲记奇缘。

陈眉公曰："子野才太俊，情太痴，胆太大，手太辣，肠太柔，心太巧，舌太纤，抓搔痛痒，描写笑啼，太逼真，太曲折。"此其所以赞子野者，子野当之而无愧。沈德生曰："子野外服儒风，内宗梵行，其于世间色相，一切放下。……其性灵颖慧，机锋自然，不觉吐而为词，溢而为曲。以故不雕琢而工，不磨涤而净，不粉泽而艳，不穿凿而奇，不拂拭而新，不揉摛而韵。"以论其人者以论曲，有足多焉。子野散套颇富，选录如次：〔春游述怀·北正宫·端正好〕：

锦烘天，香铺地。东风里，绿柳桥西，乱芳遥衬前山翠，似董北苑先生笔。

〔滚绣球〕　不多时才看得梅，霎时间又开到李。柳窥青渐苏娇睡，小夭桃打扮衣绯。菜花田猎猎低，红花田剪剪齐。一阵价香风肥腻，慢腾腾淡日西飞。猛踏破落花堆里，滑了鞋底。抓住了繁花刺儿，碎了绣衣，又过前溪。

〔叨叨令〕　且寻一个顽的耍的会知音风风流流的队，拉了他们俊的俏的做一个清清雅雅的会,拣一片平的软的衬花茵香香馥馥的地,摆列着奇的美的趁时景新新鲜鲜的味。兀的便醉杀了人也么哥,兀的便醉杀了人也么哥。任地上干的湿的诨帐呵便昏昏沉沉的睡。

〔脱布衫〕 忒撩人酒卖红旗,映秋千在红杏楼西。楼上那栏杆斜靠的血红衣,见人回避。

〔小梁州〕 又见些只只弓鞋一捻的,时样罗衣。知他是烧香的还是上坟的。乔装髻,掩扇漏蛾眉。

〔幺〕 聪明人不合多伶俐,被他们酒泥花迷。杏花天,杨花地。和二三知己,睁醉眼看名姬。

〔上小楼〕 垂杨院里,朱门斜启。且待俺陪个殷勤,借看园林。才过花堤,怎知俺命儿里冤家作对。蓦撞着斗草的,十来个妓。

〔幺篇〕 骑马的叶叶衣,坐轿的呵呵睡,还有个酒壶儿斜矗。食垒儿分携,妙人儿相偎,引得俺半日里眼到黑,凄凉惭愧。怎当他半回头,风递过口脂香气。

〔满庭芳〕 乱香堆里,一湾流水,茆屋竹篱。恰正是寒食天,浊酒儿刚蒭起,试新茶才放枪旗,偏凑的笋香鲜菜美,又撞的蚬肥肥芹腻。小饮藤花底,盘飡进枸杞,人醉了日头直。

〔快活三〕 是谁家笙歌沸,偷空里笑微微。隔墙惟见柳巍巍,这便是洞天里神仙会。

〔朝天子〕 只可怜冢垒垒土堆,白条条挂纸。费多少儿孙泪,眼前的酒饭儿不能够吃。哭拜罢人归矣,蝶蝴青钱,杜鹃红泪,才懊悔当初不醉死。生前事在这壁,死后事在那壁,短多少万古英雄气。

〔四边静〕　是谁知唐宗晋室，但当年墓碑，而今废基。草树狐狸，松柏寒山背。今宵却在雨里，昏惨惨悲磷湿。

〔要孩儿〕　我如今决计疏狂矣，且随喜花边酒里。一年春去又春回，好提防白发相欺。须搜寻直入烟花髓，更须要争为曲蘖魁。日日花间醉，惹得的桃花笑我，柳也开眉。

〔五煞〕　看青山恰打围，曲湾湾水接篱，群花姊妹随行队。天偏生我为男子，况春放闲人撒酒资。须直是风流死，切莫把花盟酒谱，半点差池。

〔四煞〕　渐东君逐旋归，好花枝怕一夜飞。晓来满地胭脂碎，分明万古英雄泪。应餍尽人间闺秀眉，须快把杯儿吃。若放过了良辰美景，痴也真痴。

〔三煞〕　好良朋近可携，小花篮便可提。家家酒气和花气，闲来酒店逋新债。更密选花枝寄所私，狂甚如天使。愿如此生涯老我，不省前非。

〔二煞〕　不风流俗怎医，会风流债怎推。好花好酒天生配，我酒中要强为监史，花里从教做伐媒，佥上了风流籍。休赶向红尘队里，断送头皮。

〔一煞〕　妖姬且自携，新词且自题。围棋赌酒贤乎已，探花妒杀峰磨腿。趋酒闲看蝶晒衣，顽童且莫催归急。却不道小臣卜夜，秉烛传杯。

〔煞尾〕　置身峰泖间，避世诗酒里，买一个载花船来往烟霞际，向这些美酒名花道声生受你。

又〔泖上新居·南仙吕入双调·步步娇〕云：

水际幽居疑浮岛，结构多精巧。垂杨隐画桥，转过湾儿，竹屋风花扫。门僻是谁敲，卖鱼人带雨提鱼到。

〔醉扶归〕 淡茫茫水镜推窗晓，点疏疏渔灯夜候潮，暗昏昏鸠雨过平皋，白微微鹭雪销残照。蓼汀秋水怎添篙，只觉的地浮天涨坤乾小。

〔皂罗袍〕 闲则扳罾把钓，将鱼篮一个，背月而挑。巨螯紫蟹带生糟，晚潮压酒宾堪召。围棋睹胜①，猜拳赛高。共联白社，约会青苗，更有闲中交际山阴棹。

〔好姐姐〕 种花儿不低不高，恰教他水流花照。芙蓉五色，夹过水西桥。更荷花绕，每逢秋夏香难了，透着衣裙不可销。

〔香柳娘〕 更春风岸桃，更春风岸桃。水肥花少，痴肥恰是村妆貌。种篱边野菜，种篱边野菜。夜雨带泥挑，滋味新鲜好。向池边联句，向池边联句。不用甚推敲，别是山林调。

〔尾文〕 常常浊酒沉酣倒，高卧时闻拍枕潮，自起推窗正月上了。

又〔赋月·南商调·梧桐树〕云：

松间渐渐明，柳外征微映②。探出花梢，忽与东楼近。低低与几平，淡淡分窗进。云去云来，磨洗千年镜，照秋千院落人初静。

---

① “睹”当作“赌”。——整理者注

② “征”当作“微”。——整理者注

〔东瓯令〕　山烟醒，柳烟晴，放出姮娥羞涩影，装成人世风流境。摇几树西厢杏，浩然风露夜冥冥，细语没人闻。

〔大圣乐〕　透疏帘照破黄昏，进鸳帏窥凤枕，玉人何处琼箫冷。心上事，夜香亭。多应是半轮惨淡相思镜，还可是一段幽深吊古魂。梨花梦醒，早鹃啼恨血，草荒烟暝。

〔解三醒〕　有多少栏干露冷，有多少高烛花明，有多少南楼好句裁三影，有多少彩袖笼灯，有多少晓风杨柳红牙板，有多少歌馆楼台义甲筝。欢无尽，多应是冰魂荡漾，逼出风情。

〔前腔〕　更多少空窗制锦，更多少小阁挑灯，更多少枫江面掩琵琶冷，更多少茅店霜清，更多少悲笳曲罢关山静，更多少玉笛吹残参斗横。情何尽，多应是冰轮有意，照见销魂。

〔尾文〕　一些儿清光莹，幻出人间万古情，我别把冷眼闲心，向百花楼上饮。

又〔歌风·南商调·梧桐树〕云：

青萍叶势平，春水波纹净。动地撩天，把日脚高吹醒。飞花打翠屏，飘叶敲金井。移海吹山，直恁颠狂性，卷涛痕啮破嫦娥影。

〔东瓯令〕　更低低飏，款款生，撩帐搴衣不至诚。温柔偏解偷帮衬，刚出浴冰肌莹。就微微针窦也留情，一线引香魂。

〔大圣乐〕　做春寒递入疏楞，漾钗幡头上冷。鬓花吹落香腮影，带几线泪痕冰。多应是飘零恰似郎心性，可更是荡漾还如妾梦魂。灯昏晕死，正和花送雨，恼人春病。

〔解三醒〕　吹不了愁香怨粉，吹不了瘦铁穷砧，吹不了玉门关上秋鸿影，吹不了晓月津亭，吹不了夜深裙带双鸳冷，吹不了春暖弓鞋百草生。凄凉景，吹熏了柳绵如雾，古渡荒城。

〔前腔〕 吹不了纸钱灰冷，吹不了野烧痕青，吹不了酒旗叶叶春江影，吹不了古戍烟横，吹不了人悲客路斜阳艇，吹不了鬼哭沙场夜雨磷。添凄哽，吹不了子规啼月，血递微腥。

〔尾文〕 任撷掀，从凄紧，翻覆犹如人世情，怎地把世上痴人吹他春梦醒。

又〔惜花·南商调·二郎神〕：

怜花病，见废紫休红点绣茵。轻又薄香魂全瘦损。多情薄命，经二十四番风信。烟雨楼台一曲笙，更纱窗夜寒灯晕。添人闷，宝栏干外，欲谢难禁。

〔啄木儿〕 含风笑，浥露颦，偏对凄凉掩泪人。乍飞粘锦字迴文，忽逗破绣床香印。春深小阁休文病，琴心近接萧娘信，正独自开窗捡绣裙。

〔三段子〕 空中似尘，淡濛濛是谁人梦魂。苔钱似鳞，点疏疏是谁人泪痕。平明一阵寒差甚，绣帘不卷风犹紧。正酒晕扶头，倦妆时分。

〔前腔〕 桃源杏村，酒香衫风流后生。花棚绣捆①，点青毡词坛俊英。尽教拾向奚囊锦，可怜一霎繁华影，知道明年，是谁相近。

① “捆”当作“茵”。——整理者注

〔滴溜子〕　一片片，一片片，芳菲哄人；一点点，一点点，东君负心。作践韶华直恁，子规啼一声，撩乱古坟荒径。几回风雨，知多少藁葬芳魂。

〔尾文〕　陌头剩有弓鞋印，又付与花骢踏作尘，总件件教人怜惜恁。

前期有一冯惟敏，后期有一施伯莘，为明曲生色。

抑余又有取于刘效祖者。效祖，字仲修，宛平人。嘉靖间官至按察使。所为北词，盛传一时，至闻禁掖。所著原有《短柱效颦》、《莲步新声》、《都邑繁华》、《闲中一笑》、《混俗陶情》、《裁冰翦雪》、《良晨乐事》、《空中语》。虽经镂板，后渐散佚。后人搜其仅存之稿，题曰《词脔》，有明末刊及康熙庚戌、甲戌两刊。集中多描缋社会习尚，亦常作警世之语。如〔沉醉东风〕云：

破衲袄真能袖手，矮屋低檐尽可低头。且由他热里忙，落得我闲中受。那里得可口的馒头，这滋味从来看得熟，怎肯去将无作有。

想亦及身阅历之言也。又拜年词〔上小楼〕云：

刚送出张世英，又接进李彦实。只见他叉手躬身，假意虚情，逊让谦推。一个说多生受，累起动，重赖光辉。一个说到府迟未蒙见罪。

〔尧民歌〕云：

呀,一个正慌忙扒起足如飞,一个忙扯衣牵袖定教回。一个说现成热酒饮三杯,一个说看经吃素刚初一。他两个强了一会,终得吃几杯,才能够唱诺抽身退。

乡情俗例,几百年来社会上正未有殊,读之令人嗢噱。如此始见曲境之润大,后来者觑此下笔,正未可限量。故论明一代之散曲,于效祖亦不可忽视焉。

天民《曲品》所举外此诸家有太仓王世贞凤洲、陆之裘南门,昆山顾梦圭雍里、虞竹西,嘉定段都无美,吴江沈瓒定庵。所谓"王司寇当代宗匠","陆氏子闻奇誉美","顾雍里名族标英","虞竹西柔肠度曲","殷部郎触目琳琅","沈佥宪清望斗山"者。

梁、沈派有冯梦龙,后来称雄,为之中坚。梦龙,字耳犹,一字犹龙,别号姑苏词奴,或署龙子犹,有《宛转歌》,亦胆大而情柔。如〔留客·江儿水〕:

郎莫开船者,西风又大了些,不如依旧还侬舍。郎要东西和侬说,郎身若冷侬身热。且消受今朝这一夜,明日风和,便去了侬心安帖。

〔赠书·玉抱肚〕云:

频频书寄,止不过叙寒温别无甚奇。你便一日间千遍邮来,我心中也不嫌聒絮。书呵,你原非要紧的好东西,为甚你一日迟来我便泪垂。

与小曲为近。卓珂月曰："我明诗让唐，词让宋，曲让元，庶几吴歌〔挂枝儿〕、〔罗江怨〕、〔打枣竿〕、〔银铰丝〕之类，为我明一绝耳。"虽然小曲究非南北词之正，言散曲者兼取而并蓄之则可，未能舍此而就彼也。

有明曲人姓氏，见诸选书，共有三百三十余人。而帝王中有一宣宗，虽不足媲美唐玄宗之于诗，宋徽宗之于词，要亦曲史之珍闻尔。

蜀中诗人、词客，代有杰士。有元一朝，惟虞道园，然道园曲至少。幸朱明曲史中有杨慎夫妇，于是蚕丛鱼凫之乡，得不寂寥也已。慎，字用修，号升庵，新都人。有《洞天玄记》、《兰亭会》、《太和记》诸剧。于散曲则《陶情乐府》，脍炙人口。而王元美讥为川调，李调元力辨之。盖南北本腔，无吴人可用、蜀人不可用之理也。用修佳句至多，如"费长房缩不就相思地，女娲氏补不完离恨天"。又"别泪铜壶共滴，愁肠兰焰同煎"，"和愁和恨，经岁经年"。又"傲霜雪镜中紫髯，任光阴眼前赤电，仗平安头上青天"，皆甚可诵。〔黄莺儿〕云：

> 客枕恨邻鸡，未明时又早啼，惊人好梦三千里。星河影低，云烟望迷，鸡声才罢鸦声起。冷凄凄，高楼独倚，残月挂天西。

词境凄清欲绝，可知其流戍时光景矣。

妻黄氏，遂安人，按遂安即今遂宁。《遂宁县志》卷五《艺文卷》六杂记并及之。《积雨酿春寒·寄外》一首下注云："用修卒戍所，家人欲成丧。安人曰：幸而谪终，天威尚难测，律以春秋大义，自当藁葬。家人乃止。未几，世宗遣使启棺，见青衣布袱，使还以闻，上感动，还原爵。其达大体有如此者。”朱孟震曰：“升庵杨先生夫人黄氏，遂宁黄简肃公女。博通经史，能诗文，善书札，娴于女道。性复严整，闺门肃然，虽先生亦敬惮之。”（《玉笋诗谈》）可知其人。其集有徐文长重订本四卷、补遗一卷，以〔骂玉郎感皇恩采茶歌·咏仕女图〕作制最新颖。词云：

一个摘蔷薇刺挽金钗落，一个拾翠羽、捻鲛绡，一个画屏侧畔身斜靠。一个竹影遮，一个柳色潜，一个槐阴罩。一个绿写芭蕉，一个红摘樱桃。一个背湖山，一个临盆沼，一个步亭皋。一个管吹凤箫，一个弦抚鸾胶。一个近栏凭，一个登楼眺，一个隔帘瞧。一个愁眉雾锁，一个醉脸霞娇。一个映水匀红粉，一个偃花整翠翘。一个弄青梅攀折短墙梢，一个蹴起秋千出林杪，一个招罗袖把做扇儿摇。

写二十三人，各尽其态。其〔罗江怨〕四支用车遮韵亦佳。其一曰：

空亭月影斜，东方既白，金鸡惊起枕边蝶。长亭十里，唱阳关也。相思相见，相见何年月？泪流襟上血，愁穿心上结，鸳鸯被冷雕鞍热。

其二曰：

黄昏画角歇，南楼雁疾，迟迟更漏初长夜。愁听积雪，溜松稠也。纸窗不定，不定风如射。墙头月又斜，床头灯又灭，红炉火冷心头热。

其三曰：

关山望转赊，征途倦历，愁人莫与愁人说。遥瞻天阙，望双环也。丹青难把，难把衷肠写。炎方风景别京华，音信绝，世情休问凉和热。

其四曰：

青山隐隐遮，行人去急，羊肠鸟道马蹄怯。鳞鸿不至，空相忆也。恼人正是，正是寒冬节。长空孤鸟灭，平芜远处接，倚楼人冷栏干热。

其曲品，或况诸词中易安，殊为平允。升庵、黄氏俱往矣，自后蜀中南北词遂成绝响矣。兹论明曲，于此不能无慨。同堂诸子，其有愿奋起而踵武前贤者乎？（昨得友人顾君谊名书，闻近有明曲统别之作。正草此章，惜未得以佐证，良用怅然。）

第四　自清以来散曲家

毛奇龄曰："文有名家，有当家，有作者家。名家只如书画家之有标格耳，而金元词曲，每以平行协时族者为当家。至于作者家，则毋论当行与及格，而必有作者之意存乎其间。"（见《霞举堂集序》）以言有清一代之散曲，类是作者家之作耳，其下者并此作者之意而不存。盖自隆、万以来，士夫移制曲之工力以制八比文，于是乎曲衰矣（吾友刘鉴泉咸炘尝与予论之，深信此为曲衰之由）。

就中稍稍自振，尚知规模乔张者，前有朱、厉为魁，率后有刘、许为殿军。虽未足以远抗元贤，而曲之得不坠不绝，赖此一线耳。竹垞、太鸿并以工长短句名于时，故所为曲亦能清雅，不可谓非豪杰之士也。

朱彝尊，字锡鬯，号竹垞，秀水人。有《叶儿乐府》，多北词，如〔沉醉东风·香茅屋青枫树底〕、〔普天乐·到清秋开家宴〕、〔水仙子·半湖山上采樵夫〕诸篇，翛然远趣，直是庆元遗响矣。惟余最爱其〔朝天子〕，意度恬闲，文采清丽，词曰：

> 鱼标，稻苗，争似南湖好。月寒沙柳夜萧萧，帆影卸三姑庙。暗水横桥，矮屋香茅，看黄花都放了。丝绦，布袍，再不想长安道。

置诸小山乐府，或亦可乱其楮叶，而〔天净沙〕一作尤为难得，东篱之“枯藤老树昏雅”①，几成绝唱，元季诸公属和，已不免貂尾之讥。竹垞独不抱定边塞光景，以写秋思，曰：

一行白雁清秋，数声渔笛蘋洲，几点昏雅②断柳。夕阳时候，曝衣人在高楼。

读之如味榄而有回甘焉。然竹垞有时亦不免乖律，〔细细香苞绽·落梅风〕一首，平仄失粘，衬字拗捩，句法破坏，几全非本调面目矣。雅正如竹垞，尚有此失，况其下焉者乎。

厉鹗，字太鸿，号樊榭，钱塘人。有《樊榭山房北乐府》，大抵细腻熨贴。樊榭之所长，以视元贤苍莽之气，大刀阔斧者，终不能逮。〔普天乐·春水〕：“蓝拖打桨人，绿染湔裙候。何事干卿吹频皱？笑东风直恁风流。”〔醉太平·看梅宿西溪山庄〕：“溪深溪浅随春笑，窗明窗暗疑人到，钟初钟绝待诗敲。剩香吟半瓢。”皆独标风趣，不必摹拟前人，虽然，究是词家之曲也。〔殿前欢·秋思用小山春思韵〕写秋思“芭蕉叶叶竹枝枝”一首，较小山原唱“话相思，晓莺啼在绿杨枝”，亦未尝有逊色。余最爱其〔柳营曲·渔家〕：

渔事多，奈渔何，渔心太平谁似我？春雨渔蓑，落日渔艖，渔舍水云窝。约渔兄渔弟经过，聚渔儿渔女婆娑。渔竿连月侵，渔网带烟拖。歌，渔笛定风波。

①② “雅”当作“鸦”。——整理者注

如此畅快，始见曲之本色。

朱、厉而后，惟刘融斋（熙载）能言小山之骚雅，许光治能作清新之小令。融斋《曲概》所议论，时有见道处，至其《昨非集》，仅四令一套而已。套为檃括楚骚山鬼之辞，写古意入今声，如词中东坡《哨遍》之于《归去来辞》，既被诸弦管，按歌以侑酒，其客有幽忧者，尝因之而解也。〔对玉环带清江引〕中，如“任你蹉跎，胜他聋与跛。官似甘罗，那宜衰朽做。封似萧何，怕来宾客贺”。又“陶公傲许当年寄，只不受官场气。烟霞燎我饥，车马从人意，彼此代谋无善计”。爽切翻腾，并足多焉。

光治《江山风月谱》（在《别下斋丛书》中）自序曰：“汉魏乐府降而六朝歌词，情也。再降而三唐之诗、两宋之词，律也。至元曲，几谓里言诽语矣。然张小山、乔梦符散曲，犹有前人规矩在，俪辞追乐府之工，散句撷宋唐之秀。惟套曲则似涪翁俳词，不足鼓吹风雅也。予心好之。”是可知其尝致力于此也。谱中计令五十二首，写时序天气者，间涉农事，风趣盎然，如〔落梅风〕：“晚来络丝虫独语，问西风又来何处?”〔天净沙〕：“柳絮刚刚飞罢。时光初夏，新棉又裹桐花。”读之弥觉有昧。而以〔满庭芳〕之闲婉为最，曰：

> 绿阴野港，黄云陇亩，红雨村庄。东风归去春无恙，未了蚕忙。连日提笼采桑，几时荷锸栽秧？连枷响，田塍夕阳，打豆好时光。

〔水仙子·海棠〕“红绵绣扑华铅”则以拟小山著，气韵色泽，均能入彀矣。光治不为一南调刻意学元，盖一时之杰出者，所惜能秀雅而欠生动，究未臻上乘耳。〔塞鸿秋·题友人采菊图〕：

蜉蝣只作昏朝计，蟪蛄岂识春秋意。蟭螟局促人间世，虫鱼琐屑书生事。龙头翰墨场，燕颔功名志，笑东篱未必渊明是。

叹慨之中，居然盛气，最为难得。〔殿前欢·湖上橛头船〕、〔水仙子·堤边树色辨阴晴〕二首，气慨①亦迥乎不凡。其余或为曲中之词，或为词家之曲。〔小梁州·碧罗团扇恋新秋〕一首，虽幽蒨可爱，而通篇南音填于北调，刚柔未能投分，是又非知音者不能道，然未可以此非难清代诸作手也。

略与三家相近者，仁和何承燕，其《春巢乐府》〔咏债〕一套，王鎏所谓皆伤心语也。凌歙廷堪《梅边吹笛谱》亦北调多于南词，虽〔山坡羊〕效乔梦符未得神似，而〔朝天子·夜思〕、《早春》并能清秀，《赤壁图》一支尤佳：

汉朝，魏朝，画里客高啸。大江东去响寒潮，总是凄凉调。葛相心劳，周郎年少，英雄久寂寥。大乔，小乔，一片斜阳照。

语可诵焉。

会稽陈栋，字浦云。其《北泾草堂北乐府》北套仅二，间有警语。至张应昌《烟波渔唱》，则鲜足采矣。

有赵庆熺者，异军特起，为清一代之冠冕，能恰到曲之好处。任讷许为峰泖浪仙以后散曲中一人而已（语见《曲谐》）。庆熺，字秋舲，仁和人。所著曰《香消酒醒曲》，小令只九首，情词都妙，〔驻云飞·沉醉〕曰：

① “气慨”当为“气概”。——整理者注

等得还家，澹月刚刚上碧纱。亲手递杯茶，软语呼名骂。他，只自眼昏花，脚跟儿乱躧。问着些儿，半晌无回话，偏生要靠住侬身似柳斜。

倩新灵活，何让前贤也。又自序云："漪园之右为白云庵，中设月下老人像。杭州问婚姻者皆卜焉，籤语拉杂不伦。同人秋日偶游，晋竹语余，须以乐府小令谱之，余唯唯。暇时挑灯，填五六阕。仅记其三，附录于此。"〔懒画眉〕二支，其一曰：

问郎年纪可如何？要与儿家差不多，韶华生小怕蹉跎。休较侬年大，我便盖上鸳鸯印一颗。

其一曰：

张张翻到总模糊，恁的鸳鸯两字无，原来是我笔尖涂。不上氤氲簿，你快另造姻缘一纸符。

〔黄莺儿〕曰：

好好系红丝，不须求缱绻司，婚姻真个天公赐。寅时卯时，申时酉时，把笔尖儿端写年庚字。莫相思，明年枕上，开着并头枝。

口角宛妙，词虽不类签，词俊可味也。〔桂枝香·连日病酒，填此戒饮〕云：

刘伶不做，杜康不顾。改辞汤沐糟丘，休罢官衔曲部。再休提醉乡，再休提醉乡，一曲盟词誓汝，抵死视同陌路。自今吾，醒眼看人醉，三闾楚大夫。

又〔前腔·戒酒五日，同人咸劝余饮，遂复故态，作此解嘲〕云：

酿王国号，醉侯官诰。投还五日封章，新上一篇谢表。是微臣不该，是微臣不该，不合平原姓赵，曲秀才名出了。且今朝，打个莲花落，锄儿照旧挑。

此酒徒语，读之忍俊不禁。秋舲多套曲，亦最工。杨恩寿曰：

余前从《秋雨庵随笔》见赵秋舲咏月小令〔江儿水〕，赏其清隽，已录入前集。后见吴幼樵所撰《尘梦醒谈》备录其曲，始知乃套曲中之一折也。全套皆佳，梁应来仅采此数语，犹不免断凫截鸭也。兹备录于左：

〔忒忒令〕①　热红尘无人解愁，冷黄昏有侬生受。团空月亮，照心儿剔透。把一个闷葫芦恨连环，呆思想问谁知道否？

〔沉醉东风〕　闷嫦娥青天上头，憾书生下方搔首。云影净，露华流，中庭似昼，闹虫声新凉时候。星河一周，光阴不留。银桥碧汉，又人间尽秋。

〔园林好〕　想谁家珠帘玉钩，问何人香衾锦裯，任年少虚

① 这套曲子的题目为《对月有感》。——整理者注

空孤负？无赖月，是扬州；无赖客，是杭州。

〔嘉庆子〕 九回肠生小多软就，把万种酸情彻底兜，空向西风谈旧。搴杜若，采扶留。悲薄命，怨灵修。

〔尹令〕 廿年前胡床抓手，十年前书斋回首，五年前华堂笑口。一样银河，今日无情做泪流。

〔品令〕 浮生自思，多恨事难酬。花天酒地，还说甚风流。参辰卯酉，做了天星宿。江湖席帽，三载阻风中酒。只落得下九初三，月子弯弯照女牛。

〔豆叶黄〕 清高玉宇，冷淡琼楼。再休提雾鬓云鬟，再休提雾鬓云鬟，那里是乌纱红袖。生涯疏放，天涯浪游。博得个花朝月夕，博得个花朝月夕，消受了梦魔情魔，酒囚诗囚。

〔月上海棠〕 归去休，一齐放下谁能够。算山河现影，石火波沤。哭青天泪眼三秋，忏青春心魂一缕。蒲团叩，广寒宫何处回头？

〔玉交枝〕 痴顽生就，闯名场名勾利勾。瑶台一阵罡风陡，吹落下魂灵滴溜。寒篑仍在月宫留，吴刚不合凡尘走。一年年新秋暮秋，一年年新愁旧愁。

〔玉胞肚〕 飞萤似豆，扑西风罗衫乱兜。看玉阶景物凄凉，话碧霄儿女绸缪。我吹笙恰倚红楼，只怕仙山不是缑。

〔三月海棠〕 银匣初开，真难得团圆又。问何年怎样，宝镜飞丢。他愁，兔儿捣碎此生白，蟾儿跳出清虚走。红桥侣，鹤驭俦，有个人无赖把紫云偷。

〔江儿水〕 自古欢须尽，从来满必收。我初三瞧你眉儿斗，十三窥你妆儿就，廿三觑你庞儿瘦，都在今宵前后。何况人生，怎不西风败柳。

〔川拨棹〕　年华寿，但相逢杯在手。今要朝檀板金瓯，要明朝檀板金瓯，莽思量情魂怎收，怅良宵漏几筹，剔银钉梦里求。

〔尾声〕　梦中万一钧天奏，舞霓裳仙风双袖，我便跨上青鸾笑不休。

此外，又有《葬花》、《写恨》两商调①，皆极工致，因备录之。《葬花》云：

〔梧桐树〕　堆成粉黛茔，掘破胭脂井。捡块青山，放下桃花榇。名香爇至诚，薄酒先端整。兜起罗衫，一角泥干净，这收场也算是群芳幸。

〔东瓯令〕　更红儿诔，碧玉铭，巧制泥金直缀旌。美人题着名和姓，描一幅离魂影。再旁边筑一个小愁城，设座落花灵。

〔大圣乐〕　我短锄儿学荷刘伶，是清狂非薄幸。今生不合做司香令，黄土畔，叫卿卿。单只为心肠不许随侬硬，因此上风雨无端替你疼。一场梦醒，向众香国里槃涅斯称。

〔解三醒〕　收拾起风流行径，收拾起慧眼聪明。收拾起水边照你娉娉影，收拾起镜里空形。收拾起通身旖旎千般性，收拾起澈胆温和一片情。荒坟冷，只怕你枝头子满，谁奠清明？

〔前腔〕　撇下了燕莺孤另，撇下了蝴蝶伶仃。撇下了青衫红泪人儿病，撇下了酒帐灯屏。撇下了蹄香马踏黄金镫，撇下了指冷鸾吹白玉笙。难呼应，就是那杜鹃哭煞，你也无灵。

---

① “恨”当作“愁”。——整理者注

〔尾声〕 向荒阡,浇杯茗,替你打个圆场证果成。叮嘱你地下轮回莫依然薄命。

《写愁》云:

〔懒画眉〕 生来从不会魂消,怎被莽情丝缚牢,天公待我忒蹊跷。做就愁圈套,把瘦骨棱棱活打熬。

〔步步娇〕 合是聪明该烦恼,恨海凭空造,把风流一担挑。八字儿安排,合为情颠倒。我何处问根苗,只的是命宫磨蝎无人晓。

〔山坡羊〕 冷冰冰性将人拗,好端端自将愁讨。一年年越样痴魔,一天天写个疯颠照。神暗销,相思禁几遭,我当初早是早是魂灵掉,不肯勾消一场恼懊。无聊,湿衙香何处烧?空劳,醉笙簧何处调?

〔江儿水〕 白昼帘双押,黄昏烛一条。把纸牌儿打个鸳鸯①,笔尖儿写幅鸳鸯稿,梦魂儿打个鸳鸯鸟,不许蜂啰蝶唣。怎底宵来,遍是南柯潦草?

〔玉交枝〕 没头没脑,这书章模糊乱嚣。愁城筑得似天高,打不进轰天情炮。心酸好似醋梅浇,眼辛却被蘁姜捣。要丢开心儿越撩,不丢开心儿越焦。

〔园林好〕 恨知音他偏寂寥,恨闲人他偏絮叨,只算些儿胡闹。波底月,镜中潮。潮莫信,月难捞。

① “鸳鸯”后少一“筲”字。——整理者注

〔侥侥令〕　成团飞絮搅，作阵落花飘。我宛转车轮肠寸绞，好比九曲三湾仄路抄。

〔尾声〕　闲愁怎样难离掉，除非做一个连环结子绦，向那没情河丢下了。（见《续词余丛话》。）

其词固不止清隽已也。轻灵松倩，活泼新鲜，绝非朱、厉所能及，而好为南词，如沈、吴诸家者，更膛乎后矣。

沈谦，字去矜，仁和人。有《东江别集》。令、套虽甚富，而翻谱亦多，读之作呕。翻词为曲者，如〔山坡月儿转·春夜〕谱李后主诗余，〔桂花遍南枝·忆欢〕、〔滴滴催·幽情〕皆谱秦少游诗余，〔黄龙醉太平·佳人〕谱杨升庵诗余；翻北曲为南曲者，如〔画眉序·离情〕翻关汉卿作，〔步步娇·元宵忆旧〕翻曾瑞卿作，〔红孩儿·书所见〕翻周德清作，〔小娃琵琶〕翻乔哲符作，〔孝顺姐儿·夜雨〕翻杨澹斋作，〔江南柳·细腰〕、《春情》，俱翻徐甜斋作。而翻小山作者有：〔十分春·酒醒〕、〔黄莺·抱玉枝〕、〔春恨·五马渡〕、〔双江·闺情〕等。不读其词，于此亦可想见其品矣。所为北曲中，如〔落梅风·闺忆〕："从分散，整痛嗟，冷清清鸟啼花谢。提名儿骂他心是铁，料伊家耳轮常热。"直是剽窃东篱耳，东篱原词曰："从别后，音信绝。薄情种害杀人也。逢一个见一个因话说，不信你耳轮儿不热。"虽然，两较之，其巧拙为如何耶。盖东江承明末之余风，染宁庵之恶习，故终不能为曲家之曲也。

他如毛莹、尤侗、陈维嵋、奏云①、蒋士铨、石韫玉、赵对澂、杨恩

① "奏"当作"秦"。——整理者注

寿、沈清瑞、魏熙元、许宝善辈，悉未离乎此轨。

莹，字湛光，松陵人。有《晚宜楼杂曲》。跋中自云："于词曲好而不精。偶有所作，律以九宫谱，不能无出入也。难入檀板，将安用之？既复自恕曰：昔康衢击壤，矢口而歌，其时曷尝有协律郎随其后哉？亦天籁之自鸣耳。"于兹可见其非当家矣。

侗，字展成，世所称西堂者也，长洲人。有《百末词余》，其〔驻云飞·十空曲〕十首皆黄冠语，颇著于当时，实则警顽醒俗，拾人唾余。余尝怪西堂杂剧甚佳，何以令、套如此不相称也，其〔黄莺儿〕分咏美人乳、美人足、美人醋，题目已属小家，徒令人读之生厌。至《戏惧内者》一支："何事犯娘行？跪妆台、一炷香，风流罪过难轻放。笞之太强，杀之过伤，参详惟有宫刑当。好关防，如何黑夜，越狱上牙床？"直可谓之俳优之嫡传。展成言："予少而嬉戏，中年落魄无聊，好作诗余及南北院本新曲，绮艳叠陈，诙谐间出。知我者以为空中语，罪我者以为有伤名教，不只白璧微瑕而已。"余姑不言其伤名教事，然只以绮艳、诙谐为曲，是未知曲境之广矣。

维嵋有《亦山草堂南曲》，媲为南词，旨趣可想。

云，字肤雨，号西脊山人。其《花间剩谱》共八套，又《愿为明镜图题词》一套，当以〔翁仲叹〕为胜。首调〔梧桐树〕云：

> 寒烟落照中，饱看千年冢。指点行人，姓字呼翁仲。朝朝对古松，夜夜留高垅。华表凄凉，鹤语千年痛，几家儿得祭扫儿孙永。

〔解三醒〕云：

只见那雾迷荒垅，只见那碑断苔封。只见那黄昏枝上鹃啼痛，只见那郁郁青松。只见那妖狐拜月骷髅弄，只见那石马无声卧草中。尤堪恸，对着这墓门寂寞，雨雨风风。

语意凄凉，差可动人情感耳。

士铨，字心余，铅山人。戏曲中之有藏园，为清代艺文生色不少。散曲中之藏园，迥不如矣。《忠雅堂》南北曲卷中，戊寅〔粉蝶儿·题陈其年先生填词图〕一套，最称佳制，亦无多可取处，大概奄无机趣，不逮所作九种多矣。

韫玉，字琢堂，吴郡人。乾隆庚戌状元。其《花韵庵》南北曲篇什不多，如〔皂罗袍·秋夜独酌〕、〔金落索·访杜子美草堂旧迹〕诸作，皆嫌板滞，惟〔一江风·咏雪〕：“似杨花点点穿帘罅，糁遍了鸳鸯瓦，玉无瑕。蹋处寻梅，扫处煎茶，江上人如画。豪华是党家，风流是谢家，怪无端兜起诗人话。”工稳中尚饶情致。

对澂，字野航，合肥人。《小罗浮馆》杂曲止一令四套，在此中可称佼佼者。如〔金络索·马上遣兴〕有云：

说什么十年梦断邯郸道，只今日老大愁经豫让桥。情丝套，几时碎却倩刚刀？尽着他曲唱红幺，泪滴青袍，只自按伊凉调。

语颇可诵。又《沙河感旧》套首调〔双玉供〕云：

东风吹透，杏花儿开遍墙头。扑征衫细落轻尘，理吟笺碎碾新愁。乍清明时候，又节次闲情拖逗。乱红无语上帘钩，钗影谁家动画楼?

雅近王伯良。

恩寿,字蓬海,有《坦园词余》。《题钟馗拥妾踞坐小鬼唱曲图》一套,喜笑怒骂之辞也,余意则取〔送别·黑麻令〕为压卷之篇,词云:

猛吹起胡笳塞笳,恰正好风斜雨斜,最凄清霜葭露葭。送行人南浦依依,莽前程烟遮雾遮,望不见人家酒家,尽相对长嗟短嗟。只够着半日勾留,才悟透尘海团沙。

又:

料理着渔叉画叉,寻君到山涯水涯,隔断了喧哗市哗。饱看够清爽秋光,闹喳喳朝雅暮雅①,冷清清芦花荻花,重叠叠瓠瓜枣瓜。会编就一套曲儿,付与那一面琵琶。

垣园撰《词余丛话》二卷,于此道固尝三折肱焉。

清瑞,字芷生,长洲人。红心词客蘋渔之弟,故曲亦有法度。所为《樱桃花下银箫谱》,其甥林衍潮手订,而琢堂付梓者也(有以《樱桃花下银箫谱》归沈桐威起风作者,实误)。共九套,有集曲〔南高平调·羽衣第三叠·饯春日饮分绿窗题佩珠晨妆图〕,一见

① “朝雅暮雅”当作“朝鸦暮鸦”。——整理者注

即知其传梁、沈衣钵，终不免于堆垛之弊也。

〔锦缠道〕　问东风，悄吹过屏山几重？落月晓烟空，熨轻寒教人斜靠熏笼。

〔玉芙蓉〕　耳边嫩约三分懂，眼角春情十倍慵。惊幽梦，是啼莺唤侬。

〔四块玉〕　抬头强，①看纱窗早漏晨红。

〔锦渔灯〕　软哈哈手裹起双趺玉莹，困淹淹体偎着半臂香浓，翠生生掠削春云宝钏松。

〔锦上花〕　离斗帐，闪绣栊，消睡靥，颤玉容，花枝呈润镜奁中。

〔一撮金〕　一步一惺忪。

〔普天乐〕　口脂儿休调动，面粉儿休拈弄，梳和裹倦里匆匆。

〔舞霓裳〕　妆成谁把纤腰拥？怪郎来直恁悄无踪。

〔千秋岁〕　并肩坐，无些缝。溜肩语，无些空。休听鹦歌哄，道夭桃开也，去踏芳丛。

〔麻婆子〕　爱郎爱郎多情种，心香一串同；笑侬笑侬风流宠，心犀一寸通。相思入骨骰玲珑。

〔滚绣球〕　诉相思未终，且转过一答儿湘帘向东。

〔红绣鞋〕　湘帘控，桂曲琼，教郎补画小眉峰。

① “抬头强”当作“强抬头”。——整理者注

题图作曲，最是清人习气，此亦未能超脱者也。

熙元字玉岩，仁和人。《玉玲珑馆曲存》只两套，《赵月楼司马桐凤宴》套中〔豆叶黄〕嘉芷衫者曰：

猛听得泠泠笙鹤，满院清风。真个人在蓬莱第一峰，当得起北辰星拱。珊珊秀骨，超超化工。是一朵灵芝仙种，是一朵灵芝仙种，端的要天上人间，领袖春风。

〔江儿水〕嘲宝琴者曰：

宝鼎灰寒筋，琴弦调变桐。好一个弄花人翻被花枝弄，恨耶一桩桩心头儿痛，醋耶一瓶瓶口头儿用，唧唧哝哝个中人自懂。你看他慧眼维摩半惺忪，还道他志诚的种。

又〔玉交枝〕戏蟾香者曰：

团团月涌，好清光漾漾溶溶。我闲愁闲恨只有你嫦娥心事共，况分香名在蟾宫。为什么婆娑影儿辜负侬，捣元霜不做游仙梦？耽搁你少年时云踪雨踪，一霎里叹萧疏云松鬓松。

掇拾明人之牙慧耳。

云间许宝善《自怡轩乐府》名甚显，其和东篱《百岁光阴》至七套之多，而俊语实不多见。

论清之曲人于苏长洲，于浙仁和，济济多士，终未能自有树立，其略近梁、沈之遗而不为梁、沈所限者，则有二吴：绮，字薗次，江都

人;锡麒,字谷人,钱塘人。远非此辈所及,亦南词中之俊也。菌次之《林蕙堂填词》计九套,《赠苏昆生》一套最著:

〔尾犯序〕　风雪打貂裘,乡里惊梅,客心催柳。古寺栖迟,见白发苏侯,如旧。最喜是中原故老,犹记取霓裳雅奏。相怜处,把繁华往事,灯下说从头。

〔倾杯序〕　风流,忆少年,不解愁,游侠争驰骤。也曾向麋鹿台前,貔貅帐里,金谷留连,玉箫拖逗。把豪情绮月,逸气干云,西第南楼,都付与漆园蝴蝶老庄周。

〔玉芙蓉〕　沧桑一转眸,云雨双翻手。到如今萧萧,霜鬓如秋。那些个五侯池馆争相迓,只落得六代莺花莽不收。抛红豆,叹知音冷落,向齐廷弹瑟好谁投?

〔小桃红〕　枉湿了浔江袖,还剩得兰陵酒。尽红牙拍断红珠溜,青鞋踏遍春山瘦,把黄冠撇却黄金臭。管甚么蛟龙争斗无休。

〔尾声〕　狂歌一曲为君寿,同在此伤心时候,且劝你放眼乾坤做个汗漫游。

仿佛杜陵之遇龟年,而情愈旷达矣。绮语如《秦楼月》传奇题词中〔解三酲〕云:

忘不了香钩微步,忘不了玉腕斜舒。忘不了红窗薄醉横波注,忘不了雪肌肤。忘不了花前软款将离情数,忘不了灯下横陈将倦体铺。难忘处,有罗衾翡翠,绣枕珊瑚。(此套《林蕙堂集》中所无,见予《饮虹簃校刻二十种》内。)

谷人《有正味斋》南北曲卷中亦多名作。梁廷枏曰："吴谷人先生词学，近人不多觏，痛除凡响，壁垒一新。集中南北曲数套，妙墨淋漓，几欲与元人争席。"（见《藤花馆曲话》卷三）虽不免溢美，其蜚声艺苑，是可知也。谷人颇多题图之曲，亦当时风气使然。有《题仕女图》十二首，首各一题一调，极别致。序曰："梅村集中有《戏题仕女图》十二绝句，因用其题，各以南北曲谱之，并属友人徐君兰坡，仍绘其意以传。"云云。十二仕女者：一舸（用杜牧句）、虞兮、出塞、归国、当垆、堕楼、奔拂、盗绡、取盒、梦鞋、骊山、蒲东。以〔一舸〕、〔出塞〕、〔当垆〕三支为最脍炙人口。〔梧桐树·一舸〕云：

西风吹白纻，歌罢人何处？莫道功成，肯逐鸱夷去，算回头只有烟波路。吴苑千秋，花也愁无主；越客千丝，网也难兜住。剩相思石上苔无数。

〔驻马听·出塞〕云：

国色谁知，何苦黄金赂画师。蛾眉易老，玉关自远，青冢长迷。琵琶弹出汉宫悲，蟾蜍照见胡沙泪。险被胭脂，勒名儿溷了燕然字。

〔解三酲·当垆〕云：

著犊鼻风生一哄，画蛾眉翠隐双峰。酒旗摇曳春星动，休夸是数钱工。赋成才有千金卖，归去依然四壁空。琴心送，只茂陵秋雨，累个愁侬。

而〔仙吕排歌·红桥访春〕:“故燕偏迟,新莺乱飞,租船去去湖西。一虹界处画图移,翠拥高头红接低。亭馆合,楼阁离,金迷纸醉梦何之?歌吹繁,灯火起,衣香人影几多时。”尤为难得。他如〔玉抱肚·咏新柳〕有云:“十三年纪女儿娇,传递新愁过画桥。”〔驻马听·登金山〕有云:“讲经龙欲出波听,护禅鸽亦栖檐定。”〔皂罗袍·杏花〕有云:“饧箫吹过,新烟已消。酒帘招否,前村尚遥。只爱,那一肩香递红楼悄。”〔油葫芦·观菜花〕有云:“鹅儿壳蜕新,蜂儿翅搧忙,但酒波和着花光荡,浑不信有斜阳。”各有精采,皆警句也。任讷谓两吴集中之合作,间如明之王磐、金銮,不为无见(此语见所撰《散曲概论》中《派别第九》)。

又陆秋士楙有《鹊亭乐府》,孔皕轩广森有《温经堂戏墨》,王维新有《红豆曲》,郑方坤有《青衫词余》,并流传未广。而顺天方玉坤所作,如《雁字》“丁宁嘱咐南飞雁,到衡阳,与侬代笔,行些方便。不倩你报平安,不倩你诉饥寒,寥寥数笔莫辞难,只写个一人两字碧云端。高叫客心酸,高叫客心酸,万一阿郎出见,要齐齐整整,仔细让他看”,则又曲之变体矣。

以曲为史,实写时政者,有松滋谢元淮,此前代所未有也。元淮字默卿,有《养默山房散套》,共三长套,其〔一枝花·感怀〕套中用〔九转货郎儿〕(按谢作一套中,每调换一韵,殊乖曲律,假借旧谱而歌,亦非当家所许也)直书当时情事,曰:

诉不尽微员偃蹇,说不尽官场幻变。见几个扬眉吐气势熏天,见几个献殷勤描花面,钻狗洞跳猴圈,费尽心力百计千方总为钱。

二转曰：

道光初任州邳一官初赴，职分小也是民之父母。三四年遂喜得清风舆论孚，东山又移向洞庭湖。遇英贤赏拔却非亲故，他道我精勤廉朴，从此出污泥不染污。

三转曰：

那时节高堰开粮船不到，创海运天边转漕。多亏了陶公筹画荩漠高，涉鲸波如平地，供天庾免愁焦，浚吴淞民无水涝，整鹾纲商多富饶。更淮北贩招，口岸畅销，大转关全凭转改票。这其间也有俺励勷奔走劳。

四转曰：

谢伊家达天听把微名叠奖，一再转官阶日上。却又道可膺民社坐琴堂，消受过九龙山横积翠，第二泉茗椀浮香，云山在望。俺可也殚竭精忱嫌不避，怨不避，一手颓把障波。也不慌张，也不匆忙，硬生生挣几倍公家饷。头衔晋，荷恩光。当，自古道盛德莫忘。俺只觉出力无多叨厚赏。

五转曰：

那知岘山碑为羊公泪堕，望西洲恸羊昙再过。赖曹参成法守萧何。方感叹可悲歌，可惜了一岁疆臣两游波。从此后抚驭心劳边防事多，从此后狼与狈互催搓，从此后芙蓉花发烟尘祸，从此后闽广分兵锋先挫，从此后江浙扰大动干戈。有一个徒读父书的赵括偻罗，枉坑了长平卒自沉河。都带累俺奉羽檄上海，望着那沧溟涕泗沱。

六转曰：

我只见密密层层官军防堵，每日里煏煏剥剥操兵整伍。忽见那黑黑白白奇奇怪怪鬼酋奴，早只是大大小小齐惊遽。又只见忙忙碌碌、来来去去、兵兵将将、吁吁喘喘守吴淞门户，蓦地里闪闪烁烁炮声砰怒。可怜那高高下下的塘，凸凸凹凹的路，男男女女、啼啼哭哭救死奔逋，一霎时腾腾焰焰、村村舍舍尽成焦土。好一个忠勇军门烈烈轰轰为国捐躯殉海隅。

七转曰：

猛喝断横江铁锁，掗金焦倒翻雪波。铁瓮城坚竟摧破，金陵还报那妖气恶。索兵费他贼不空过，纳钱帛我死中觅活。马头凭卖西洋货，顾眼前权救燃眉火。从古来驭荒驳远的穷夷，不与他较甚曲直要争端终贵和①。

八转曰：

① “要”后少一“息”字。——整理者注

感皇仁推恩解网，投戈后宽其既往。浙、苏、闽、粤许通商，把冤仇两忘，两忘。浦江头城外盖洋房，耶稣经渐看流传广。远梯航也么哥，尽来王也么哥，闹热煞五港。善后规模紧紧儿防，要平时预讲，预讲。拜客迎宾应酬儿忙，抵多少定国功劳帐。望忠良也么哥，静封疆也么哥，静封疆抚御机谋赖久长。

九转曰：

悔平生都只为多言遭忌，出戎幕仍居旧职。当日个忧天尽笑杞人痴，到后来补天还亏了娲皇力。割珠崖定策原非，阻内附维州还①，赔香港援的是澳门旧例。听风传粤东民勇众志高，他呵结义社专制英夷。过年春月是进城期，恐难免争端又起。怕只怕相逢狭路难回避，因此上绸缪阴雨这鳃鳃计，俺已是眼睁睁见过一遭儿，试听那号哭呻吟声未已。

汪子经曰："长歌当哭，个中人别有伤心处。"胡康侯曰："〔九转货郎儿〕在元曲中亦称杰构，后人模拟，终以洪昉思〔弹词〕为最胜，几于有井水处皆歌矣。此作引商刻羽，铢黍无讹，骎骎与洪曲争先，而命意深远。赏音者当于弦外忖度之。"吴同午："是一篇防夷善后论，勿作曲子读过。"（见原跋）于律虽未能如康侯所云，于此以见外患之渐，亦足供史家之采焉。

① "还"后少一"弃"字。——整理者注

洪杨之乱，东南沦陷。一时诗人如金亚匏和，词人如蒋鹿潭春霖，皆斐然有作。亦有记之以南北曲者，概名之曰〔哀江南〕，盖仿《桃花扇·余韵》中之〔北新水令〕一套也。吴竹如曰①：

〔新水令〕　问苍天浩劫几时休，惨江南逆夷来限②。漕更盐法变，河决水波深。兵果弱，偏不灭这粤海滔天寇。

〔驻马听〕　想当初鱼向釜中游，郑抚吞漏舟，林公巨网投。恨天意茫茫，偏不永文忠寿。围困永安州，拥雄兵谁放强徒走？

〔沉醉东风〕　直待那两湖中匪类相纠，掳库烧仓，劫狱招囚。累朝廷再调熊罴，重整貔貅。有大臣九江引逗，有大臣一路逃溜。

〔折桂令〕　几日间天暗云稠，口薄烟浮。早安排画室偕行③，还哄骗百姓勾留。仓卒团乡勇，懵懂到贼酋。眼见他安庆空城覆，眼见他采石长江透，眼见他白卜重关叩。不想跳梁小丑，只办得十夜穿窬，犯偌大个金瓯钻漏。

〔沽美酒〕　再休题惜繁华逐宴游，说甚么宴良朋联诗酒。你富资财无端被劫搜，好门庭那得长厮守。

〔太平令〕　叹香巢占去贼如鸠，叹全家怨也莫愁。忍偷生日顾须眉有，怎也么忧，待捐生何堪鬓发虬。逼当兵执竹荷戈矛，迫支更击鼓鸣刁斗。已驱男作马，更逐女为牛。扯凌波

① 该套曲未标曲牌，由整理者补出。

② “限”当作“后”。——整理者注

③ “画”当作“尽”。——整理者注

露出双钩瘦，况早逼得红裙褪石榴。

〔唐兀歹〕 呀，穷凶恶极没来由，灭天伦骨肉痛分头。逆天心面目怕凝眸，扎红巾有日终骈首。

〔川拨棹〕 仗元戎运筹，仗元戎运筹，打听得铸就铜轰一笔勾。撇妻孥风愁雨愁，别家园山悠水悠。

〔七兄弟〕 尽余生，拼脱，重重虎口。有衣冠被兵收，有黄白被兵搜。盼王师早复仇，盼王师早复仇。

〔梅花酒〕 将违心，兵掣肘。乱离人，转徙历春秋。问囊空羞涩，有几辈不黔娄？病君子炎凉时候，梅将军痛痒关头。

〔收江南〕 这滋味大家消受，这灾殃大家分割。今日个怎能够烟波一舟，云山一裘。手把着钓鱼竿，好觅个逋逃渊薮。

〔尾〕 此情难向君王奏，且听我声骖鞶鼓发清讴，准备着耳边一洗筝琶陋。

杨柳门后曰①：

〔新水令〕 石头城上拥兵多，不堤防贼兵飞过。万家门下锁，一路血成河。击鼓吹螺，早又报皇城破。四下巡锣，白昼杀人还放火；千般搜索，黄昏入室尚操戈。有的是渔波三尺去投河，也有的鸩酒一瓶来仰药，挨不过火焚绳绞刚刀割。

〔驻马听〕 卧佛寺佛藏秘阁，洞神宫神葬清波；三清殿飞作灰，长干塔烧成壳。黑心肠劈开圣座，红眼睛骂倒阎罗。仙

① 该套曲未标曲牌，由整理者补出。

佛无如浩劫何，任你个刀砍斧剁。

〔沉醉东风〕 甚强徒官职嵬峨，丞相恩加检点，亲多侍卫如何。买卖衙一般掏摸，巡查衙几队偻罗。圣粮衙米粟堆，圣库衙金银崽。

〔折桂令〕 娃崽生拉，童女强拖。恨不得众兄弟齐当圣兵，新姊妹共杀妖魔。最苦是姊妹营受折磨，终日价云鬓拖，挑土盘仓畚稻壳。把罗裙扯，却浑不许袜凌波。我只道老人馆安稳无他，谁承望拆屋挑河。

〔沽美酒〕 一个个将草儿来耨，一家家将稻儿来磕，更兼着尸骸要拖。这几日飞差忒多，仍不如向机房权躲。

〔太平令〕 那江西几见城池破，这江南妄想君王作，癞虾蟆怎啖天鹅。眼见他占金陵，眼见他僭王位，眼见他来就缚。他生该五鼎烹，便死也要千刀剁。

〔离亭宴煞〕 有一伙人助他为虐，把城头鼓夜夜敲，腰下刀时时带，屋中人家家捉。愁来万事休，悔甚当初错。到今日飘蓬无着，且编就一套哀江南，待觅个同调人儿和一和。

周还之葆濂曰①：

〔新水令〕 城垣十丈接天高，仓卒间贼兵飞到。土囊连夜造，石子望空抛。纵火延烧，拆不及屋料，举室哀号。白板千家齐上铰，沿门鼓噪。

① 该套曲未标曲牌，由整理者补出。

〔驻马听〕　红巾一路尽持矛，蜈蚣旗上招摇，虾蟆鼓街头喧闹。一层层短柄刀，一队队圆藤帽，见着他魂胆俱消。没个人儿把战鏖，剩百姓将门关了。

〔折桂令〕　谁知他硬把门敲，狠比豺狈，毒甚鸱鸮。黄褂红袍，一般兄弟，几大官僚。拖拜降无分老少，搜财物不漏丝毫。身穿布招，头缠布条。苦良民视同狗彘，死阎罗骂是蛇妖。

〔沽美酒〕　可记得逢七日奏章烧，甚赞美与天条，下凡天父遗新诏。一桩桩胡闹，都是这小儿曹。

〔太平令〕　更有那姊妹们柴挑米挑，仪凤门途遥路遥。平日里深宫藏娇，今日个沿街乱跑。一任他花焦，柳憔，百样儿煎熬，赤双凫愁煞金莲小。

〔离亭宴带歇指煞〕　俺曾见报恩寺塔祥云罩，朝天宫殿仙霞绕，有许多道宇僧寮。眼看他献香花，眼看他兴土木，眼看他生荒草。这琉璃瓦片，黑灰糁糁无人扫。将二百年繁华凭吊，雨花台蝼蚁屯，秦淮河鸳鸯散，石城头鸺鹠叫。余生值乱离，时事伤怀抱。画不尽流民图稿，学一曲哀江南，向天涯觅同调。

姚西农必成亦有〔混江龙〕曰：

这贼子横行无状，夜郎自大竟称王。占据了岭东西，动摇两广；搔扰过湖南北，蹂躏三江。大胆子敢违天，将皇历平空更朔望。蛮力儿强争地，叹白门容易失封疆。带一般婆子们穿绸缎，插金银，丑似那魑魅魍魉。纵几群牌刀手，抢钱财，搜货物，狠过那虎豹豺狼。杀尽了满洲人上万盈千，也不怕神人积忿；毁遍了南朝寺四百八十，那里管仙佛遗殃。倡邪杀，[1]侮正神，硬灭了伏魔帝千秋俎豆；谤圣贤，污经籍，糟蹋坏文宣王万仞宫墙。虏男子，拜兄弟，一个个除去领，摘去冠，蓄发留须，分甚么缙绅世族；逼妇人，当姊妹，羞答答蓬着头，赤着脚，挑柴担米，也有那命妇班行。到处的设检点，设指挥，设巡查，撞着他吓得似游魂地府；成日间拜天父，拜耶稣，拜上帝，强着你硬说是享福天堂。可怜那喝酒的，吃烟的，犯甚科条，平白地身披枷共锁；最惨是从贼的，当兵的，落他圈套，片时间命送炮和枪。看着他脚上穿，头上戴，可笑恁沐猴儿，枉披着优孟衣冠裳；瞧着他前头打，后头吹，试问这蠢驴子，可肖那汉仪仗？叫别人挖濠沟，筑土城，拆房屋，硬把那苦差当；你自己灭君臣，绝父子，弃夫妇，还要将道理讲。俺这座金陵城原六代繁华，自昔江山如锦绣。则被你煤洞鬼将万民涂炭，一朝世界变沧桑。华屋里任挖掘玉砌雕楹，那里找百万贯郭家金穴。阛阓里乱抛掷牙签锦轴，可惜了五千卷曹氏书仓。好林园拆尽了云廊月榭，浑不许二六时登眺客裙屐徜徉。高宝塔烧坏了碧瓦朱甍，全失却数千载帝王家规模雄壮。那龙钟的须白叟，也叫他迎门拥篲打扫街旁；这幼小的孩子们，却用他击鼓敲梆支更城上。悲莫悲生别离，这拆散了有情眷属，受不尽万种凄惶；恨只恨死糊涂，那附和的不肖东西，跟着他一般抢攘。作内应岂没个英雄豪杰，可惜你苦心一片，那能够像马超大反西凉；考诏书那管你学士文人，尽由他下笔千言，也只得学扬

[1] “杀”当作“教”。——整理者注

雄失身王莽。恁只靠抢东坝，抢三河，抢运漕，积谷屯粮；他还要打兖州，打安庆，打江西，点兵调将。这行迳真似那水浒宋江，这狠毒更甚那明朝李闯。我编就混江龙，千言愤懑，也说不尽这下山虎，百样猖狂。

状太平军之残酷，可谓淋漓尽致矣。

其后有藐庐者，作《新万古愁曲》，本归玄恭原唱，虽诸调未尝全用，愤慨淋漓，读之汗下。

有黄荻生名荔者，作〔鸦片曲 · 新水令〕一套，写黑籍情况，亦元人警世遗意。

会稽顾季敦家相有《非勴堂乐府》，其《哀思曲》自称"脱稿于壬子首夏，其时优待皇室条款虽经颁布，而燕秦远隔，未悉实情。迨儿辈自都下归，缕述两宫安善，当局于优待迁移，而存留太庙，永归清室奉祀，尤互古未有之旷典①。昔虞舜禅位，文命商均退处藩封，而仲尼称为宗庙飨之，子孙保之。今兹盛举以视唐虞，洵有加焉，薄海臣民，非特不必存鼎迁社屋之悲，或当以躬逢其盛为幸"（见曲后自注）。是记辛亥复国事也。

又王菊隐者，有曲叙共和以来南北之战，其〔新水令〕云：

莽神州何处觅逍遥，放眼令人长啸。南天烽火急，北地炮声嚣。世事如潮，却教俺苦谱这凄凉稿。（见十一年五月二十日《时报》）

① "互"当作"亘"。——整理者注

亦以曲为史之流。大抵此辈疏于曲律而知广曲之用。刘鉴泉咸炘尝论曲云:“以痛快易良之词道伦情民风,其力盖有过于诗者。曲能如是,乃诚可谓之广博耳。能广博,则曲当益盛、益重。”(见《曲雅》后序)元明以来,多香奁语与道情,此辈知拓国百里,虽非当家之品,是亦别树一帜矣。

至于郑燮板桥《道情》、徐灵胎之《洄溪道情》暨繁江张琢之汝玉之《秋闺词》,皆似曲而实非,兹所不取。

同、光以来,为南北词者愈少。龙阳易实甫顺鼎《丁戊之间行卷》中,有曲一卷。仁和何骈盦春旭有《可人曲》一卷,华痴石谛有《相怜对影词》一卷。而并世论曲,要推长洲为大师。

长洲吴先生名梅,字瞿安,号霜厓。有《霜厓曲录》二卷(即卢前所编)。海宁王静庵国维居吴门时,常相过从,因以治曲名。而霜厓弟子江都任二北讷,校订曲籍,远胜丁静安。所为小令,亦甚清丽。

仙城许守白之衡、泰县顾君谊名,间亦为散曲。守白之拟吴梅村《听卞玉京弹琴》一长套,迥非道、咸人所能及也。黟县汪石青炳麟有志于此,尝见其〔南吕・临江仙・赠陈君蜕厂〕套曲,词颇可论,惜乎未尽其才,中道而殁也。

《说考》谓曲至今日,集于大成,长洲如词之于常州,然行将见其中兴也。顾前无似窃长洲之绪余,播教四方。至于发舒所积,感物造端,刻画万类,联翩而踵起,以大其传,是所望于诸君者(采向仙樵《楚曲稚序》中语,资阳杨生能召近有五十年来之曲学论文,胪述甚详,此段仅举其大概而已)。

第五　散曲史编后补志

芝庵曰："词山曲海，千生万熟。三千小令，四十大曲。……论其词题，有闺情、铁骑、故事、采莲、击壤、叩角、吉席、添寿；有宫词、乐词、花词、汤词、酒词、灯词；有江景、雪景、夏景、冬景、秋景、春景；有凯歌、棹歌、渔歌、挽歌、楚歌、杵歌。凡歌之所：桃花扇、竹叶樽、柳枝词、桃叶怨、尧民鼓腹、壮士击节、牛僮马仆、闾阎女子、天涯游客、洞里仙人、闺中怨女、江边商妇、场上少年、阛阓优伶、华屋兰堂、衣冠文会、小楼狭阁、月馆风亭、雨窗雪屋、柳外花前。"（《唱论》）

曲之为乐如此，然声音各应于律吕，分于六宫、十一调，共计十七宫调。十七宫调者，仙吕清新绵邈，南吕感叹伤悲，中吕高下闪赚，黄钟富贵缠绵，正宫惆怅雄壮，道宫飘逸清幽，大石风流酝藉，小石旖旎妩媚，高平条物滉漾，般涉拾掇坑堑，歇指急并虚歇，商角悲伤宛转，双调健捷激袅，商调凄怆怨慕，角调呜咽悠扬，宫调典雅沉重，越调陶写冷笑。每一宫调能用为小令者若干，用为套数者若干，亦有兼可用为令、套者。请言小令于北曲，分为三种：

甲、小令专用者

黄钟有：昼夜乐、人月圆、红衲袄、贺圣朝。

正宫有：黑漆弩、甘草子、汉东山。

仙吕有:锦橙梅、太常引、三番玉楼人。

南宫有:干荷叶。

中吕有:山坡羊、乔捉蛇、鹘打兔、摊破喜春来。

大石有:百字令、喜梧桐、初生月儿、阳关三叠。

小石有:青杏儿、天上谣。

高平有:木兰花、于非乐、青玉案。

商调有:秦楼月、桃花浪、满堂红、芭蕉延寿。

越调有:凭栏人、糖多令。

双调有:新时令、十棒鼓、秋江送、大德乐、大德歌、祆神急、楚天遥、青玉案、殿前喜、皂旗儿、枳郎儿、华严赞、得胜乐、山丹花、扫晴娘、鱼游春水、骤雨打新荷、河西水仙子、河西六娘子、百字折桂令。

乙、小令、套数兼用者

黄钟有:刮地风、出队子。

正宫:塞鸿秋、叨叨令、醉太平、小梁州、六幺遍、白鹤子。

仙吕有:后庭花、醉扶归、节节高、金盏儿、一半儿、忆王孙、赏花时。

南吕有:金字经、四块玉、玉交枝、梁州。

中吕有:满庭芳、喜春来、醉高歌、红绣鞋、普天乐、朝天子、上小楼、迎仙客、四边静、回换头、挂枝儿。

般涉有:耍孩儿。

商调有:梧叶儿、凉亭乐、醋葫芦。

越调有:天净沙、小桃红、寨儿令、黄蔷薇、雪里梅。

双调有：折桂令、水仙子、庆东原、驻马听、拨不断、清江引、落梅风、沉醉东风、步步娇、碧玉箫、沽美酒、殿前欢、阿纳忽、庆宣和、卖花声、得胜令、春闺怨、风入松、胡十八、月上海棠、快活年、牡丹春。

待考者有：丰年乐、时新乐、霜角、阿姑令、双叠翠。

丙、带过曲调

正宫有：脱布衫带小凉州、小凉州带风入松。

仙吕有：后庭花带青哥儿、那咤令带鹊踏枝寄生草。

南吕有：骂玉郎带采茶歌、骂玉郎带感皇恩采茶歌。

中吕有：十二月带尧民歌、醉高歌带喜春来、醉高歌带摊破喜春来、醉高歌带红绣鞋、快活三带朝天子、快活三带朝天子四换头、快活三带朝天子四边静、齐天乐带红衫儿。

越调：黄蔷薇带庆元贞。

双调有：水仙子带折桂令、雁儿落带得胜令、雁儿落带清江引、雁儿落带清江引碧玉箫、一锭银带大德乐、沽美酒带太平令、沽美酒带快活年、对玉环带清江引、楚天遥带清江引、梅花酒带七弟兄、竹枝歌带侧砖儿、江儿水带碧玉箫、锦上花带清江引碧玉箫。

中吕带双调有：醉高歌带殿前欢、满庭芳带清江引。

正宫带双调有：叨叨令带折桂令。

南带过曲惟朝元歌带朝元令。南北兼带亦惟南楚江情带北金字经、南红绣鞋带北红绣鞋二式而已。

南曲于小令：

仙吕原调有：皂罗袍、桂枝香、排歌、浪淘沙、月儿高、傍妆台、月中花、解三醒、西河柳、春从天上来。

集曲有：醉罗歌、月云高、甘州歌、解袍歌、一封书、解醒歌、醉花云、香转南枝、月照山、闹十八、九回肠、十二红、醉归花月渡、二犯桂枝香、二犯月儿高、二犯傍妆台。

正宫原调有：玉芙蓉、锦缠道。

集曲有：锦亭乐。

大石原调有：催拍、两头蛮、两头南、红叶儿。

中吕原调有：泣颜回、驻云飞、普天乐、驻马听、石榴花、永团圆、番马舞秋风。

集曲有：榴花泣、倚马待风云。

南吕原调有：一江风、懒画眉、梁州序、大胜乐、贺新郎、宜春令、锁金帐、香罗带。

集曲有：罗江怨、二学士、七犯玲珑、六犯清音、梁州新郎、梁纱拨大香、浣溪刘月莲、六犯碧桃花、七贤过关、巫山十二峰、九疑山、八宝妆、仙桂引、仙子步蟾宫。

黄钟原调有：倚香金童、传言玉女、啄木儿、画眉序。

越调原调有：绵褡絮。

商调原调有：黄莺儿、集贤宾、山坡羊、高阳台、水红花。

集曲有：金络索、黄罗歌、莺花皂、山羊五更转、梧蓼金罗、黄莺学画眉。

小石原调有：骤雨打新荷、牙床。

羽调原调有：马鞍儿。

集曲有:胜如花、四季盆花灯。

双调原调有:玉抱肚、锁南枝、风入松、四块金、玉交枝、柳掠金、朝天歌、江儿水、孝顺歌、步步娇、淘金令、转调淘金令、锦法经、四朝元。

集曲有:二犯江儿水、娇莺儿、江头金桂、孝南歌、二犯柳摇金、孝南枝、玉枝供、六么令犯、落韵锁南枝、摊破金字令、折桂朝天令、锦堂月、玉江引。

待考者有:征胡兵、弥陀僧、对美人、美樱桃。

南北与过带,共二百六十九调,皆前人曲集中所习见者。大抵小令之调略备于此,虽未能尽,执兹以求,可无迷茫之失矣。

至于套数,格式綦繁,仅就通常所见者,附列如次。惟所称引,十不及二三,聊供窥测一斑而已。

甲、北曲套数

仙吕 一 点绛唇 混江龙 油葫芦 天下乐 那咤令 鹊踏枝 寄生草 煞尾

二 点绛唇 混江龙 油葫芦 天下乐 后庭花 青哥儿 赚煞

三 点绛唇 混江龙 村里迓鼓 寄生草 煞尾

四 村里迓鼓 元和令 上马娇 胜葫芦 煞尾

南吕 一 一枝花 梁州第七 四块玉 哭皇天 乌夜啼 尾声

二 一枝花 梁州第七 牧羊关 四块玉 骂玉郎 元鹤鸣 乌夜啼 尾声

三 一枝花 四块玉 骂玉郎 感皇恩 采茶歌 草池春

四　一枝花 梁州第七 九转货郎儿

黄钟 一　醉花阴 喜迁莺 出队子 刮地风 四门子 水仙子 煞尾

二　醉花阴 出队子 刮地风 四门子 水仙子 尾声

中吕 一　粉蝶儿 醉春风 石榴花 斗鹌鹑 上小楼 煞尾

二　粉蝶儿 醉春风 迎仙客 石榴花 上小楼 么篇 小梁州 么篇 朝天子 煞尾

三　粉蝶儿 醉春风 迎仙客 红绣鞋 石榴花 斗鹌鹑 快活三 十二月 尧民歌 上小楼 么篇 煞尾

四　粉蝶儿 醉春风 十二月 尧民歌 石榴花 斗鹌鹑 上小楼 么篇 煞尾

五　粉蝶儿 上小楼 么篇 满庭芳 快活三 朝天子 四边静 耍孩儿 三煞 二煞 一煞 煞尾

正宫 一　端正好 滚绣球 叨叨令 脱布衫 小梁州 么篇 快活三 朝天子 煞尾

二　端正好 滚绣球 叨叨令 脱布衫 小梁州 么篇 上小楼 么篇 满庭芳 快活三 朝天子 四边静 耍孩儿 五煞 四煞 三煞 二煞 一煞 煞尾

三　端正好 蛮姑儿 滚绣球 叨叨令 伴读书 笑和尚 倘秀才 滚绣球 煞尾

四　端正好 滚绣球 倘秀才 滚绣球 倘秀才 滚绣球 倘秀才 滚绣球 煞尾

五　端正好 滚绣球 叨叨令 倘秀才 滚绣球 白鹤子 耍孩儿 三煞 二煞 一煞 煞尾

大石 一　六国朝 喜秋风 归塞北 六国朝 雁过南楼 擂鼓体 归塞北 好观音 好观音 煞

商调 一 集贤宾 逍遥乐 上京马 梧叶儿 醋葫芦 么篇 金菊香 柳叶儿 浪里来 高过随调 煞

二 集贤宾 逍遥乐 金菊香 梧叶儿 醋葫芦 么篇 后庭花 柳叶儿 浪里来 煞

越调 一 斗鹌鹑 紫花儿序 小桃红 金蕉叶 调笑令 秃厮儿 圣药王 麻郎儿 络丝娘 尾声

二 斗鹌鹑 紫花儿序 金蕉叶 小桃红 天净沙 么篇 秃厮儿 圣药王 尾声

三 看花回 绵搭絮 么篇 青山口 圣药王 庆元贞 古竹马 煞尾

双调 一 新水令 折桂令 雁儿落 得胜令 沽美酒 太平令 鸳鸯煞

二 新水令 驻马听 乔牌儿 搅筝琶 雁儿落 得胜令 沽美酒 川拨棹 太平令 梅花酒 收江南 清江引

三 新水令 驻马听 沉醉东风 雁儿落 得胜令 挂玉钩 川拨棹 七弟兄 梅花酒 收江南 煞尾

四 新水令 驻马听 胡十八 沽美酒 太平令 沉醉东风 庆东原 雁儿落 得令搅 胜筝琶① 煞尾

五 新水令 步步娇 沉醉东风 搅筝琶 雁儿落 得胜令 挂玉钩 殿前欢 煞尾

六 夜行船 乔木查 庆宣和 落梅风 风入松 拨不断 离亭宴带歇拍煞

---

① “得令搅 胜筝琶”当作“得胜令 搅筝琶”。——整理者注

乙、南北合套

仙吕　北点绛剑唇 南器令 北混江龙 南桂枝香 北油葫芦 南八声甘州 北天下乐 南解三醒 北那咤令 南醉扶归 北寄生草 南皂罗袍 尾声

中吕　北粉蝶儿 南泣颜回 北石榴花 南泣颜回 北斗鹌鹑 南扑灯蛾 北上小楼 南扑灯蛾 尾声

黄钟　北醉花阴 南画眉序 北喜迁莺 南画眉序 北出队子 南滴溜子 北刮地风 南滴滴金 北四门子 南鲍老催 水北仙子[①]南双声子 北煞尾

正宫　南普天乐 北朝天子 南普天乐 北朝天子 南普天乐 北朝天子 南普天乐

仙吕入双调　北新水令 南步步娇 北折桂令 南江儿水 北雁儿落带得胜令 南侥侥令 北收江南 南园林好 北沽美酒带太平令 南尾声

丙、南曲套数。仅就各宫调之可叠用者摘录之。叠用者，此曲宜叠用前腔，普通四支便成一套

仙吕有：甘州歌 傍妆台 二犯傍妆台 月儿高 桂枝香

羽调有：胜如花

---

① “水北仙子”当作“北水仙子”。——整理者注

正宫有:白练序 醉太平(二曲宜相间叠用者) 四边静

大石有:念奴娇序

中吕有:泣颜回 榴花泣 驻马听 驻云飞 扑灯蛾 尾犯序 山花子

南宫有:梁州序 梁州新郎 红衲袄 青衲袄 香柳娘

黄钟有:画眉序 啄木儿

越调有:祝英台 绵搭絮 包子令 博头钱

商调有:山坡羊 高阳台 金络索 金井水红花

双调有:昼锦堂 锦堂月 醉公子 侥侥令 孝顺歌 锁南枝 孝南歌 二犯孝顺歌 孝顺儿

仙吕入双调有:二犯江儿水 朝元令 风云会 四朝元 武陵花 风入松带急三枪

附曲有:三仙桥 七犯玲珑(三仙桥往往用三支,其余皆双数也)

此亦前人集中所习见者也。王骥德曰:“作小令与五、七言绝句同法,要酝藉,要无衬字,要言简而趣味无穷。昔人谓五言律诗如四十个贤人,著一个屠沽不得。小令亦需字字看得精细,著一戾句不得,著一草率字不得。弇州论词,所谓宛转绵丽,浅平儇俏,正作小令至语。”又:“套数之曲,元人谓之乐府,与古之辞赋、今之时义,同一机轴。有起有止,有开有阖。须先定下间架,立下主义,排下曲调,然后遣句,然后成章。切忌凑插,切忌将就,务如常山之蛇,首尾相应;又如鲛人之锦,不着一丝纰纇。意新语俊,字响调圆。增减一调不得,颠倒一调不得。有规有矩,有声有色,众美具矣。而其妙处,正不在声调之中,而在句字之外。又须烟波渺漫,姿态横逸,揽之不得,挹之不尽。摹欢则令人神荡,写怨则令人断肠。不在快人,而在动人,此所谓风神,所谓标韵,所谓动吾天机。

不知所以然而然，方是神品，方是绝技。即求之古人，亦不易得（中略）。大略作长套曲，只是打成一片，将各调胪列，待他来凑我机轴。不可做了一调，又寻一调意思。”又：“作曲犹造宫室者然。工师之作室也，必先定规式，自前门而厅、而堂、而楼，或三进，或五进，或七进，又自两厢而及轩寮，以至廪庾、庖湢、藩垣、苑榭之类。前后、左右，高低、远近，尺寸无不了然胸中，而后可施斤斲。作曲者，亦必先分段数，以何意起，何意接，何意作中段敷衍，何意作后段收煞，整整在目，而后可施结撰。此法从古之为文、为辞赋、为歌诗者皆然。于曲则在剧戏，其事原有步骤。作套数曲，遂绝不闻有知此窍者。只涣然随调，逐句凑拍，缀拾得之，非不间得一二好语，颠倒零碎，终是不成格局。”（见《曲律》）此作令谱套之大概也。

中敏尝辑后来诸家之说，为之疏证，撷其要义，成条例十五则，用知散曲之为体：

一、散曲必经过文学艺术之陶冶，而后成立，要与俚歌有别。

二、曲为合乐之韵文，作曲应先明乐腔，再识乐谱，审音而作，以无伤于音律为原则。

三、北曲无入声，凡入声皆分作平、上、去三声读，凡在句中之入声字，如需作平声者，应注意毋乱其全句平、仄之本来规律。

四、元时北曲只有平声，分阴、阳，上、去不分。入声作平，俱属阳。

五、曲之文体，其构成也，用语言为主，用文字为辅。

六、曲中语言以天下通语为主。

七、曲以语、意俱高为上，短篇之词简，则意尤欲至。

八、长篇要腰腹饱满，首尾相济。

九、曲语忌蛮狠、猥琐、险刻、卑污、油滑、生涩、庸腐。

十、曲之语句，要能读去，看人人都晓；唱时听去，又人人都晓，各方面俱宜顾到，方算合作。

十一、散曲务少用衬字。

十二、作曲宜留心每调务头何在。务头所在，皆音美之处，文字务宜谨慎，下笔能令声文并美最好，不能亦要勿因文字之陋而伤及声音之美。若不辨务头何在，则凡遇调中、调尾，曲谱注明平、上、去一定不可移易之处，无不恪遵守之，则务头亦十九在其中矣。

十三、曲中遇句法成双之处，或数句句法相同者，皆宜作对偶。

十四、曲中末句最要紧，不但平、仄不宜苟且，意思亦宜精警，即务头之所在也。

十五、散曲内每首小令不能重韵。

此又学曲者所应知也。抑余尤有意言散曲，以其可通于今也，厥有二故：

词能按歌，歌有法度，方足称乐府而为无愧。以散曲为乐府，正足以正彼俗乐，即词订谱，雅奏悠扬，手不袭古人之陈言，喉不袭古人之定谱，确传昆腔之遗法，间接传元明两代之绝艺，言文、言乐并有足举，此散曲今日所可倡导者一也。

刘鉴泉曰：曲体初兴，本用以侑燕乐，而元人风气颓惰，同于唐人。故所传诸曲，大抵林泉邱壑与烟花风月为多。小令、套数，尤狭然、滑稽，叙事亦居十之二三，特作者不知推扩耳。诗有杜子美而境广，词有辛稼轩而境广，曲家尚无杜、辛，此后起之责也（《推十斋曲论》）。曲境尚有待于开发，此散曲今日所可倡导者二也。

龚向农曰："词几亡于明，而清代词学乃大昌；曲几亡于清末，或者将中兴于斯时乎？"（《论曲绝句》序）愿言俟之矣。

民国十九年十二月二日冀野记于成都南门石室后寓斋

中国戏剧概论

序

我开始写这一部《中国戏剧概论》的时候，是在河南大学的八间房第三号室中。因为行箧之中，参考书籍不足，所以又携回到江南来。终于是这样仓促的完成了，在三四个月以内。我起初担任“戏剧史”这个学程，在金陵大学，是民国十六年的事。当时曾编有《中国戏剧史大纲》一种讲义，因为迁徙频仍，现在已找不着当时的底稿，这是使我对这工作，更觉得有些麻烦的了。虽然这三四年来，我在国立成都大学和河南大学，都开过这样的学程，但都是一讲了事的。当世界书局来约我写此稿时，我抱着一个很大的希望，想写出一部像样些的东西。现在完成以后，我重新翻阅一过，这使我不得不有些惭愧了。

中国戏剧史之写作，据我所知，是友人陈绂卿先生（家麟）的一部英文本最早。陈先生允许赠给我一本，几次写信到英国催去，始终没有寄来。听说至今在英国还很流行。但连陈先生自己也觉得太简略了一些。近代的，自然是要数王静庵先生的《宋元戏曲史》了。我们就以局部来说，在中国一部专门论元杂剧，或明传奇，或皮黄戏，或这二十年话剧运动的书籍，都还没有，这是很可耻的事。譬如从昆腔变到皮黄的这一节，还要日本青木正儿先生来考证。当我在成都接到青木先生赠与这几篇论文的时候，我很感觉到惭愧和愤恨。这当然是因为人事不安定的缘故，使我们连作这样文章的机会都没有。局部的整理，还没有成功，而要来写一部正确的有系统的全部的戏曲大纲，这的确不是容易的事。以下的几点，是我写此稿的时候，所深感困难的：

一、唐宋以前的歌舞，一直推到上古的巫尸，我们假设这是一个系统。宋的杂戏一直变到元人的杂剧、传奇等，在这一个系统中，我们就感觉到文征的不足（诸宫调与杂剧的体例，不会这样突然的产生的）。而自昆腔一变至于皮黄，在本身上虽然有很多可说的话，但又都偏到声音的上面、活动的上面，却缺乏文章上的联贯。话剧更是另一个开始的事了。这四大段落，要使他如何“一串”的叙述下来，尚有待于史料的发现。现在还不能显然的使我明白。

二、元明清三代的杂剧、传奇，这是以“曲”为中心的。我们可以从曲的起源上推论到宋，到六朝。突然去掉了南北曲的关系，叙到皮黄、话剧，这好像另外一个题目似的。我说过一个笑话：中国戏剧史是一粒橄榄，两头是尖的。宋以前说的是戏，皮黄以下说的也是戏，而中间饱满的一部分是“曲的历程”。岂非奇迹？所以中段的叙述，无论如何比两端来得酣畅一点，就是这个缘故。而全书的“匀称”，便因此破坏了。

三、在中国戏剧上所受外来的影响，以及中国戏剧对外的推广，事实上不能充分有材料，使我们叙述一个畅快。但这是极有趣的事情。又因篇幅关系，不得多多征引。本书有时引用别家所不大引用的话，而同时人家说得很详细的，我只有从省。这种瞻前顾后的心理，可谓出于不得已的。我惟望戏曲史料一天天地增加起来，使将来有弥补这个缺陷的一天。

我所要感谢的，在此书中得几位朋友的帮助不少。如郑振铎先生、青木正儿先生。因为他们的著述，使我有省却许多寻找、判断的工夫。又叙到话剧上边,因为这是比较最近的活动,所以我叙述得简略的很。而其中有许多叙述到的人物,皆是相熟的朋友。他们的成功与否,此时都还不能论定,所以只用一种希望的热忱,祝他们有更大的成功,至于内容概从省节了。

此书虽写得如此的不自称意,但我想总有一部比较好的叙述,在将来写得出来。好在这还是记载全部中国戏剧的第一部。我且以这种尝试,这种砖石抛出去,去引那光芒四射的珠玉来掩饰我的谫陋。

在伏着头,抚摩着我的病足,坐卧小楼,写完了这部稿子,不觉已经是秋到人间。对着这江南的秋色,重忆风沙中的古城,而自叹奔驱之无宁日。此稿之成,也可作我数月来清净生活的遗留。且以敝帚自珍,并献给敦促我,使得我完成此书的好友刘宣阁先生。

卢冀野叙于南京

二十二年九月六日

第一章　戏曲之起源

古文字中所见之戏剧

“戏”这个字，在《说文》上说起来，是“三军之偏也。一曰，兵也。从戈，䖒声”，并没有剧字。但文选注引《说文》云：“甚也。”文凡三见。朱骏声谓即“勮”之误字。勮，《说文》云：“务也。从力，豦声。”如此讲来，和现今所谓“戏剧”的意义，完全不相关。再从字的声义上面去考求，戏，从䖒声。䖒是什么呢？《说文》说是古陶器。“从豆，虍声。虍，虎文也。”想来䖒必定是虎文的瓦豆，如吉金多作那一种贪兽饕餮的样子。《说文》于“戏”所著两义，王筠、朱骏声皆以为“兵也”是正义，“三军之偏也”是“麾”之借谊。“麾”就是现在的麾字。“兵也”者，就是一种兵器。朱骏声说：这种器已是失传无考了。《说文》上所谓“兵也”，《太平御览》上引作“相弄也。”《左传·僖公九年》：“夷吾弱，不好弄。”注：“弄，戏也。”这是戏、弄互训。《史记》，太史公《报任少卿书》有这么一句：“固主上之所戏弄，倡优所畜。”好像和现在“戏剧”的意味就有些相合。其实并不自汉代始。《书·西伯戡黎》云：“惟王淫戏用自绝。”《诗·淇澳》：“善戏谑兮，不为虐兮。”《尔雅·释诂》：“戏，谑也。”舍人注戏笑、邪戏谑笑之貌。这才是戏弄谊之最古的。《广雅·释诂》①云:“戏,袤也。”又因为戏术的种类不一,状态各各不同的缘故。然而为什么虘声而要写作戈呢?古从戈的字,如“我”、“或”、“武”、“戠”,皆示兵力。兵得曰戈,力亦得曰戈。姚茫父说:“戏始斗兵,广于斗力,而泛滥于斗智,极于斗口,是从戈之意也。”此句话可算极详尽的解释。段玉裁说:“兵杖可玩弄也。故相狎亦曰戏谑。”《周官·天官》:“玉府掌王之金玉玩好兵器。”郑注:“此物皆式贡之余财所作。”疏谓上大府云:“式贡之余财,以供玩好之用。彼玩好之中,兼有金玉兵器。”这就段说引申所本,而戏之从戈,既为兵器,又作弄义,谊皆相贯,所以兵可说是戏,弄兵也可说是戏。剧,从刀,豦声。《说文》:“豦,相丮不解也。从豖虍。豖虎之斗不舍也。一曰,虎两足举。”所谓两足举,就是表示斗的意思。豦有斗意,斗则用力甚,所以剧从豦声,意思就是甚,或者疾。《汉书·扬雄传》:“口吃不能剧谈。”注:谓疾。因为剧谈必于智慧口舌相争之地而后见。这同于戏的广义,从刀从力,用意相同。戏之从戈,也就是示武的意思。马尊匏说:“戏,嬉也。令人嬉乐也。此以引申之谊,然必以相弄之谊为止。”从文字中寻求“戏剧”这一个名词的本义,大概如此。

王、刘、许三家之起源说

戏曲的起源,说者不一。王国维说:“歌舞之兴,其始于古之巫

① “诂”当作“雅”。——整理者注

乎？”刘师培说：“颂列于诗，犹戏曲列于诗词中也。”许之衡说：“上古之时，即有歌舞。《帝王世纪》云：黄帝使伶伦氏为《渡漳》之歌。伶伦氏乃司乐之官。”王氏主戏曲出于宗教的巫；刘氏主戏曲出于庙堂的颂；而许氏主戏曲出于乐官。三家各有其说，但以歌舞为戏曲之前身，却是相同的。此处且将三家一言作一个简要的说明，以见戏曲起源之繁复的情形。

王氏所谓始于古之巫。巫的起源却很早。《楚语》上说：“古者民神不杂，民之精爽不携贰，而又能齐肃衷正。”又说：“如此，则明神降之。在男曰觋，在女曰巫。”“及少皞之衰，九黎乱德；民神杂糅，不可方物。夫人作享，家为巫史。”巫事神是必用歌舞的。《说文》说：“巫，祝也。女能事无形以舞降神者也。象人两褎舞形，与工同意。”《商书》：“恒舞于宫，酣歌于室，时谓巫风。”《汉书·地理志》：“陈太姬妇人尊贵，好祭祀，用史巫，故其俗巫鬼。”足见古代的巫，本以歌舞为职，以乐神人的。商俗好鬼，所以伊尹有巫风之戒。等到周公制礼，定祀典，官有常职，礼有常教，乐有常节，巫风才稍杀。然而后代还见其余习，如方相氏之驱疫，大蜡之索万物。子贡观于蜡，而曰：“一国之人皆若狂。”孔子告以张而不弛，文武不能。后来《东坡志林》上还有以八蜡为三代之戏礼的话。周礼废后，巫风又盛起来，尤其是在楚、越之间。王逸《楚辞章句》：“楚国南部之邑，沅、湘之间，其俗信鬼而好祠。其祠必作歌乐鼓舞，以乐诸神。屈原见俗人祭祀之礼，歌舞之乐，其词鄙俚，因为作《九歌》之曲。”古来所谓巫，楚人叫做灵。《东皇太一》上说：“灵偃蹇兮姣服。”《云中君》上说：“灵连蜷兮既留。”这两个灵字，王逸都训做巫。其余灵字训做神。《说文》：“灵，巫也。”屈巫就字子灵，楚人叫巫为灵，不是战国才有，于此也可知道了。

古祭必有尸，宗庙之尸，以子弟为之。据《晋语》上“晋祀夏郊，以董伯为尸”的话看来，非宗庙之祀，也是用尸的。王氏以为《楚辞》之灵，就是“巫而兼尸”。他说：“其词谓巫曰灵，谓神亦曰灵；盖群巫之中，必有象神之衣服形貌动作者，而视为神之所凭依，故谓之曰灵，或谓之曰灵保。《东君》曰：‘思灵保兮贤姱。’王逸《章句》，训保为安。余疑《楚辞》之灵保，与《诗》之神保，皆尸之异名。《诗·楚茨》云：‘神保是飨。’又云：‘神保是格。’又云：‘鼓钟送尸，神保聿归。’《毛传》云：‘保，安也。’《郑笺》亦云：‘神安而飨其祭祀。’又云：‘神安归者归于天也。’然如毛、郑之说，则谓神安是飨，神安是格，神安聿归者，于辞为不文。《楚茨》一诗，郑、孔二君皆以为述绎祭宾尸之事，其礼亦与古礼有司彻一篇相合，则所谓神保，殆谓尸也。其曰：‘鼓钟送尸，神保聿归。’盖参互言之，以避复耳。知《诗》之神保为尸，则《楚辞》之灵保可知矣。至于浴兰沐芳，华衣若英，衣服之丽也；缓节安歌，竽瑟浩倡，歌舞之盛也；乘风载云之词，生别新知之语，荒淫之意也。是则灵之为职，或偃蹇以象神，或婆娑以乐神，盖后世戏剧之萌芽，已有存焉者矣。”

刘氏在他所作《原戏》中说：“颂即形容之容。《诗谱》云：颂之言容也。《释名》云：颂，容也。《汉书·儒林传序》云：徐生以颂为礼官大夫。注云：颂读为容。阮芸台云：颂，正字，容，借字。”《籀文》本作額，而《说文》训作貌。颂，容貌也。从页，公声。《诗大序》云：“颂者，美盛德之形容，以其成功告于神明者也。”在上古时，最崇祀祖之典。欲尊祖敬宗，不得不追溯往迹。故《周颂》三十一篇所载之诗，上自郊社明堂，下至藉田祈谷，旁及岳渎星辰之祀。悉与祭礼相同。是颂也者，祭礼之乐章。不独是乐歌，而且是乐舞。《左传》：“夫舞所以节八音，以行八风。”是以歌节舞，又以舞节音。和今日戏曲以乐器与歌者、舞者相应一样。《礼记·内则》云:“十三舞勺,成童舞象,二十舞大夏。”注云:“先学勺,复学舞,文武之次。大夏,乐之文武兼备者也。”《文王世子》云:“春夏教干戈,秋冬教羽籥,皆于东序。”注:“干戈万舞,象武也。羽籥文舞,象文也。”足见舞还有文武之分。后代之戏曲,扮演古事,当从此演化而成的。《仲尼燕居》篇:“下而管象示事也。”示事者,有容可象之谓也。此即戏曲之始。刘氏同时以《乐记》上有“执其干戚,习其俯仰屈伸,容官得庄焉。行其缀兆,要其节奏,行列得正,进退得齐焉”的记载,以为即是后世戏曲持器操械之始。又以《尚书大传》上有古制乐歌,皆假设宾主的话,武王克殷,亦有杂演夏廷故事的事证,以为即是后世戏曲妆扮人物之始。

许氏则从乐工立论,因《吕氏春秋》、《淮南子》之类,屡言伶伦作乐之事,所以后世称乐人叫做伶官。《五代史》有《伶官传》,优伶得名,应本乎此。许氏说:“盖古者天子设专员以典理乐章,代有专官。《尧典》云:‘帝曰:夔,命汝典乐。’以后设官以司乐者,史不绝书。其典乐者,即总管也。而其下诸乐工,即优伶也。当时歌舞,其态度极庄重,故登之清庙明堂,视为大典。然《周礼·春官》有帗舞、羽舞、皇舞、旄舞、干舞、人舞之文,已开后世戏剧之渐矣。”许氏是以乐工推到优伶,以歌舞推进到戏曲,与王、刘二家仍有相合之处。

总之,综合三家之说,可知在古代歌舞之中,已含有很浓厚的“戏曲意识”。谓之为戏曲不可,而又不可不承认这些事实为后来戏曲所本。至于已成形的戏曲,究起于何时?因为什么样原因,形成这样的“戏曲型”?这的确是戏曲史上一大问题,又非三家之说所可解决的了。

梵剧在中国戏上之印迹

戏曲的形式,到元代差不多完全成熟了。通常说起来,以为是从蒙古输入的。这最是奇异的事,何以与印度的戏曲情形相符呢?本来在中古时代,中国与近西的交通,已成极平常的事实,又安知不受外来的影响。现在且把梵剧本身进化的程序,作一说明,便知梵剧与中国戏曲是如何的相似了。

一般人是承认印度戏剧,在很早的时候,受希腊的影响的。梵语里名戏为"那吒迦"(Nataka),优伶为那吒(Nata)。这两个字,都是从Nat(Snrit)变来。Nat是"舞"的意思。在《内典》中译"那吒迦"为"游戏"、"遨戏"或"以歌说吉事";译"那吒"为"俳儿"。演唱"梵剧",当离不了三样要素:一、乐歌,二、舞蹈,三、就是科白。梵剧的体例,始于笈云朝,公元三一九年,在中国晋元帝太兴二年光景。据吕德教授(Lüders)在新疆吐鲁番发现梵本中所找出的三本戏文,是贵霜朝,迦赋色迦王的诗歌供奉马鸣菩萨造的。可知梵剧的渊源甚远。在《普曜经》中也曾说佛陀具有演戏的技能。像《妙法莲华经》,经文都是问答体,已是戏曲科白的表示了。学者都以为梵剧体例的形成,是与大乘佛教的发展同时,而且有直接关系。

马鸣以后,印度造剧的人,有婆娑(Bhāsa)、客利多娑(Kālidāsa),一直到旃陀罗(Candra)、戒日王(Harsa)和摩醯因陀罗毗克罗摩婆摩(Mahendravikramavarmam),是与玄奘同时的人。梵剧中歌文音节是有一定的,与中国后来的戏曲同。剧材大概可以分作三种:一、叫做波罗迦陀(Prakhyata),即是“传说”。二、叫做邬特波陀耶(Utpatya),即是“创作”。三、叫做靡色罗(Misar),即是“杂串”。传说与中国“传奇”之义同,而杂串就与“艳段”相类。梵剧的出头多少,是没有一定的。平常的出头只标明“第一”、“第二”,不用标名。有标名的,不是作者所定。这与元杂剧又相同。元杂剧只注明“第一折”、“第二折”,也不要标名的。

梵剧的宾白,不纯用雅语,又不纯用俗语。最优美的语音,是雅俗参半,与中国戏曲所用语式,雅中有俗,俗中有雅一样。唯有王、婆罗门、将官、相国、学士用雅语的。印度的雅语,就是所谓散瑟纥栗多(Samskrta)。王后、贵女也都要用雅语,比丘尼和艺士有时用雅语。至于平常的女人和下流人都用俗语,俗语就是婆罗纥栗多(Prakrta)。上流人中有时也用一些俗语,俗语不必限在那一地方的方言,各地土语都可应用的。在宾白这一点上,中国戏曲和梵剧又很相近。

在舞台的动作上,梵剧也和中国戏一样,有些事不完全表演出来,只以意示的。譬如一出戏,前后隔几十年的事情,往往加一楔子。又有许多方法帮助剧情的进展,如作梦、书信、后台问答、图画真容、醉酒、乔装之类,中国戏中也常常见的。

其次,讲到脚色,主角叫拿耶伽(Nayaka),字源从尼(Ni)来,是引领的意思。中国宋代戏头,引戏和末尼之意相同。末尼之“尼”,在中国没有确解,不知是不是与这梵语的“尼”有关。女主角叫拿叶迦(Nāyika),有美丽的容貌,德行才艺都好。剧中人名除主角外,都有一定称谓。剧中重要的女配角,当以“授”(datta)、“军”(Sena)、“成就”(Siddhā)为尾字。奴婢诸人就用物件的名字,如“小丑鸭”(Kalahaūsa)、“珊瑚”(Mandārika)之类。隐士就多用犍陀(Ghanta)为名。场上各角色互相称谓,也有一定的。等于中国戏中称“员外”、“相公”、“主上”、“小姐”之类。私名如考者,也等于婢女名“春梅”、“梅香”,役人名“张千”、“李万”之类。凡此种种,梵剧和中国戏相同者极多。

总之,中国成形的戏曲,不是很早就有的;而梵剧的情形同于中国戏,这不能不说是一件奇迹。固然不能说中国戏是出于梵剧的。然而作一个简单的比较,我们已感觉有无穷的兴味。这是值得在此提出来的一段材料。

戏与曲与戏曲及其作用

戏的意识,在上古之世,是早已潜伏在巫、尸和庙堂颂舞、乐官的里面,如以上三家所说的。但戏曲却不是很早形成的。这个原故很简单,就是:戏曲是戏与曲合组而成的。有戏无曲和有曲无戏,在历史上是显然有的事实。唐宋的曲,不是戏曲的曲,但唐宋有唐宋的戏。小令、套数,所谓散曲的,是诗歌的曲,算不了戏曲。在这一点上,近来的文学史作家,都没有给他一个很明晰的界限。譬如说元代的杂剧,往往就称做元曲;其实元曲并不是元的戏曲所能包含。我的意思,是在金、元之间的时候曲才成立,而戏恰演进到此,就借曲的宫调装入,于是成功戏曲。所以散曲、戏曲虽然两事,但有散曲才有戏曲的。日本青木正儿教授与我的意思颇不相合,我们曾往来书札讨论过。在我答书中有一段话:“曲之名曲,不独名之曰戏或剧者,以其有曲也(屠长卿《昙花梦》仅有白文,只可以谓之为戏)。有曲,则文白相生,而曲为主。来书所谓去宾白则与散曲无异，大致尚合，惟令曲非尽调所可为者（前尝见有谱〔新水令〕一支者，于律亦云谬矣）。散套与戏曲所异者，一代言，一不代言，大抵不代言者为先。”实在曲因作戏而其效益广，其律益细。戏因有曲，而其体始成，其风始盛。我们知道把戏与曲分开，然后才能明了金、元以前的戏是戏的雏型，以及皮黄兴起以后的戏，文学价值所以减少的缘故。无论如何，金、元、明和清初的戏曲，是最可宝贵的。

在这儿，我再从民族的心理上，把戏的进展解释一下。有一部分是世界戏剧史上所共有的现象，如戏剧是起于人类模仿的本能。由崇拜自然，脱露到性的发泄。而近世以经济的立场上来推论戏剧的，以为自私有财产逐渐发达，人类为着自己生活的关系，把崇拜自然而献媚自然的歌舞，逐渐荒废。而一部分的人保存着崇拜自然的心，于是变通办法，就由这一部分人专来担任这一种事，便成为专业了。因为私有财产发达的结果，操着经济权的支配阶级，在生活满足之外，逐渐想到声色的娱乐。最先是他们用自己的权力，指挥自己的奴隶，来取得自己的欢乐。既而有一般不能独立生活的人，为自己生活计，就去学歌舞这一套技术，不在祭祀死的神面前去用，而在支配经济的活的神的面前去献媚。这就是优伶一天一天旺盛，而巫觋所以衰落的原因。青木正儿就是这样主张的。近人持此论者颇多。

其实在古代的中国，所谓经济的支配阶级，何尝如现在人这样的推测。在中国有许多艺术，在民间自然的发生，比西洋从宗教上产生的艺术还要多些。而所谓“庙堂礼乐”，也不能不承认这一种政治的力量。姚茫父推原曲乐之推进，他说：“权舆既祛，先民斯作。世次草昧，凡百无解；惟知纵欲，罔有节度。自然之乐，蟠蛰最先。然而两间气化，皆有定则；百骸勤动，皆有定数；品物利用，皆有定性。离此常经，即成抵牾。纵而反抑，因之自限。自然之礼，又寓此矣。人生于有限，劳而后存，以时休息，不忘其适。择于其所限，因以自遣，于是娱乐之具生焉。乐之兴趣，已进一等。逮所历已多，知识渐启，乃酌其劳逸，剂以甘苦。兴居必节，嗜欲必度，生之秩序，遂以釐然。礼起细微，兹其太始。如斯简易，似无与于礼乐。然大乐必易，大礼必简；曷得以多贬少，致薄古人。夫一身所遭，乘除于此，推而衍之，至于万数。当夫人群始通，战争既厌，先之以讲信，继之以修睦。林林之众，暂得休息，皆恃礼乐，以为经纪。农事有作，益臻明备，礼乐混合，相参为用，人之所至，礼必至焉。礼之所至，乐必至焉。三五以来，至于改革，政刑有所不及，礼乐为之弥纶。原其创造，夫岂一人之力，亦积势使然。圣者聪明先察，因势利导，为之文饰，以尽其美而已。故夫礼乐者，道德之式也。节文歌舞者，礼乐之式也。式有长短，义无差池。儒者知之而不能作，众人由之而不能知。礼乐之民，虽无政刑，未有乱者。礼乐毁灭，大乱必作。”姚氏这一番议论，就是说：“初期的戏，所谓歌舞，是补政刑之不及，正式代表礼乐的。”这是从戏的作用去推论出来，未可就当作戏本身的起源。

本章参考书目：

姚华　《说戏剧》
马尊匏　《戏源》
王国维　《戏曲考原》
王国维　《宋元戏曲史》（第一章）
刘师培　《舞法起于祀神考》
刘师培　《原戏》

许之衡 《戏曲史》(戏曲之起源章)
许地山 《梵剧体例及其在汉剧上底点点滴滴》
卢前 《郭秃解》
卢前 《答青木正儿书》
青木正儿 《支那近世戏曲史》(第一章)
姚华 《曲海一勺》(原乐第三章)

第二章　戏曲之萌芽

优伶及侏儒

优伶的名称，夏代以后才发生。据《路史》上说："帝履癸广优揉戏奇伟，作《东歌》而操《北里》。"《列女传》："夏桀既弃礼义，求倡优、侏儒狎徒，为奇伟之戏。"不过汉人所记，未必可信。《左传·襄公二十八年》："庆氏以其甲环公宫，陈氏、鲍氏之圉人为优，庆氏之马善惊，士皆释甲束马而饮酒，且观优，至于鱼里。"《正义》云："优者，戏名也。"史游《急就篇》云："倡优俳笑。"《乐记》："今夫新乐进俯退俯，奸声以滥，溺而不止，倡优、侏儒，犹杂子女。"大概从乐工一变而为优伶，是由庄重的歌舞，变到奇异的歌舞。里面有滑稽调笑，与乐工是不相同的。比较可信的记载，在春秋之世，晋之优施、楚之优孟，皆很著名。《国语》上说："骊姬使优施饮里克酒，中饮，优施起舞，乃歌曰：'暇豫之吾，吾不如乌；乌人皆集于菀，己独集于枯。"《穀梁传》："颊谷之会，齐人使优施舞于鲁君之幕下。"《史记·滑稽列传》："优孟者，故楚乐人也。为孙叔敖衣冠，抵掌谈语，像孙叔敖，楚王及左右不能别也。"这是后代装饰古人的滥觞。秦之优旃，据《史记》说："优旃者，秦倡侏儒也。善为笑言，然合于大道。"《左传》上宋华弱与乐辔少相狎,长相优。注:"优,调戏也。"优本有调笑之义,所以优人之言,无不以调笑为主。大概巫与优的分别:巫是乐神的,优是乐人的。优伶、侏儒与乐工的分别:乐工但主歌舞之事,而优伶、侏儒除了歌舞,还要会滑稽调笑的。

优伶与侏儒,据王国维考证,二而一者也。古代优人本就以侏儒充任。《乐记》称"优侏儒"。颊谷之会,孔子所诛的,在《穀梁传》谓之"优",而《孔子家语》、何休《公羊解诂》均作"侏儒"。《史记·李斯列传》"侏儒、倡优之好,不列于前"和上面所引《滑稽列传》"秦倡侏儒",所以优旃自称:"我虽短也,幸休居。"这都可以证明侏儒即是优伶。《晋语》:"侏儒扶卢。"韦昭注:"扶,缘也。卢,矛戟之柲,缘之以为戏。"恐怕在歌舞、调笑之外,优伶还有的有竞技的本领。或者汉代"寻橦戏"就是从这"扶卢"进步的,也未可知。

汉代的歌舞与角抵

《汉书·礼乐志》:"汉高祖既定天下,作风起之诗,令沛中僮儿百二十人唱而歌之。"从高祖以后,到孝惠帝时,以沛宫作为原庙,令歌习吹以相和,常以百二十人为员。及汉武帝,立"乐府",用李延年为协律都尉,作《十九章》之歌,使童男女七十人歌之。聚幼童来习歌,这就与后来的"科班"性质一样。这"乐府"的组织,对于曲乐很有关系。当时乐府种类就很多,如"横吹"、"相和"、"清商"三曲,多采故事,歌舞相兼。横吹曲中如《刘生洛阳公子行》,相和曲如《王昭君》、《楚妃叹》、《王子乔》、《秋胡行》,清商曲如《子夜》、《莫愁》、《巴渝》、《长史变》、《督护歌》、《杨叛儿》之类，皆有故事。尤以《罗敷采桑》、《昭君出塞》，为后来所常用的剧材。在《礼乐志》上又有“朝贺置酒，陈前殿房中，有常从倡三十人，常从象人四人”这几句话，与《盐铁论》里“戏倡舞像”，大概是一回事。据孟康注：“象人，若今戏鱼虾、狮子者也。”韦昭注：“著假面者也。”这一般戴假面具扮鸟兽之形的，用张衡《西京赋》上话可以证明，赋曰：“总会仙倡，戏豹舞罴，白虎鼓瑟，苍龙吹篪。”这就是假面之戏。“女娲坐而长歌，声清畅而委蛇，洪厓立而指挥，被毛羽之襳襹。度曲未终，云起雪飞。”又是歌舞的人，扮古人的形象了。李尤《平乐观赋》有曰：“有仙驾雀，其形蚴虬，骑驴驰射，狐兔惊走，侏儒巨人，戏谑为偶。”明明写的俳优作“神怪戏”。平乐观是汉代大娱乐场，张衡、李尤并赋其事，可算得汉代戏剧的史料。

至于角抵戏，是始于武帝元封三年。《史记·大宛传》：“安息以黎軒善眩人献于汉，是时上方巡狩海上，乃悉从外国客，大觳抵，出奇戏诸怪物，及加其眩者之工；而觳抵奇戏岁增变甚盛，益兴，自此始。”应劭说：“角者，角技也。抵者，相抵触也。”文颖曰：“名此乐为角抵者，两两相当，角力、角技艺射御，故名角抵，盖杂技乐也。”角抵所包含甚广，即后世所谓百戏，《西京赋》说：“乌获扛鼎，都卢寻橦，冲狭燕濯，胸突铦锋，跳丸剑之挥霍，走索上而相逢。”就是写角技、角力的情况。又说：“巨兽之为曼延，舍利之化仙车，吞刀吐火，云雾杳冥。”所谓加眩者之工而增变者也。眩人约略等于现在所谓幻术。在汉元帝的时候，曾罢角抵戏，然宫禁虽不用，而民间早已流传这一种艺术了。

又后来的傀儡戏、乐府杂剧以为起于汉祖平城之围。杜佑《通典》说：“窟礧子作偶人以戏，善歌舞，本丧家乐也。汉末始用之于嘉会。”此说是本于应劭的《风俗通》。汉时大概已有这一种傀儡戏的了。不过汉代傀儡戏是如何的办法，现在已无从考证。现在说起傀儡戏来，是从六朝开始。因为六朝的傀儡戏才开始扮演故事的。

魏晋曲乐及角抵余风

魏明帝的时候，又恢复汉代平乐观的样子。据《魏志·明帝纪》裴注引《魏略》的话：“帝引谷水过九龙殿前，……水转百戏；岁首，建巨兽，鱼龙曼延，弄马倒骑，备如汉西京之制。”又《齐王纪》注引《世说》及《魏氏春秋》：“司马文王镇许昌，征还，击姜维，至京师，帝于平乐观以临军过，中领军许允与左右小臣谋，因文王辞，杀之，勒其众以退大将军，已书诏于前。文王入，帝方食栗，优人云午等唱曰：‘青头鸡，青头鸡。’青头鸡者，鸭也（谓押诏书）。帝惧不敢发。”裴注引《魏书》：“司马师等《废帝奏》亦云：‘使小优郭怀、袁信于广望观下作辽东妖妇，嬉亵过度，道路行人掩目。’”太后《废帝令》亦说：“日延倡优，恣其丑谑。”这时候的倡优，也是歌舞、戏谑如故。作什么“辽东妖妇”，大约就是角抵的余风而已。

晋代的优戏，可考的更少了。只有《太平御览》卷五百六十九引《赵书》上的话：“石勒参军周延为馆陶令，断官绢数万匹，下狱，以八议宥之。后每大会，使俳优著介帻，黄绢单衣。优问：汝何官在我辈中？曰：我本为馆陶令，斗数单衣。曰：正坐取是，入汝辈中以为笑。”《乐府杂录》也载此事，并云：“参军始自后汉馆陶令石耽。”后汉之世，还没有参军的官。此事虽非演故事，但演时事，又以调谑为主。而唐宋以后，脚色里叫做参军的，当本乎此。

从魏晋到南朝的优戏，实在没有多少进步，但乐曲却有很大的变迁。现在先从魏晋的曲乐说起。原来南北曲，大家说起来，都说曲出于词，词是长短句的，但汉代乐府早已是长短句的了，如《巫山高》、《君马黄》、《战城南》、《有所思》、《临高台》之类，其中用"妃呼豨"、"收中吾"，据近人曹君直（元忠）的考证，已是声词并写。所谓"声词并写"，就是唱曲的腔，本来没有字的，后人记腔的时候，与曲词混在一起，连写出来了。这是汉代的《鼓吹铙歌曲》。汉魏之间的曲乐，便有些不同了，如《平陵东》、《驾虹霓》、《上邪》、《艳歌》、《何尝行》，虽纯然长短句，但文义较为古朴。晋及六朝间，才又渐趋时尚，由朴而华，由质而文，像梁元帝的《折杨柳》、陈后主的《陇头曲》、鲍照的《白纻曲》，这一派是与五古、七古的诗体相类。梁简文帝的《乌栖曲》、陈后主的《乌栖曲》一派，是开唐人七绝的做法，汉晋以前所没有的。至于梁武帝《江南弄》和《凤台曲》、昭明太子《采莲曲》的一派，就是南北曲所本的了。六朝的曲乐，虽一方面保留汉代乐府的遗留，但是同时已开南北曲的先河。本来汉乐府流传到魏晋间的，只有《清商曲》，又名《清商三调》。就是平调、清调和瑟调。汉魏相继，至晋不绝。永嘉之乱，中朝旧曲，散落江右；而清商旧乐，犹传江左。这就是所谓梁宋新声。在此处简要的说起来，南朝是曲发达，而北朝是戏发达。因为合歌舞以演一事的戏，是始于北齐的。

北齐歌舞戏与隋代剧场

北齐在中国戏的历史上，的确是一个重要的时代。《旧唐书·音乐志》就是："代面出于北齐。北齐兰陵王长恭，才武而面美，常着假面以对敌，尝击周师金墉城下，勇冠三军，齐人壮之。为此舞以效其指挥击刺之容，谓之《兰陵王入阵曲》。"又崔令钦《教坊记》所记《踏摇娘》的事，极有趣味。记曰："《踏摇娘》，北齐有人名苏鮑鼻，实不仕而自号为郎中。嗜饮酗酒，每醉辄殴其妻，妻衔悲诉于邻里。时人弄之。丈夫着妇人衣，徐步入场行歌。每一叠，旁人齐声和之云：'踏摇和来，踏摇苦和来。'以其且步且歌，故谓之踏摇，以其称冤，故言苦。及其夫至，则作殴斗之状，以为笑乐。"《旧唐书·音乐志》与《乐府杂录》，故记载此事。一以苏为隋人，一以为后周人。北齐与后周、隋，相去时间很近，而《教坊记》又记载这样详尽，大概说是北齐时事，不会过差的。

《兰陵王入阵曲》与《踏摇娘》皆是有歌有舞，而且有故事，可算得优戏的创例，与前此迥乎不同了。这里还有一原因：因为魏、齐、周皆是外族来入主中国，与西域诸国交通极便，如龟兹、天竺、康国、安国的乐，这时都已到中国了。譬如《拨头》这一出戏，就足以证明外国戏剧的输入，《旧唐书·音乐志》上说："《拨头》者，出西域胡人，为猛兽所噬，其子求兽杀之，为此舞以象之也。《乐府杂录》谓之'钵头'，此语之为外国语之译音，固不待言。且于国名、地名、人名三者中，必居其一焉。其入中国，不审在何时。"《北史·西域传》上，有拔豆国，去代五万一千里。据王国维考证，五万一千里是错误的。《北史·西域传》,虽以大秦之远,去代不过三万九千四百里,拔豆上之南天竺国,去代不过三万一千五百里,叠伏罗国去代不过三万一千里。此处五万一千里,王氏疑是三万一千里之误。隋、唐二志,已无此国名。想来在后魏初年交通以后,不是因灭亡了,就是彼此隔绝了。如使"拨头"同"拔豆"是同音异译,而此戏又出于拔豆国,或者由龟兹等国传入中国,不过不应在隋唐之后,或者北齐时候已有此戏,《兰陵王》、《踏摇娘》,就是模仿这《拨头》而来的罢。

《魏书·乐志》上说:"太宗增修百戏,撰合大曲。"凡此歌舞戏,自是百戏里面的。《隋书·音乐志》说:"齐武平中,有鱼龙烂漫,俳优侏儒。"又说:"奇怪异端,百有余物,名为百戏。周明帝武成间,朔旦会群臣,亦用百戏。及宣帝时,征齐散乐人并会京师为之。"再下面一段,描写戏场的建筑,优伶之盛,差不多可以空前了。"至炀帝大业二年,突厥染干来朝,炀帝欲夸之,总追四方散乐,大集东都。自是每岁正月,万国来朝,留至十五日,于端门外、建国内门,绵亘八里,列为戏场。百官起棚夹路,从昏至旦,以纵观,至晦而罢。伎人皆衣锦绣缯彩,其歌舞者多为妇人形,鸣环珮,饰以花毦者,殆三万人。"所以柳彧上书,说:"鸣鼓聒天,燎炬照地,人戴兽面,男为女服,倡优杂技,诡状异形。"薛道衡《和许给事善心戏场转韵诗》所歌咏的,看起来与张衡《西京赋》、李尤《平乐观赋》,有过之无不及呢。

隋炀帝是一个恣情声伎的君主,与后来的唐玄宗,同是中国戏曲中的重要人物。《隋书·音乐志》上说:"炀帝矜奢,颇玩淫曲,御史大夫裴蕴,揣知帝情,奏括周、齐、梁、陈乐工子弟及人间善声调者,凡三百余人,并付太乐。倡优獶杂,咸来萃止。其哀管新声淫弦巧奏。皆出鄴城之下，高齐之旧曲也。"又："炀帝大制艳篇，辞极淫绮，令乐正白明达造新声，创《万岁乐》、《藏钩乐》、《七夕相逢乐》、《投壶乐》、《舞席同心髻》、《玉女行觞》、《神仙留客》、《掷砖续命》、《斗鸡子》、《斗百草》、《泛龙舟》、《还旧宫》、《长乐花》及《十二时》等曲，掩抑摧藏，帝说之无已。"

隋时，立九部之乐：一、宴乐，二、清商，三、西凉，四、扶南，五、高丽，六、龟兹，七、安国，八、疏勒，九、康国。西凉以下都是外国乐，差不多集南朝清乐、北朝宴乐之大成。设立"清商署"，专主其事。这于曲乐上是一大改进。

又炀帝开运河，起迷楼。这二大工程，对于戏曲也有相当的关系。《烟花记》说："炀帝既开运河，因作龙凤舸，集童男女数百人，连袂踏歌，更制新声，如《安公子》、《望江南》、《龙女思元》等曲，皆由运河驾幸扬州时所制也。"《大业拾遗记》上说："帝筑迷楼，其内造十六院外，游观之处，复有数十。或泛轻舟画舸，习采菱之歌；或升飞桥阁道，奏春游之曲。每值月明之夜，帝与宫人，歌管达曙，诸府事乃置《清夜游》之曲。"炀帝自己既妙通音律，所以隋代在曲乐上的进展，是必然的事了。

唐代的歌舞戏及曲乐

唐代的歌舞戏，有本于前代的，有自创的。本于前代的，一是《代面》，出于北齐。在前面已说过的了。《乐府杂录》鼓架部条："有《代面》，始自北齐神武弟，有胆勇，善战斗，以其颜貌无威，每入阵，即着面具，后乃百战百胜，戏者衣紫腰金执鞭也。"二是《钵头》，出于西域。《乐府杂录》鼓架部条:“《钵头》,昔有人父为虎所伤,遂入山寻其父尸,山有八折,故曲八叠;戏者被发素衣,面作啼,盖遭丧之状也。”这里的记载,比较前面说的详细些。三是《踏摇娘》,出于北齐或周、隋。《乐府杂录》鼓架部条:“苏中郎,后周士人苏葩,嗜酒落魄,自号中郎;每有歌场,辄入独舞。今为戏者,着绯带帽面正赤,盖状其醉也。郎有《踏摇娘》。”和前面所说,略有出入。四是《参军戏》,出于后赵。《乐府杂录》俳优条:“开元中,黄幡绰、张野狐弄《参军》,始自汉馆陶令石耽。耽有赃犯,和帝惜其才,免罪;每宴乐,即令衣白夹衫,命俳优弄辱之。经年乃放,后为《参军》,误也。开元中,有李仙鹤善此戏,明皇特授韶州同正参军,以食其禄。是以陆鸿渐撰词,言韶州参军,盖由此也。”赵璘《因话录》,又有《参军桩》的话。他说:“肃宗宴于宫中,女优有弄假官戏,其绿衣秉简者,谓之《参军桩》。”范摅《云溪友议》上说:“元稹廉问浙东,有俳优周季南、季崇,及妻刘采春,自淮甸而来,善弄《陆参军》,歌声彻云。”一直到《五代史》和姚宽《西溪丛语》上还有提到参军戏的话。《五代史·吴世家》:“徐氏之专政也,杨隆演幼懦,不能自持,而知训尤凌侮之。尝饮酒楼上,命优人高贵卿侍酒。知训为参军,隆演鹑衣鬘髻为苍鹘。”姚宽引《吴史》:“徐知训怙威骄淫,调谑王,无敬长之心。尝登楼狎戏,荷衣木简,自称参军,令王鬘髻鹑衣,为苍头以从。”

至于唐代所自创的戏,为《樊哙排君难戏》,在《唐会要》三十三卷上有这么一段:“光化四年正月,宴于保宁殿,上制曲,名曰《赞成功》。时盐州雄毅军使孙德昭等,杀刘季述反正,帝乃制曲以褒之,仍作《樊哙排君难戏》以乐焉。”宋敏求《长安志》:“昭宗宴李继昭等将于保宁殿,亲制《赞成功》曲以褒之,仍命伶官作《樊哙排君难戏》以乐之。"《排君难》,又作《樊哙排闼剧》。陈玚《乐书》:"昭宗光化中,孙德昭之徒刃刘季述,始作《樊哙排闼剧》。"

滑稽戏方面又有很显著的进步。大都优人随地随时自由说出一些极有趣味的话,而含有深刻的意义,这就是"讽谏"的遗留,除了戏剧价值以外,还有政治的意味,值得称述的(王国维所辑《优语录》专收这一种记载)。

《资治通鉴》:"侍中宋璟,疾负罪而妄诉不已者,悉付御史台治之。谓中丞李谨度曰:'服不更诉者出之,尚诉未已者且系。'由是人多怨者。会天旱,优人作魃状,戏于上前,问魃何为出?对曰:'奉相公处分。'又问何故?对曰:'负罪者三百余人,相公悉以系狱抑之,故魃不得不出。'上心以为然。"

《旧唐书·文宗纪》:"太和六年二月己丑寒食节,上宴群臣于麟德殿;是日,杂戏人弄孔子。帝曰:'孔子古今之师,安得侮黩?'亟命驱出。"

高彦休《唐阙史》:"咸通中,优人李可及者,滑稽谐戏,独出辈流;虽不能托讽匡正,然智巧敏捷,亦不可多得。尝因'延庆节'缁黄讲论毕,次及倡优为戏,可及乃儒服险巾,褒衣博带,摄齐以升讲座,自称三教论衡。其隅坐者问曰:'既言博通三教,释迦如来是何人?'对曰:'是妇人。'问者惊曰:'何也?'对曰:'《金刚经》云:敷座而坐。或非妇人,何烦夫坐,然后儿坐也。'上为之启齿。又问曰:'太上老君何人也?'对曰:'亦妇人也。'问者益所不喻。乃曰:'《道德经》云:吾有大患,是吾有身;及吾无身,吾复何患?倘非妇人,何患乎有娠乎?'上大悦。又问文宣王何人也?对曰:'妇人也。'问者曰:'何以知之?'对曰:'《论语》云:沽之哉!沽之哉!吾待贾者也。向非妇人,待嫁奚为?'上意极欢,宠锡甚厚。翌日,授环卫之员外职。”

唐无名氏《玉泉子真录》：“崔公铉之在淮南，尝俾乐工集其家僮，教以诸戏。一日其乐工告以成就，且请试焉。铉命阅于堂下，与妻李坐观之。僮以李氏妒忌，即以数僮衣妇人衣，曰妻曰妾，列于傍侧。一僮则执简束带，旋辟唯诺其间。张乐命酒，不能无属意者，李氏未之悟也。久之戏愈甚，悉类李氏平昔所尝为；李氏虽少悟，以其戏偶合，私谓不敢，而然且观之。僮志在发悟，愈益戏之。李果怒骂之曰：‘奴敢无礼，吾何尝如此？’僮指之，且出，曰：‘咄咄！赤眼而作白眼，讳乎？’铉大笑，几至绝倒。”

孙光宪《北梦琐言》：“光化中，朱朴自《毛诗》博士登庸，恃其口辩，可以立至太平。由藩邸引导，闻于昭宗，遂有此拜。对敭之日，面陈时事数条，每言臣为陛下致之。洎操大柄，无以施展，自是恩泽日衰，中外腾沸。内宴日，俳优穆刀陵作念经行者，至御前曰：‘若是朱相，即是非相。’翌日出官。”

从这几条看来，可知当时的俳优，简直是台谏之流，可见唐人看戏剧很重，李调元《雨村剧话》说：“唐杜牧《西江怀古诗》：‘魏帝缝囊真戏剧。’剧即戏也，戏剧二字入诗始见此。”其实戏剧二字在唐人已成术语了。

关于乐曲，在唐代也是一个变迁的中心时代，现在把那几个著名的乐曲，附述于此。

第一是《霓裳羽衣曲》，其曲现在已不可见，但据白居易的《霓裳羽衣舞歌答元微之》这一首诗看来，却可想见其节奏形态之一斑。王灼《碧鸡漫志》说是西凉创作，明皇润色的。而《唐书·礼乐志》说是西凉节度使杨敬述献，凡十二遍。《唐会要》：“天宝十三载改《婆罗门》为《霓裳羽衣》。”足见西凉所献，还是从《婆罗门》来的。唐人小说中说到《霓裳羽衣》还有许多神话，我们且不去管他，但曲牌中有所谓〔舞霓裳〕的，却从此得名的。

其次是《六幺》，一作《绿腰》。元微之《琵琶歌》曰：“《绿腰》散序多拢撚。”又：“管儿还为弹《绿腰》。”段安节《琵琶录》：“贞元中，康昆仑琵琶第一手，两市各斗声乐，昆仑登东采楼，弹新翻《羽调绿腰》，自谓无敌。曲罢，市西楼上，出一女郎，抱乐器云：我亦弹此曲。下拨声如雷，绝妙入神。昆仑拜女为师，女郎更衣出，乃僧善本，俗姓段也。”《六幺》本也是舞曲。沈亚之作《卢金兰墓志》：“为《绿腰》、《玉树》之舞。”这句话可以证明的。现在曲调中有〔六幺令〕、〔六幺序〕、〔六幺遍〕，其名皆出于此。

其次如《凉州》、《梁州》、《伊州》、《甘州》，皆是天宝乐曲，以边地为名的。《开元传信记》上说：“《西凉州歌》，此曲宁王宪曰：音始于宫，散于商，成于角、徵、羽，斯曲也，宫离而不属，商乱而加暴，君卑逼下，臣僭犯上，恐一旦有播迁之祸。及安史之乱，其言果应云。”《明皇杂录》：“上初自巴蜀回，夜来乘月登楼，命妃侍者红挑歌《凉州》，即妃所制。上亲御玉笛，倚楼和之，曲罢，无不感泣。因广其曲，传于人间。”现在南北曲中有〔梁州〕，没有〔凉州〕。不过《梁州》、《凉州》，似是二曲。李频诗：“闻君一曲古《梁州》，惊起黄云塞上愁。”李益有《夜上西城听梁州曲诗》：“鸿雁新从北地来，闻声一半却飞回。金河戍客肠应断，更在秋风百尺台。”声音之凄切，从此诗中，可以知道了。《伊州》，在王建诗中有“侧商调里唱《伊州》”的句子。唐人诗中还有“一曲《伊州》泪万行”，“唐伶还为唱《伊州》”的话。至于《甘州》，调亦甚古。薛逢诗：“老听笙歌亦解愁，醉中因遣合《甘州》。”现在词曲中都有〔八声甘州曲〕，还有〔甘州歌〕，大约也都出于唐代的《甘州》的，他如〔荔枝香〕、〔念奴娇〕、

〔清平乐〕、〔雨淋铃〕、〔春光好〕、〔水调歌〕、〔还京乐〕、〔夜半乐〕、〔凌波神〕、〔西河长命女〕、〔河满子〕、〔菩萨蛮〕、〔杨柳枝〕之类，多是出于开元、天宝之间，关于唐玄宗当时的情事，他的名称，至今在词中或曲中还遗留着。说起唐玄宗，他的确是戏曲史上重要的人物。到如今梨园中相传所祀之神，即唐明皇，含有报本追远的意思，因为他创了这多的乐曲。

这时的歌曲，大都兼舞，并或有演故事的，与后来戏曲不相同处，就是有唱而无白，究竟不是成熟的戏曲罢了。在这许多唐人乐曲之中，有后来南北曲中完全采用的。虽则在当时名之为“词”，然而已开曲体了。许守白（之衡）曾经把他比勘一过。例如下面这几首：

李白《忆秦娥》：

箫声咽，秦娥梦断秦楼月。秦楼月，年年柳色，灞陵悲别。乐游原上清秋节，咸阳古道音尘绝。音尘绝，西风残照，汉家陵阙。

此调现在用作南曲商调引子，句格音节，与此全是一样的。刘禹锡《潇湘神》：

湘水流，湘水流，九疑云物至今愁。君问二妃何处所？零陵香草露中秋。

此调现在用作南曲双调引子，句调音节，与此完全是一样的。不过改名为〔捣练子〕。大概最初制曲的时候，牌名的更易，可以随便的。白居易《长相思》：

汴水流，泗水流，流到瓜洲古渡头，吴山点点愁。　　思悠悠，恨悠悠，恨到归时方始休，月明人倚楼。

此调沈宁庵的《南曲谱》虽然没有，而陆天池的《明珠记》就用过的。《九宫大成谱》以入南曲商调引子，句格音节，与此完全是一样的。王建《宫中调笑》：

团扇，团扇，美人病来遮面。玉颜憔悴三年，谁复商量管弦？弦管，弦管，春草昭阳路断。

此调沈宁庵《南曲谱》虽然没有，而沈寿卿《三元记》就用过的。《九宫大成谱》以入南曲小石引子，句格音节，与此全是一样的，却用〔如梦令〕作牌名。李白《菩萨蛮》：

平林漠漠烟如织，寒山一带伤心碧。暝色入高楼，有人楼上愁。　　玉阶空伫立，宿鸟归飞急。何处是归程？长亭更短亭。

此调今入北曲正宫，李玄玉《北词广正谱》就收入的。不过没有换头，句格音节，与此全是一样的。白居易《忆江南》：

江南好，风景旧曾谙。日出江花红胜火，春来江水绿如蓝。能不忆江南？

此调李玄玉《北词广正谱》也把他收入，作北曲大石调。又名

〔归塞北〕。句格音节，与此又全是一样的。

从这六调看来，可知南北曲中所用的牌调，有很早的，是唐人就有的了。而《凉州》诸曲，与宋代的戏曲，极其相似。我们也可举例于此。

《凉州曲》：

凉州第一　汉家宫里柳如丝，上苑桃花连碧池。
　　　　　圣寿已传千岁酒，天文更赏百僚诗。
　　第二　朔风吹叶雁门秋，万里烟尘昏戍楼。
　　　　　征马长思青海北，胡笳夜听陇山头。
　　第三　开箧泪沾襦，见君前日书。
　　　　　夜台空寂寞，犹见紫云车。
排遍第一　三秋陌上早霜飞，羽猎平田浅草齐。
　　　　　锦背苍鹰初出按，五花骢马喂来肥。
　　第二　鸳鸯殿里笙歌起，翡翠楼前出舞人。
　　　　　唤上紫微三五夕，圣明方寿一千春。

《伊州曲》：

伊州第一　秋风明月独离居，荡子从戎十载余。
　　　　　征人去日殷勤嘱，归雁来时数寄书。
　　第二　形闱晓闻万鞍回，玉辂春游薄晚开。
　　　　　渭北清光摇草树，州南嘉景入楼台。
　　第三　闻道黄龙戍，频年不解兵。
　　　　　可怜闺里月，偏照汉家营。

第四　千里东归客，无心忆旧游。
挂帆游白水，高枕到青州。
第五　桂殿江乌对，雕屏海燕重。
只应多酿酒，醉罢乐高钟。
入破第一　千门今夜晓初晴，万里天河彻帝京。
璨璨繁星驾秋色，棱棱霜气韵钟声。
第二　长安二月柳依依，西出流沙路渐微。
阏氏山上春光少，相府庭边驿使稀。
第三　三秋大漠冷溪山，八月严霜变草颜。
卷旆风行宵渡碛，衔枚电扫晓应还。
第四　行乐三阳早，芳菲二月春。
闺中红粉态，陌上看花人。
第五　居住孤山下，烟深夜径长。
辕门渡绿水，游苑绕垂杨。

《唐大和曲》：

大和第一　国门卿相旧山庄，圣主移来宴绿芳。
帘外辗为车马路，花间踏出舞人场。
第二　国鸟尚含天乐啭，寒风犹带御衣香。
为报碧潭明月夜，会须留赏待君王。
第三　庭前鹊绕相思树，井上莺歌争刺桐。
含情少妇悲春草，多是良人学转篷。
第四　塞北江南共一家，何须泪落怨黄沙。
春酒半酣千日醉，庭前还有落梅花。

第五彻　我皇膺运太平年，四海朝宗会百川。
　　　　自古几多明圣主，不如今帝胜尧天。

《水调歌曲》：

水调歌第一　平沙落日大荒西，陇上明星高复低。
　　　　　　孤山几处看烽火，壮士连营候鼓鼙。
第二　猛将关西意气多，能骑骏马弄琱戈。
　　　金鞍宝铰精神出，笛倚新翻水调歌。
第三　王孙别上绿珠轮，不羡名公乐此身。
　　　户外碧潭春洗马，楼前红烛夜迎人。
第四　陇头一段气长秋，举目萧条总是愁。
　　　只为征人多下泪，年年添作断肠流。
第五　双带仍分影，同心巧结香。
　　　不应须换彩，意欲媚浓妆。
入破第一　细草河边一雁飞，黄龙关里挂戎衣。
　　　　　为受明王恩宠甚，从事经年不复归。
第二　锦城丝管日纷纷，半入江风半入云。
　　　此曲只应天上有，人间能得几回闻。
第三　昨夜遥欢出建章，今朝缀赏度昭阳。
　　　传声莫闭黄金屋，为报先开白玉堂。
第四　日晚笳声咽戍楼，陇云漫漫水东流。
　　　行人万里向西去，满目关山空自愁。
第五　十年一遇圣明朝，愿对君王射细腰。
　　　乍可当熊任生死，谁能伴凤入云霄。

第六彻　闺独无人影，罗屏有梦魂。
　　　　近来音耗绝，终日望君门。

这儿所谓第一、第二，就是表示每曲之若干叠，后来曲中所用的“排遍”、“入破”等名词，于此已发见了，这都是表示节拍紧缓的。现在在南曲里有〔入破第一〕、〔第二〕、〔衮第三〕、〔歇拍〕、〔中衮第五〕、〔出破〕等调名，也是同本乎此。《彻》，就是后来的尾声，宋人也沿用此名的。曲中每首文义不相联属，是因为采集当代诗人的名诗入曲，如“闻道黄龙戍”是岑参所作，“锦城丝管日纷纷”是杜甫所作的。在当时大概以五言、七言绝句为主，长短句还没有后来那样的普遍罢了。唐代的滑稽戏与乐曲，虽然如此发达，但还不能脱离萌芽的时代。

五代滑稽戏之零星记载

滑稽戏始于开元，到晚唐的时候，已经极盛了。实际同歌舞戏比较起来，很有分别，略如下表：

滑稽戏	言语为主	讽时事	随意动作	随时/地扮演
歌舞戏	歌舞为主	演故事	应节舞蹈	永久扮演

其中转变的关系，在参军戏上。

关于五代滑稽戏的遗留，散见于各笔记中，现在附举四条于此：

一、《北梦琐言》："刘仁恭之军为汴帅败于内黄。尔后汴帅攻燕，亦败于唐河。他日命使聘汴，汴帅开宴，俳优戏医病人以讥之。且问病状内黄，以何药可瘥？其聘使谓汴帅曰：内黄可以唐河水浸之，必愈。宾主大笑。"

二、钱易《南部新书》："王延彬独据建州，称伪号，一日大设，为伶官作戏辞云：只闻有泗州和尚，不见有五县天子。"

三、郑文宝《江南余载》："徐知训在宣州，聚敛苛暴，百姓苦之。入觐，侍宴，伶人戏作绿衣大面若鬼神者。旁一人问谁？对曰：我宣州土地神也。吾主人入觐，和地皮掘来，故得至此。"

四、《江南余载》又一条："张崇帅庐州，人苦其不法。因其入觐，相谓曰：渠伊必不来矣。崇闻之，计口征渠伊钱。明年又入觐，人不敢交语，唯道路相目，捋须为庆而已。崇归又征捋须钱。其在建康，伶人戏为死而获谴者曰：焦湖百里，一任作獭。"可见五代时的俳优，依然和唐代一样，可以自由谑弄，讽刺当路。

本章参考书目：

许之衡　《戏曲史》（隋唐时之戏曲及其曲词结构法章）
许之衡　《中国音乐小史》（唐代乐曲内容概说章）
王国维　《宋元戏曲史》（第一章）
王国维　《优语录》（《王忠悫公遗书本》）
吴梅　《中国戏曲概论》
朱谦之　《中国音乐文学小史》（文学与音乐之关系第六节）
盐谷温　《支那文学概论讲话》（第五章第二节）
卢前　《唐代歌舞考证》
卢前　《南北曲溯源》

第三章　宋戏之繁盛

唐五代滑稽戏的遗留

到了宋代，滑稽戏之风仍盛，此皆唐五代的遗留。在当时叫做“杂剧”，后来元杂剧之得名，当本乎此。这种滑稽戏的记载，散见于各家笔记中的很多。王国维所纂集的有三十八则，现在举前二则，作其例证。

一、刘攽《中山诗话》：“祥符、天禧中，杨大年、钱文僖、晏元献、刘子仪，以文章立朝，为诗皆宗李义山，后进多窃义山语句。尝内宴，优人有为义山者，衣服败裂，告人曰：吾为诸馆职挦扯至此。闻者欢笑。”

二、范镇《东斋纪事》：“赏花、钓鱼、赋诗，往往有宿构者。天圣中，永兴军进山水石适至，会命赋山水石，其间多荒恶者，盖出其不意耳。中坐，优人入戏，各执笔若吟咏状，其一人忽仆于界石上，众扶掖起之。既起，曰：‘数日来作赏花、钓鱼诗，准备应制，却被这石头擦倒。’左右皆大笑。翌日，降出其诗，令中书铨定，秘阁校理韩义最为鄙恶，落职与外任。”

从这二则故事看来。可以知道宋代滑稽戏的一斑了。这一种风气，虽一直到近百年的戏曲之中还有痕迹保留着，但总不如宋代集其大成。

宋代杂戏的纷起

宋代的小说，风行一时，虽与戏曲不无有相当的关系，但究非戏曲形成的主因。现在且把几种杂戏提出来说一说。

第一是傀儡，在前面我曾说过一些。在宋代傀儡是盛极了，种类也极多，有什么悬丝傀儡、走线傀儡、杖头傀儡、药发傀儡、肉傀儡、水傀儡等等分别。《梦粱录》上说："凡傀儡敷衍烟粉、灵怪、铁骑、公案、史书、历代君臣将相故事话本，或讲史，或作杂剧，或如崖词。……大抵弄此，多虚少实，如巨灵神、朱姬大仙等也。"这是敷演故事的，与滑稽戏迥乎不同了。

第二是影戏，这是宋以前所没有的。《事物纪原》上说："宋朝仁宗时，市人有能谈三国事者，或采其说加缘饰，作影人，始为魏吴蜀三分战争之象。"《东京梦华录》所记京瓦伎艺，有影戏、乔影戏的话，南宋时极盛的。《梦粱录》上说："有弄影戏者，元汴京初以素纸雕簇，自后人巧工精，以羊皮雕形，以彩色装饰，不致损坏。……其话本与讲史书者颇同，大抵真假相半。公忠者雕以正貌，奸邪者刻以丑形，盖亦寓褒贬于其间耳。"这也是演故事的。以上两种，不但是演故事，并且用形象表示出来，不过还是人来表演罢了。

用人来表演的有三种：

一是三教。《东京梦华录》上说："十二月，即有贫者三教人，为一伙，装妇人、神鬼，敲锣击鼓，巡门乞钱，俗呼为打夜胡。"

二是讶鼓。《续墨客挥犀》上说："王子醇初平熙河，边陲宁静，讲武之暇，因教军士为讶鼓戏，数年间，遂盛行于世。"这一种讶鼓的舞装动作与文词，大概就是出于子醇所作。子醇与西人对阵时，兵还未交，子醇就命军士百余人，装为讶鼓队，绕出军前，虏见皆愕眙，于是进兵奋击，获大胜。讶鼓还另有过这么一种作用，在《朱子语类》上，也曾提到过讶鼓这个名词。他说："如舞讶鼓，其间男子、妇人、僧道杂色，无所不有，但都是假的。"

三是舞队。《武林旧事》上记舞队的情形，也和三教、讶鼓差不多。不过名目极繁，现在且排列如次：

查查鬼（查大）、李大口（一字口）、贺丰年、长鲍敛（长头）、兔吉（兔毛大伯）、吃遂、大憨儿、粗妲、麻婆子、快活三郎、黄金杏、瞎判官、快活三娘、沈承务、一脸膜、貌儿相公、洞公嘴、细妲、河东子、黑遂、王铁儿、交椅、夹棒、屏风、男女竹马、男女杵歌、大小斫刀鲍老、交衮鲍老、子弟清音、女童清音、诸国献宝、穿心国入贡、孙武子教女兵、六国朝、四国朝、遏云社、绯绿社、胡安女、凤阮稽琴、扑蝴蝶、回阳丹、火药、瓦盆鼓、焦锤架儿、乔三教、乔迎酒、乔亲事、乔乐神（马明王）、乔捉蛇、乔学堂、乔宅眷、乔像生、乔师娘、独自乔、地仙、旱划船、教象、装态、村田乐、鼓板、踏橇（一作踏跷）、扑旗、抱锣装鬼、狮豹蛮牌、十斋郎、耍和尚、刘衮、散钱行货郎、打娇惜。

这许多舞队，大约是巡回演出的，未必与后代的舞台剧完全一致。但后来戏名中颇有与此名目相同，足见不是与后代戏曲无关。三教、讶鼓、舞队，这三种总算是戏曲的支流了。

宋代歌舞戏之成熟

滑稽戏与杂戏，既如上述，此处便开始说歌舞戏了。宋代是词体成熟的时期，同时也是歌舞戏成熟的时期。如欧阳修之《采桑子》十一首述西湖之胜，赵德麟之《商调蝶恋花》十首述“会真”之事，重叠一调，连续而歌。词与戏已接近了，只是徒歌不舞，还算不得是戏曲。与戏曲最有关系的，还数“队舞”。《宋史・乐志》上说：“每春秋圣节三大宴，小儿队、女弟子队各进杂剧队舞，实始于宋。”宋人孟元老《东京梦华录》记圣节典礼云：“小儿队舞选十二三岁小儿二百余人，列四行。每行，队头一名。四人簇拥，并着小隐士帽，着绯绿紫青生色花衫，各执花枝排定。先有四人，裹脚帕头者，擎一彩殿子，内金贴字牌，擂鼓而进，谓之队名牌。牌上一联语，如‘九韶翔彩凤，八佾舞青鸾’之句。乐部举乐，小儿队舞步进前，直叩殿陛。参军色作语问小儿，班首近前进口号，杂剧人皆打和毕，乐作，群舞合唱，且舞且唱。又唱‘破子’军，小儿班首入进‘致语’，勾杂剧入场，一场两段，内殿杂戏为有使人在座，不敢深作谐谑，惟用群队装其似像市语，谓之‘拽串’。杂戏毕，参军色作语，放小儿队。又群舞《应天长》曲子，出场。女弟子队舞杂剧，与小儿略同，惟节次稍多。此徽宗圣节典礼也。”这里所说的致语，又叫做念语，又叫做乐语，大都用骈体四六文作的。宋人文集中，常常可以看见乐语的。现在摘东坡兴龙节集英殿宴乐语数段，便可以知道致语的一斑了。

勾小儿队：鱼龙奏技，毕陈诡异之观；髫龀成童，各效回旋之妙。嘉其尚幼，有此良心，仰奉宸慈。教坊小儿入队。

勾杂剧：金奏铿纯，既度九韶之曲；霓裳合散，又陈八佾之仪。舞缀暂停，优伶间作。再调丝竹，杂剧来欤！

放小儿队：游童率舞，逐物性之熙怡；小技毕陈，识天颜之广大。清歌既阕，叠鼓频催。再拜天街，相将归去。

勾女童队：垂鬟在侧，敛袂稍前。岂知北里之微，敢献南山之寿。霓旌坌集，金奏方谐。上奏威颜。两军女童入队。

问女童队：掺挝屡作，旌夏前临。顾游女之何能，造彤庭而献技。欲知来意，宜悉奏陈。

勾杂剧：清净自化，虽莫测于宸心；诙笑杂陈，示俔同于众乐。金丝再举，杂剧来欤！

放女童队：分庭久立，渐移爱日之阴；振袂再成，曲尽回风之态。龙楼却望，鼍鼓频催。再拜天阶，相将归去。

其余如"教坊致语"、"小儿致语"、"女童致语"，都是与此形式相同的。至于"口号"，却是用一首七言诗作的。现在也举一首口号为例：

凛凛重瞳日月新，四方惊喜识天人。共知若木初生旦，且种蟠桃不计春。请使黑山归属国，给扶黄发拜严宸。紫皇应在红云里，试问清都侍从臣。

我们看东坡所作乐语，此风直到元代还有。南宋集中，很有不少名篇。例如《真西山集》，就有四篇，关乎使者有三篇之多。一、金国贺正旦使人到阙紫宸殿宴，致语口号勾合曲词。二、与上同。三、金国报登位使人到阙集英殿宴，致语口号勾合曲词。其余一篇是瑞庆节集英殿宴用的。如此可知“致语口号勾合曲词”这种“队舞”，在当时国际上，是如此隆重的礼仪了。实则后来昆剧演全本戏，最先用一副末出场，念诵数语，略述吉祥通篇的话头，或者略述戏剧大意。副末念毕入场，才演戏剧正文。这在元明人叫做“家门”或“开场”的，就是从“致语”演化的。到清代都保留这种遗风。现在取乾隆时通用的选的曲本《缀白裘》里面一段副末开场，以资比较。

春到杏梅争艳，夏来柳荫荷香。中秋皓月桂飘香，冬至雪花飘扬。　　百岁光阴如箭，逢时作乐何妨。休将名利锁愁肠，且听笙歌嘹亮。

不过一个用骈文诗，一个用词，两下只有这一点不同而已。又周密《武林旧事》上有“排当乐次”者，就是现在“戏单”的滥觞。又有些像演戏的幕表。这是在舞台的史料中很可珍贵的一页呢。撮录如下：

初坐，乐奏，觱篥起《上林春》引子，王荣祖。

第一盏：觱篥起《万岁梁州》曲破，齐汝贤。舞头豪俊迈，舞尾，范宗茂。

第二盏：觱篥起《临寿永》歌曲子，陆恩显。琵琶起《捧瑶卮慢》，王荣祖。

第三盏①:玉轴琵琶独弹《福寿永康》,宁俞达;拍,王良卿;觱篥起《庆寿新》,周润;进谈子笛哨,潘俊;扙鼓,朱尧卿;拍,王良卿。进念致语。

第五盏:笙独吹《长生宝宴》乐,侯璋;拍,张亨;笛起《降圣乐慢》,卢宁;杂剧,周朝清以下,做《三京下书》,断送《绕池游》。

第六盏:筝独弹《聚仙欢》,陈仪;拍,谢用;方响起《尧阶乐慢》,刘民和;进圣花,金宝。

第七盏:玉方响独打《圣寿永》,余胜;拍,王良卿;筝起《出墙花慢》,吴宣;杂手艺,《祝寿进香仙人》,赵喜。

这与最近秋浦周明泰《几礼居戏曲丛书》第二种《五十年来北平戏剧史材》里所辑戏单,同一意义。但是从这最古的戏单中,我们可以知道宋代的戏剧情形了。

以下我将详述宋时已成熟的歌舞戏所谓"传踏"的。传踏亦名转踏,又名缠达。《宋史·乐志》:"小儿队凡七十二人,其队各十。一曰柘枝队,二曰剑器队,三曰婆罗门队,四曰醉胡胜队,五曰君臣万岁队,六曰儿童感圣乐队,七曰玉兔浑脱队,八曰异域朝天队,九曰儿童解红队,十曰射雕回鹘队。女弟子队凡一百五十三人,其队各十。一曰菩萨蛮队,二曰感化乐队,三曰抛球乐队,四曰佳人剪牡丹队,五曰拂霓裳队,六曰采莲队,七曰凤迎乐队,八曰菩萨献香花队,九曰彩云仙队,十曰打球乐队。"其装饰各由队名而异,如佳

① 此当为"第四盏",作者漏收第三盏,现补充如下:"第三盏:唱延寿长歌曲子,李文庆;嵇琴起《花梢月慢》,李松。"——整理者注

人剪牡丹队，就穿红生色砌衣，戴金冠，剪牡丹花；采莲队，就执莲花；菩萨献香花队，就执香花盘。且歌且舞，是为队舞。其中所歌的曲词，兼咏故事。如《碧鸡漫志》所说，石曼卿作的《拂霓裳转踏》，述开元天宝遗事。队中的拂霓裳队或者就是歌舞这种《拂霓裳转踏》的，又有用《调笑令》所作的《调笑转踏》。秦观、晁补之、毛滂、郑仅都有此作，现在从曾慥《乐府雅词》中摘录郑仅所作于下：

《调笑转踏》（郑仅）：

良辰易失，信四者之难并；佳客相逢，实一时之盛会。用陈妙曲，上助清欢，女伴相将，调笑入队。（按：此即上述苏东坡乐语之类）

秦楼有女字罗敷，二十未满十五余。金环约腕携笼去，攀枝折叶城南隅。使君春思如飞絮，五马徘徊芳草路。东风吹鬓不可亲，日晚蚕饥欲归去。

归去，携笼女，南陌春愁三月暮。使君春思如飞絮，五马徘徊频驻。蚕饥日晚空留顾，笑指秦楼归去。

石城女子名莫愁，家住石城西渡头。拾翠每寻芳草路，采莲时过绿蘋洲。五陵豪客青楼上，醉倒金壶待清唱，风高江阔白浪飞，急催艇子操双桨。

双桨，小舟荡，唤取莫愁迎叠浪。五陵豪客青楼上，不道风高江广。千金难买倾城样，那听绕梁清唱。

绣户朱帘翠幕张，主人置酒宴华堂。相如年少多才调，消得文君暗断肠。断肠初认琴心挑，幺弦暗写相思调。从来万曲不关心，此度伤心何草草。

草草，最年少，绣户银屏人窈窕。瑶琴暗写相思调，一曲关心多少，临邛客舍成都道，苦恨相逢不早。（以下尚有九曲，不备录）

放队：

新词宛转递相传，振袖倾鬟风露前。月落乌啼云雨散，游童陌上拾花钿。

前有勾队词，后面以一诗一曲相间，后以放队词作结，放队词就是一首七绝。像晁补之所作，并无放队词。大约宋初体格是如此的。到北宋末年，便有些不同了。《梦粱录》上说："在京时，只有缠令、缠达。有引子、尾声为缠令，引子后只有两腔，迎互循环，间有缠达。"所谓引子就是从勾队之词变出，而放队之词，变为尾声。

在这缠达（即转达）之外，还有大曲。大曲之名，自南北朝就有了。唐代的乐曲，也有大曲之名，载在《教坊记》。宋代的大曲，也从教坊出来的。所奏有十八调、四十六曲。《文献通考》及《宋史·乐志》具载其目。大曲的遍数，有多至一二十，各遍之名不同。《碧鸡漫志》说："凡大曲有散序、靸、排遍、攧、入破、虚催、实催、衮遍、歇拍、杀衮始成一曲，谓之大遍。"《梦溪笔谈》说："所谓大遍者，有序、引、歌、歙、嗺、哨、催、攧、衮、破、行、中腔、踏歌之类，凡数十解。"这里所说攧、破、催、衮等字，当指舞的节拍而言，至今破、衮、歇拍、遍，在昆曲中，还有这样名称。兹举曾布《水调歌头》大曲为例：

《水调歌头》(曾布):

排遍第一:魏豪有冯燕,少年客幽并。击球斗鸡为戏,游侠久知名。因避仇来东郡,元戎逼属中军。直气凌貔虎,须臾叱咤风云,懔懔座中生。偶乘佳兴,轻裘锦带,东风跃马,往来寻访幽胜,游冶出东城。堤上莺花掩乱,香车宝马纵横。草软平沙稳,高楼两岸春风,笑语隔帘声。

排遍第二:袖笼鞭敲镫,无语独闲行。绿杨下,人初静,烟淡夕阳明。窕窕佳人,独立瑶阶,掷果潘郎,瞥见红颜,横波盼,不胜娇软倚云屏。曳红裳频推朱户,半开还掩似欲倚,咿哑声里,细诉深情。因遣林间青鸟,为言彼此心期,的的深相许,窃香解佩,绸缪相顾,不胜情。

排遍第三:说良人滑将张婴,从来嗜酒回家,镇日长酩酊。长醒,屋上鸣鸠,空门梁间客燕相惊。谁与花为主,兰房从此,朝云夕雨,两牵萦。似游丝狂荡,随风无定,奈何岁华荏苒,欢计苦难凭。惟见新恩缱绻,连枝比翼,香闺日日为郎,谁知松萝托蔓,一比一豪轻。

排遍第四:一名还醉,开户起相迎。为郎引裾相庇,低首略潜形。情深无隐,欲郎乘间起佳兵。授青萍,茫然抚弄,不忍欺心。尔能负心于彼,于我必无情。熟视花钿不足,刚肠终不能平。假手迎天意,一挥霜刃,窗间粉颈断瑶琼。

排遍第五:凤凰钗宝玉凋零,惨然怅,娇魂怨,饮泣吞声。还被凌波唤起,相将金谷同游,想见逢迎处,揶揄羞面,妆脸泪盈盈。醉眠人醒来晨起,血凝螓首。但惊喧,白邻里。骇我卒难明。致幽囚推究,覆盆无计哀鸣。丹笔终诬服,圜门驱拥,衔冤垂首欲临刑。

排遍第六：带花遍向红尘里，有喧呼攘臂，转身辟众，莫遣人冤滥。杀张室，忍偷生。僚吏惊呼呵叱，狂辞不变如初，投身属吏，慷慨吐丹诚。仿佛缧绁，自疑梦中，闻者皆惊叹，为不平。割爱无心，泣对虞姬，手戮倾城宠，翻然起死，不教仇怒负冤声。

排遍第七、攧花十八：义城元靖贤相国，嘉慕英雄士，赐金缯。闻此事频欢赏，封章归印请赎冯燕罪，日边紫泥封诏，阖境赦深刑。万古三河风义在，青简上，众知名。河东注，任流水滔滔水涸名难泯。至今乐府歌咏，流入管弦声。

在大曲里的〔水调歌头〕与词中的《水调歌头》，字数韵数，都不相同。里面又有平仄通押处，这是与南北曲相合的。在曾慥《乐府雅词》中又有董颖《薄媚大曲》比较的更长了。从排遍第八起经入破以至到杀衮，是咏西施的故事。

《薄媚》（董颖）：

排遍第八：怒潮卷雪，巍岫布云，越襟吴带如斯，有客经游，月伴风随。值盛世观此江山美。合放怀何事却兴悲？不为回头，旧谷天涯，为想前君事，越王嫁祸献西施，吴即中深机。阖庐死，有遗誓，勾践必诛夷。吴未干戈出境，仓卒越兵，投怒夫差。鼎沸鲸鲵，越遭劲敌。可怜无计脱重围，归路茫然，城郭邱墟，飘泊稽山里，旅魂暗逐战尘飞，天日惨无辉。

排遍第九：自笑平生，英气凌云，凛然万里宣威；那知此际，熊虎途穷，来伴麋鹿卑栖。既甘臣妾，犹不许，何为计？争若都燔宝器，尽诛吾妻子，径将死战决雄雌，天意恐怜之。偶闻太宰正擅权，贪赂市恩私，因将宝玩献诚；虽脱霜戈，石室囚系，忧嗟又经时。恨不如巢燕自由归，残月朦胧，寒雨潇潇，有血都成泪，备尝险厄反邦畿，冤愤刻肝脾。

第十攧：种陈谋，谓吴兵正炽，越勇难施。破吴策，唯妖姬。有倾城妙丽，名称西子，岁方笄。算夫差惑此，须致颠危。范蠡微行，珠贝为香饵，苎萝不钓钓深闺。吞饵果殊姿。素肌纤弱，不胜罗绮。鸾镜畔，粉面淡匀。梨花一朵琼壶里，嫣然意态娇春。寸眸剪水，斜鬟鬆翠。人无双，宜名动君王，翠履容易，来登玉陛。

入破第一：窣湘裙，采汉珮，步步香风起。敛双蛾，论时事，兰心巧会君意。殊珍异宝，犹自朝臣未与，妾何人被此隆恩。虽令效死，奉严旨。隐约龙姿忻悦，更把甘言说。辞俊美，质娉婷，天教汝众美兼备。闻吴重色，凭汝和亲，应为靖边陲。将别金门，俄挥粉泪，靓妆洗。

第二虚催：飞云驶香车，故国难回睇。芳心渐摇，遥逦吴都繁丽。忠臣子胥，预知道为邦祟，谏言先启，愿勿容其至。周亡褒姒，商倾妲己。吴王却嫌胥逆耳。才经眼便深恩爱，东风暗绽娇蕊，彩鸾翻妒伊，得取次于飞共戏。金屋看承，他宫尽废。

第三衮遍：华宴夕，灯摇醉。粉菡萏，笼蟾桂。扬翠袖，含风舞，轻妙处，惊鸿态。分明是瑶台琼榭，阆苑蓬壶景，尽移此地。花绕仙步，莺随歌吹。宝帐暖，留春百和，馥郁融鸳被。银漏永，楚云浓，三竿日犹褪霞衣。宿酲轻腕嗅，宫花双带系，合同心时，波下比目，深怜到底。

第四催拍：耳盈丝竹，眼摇珠翠。迷乐事，宫闱内。争知渐国势陵夷，奸臣献佞，转恣奢淫。天谴岁屡饥，从此万姓离心解体。越遣使阴窥虚实，蚤夜营边备。兵未动，子胥存，虽堪伐尚畏忠义。斯人既戮，又且严兵卷土，赴黄池观衅，种蠡方云可矣。

第五衮遍：机有神，征鼙一鼓，万马襟喉地。庭喋血，诛留守。怜屈服，敛兵还。危如此，当除祸本，重结人心；争奈竟荒迷。战骨方埋，灵旗又指，势连败，柔荑携泣，不忍相抛弃。身在兮，心先死，宵奔兮，兵已前围。谋穷计尽，唳鹤啼猿，闻处分外悲。丹穴纵近，谁容再归。

第六歇拍：哀诚屡吐，甬东分赐，垂暮日，置荒隅。心知愧，宝锷红委，鸾存凤去，辜负恩怜，情不似虞姬①。尚望论功，荣归故里。降令曰，吴无赦汝，越与吴何异？吴正怨，越方疑，从公论，合去妖类。娥眉宛转，竟殒鲛绡，香骨委尘泥！渺渺姑苏，荒芜鹿戏。

第七煞衮：王公子，青春更才美，风流慕连理。耶溪一日，悠悠回首凝思。云鬟烟鬓，玉珮霜裾，依约露妍姿。送目惊喜，俄迂玉趾。同仙骑，洞府归去，帘栊窈窕戏鱼水。正一点犀通，遽别恨何已。媚魄千载，教人属意，况当时金殿里。

在宋大曲中，这是最长的了。陈旸的《乐书》上说："优伶常舞大曲，唯一工独进，但以手袖为容，踏足为节。其妙串者，虽风骞鸟

① "似"当作"似"。——整理者注

旋，不逾其速矣。然大曲前后叠不舞，至入破，则羯鼓、襄鼓、大鼓，与丝竹合作，句拍益急。舞者入场，投节制容，故有催拍、歇拍，姿势俯仰，百态横出。”可见大曲是兼有歌舞的。在东坡只作勾放乐语，到郑仅、董颖又只作歌词。把乐语和歌词合起来的，《鄮峰真隐漫录》所载史浩的大曲，其中诸曲下，各载歌演之状，视前所引尤详。史浩是鄞人，曲中写他鄞山甬水、四明里第的，是他的《寿乡词》。曲牌的名称，叫做〔采莲〕。

在《鄮峰真隐漫录》中，还有“剑舞”（王国维《宋元戏曲史》所引为例者）、“柘枝舞”（许之衡《戏曲史》所引为例者），此处不再征引，只说一个大概罢。

剑舞之初，二舞者“对厅”（对厅就是坐姿势预备的意思）立茵上，乐部唱剑器曲破，二舞者作舞，同唱《霜天晓角》。唱毕，乐部唱《舞剑器曲破》一段，别二人汉装者出，对坐，“竹竿子”（引导的人，即参军之遗）念语，其词就是“鸿门宴”故事。又唱《舞剑器曲破》一段，一人左立者上茵舞，作刺汉装者之势，又一人舞进步翼蔽之。舞罢，二舞者（汉装的）并退。复有两唐装者出，对坐，舞者一人，换女装，竹竿子念致语，其词就是杜甫所咏的《公孙大娘舞剑器》故事。乐部唱《舞剑器曲破》一段，唐装者退。二舞者一男一女对舞，结《剑器曲破彻》，竹竿子复念诗，念毕，出队。这就是“剑舞”。

柘枝舞之初，五人对厅，一直立，竹竿子念引队词，吹引子半段。入场，连吹《柘枝令》，分作五方舞。舞毕，竹竿子念致语，“花心”（五人中一直立的，叫做花心）出念答语，各念答数言，吹“三台”一遍。再吹“射雕”遍连“歌头”。吹“朵肩”遍，又吹“扑蝴蝶”遍，又吹“画眉”遍，众唱《柘枝令》。众舞毕，竹竿子念致语，吹《柘枝令》，遣队。这就是“柘枝舞”。

二舞之名，并见《宋史·乐志》，内容却不详，当以史浩所载为最详尽的了。这里面致语用四六。后来传奇第一折正生出场的白语用四六，叫做“定场白”的，当本于此了。

宋乐曲中南北曲之先声

《宋史·乐志》：“太宗洞晓音律，前后亲制大小曲及因旧曲创新声者，三百九十。”后来南北曲中有好些即由此而生，其中名与南北曲同者，如〔上林春〕、〔啭林莺〕、〔金钱花〕之类。还有在宋人集其文体已与曲极相当者，如杨诚斋的《归去来辞》（是不是大曲，现在已不可知了），纯用“代言体”，与戏曲的体裁，更为相近，而且每曲只填半阕，不用换头，可以说是“曲的先声”了。

《归去来辞引》（杨万里）：

侬家贫甚诉长饥，幼稚满庭闱。正坐瓶无储粟，漫求为吏东西。

偶然彭泽近邻圻，公秫滑流匙。葛巾劝我求为酒，黄菊怨冷落东篱。五斗折腰谁能许事，归去来兮！

老圃半榛茨，山田欲蒺藜。念心为形役又奚悲？独惆怅前迷不谏，后方追觉，今来是了，觉昨来非。

扁舟轻飏破朝霏，风细慢吹衣。试问征夫前路，晨光小，恨熹微。

乃瞻衡宇载奔驰，迎候满荆扉。已荒三径存松菊，喜诸幼入室相携。有酒盈尊，引觞自酌，庭树遣颜怡。

容膝易安栖，南窗寄傲睨。更小园日涉趣尤奇，尽虽设柴门长是闭斜晖，纵遐观矫首，短策扶持。

浮云出岫岂心违，鸟倦亦归飞。翳翳流光将入，孤松抚处凄其。

息交绝友堑山溪，世与我相违。驾言复出何求者，旷千载今欲从谁。亲戚笑谈，琴书觞咏，莫遣俗人知。

邂逅又春熙，农人欲载菑，告西畴有事要耘耔。容老子舟车取意任委蛇，历崎岖，窈窕邱壑随宜。

欣欣花木向荣滋，泉水始流澌。万物得时如许，此生休笑吾衰。

寓形宇内几何时，岂问去留为？委心任运无多虑，顾遑遑将欲何之？大化中间，乘流归尽，喜惧莫随伊。

富贵本危机，云乡不可期。趁良辰孤往恣游嬉。独临水登山，舒啸更哦诗，除乐天知命了，复奚疑？

此引一共十二曲，并不注明牌调。现在我们考证超来：第一、第四、第七、第十，这四首仿佛是〔朝中措〕。第二、第五、第八、第十一，这四首仿佛是〔一丛花〕。至于第三、第六、第九、第十二，这四首是很难说的，很有些〔南歌子〕，不过多末二句了。但是在北宋的大曲，大都由数支或十数支同名的曲牌，联缀成一套，而南宋就有合数曲牌成一套的了，如这一套《归去来辞引》就开其端。不过，所用还是词牌，风格介于词曲之间。如高承的《事林广记》中所载的《圆社市语》，纯然是曲的风格了。这是从词变到曲的一段极重要的史料。

《圆社市语》（中吕宫，无名氏作）：

〔紫苏丸〕 相逢闲暇时，有闲的打唤瞒儿，呵喝啰声嗽道肷厮，俺嗏欢喜，才下脚，须和美，试问伊家有甚夹气？又管甚官场侧背？算人间落花流水。

〔缕缕金〕 把金银锭打旋起，花星临照我，怎辨避？近日间游戏，因到花市帘儿下，瞥见一个表儿圆，咱每便着意。

〔好女儿〕 生得宝妆跷，身分美，绣带儿缠脚，更好肩背，画眉儿入鬓春山翠，带着粉钳儿，更绾个朝天髻。

〔大夫娘〕 忙入步，又迟疑，又怕五角儿冲撞我没跷踢。网儿尽是札，圆底都松例，要抛声忒壮果难为，真个费脚力。

〔好孩儿〕 供送饮三杯先入气，道今宵打歇处。把人拍惜，怎知他水脉透不由得你。咱们只要表儿圆时，复地一合儿美。

〔赚〕 春游禁陌，流莺往来穿梭戏，紫燕归巢，叶底桃花绽蕊。赏芳菲，蹴秋千高而不远，似踏火不沾地，见小池风摆，荷叶戏水。素秋天气。正玩月斜插花枝，赏登高，佶料沙羔美。最好当场落帽，陶潜菊绕篱。仲冬时，那孩子忌酒怕风，帐幙中缠脚忒稔腻。讲论处下梢团圆到底，怎不则剧。

〔越恁好〕 勘脚并打二，步步随定伊，何曾见走衮。你与我，我与你，场场有踢，没些拗背。两个对垒，天生不枉作一对脚头，果然厮稠密密。

〔鹘打兔〕 从今后一来一往，休要放脱些儿。又管甚搅闲底拽，闲空白打肷厮，有千般解数，真个难比。

〔尾声〕 五花丛里英雄辈，倚玉偎香不暂离，做得个风流第一。

在这一套的前面有一段"遏云要诀"，又"遏云致语"〔鹧鸪天〕一首。遏云是南宋歌社名，想来这套的作者，当是南宋时人。《武林旧事》上说："二月八日，为相川张王生辰，霍山行宫朝拜极盛，百戏竞集，如绯绿社（杂剧）、齐云社（蹴球）、遏云社（唱赚）等。""唱赚、道赚，而词中又有赚词"，这又是《梦粱录》上的话。可见这市语便是赚词之类。圆社者，谓蹴球。大概是遏云社的人，歌咏齐云社的事。从大体看来，颇似北曲，因为用一宫调的曲子联为套数，是北曲的定例。但就曲牌看来，却似南曲。〔缕缕金〕、〔好孩儿〕、〔越恁好〕，均在南中吕宫，〔紫苏丸〕（〔泣颜回〕）在南仙吕宫。〔鹘打兔〕南北曲并存，只是〔大夫娘〕是南北曲所并无的。南北曲的形式材料，在南宋的时候总算粗具了。

官本杂剧段数的名目

在《武林旧事》上所载宋官本杂剧段数，有二百八十本。其中用大曲的一百〇三，用法曲四，用诸宫调二，用普通词调三十五。在一百〇三本大曲中：

有以"六幺"名者，如《崔护六幺》、《王子高六幺》，……共二十本。

有以"瀛府"名者，如《索拜瀛府》、《醉院君瀛府》，……共六本。

有以"梁州"名者，如《三索梁州》、《诗曲梁州》，……共七本。

有以"伊州"名者，如《铁指甲伊州》、《裴少俊伊州》，……共五本。

有以“新水”名者，如《桶担新水》、《浇水新水》，……共四本。

有以“薄媚”名者，如《简帖薄媚》、《郑生遇龙女薄媚》，……共九本。

有以“大明乐”名者，如《土地大明乐》、《三爷老大明乐》，……共三本。

有以“降黄龙”名者，如《列女降黄龙》、《双旦降黄龙》，……共五本。

有以“胡渭州”名者，如《看灯胡渭州》、《单番将胡渭州》，……共四本。

有以“石州”名者，如《单打石州》、《和尚那石州》，……共三本。

有以“大圣乐”名者，如《塑金刚大圣乐》、《柳毅大圣乐》，……共三本。

有以“中和乐”名者，如《霸王中和乐》、《马头中和乐》，……共四本。

有以“万年欢”名者，如《托合万年欢》、《喝贴万年欢》，……共二本。

有以“熙州”名者，如《迓鼓熙州》、《二郎熙州》，……共三本。

有以“道人欢”名者，如《打拍道人欢》、《越娘道人欢》，……共四本。

有以“长寿仙”名者，如《打勘长寿仙》、《分头子长寿仙》，……共三本。

有以“剑器”名者，如《病爷老剑器》、《霸王剑器》，……共二本。

有以“延寿乐”名者，如《黄杰进延寿乐》、《义养娘延寿乐》，……共二本。

有以"贺皇恩"名者，如《催妆贺皇恩》、《扯篮儿贺皇恩》，……共二本。

有以"采莲"名者，如《唐辅采莲》、《病和采莲》，……共三本。

有以"彩云归"名者，如《梦巫山彩云归》、《青阳观碑彩云归》，……共二本。

此外《保金枝》、《嘉庆乐》、《庆云乐》、《君臣相遇乐》、《泛清波》、《千春乐》、《罢金钲》各一本。法曲的四本，是：《棋盘法曲》、《孤和法曲》、《藏瓶法曲》、《车儿法曲》。诸宫调的二本，是《诸宫调霸王》、《诸宫调卦册儿》，普通词调三十五本。现在所知的三十本，兹列如下。对于词调的名称，以括弧明之。

《打地铺》〔逍遥乐〕、《病郑和》〔逍遥乐〕、《崔护》〔逍遥乐〕、《瀍涸》〔逍遥乐〕、《四郑》〔舞杨花〕、《四偌》〔满皇州〕、《浮沤》〔暮云归〕、《五柳》〔菊花新〕、《四季》〔夹竹桃〕、〔醉花阴〕《爨》、〔木兰花〕《爨》、〔月当厅〕《爨》、〔醉还醒〕《爨》、〔扑蝴蝶〕《爨》、〔满皇州〕《卦铺儿》、〔探春〕《卦铺儿》、《三哮》〔好女儿〕、〔二郎神〕《变》〔二郎神〕、《大》〔双头莲〕、《小》〔双头莲〕、《三笑》〔月中行〕、〔三登乐〕《院公狗儿》、《三教》〔安公子〕、〔普天乐〕《打三教》、〔满皇州〕《打三教》、《三姐》〔醉还醒〕、《三姐》〔黄莺儿〕、《卖花》〔黄莺儿〕。

另外有不见宋词，而见于后来金元曲调的九本：

《四小将》〔整乾坤〕、〔掉孤舟〕《爨》、〔庆时丰〕《卦铺儿》、《三哮》〔上小楼〕、〔鹘打兔〕《变二郎神》、《双罗罗》〔啄木儿〕、《赖房钱》〔啄木儿〕、《园城》〔啄木儿〕、〔四国朝〕。

从这么多大曲、法曲、诸宫调、词曲调所构成的宋杂剧看来，已远非滑稽剧所能比较的了。一方面是成熟的歌舞戏，一方面却已开金元戏曲的途径。在这些大曲、法曲的名称上，我们可知大抵以故事连缀曲名而成，如前面所说《冯燕》、《西子》二大曲，我们就可叫它做“冯燕水调歌头”、“西子薄媚”的。这许多官本杂剧，虽著录在宋末，但其中有些在北宋就已有的。如《王子高六幺》，是神宗元丰以前之作。《云麓漫抄》：“王迥字子高，旧有周琼姬事，胡徽之为作传作六幺。”《萍洲可谈》：“王迥美姿容，有才思，今六幺所歌奇俊王家郎者，乃迥也。元丰初，蔡持正举之可任监司，神宗忽云：此乃奇俊王家郎乎。持正叩头请罪。”可见有的是始于北宋的了。

像后世传奇，整本的戏文，在宋代的还有几本，我们可以考证出来。像《王焕》、《乐昌分镜》、《王魁》、《赵真女蔡中郎》四种。

一、《王焕》。刘一清《钱塘遗事》：“贾似道少时，佻侻尤甚。自入相后，犹微服闲行于伎家。至戊辰、己巳间，《王焕》戏文盛行于都下，始自太学，有黄可道者为之。”此戏在度宗咸淳四五年间，早已盛行。明沈璟《南曲谱》引《王焕传奇》中〔紫苏丸〕一曲：“烟花队里曾经历，那门庭煞知端的，近日来可笑女孩儿，心如飞絮难寻觅。”《南曲谱》所引曲文有很古的，也有宋人曲子在内。此曲或者就是《王焕》戏文中的。

二、《乐昌分镜》。元周德清《中原音韵》：“沈约之韵，乃闽浙之音，南宋都杭，吴兴与切邻。故其戏文，如《乐昌分镜》等类唱念呼吸，皆如约韵。”《南曲谱》引《分镜传奇》〔瓦盆儿〕一曲：“出卖菱花，幸得见贤。寻取消息，只因咏诗篇。岂拟夫人回嗔作喜，幸得见怜。怎知今日辐辏，两下菱花，斗合成一片。夫妇再得团圆。再得重相见，百岁谐缱绻。”疑也是宋戏文中的原曲。

三、《王魁》。明叶子奇《草木子》：“俳优戏文始于《王魁》，永嘉人作之。识者曰：若见永嘉人作相，国当亡。及宋将亡，乃永嘉人陈宜中作相。”《南曲谱》引《王魁传奇》〔熙州三台〕一曲：“晚来云淡风轻，窗外月儿又明。整顿阁儿新饮三杯，自遣闷情。久闻倩馆芳名。猛拼一醉千金，活脱似昭君，行来的便是桂英。”《南曲谱》云：“旧传奇。”想来就是原文。

四、《赵真女蔡中郎》。明祝允明《猥谈》：“南戏出于宣和之后，南渡之际，谓之‘温州杂剧’。予见旧牒，其时有赵闳夫榜禁，颇述名目，加《赵真女蔡中郎》等亦不甚多。”[①]宋刘后村诗[②]：“身后是非谁管得？满村听唱《蔡中郎》。”元初，岳伯川《铁拐李杂剧曲》云：“你学那守三贞赵真女，罗裙包土将坟台建。”足见其中故事与《琵琶记》中赵五娘一般，宋时已有此戏文，不是从高则诚《琵琶记》才有这故事的。

明徐充《暖姝由笔》：“有白有唱者名杂剧，用弦索者名套数。”杂剧之名，宋初已有的。《梦粱录》说汴京教坊大使孟角球曾做杂剧本子，大抵有白有唱始于宋代，是无可疑的，所惜今无传者，不能使我们明其真象罢了。

宋戏还有一种叫“爨”的。《武林旧事》载诸爨名目有《县水爨》、《天下太平爨》、《百花爨》等四十三种。爨，国名。宋徽宗见

① “加”当作“如”。——整理者注

② “刘后村”当作“陆游”。——整理者注

爨国人来朝，裹巾傅粉，于是命优人模仿，皆用五色装演，故叫"五花爨弄"。

又叫"艳段"的，别作"焰段"，取其如火焰，易明易灭的意思。

又叫"杂扮"的，或曰"杂班"，就是杂剧后散段。

凡此名目，不为不多。宋代戏剧之繁盛，已可略知；而金元戏曲，也就从此产生出来。

本章参考书目：

王国维　《优语录》
王国维　《宋大曲考》
王国维　《宋元戏曲史》（第三、四、五三章）
许之衡　《戏曲史》（宋之戏曲及其曲词结构法）
许之衡　《中国音乐小史》（第八、十七二章）
吴梅　《中国戏曲概论》
卢前　《曲话丛钞》
青木正儿　《支那近世戏曲史》（第二章）
卢前　《南北曲溯源》

第四章　金代的院本

关于诸宫调的话

诸宫调并不是金代的产物，前面有宋代的诸宫调，后面有元代的诸宫调。但是宋的诸宫调已无传本，而最可据的诸宫调，就是金代的作品，所以我在此地叙述一下。

诸宫调比之元代戏剧，虽同一敷演故事，但诸宫调只有说唱两部分，较元戏少扮演一层，所以诸宫调是没有动作的，何以叫做诸宫调呢？因为用的是词曲，每段唱词必有一定牌子，每一牌子必有一定的宫调，现在将几个牌子相联成套式，每套短短的，时而属这宫调，时而属那宫调，没有一定。把许多宫调的短套联贯起来唱，内容演一件故事，杂以说白，乃名曰诸宫调。王国维引《碧鸡漫志》："熙宁、元丰间，泽州孔三传始创诸宫调古传，士大夫皆能诵之。"又引《梦粱录》："说唱诸宫调，昨汴京有孔三传编成传奇、灵怪，入曲说唱。"又引《东京梦华录》记崇观以来瓦舍伎艺，有孔三传《耍秀才》诸宫调。并提及《武林旧事》所载诸色伎艺人，诸宫调传奇有高郎妇等四人。

王氏总括表示两种意见：第一，诸宫调之体，南北宋都有。宋代的乐曲，多用一曲反复歌唱，或一曲的多遍联贯歌唱，若用多曲相联，形成合曲（即后世所谓套曲）体例的，则前有沿于唐的鼓吹，后有兴于南宋的赚词。至于兴自北宋，且用通常乐曲成套的，便是诸宫调了。第二，诸宫调乃小说的支流，而被以乐曲的。其内容总是传奇说怪，演着一件故事。

友人任二北另外有说法。他道："所谓宫调，就是音阶的高低之别。词曲中黄钟宫、大石调等犹如西乐内的 F 调、G 调之类。我国宋金元的音乐中，凡是成牌调的，必有他所系属的宫调之特性表示出来，不容含糊。所以每曲必须结声先正确以后，宫调才能正确。但一般歌唱者与制曲者，往往把结声弄错了，张炎在《词源》内，因有《结声正讹》一节。可是《词源》这书的传本中，很多错字，把里面所以正讹的，又弄讹了。亏得《事林广记》里，有一段论词曲宫调结声的，很足以校订《词源》结声正讹之讹。《广记》在这一段后面说：'右数宫调腔韵相似，极易讹入别调。若结声不分，即谓之走腔；驱驾高下不匀，即谓之诸宫调。故分别用声，清、浊、高、下、折与不折以辨之。'可见每唱一曲，若结声错误，便是走腔；若有意联合许多不同的宫调，不同结声的曲子，贯串唱来，驱驾其高下不匀，而别成一格，那便是结宫调了。"

二北又集《词源》、《都城纪胜》、《乐府指迷》上的话，列为三点：

一、嘌呤说唱及驱驾虚声两层，与纵弄宫调——即诸宫调——一层，是在一件事中所驱驾的。应可分作二端：一在每一调内，乃各种添字的虚声；一在诸调之间，乃调尾各种高下不匀的结声，所嘌唱的，也就是这种虚声。

二、虚声既多，拍眼必繁。所以用手调儿（疑同后世的绰板）

之外，且必点鼓面，后世歌曲鼓板并用的情形，早见于此了。

三、这种促拍虚声的嘌唱，在宋元之间，还认为一种不规矩的俗唱。当时叫“果子”。唱耍曲儿的人，所唱令词、小曲等都已用它，原不止诸宫调里才用；可是到了诸宫调里，这种唱法，乃大为完备。

合王、任二家之言，可知诸宫调有五个特点：一、合曲成套，二、纵弄宫调。这两点是关于体制的。三、驱驾虚声，四、嘌吟说唱。这两点是关于唱法的。五、传奇说唱，这是关于内容的。于此可知诸宫调这种体制，其成因如何了。原来宋人通用的乐曲，有大曲、散词两种，诸宫调处于与大曲相反，而又补散词所不及。或许当时唱大曲感有不便，唱散词又有许多遗憾，事实上不得不创诸宫调这种新体，以应需要。下面的比较表，可知其大概。

类别	体制	宫调	音谱	歌品	内容	文体	附文
散词	单只或分唱	各宫调分唱	虚声衬字少	有雅有俗	写情景咏故事	赋与比	诗文
大曲	联遍	各宫调分唱	虚声衬字少	雅唱	演故事	有叙事无代言	诗文
诸宫调	合曲成套	多宫调联唱	声虚衬字多	俗唱	演故事	有叙事有代言	诗文说白

改联遍为合曲，改长套为短套，加虚声，加衬字，吸收语料以便于代言，不足之处，再插以说白。凡此皆反大曲所有的情形，而诸宫调于是成立。可惜孔三传所编，高郎妇所唱的《耍秀才》诸宫调之类，连一个字现在看不见了①。不然，只要有一点相当的材料，我

① “看不见”前少一“都”或“也”字。——整理者注

们便可以把大曲、诸宫调和后来的杂剧作一贯的研究了。若照《董西厢》情形，推想宋代诸宫调，一定不是纯粹散词，不是纯粹大曲，而是散词、大曲的混合物。并且所取的散词与大曲，一定加上缠声(即虚声)以便嘌唱。就是散词中的短调，一定改成缠令；长调及大曲各遍，一定改成序子之类的。

《董西厢》诸宫调

《董西厢》真是一部奇书。胡元瑞、焦理堂、施北研笔记中，均有考订，讫不知为何体。沈德符《万历野获编》以为金人院本模范，这完全是妄测的。以王国维的考订，确为诸宫调，有三个证据：

一、《西厢记》序曲中有"比前贤乐府不中听，在诸宫调里却着数"语，则作者本人目此曲为诸宫调。

二、元凌云翰《柘轩词》中赋崔莺莺西厢事有"翻残金旧日诸宫调本，才入时人听"语。则金人所赋诸宫调之中，曾有《西厢》的作品。

三、试拿选入于《雍熙乐府》、《九宫大成》中的元王伯成《天宝遗事》的散套，观察它的体例，和《董西厢》大致相同。然而元钟嗣成《录鬼簿》于王伯成条下注云："有《天宝遗事》诸宫调行于世。"《天宝遗事》既是诸宫调，则《西厢》亦为诸宫调无疑。

最奇的，在《董西厢》中所用的牌调，词曲杂糅，套式也与北曲套式不合。所以《北词广正谱》虽然引了他许多曲调，而每宫调之前的套数分题，就是套式举例内，却未引他一套。足见钮少雅、李玄玉都不承认《董西厢》内的套式为北曲套式，与同书中对于《天宝遗事》，既引曲文，又录套式，就迥乎不同了。任二北说："我们即以后世的眼光来看，试问把词曲间的墙壁打通，使二者混和杂糅起来，成为许多不词不曲，亦词亦曲的牌调，复又联成词中所未有过，而曲中所不尽同的套式，无论在唱词或戏文里面，就现在能看到的说，可有第二部没有？我们要知道：《董西厢》并非在宋词用调与元曲用调通通发生之后，才就二者之中取点材料，变化成这种不词不曲，亦词亦曲的新体的。他的发生，恐怕的确就是由词变曲的一个初步。在他以前，曲调尚未形成，曲调正是因为先有了他然后才由他递嬗而来的。若严格的论起牌调的性质来，他于词曲之间，实在进退失据，都没有他的地位。"

吾师吴瞿安先生生平用力此书最勤，他在跋屠隆刻本《董西厢》说："董词开元剧先声，通本杂缀市语，不取类书故实，而朴茂浑厚，自出高、王之上。书中不分出目，最为创格，未识当时挡弹家如何起毕焉。所用诸牌，率不经见，与元人套曲不同，且多用换头，又与元剧只取前叠者大异。中如〔醉落魄〕、〔点绛唇〕、〔苏幕遮〕、〔踏莎行〕、〔哨遍〕、〔赏花时〕、〔玉抱肚〕、〔古轮台〕、〔斗鹌鹑〕、〔粉蝶儿〕、〔一枝花〕等，为元明词家习用外。余则离奇糅杂，颇难是正。若〔哈哈令〕、〔倬倬戚〕、〔乔捉蛇〕、〔文序子〕、〔文如锦〕类，止见董词，更无他曲可证。自来考证北词者，辄详元剧，而解元之作，或多遗漏。凌次仲《燕乐考原》曾录董词，李玄玉《北词广正谱》亦间引之，皆未备载其目。独庄亲王《九宫大成谱》全录董词，所失载者，仅〔渠神令〕一支而已。余尝为贵池刘葱石校勘此书，酌分正衬，期月卒业。盖读此书者，未有如余之勤且娉也。书中同牌各曲，往往互异。如〔文如锦·细端详〕曲，下叠多'戴著顶上'一语；〔恁心聪〕曲，下叠'若见花容'下少三字句一；〔好心斜〕曲上叠,‘道恁姐姐体呆’下少四字句一;〔吴音子·张生因僧〕曲与〔相国夫人〕曲,上叠末句同作七字,而〔张生心迷〕与〔莺莺从头〕二曲则作四字,〔满江红·清河君瑞〕曲,下叠多‘一言赖语都是’一句,〔双声叠韵·烛荧煌〕曲,下叠多‘今夜甚长’一句。又如〔应天长〕、〔雪里梅〕、〔还京乐〕诸调,前后词辄有相差太远者,令人无从校核。又有〔三煞〕、〔闲花啄木儿〕两调,长短互异。《大成谱》亦未考定。此书为元词之祖,厘定颇难。余所分析者,未必可据,而如《大成》之模糊夹杂,反足贻误后学耳。余曩见闵遇五、黄嘉惠、汤玉茗诸本,自谓董词刻本,藏弆已富。今又得此刻,乃知旧刻之不见著录者甚多也。"

此跋已将《董西厢》的特点,说得颇详。此处再具体一点,写出几条来:

一、全书共一百九十四节:仙吕宫五十四,般涉调十四,黄钟宫十六,高平调九,商调四,双调十九,中吕宫二十五,大石调二十八,正宫九,越调七,道宫二,小石调一,南吕宫五,羽调一。

二、一百九十四节内,一调独立者五十二,其余为一百四十二套。其中一调一尾者九十六,两调一尾者十二,三调一尾者二十一,四调一尾者六,五调一尾者三,六调一尾者二,八调一尾者一。唯有第一百八十一节黄钟〔闲花啄木儿〕第十一套,由第一至第八八调[1],并各与其他一调相间,第八之后,则联以尾声,全套共十六调。

三、每节一韵。

---

① 此处衍一"八"字。——整理者注

四、除尾或煞外，各调多作两遍或三遍。唯第七十五节南吕〔瑶台月〕后，以〔三煞〕为尾，而〔三煞〕并非三调，乃一调的三遍。

五、第一百五十二节之尾曰错煞，第一百七十节之尾曰绪煞，第一百八十四节为中吕〔安公子赚〕、〔赚〕、〔渠神令〕、〔尾〕四调组成。

六、所用调中注明为“缠令”或“缠”的，凡二十二：〔醉落魄〕、〔点绛唇〕、〔香风合〕、〔虞美人〕、〔上西平〕、〔哨遍〕、〔文序子〕、〔喜迁莺〕、〔伊州衮〕、〔甘草子〕、〔快活年〕、〔碧牡丹〕、〔侍香金童〕、〔降黄龙衮〕、〔河传〕、〔梁州〕、〔厅前柳〕、〔风合合〕、〔凭栏人〕、〔一枝花〕。

七、说白在各套曲文之后。唯第十八节大石调〔吴音子〕两遍之间，亦插说白。

八、开端一节注明“引辞”，第二节曰“断送引辞”，而第一百七十二节正宫〔梁州令〕调名下，亦有“断送”二字。

任二北从这八点上，很有新的推论，见所著《天宝遗事诸宫调考评》中。又明张大复《梅花草堂笔谈》：“董解元《西厢》，吴中百年前罕见全本。文寿承家得之西山汪氏，首尾俱缺。其后何拓湖得完书于杨南峰，而三吴好事者，皆著一编矣。又数十年袁石公为吴令，酷嗜之，称为几上之书，而此谱益著。海虞严伯良索《周氏全集》，付之剞劂；然急于成书，疏于考订，未为善本，识者憾之。予尝见顾明公手写一册，字画遒楷，圈线截然。云录之冯嗣宗家，今不知所在。”又黄鹄山人张羽雄飞序屠刻本有云：“关氏春秋，世所故有，余既校而刻之矣。而董记号为最古，尤不可少者，乃废格无传，又为之伤其不遇也。往岁，三桥文君为余言，西山汪氏有元刻本，尝借录之，然恨其首尾俱缺，舛谬殊甚，无从校补，每用病焉。拓湖何君晚得抄本，则南峰杨氏所藏，末有题语，因赖以考订异同，修补遗脱，而董氏之书于是复完。”据此，我们可知道《董西厢》的板本源流（附表）：

（一）西山汪氏元刻本、杨南峰藏抄本——屠隆刊本——暖江室刊本、《奢擘他室曲丛》本①

（二）《周氏全集》本——严伯良刊本

（三）冯嗣宗藏本——顾明卿写本

吴瞿安先生评其文：“朴茂浑厚，自出高、王之上。”此处我且摘录一段，且为“易调”之例。在下面这一节中，已连易五宫调了。

〔黄钟·侍香金童〕 清河君瑞，邸店权时住。人没个亲知为伴侣。欲待散心没处去。正疑惑之际，二哥推户。 张生急问道：都知听说不问贤家别事故，闻说贵州天下没有甚希奇景物，你须知处。

〔尾〕 二哥不合尽说与，开口道不够十句，把张君瑞送得来腌受苦。

〔高平调·木兰花〕 店都知说：一和道国家修造了数载余过，其间盖造的非小可。想天宫上光景赛他不过，说谎后小人图什么。普天之下更没两座，张生当时听说破，道：譬如闾走与你看去则个。

〔仙吕调·醉落魄〕 绿杨影里，君瑞正行之次。仆人顺手直东指，道：兀底一座山门，君瑞定睛视。见琉璃碧瓦浮金紫，若非普救怎如此？张生心下犹疑贰，道：普天之下，行来不

---

① “暖江室”当作“暖红室”，“擘”当作“摩”。——整理者注

曾见这区宇。

〔尾〕　到跟前方知是觑,牌额分明是敕赐。写着簸箕来大六个浑金字。

〔商调·玉抱肚〕　普天下佛寺无过普救,有三檐经阁,七层宝塔,百尺钟楼。正堂里幡盖,悬在画栋回廊下,帘幕金钩。一片地是琉璃瓦,瑞云浮。千粱万斗,宝阶数尺是琉璃甃。重檐相对,一谜地是宝妆就。　　佛前的供床金间玉,香烟袅袅喷瑞兽。中心的悬壁,周回的画像,是吴生亲手。金刚揭帝骨相雄善,神菩萨相移走,张生觑了,失声的道:果然好,频频的稽首。欲待问是何年建,见梁文上明写着垂拱二年修。

〔尾〕　都知说得果无谬,若非今日随喜后,着丹青画出来,不信道有。

〔双调·文如锦〕　景清幽,看罢绝尽尘俗意,普救光阴出尘离世,明晃晃辉金碧,修完齐楚,裁接奇异。有长松矮柏,名葩异卉。时潺潺流水,凑着千竿翠竹,几块湖石,瑞烟微浮届千丈,高接云霓。　　行者道:先生本待观景致,把似这里闲行随喜,塔位转过,回廊见个竹帘儿挂起,到经藏北法堂西,厨房南面,钟楼东里,向松亭那畔花溪,这壁粉墙掩映几间,寮舍半亚朱扉。正惊疑,张生觑见了,魂不逐体。

〔尾〕　瞥然见了如风的,有其心情更待随喜,立挣了浑身森地。

不独宫调连易,韵也是屡换。全书体例都如此。道白也与后来戏曲不同,开首白云:“此本话说唐时,这个书生,姓张名拱,字君瑞,西洛人也。”略似宋人平话体裁,常常用作书人口气,不全作代言体的。

《刘知远》诸宫调

诸宫调，我们原来只知金代有一本《董西厢》，元代有一本《天宝遗事》，没有第三本的。但是最近有一部新材料，就是《刘知远》诸宫调的发现。这一部残本，在俄国列宁格勒学士院藏着，这的确是世间孤本。日本狩野君山过列宁格勒时，把它发现了，视为珍宝。后来由尼夫斯基（N. Nevsky）请求列宁格勒大学，把它摄成影本，为狩野君山六十岁称寿礼品。于是我们才知道世间还有这一部诸宫调，给我们玩赏，虽然只是残本。它的全本约有十二回。现存的是五回，四十二页，每回首尾，都有题目：

知远走慕家庄沙佗村入舍第一（共十二页，内第三、第四页缺）

知远别三娘太原投事第二（共十一页，内第二页缺）

知远充军三娘剪发生少主第三（第一、第二二页存）

知远投三娘与洪义厮打第十一（共十页，内第一、第二、第三三页缺）

君臣弟兄子母夫妻团圆第十二（共十二页，无缺）

从这第十二回标目看来，可知业已完结，而且最后一曲，结尾有"曾想此本新编传，好伏侍聪明英贤。有头尾结末刘知远"这样的句子。此书与《董西厢》相似。且以所用曲牌来比较：

一、与《董西厢》一致的，有：

仙吕 〔醉落托〕（托，一作魄）、〔整花冠〕、〔恋香衾〕、〔绣带儿〕、〔一斛叉〕、〔胜葫芦〕、〔六幺令〕、〔想思会〕、〔整乾坤〕（一作黄钟）。

中吕　〔牧羊关〕、〔安公子〕。

正宫　〔文序子〕、〔甘草子〕。

南吕　〔瑶台月〕、〔一枝花〕、〔应天长〕。

道宫　〔解红〕。

黄钟　〔出队子〕、〔双声叠韵〕、〔耍孩儿〕、〔墙头花〕、〔沁圆春〕①、〔啃遍〕、〔麻婆子〕、〔苏幕遮〕。

越调　〔玉抱肚〕。

商角　〔定风波〕(一作商调)。

大石　〔玉翼蝉〕、〔红罗袄〕。

二、《董西厢》中所未见的,有:

中吕　〔柳青娘〕、〔木笪绥〕、〔拂霓裳〕、〔酥枣儿〕。

正宫　〔锦缠道〕。

黄钟　〔快活年〕、〔愿成双〕、〔女冠子〕、〔乔牌儿〕。

越调　〔踏阵马〕。

商调　〔回戈乐〕、〔抛球乐〕。

大石　〔伊州令〕。

高平　〔驾新郎〕。

歇指　〔沈搌儿〕、〔永遇乐〕、〔耍三台〕。

至于见于《董西厢》而不见于《刘知远》的,有七十种。因为《刘知远》仅存全书三分之一左右,《董西厢》所有,当然非《刘知远》书中所能尽有。不独如此,《刘知远》在体例上,较《董西厢》单

① “圆”当作“园”。——整理者注

纯得多。在这残存的七十六套之中,我们来检查每套的编曲法式,如下三种:一、由"只曲"和"尾声"组成的,六十三套。二、仅有"只曲"而缺"尾声"的,九套。三、连结数曲附有"尾声"的,三套。

还有一点与《董西厢》相似,就在曲牌上,有"缠令"二字的注明,如《应天长缠令》、《安公子缠令》、《恋香衾缠令》之类。

用韵方面,《刘知远》与《董西厢》,大体是与南宋绍兴年间所编《菉斐轩词林韵释》及元人《中州音韵》、《中原音韵》一致的。

据日本长泽规矩说,也从版本上的鉴定,认为《刘知远》诸宫调必是金代的产品,如此这两本书在戏曲史上,可算金代的两大贡献。

此处我且摘录《刘知远》上一段,以便从文字方面给读者一个认识,可以与《董西厢》作一比较。下面是原书第十一的一节:

知远笑道:不用布裙三两幅,恁儿身穿锦绣衣,小秃厮儿也不是你儿,听我说。

〔仙吕·绣带儿〕 昨日个向庄里臂鹰走犬,引着诸仆吏打猎为戏,因渴交人买水,郭彦威将身去欲取水。陌见伊家成佑甚惊悸,前者作梦火坑,见伊将身立。称言救我离此地。他心疑忌唤到根底。 问伊因甚着麻衣,青丝发剪得肩齐。你把行踪去迹细说真实。他垂双泪,骑马便归城内。甚你却抵讳?问我儿安乐存亡,到地道不知①?你须曾见眉眼儿腮口和鼻。比我只争些年纪,如今恰是一十三岁。

---

① "到地"当作"划地"。——整理者注

〔尾〕　恁子母说话整一日，直到了不辨个尊卑，你娇儿便是刘衙内。

三娘怒唱，衙内却道是伊儿。想你穷神怎做九州安抚使。知远恐他妻不信，怀中取一物伊观。三娘见喜不自胜，真个发迹也。体挂布衣番作锦绣，插头草索变作金冠。是甚物？是九州安抚使金印。三娘接得怀中槎了。

〔黄钟·出队子〕　知远惊来，魂魄俱离壳，前来扯定告娇娥，金印将来归去呵。红日看看西下落，三娘变得嗔容恶，骂薄情听道破，你咱实话没些个，且得相逢知细琐，发迹高官非小可。

〔尾〕　金印奴家紧藏着，休疑怪不与伊呵，又怕是脱空谩唬我。

知远再取，三娘终不与，知远收则收着，不管无失，不限三日，将金冠霞帔依法取你来。你听祝付。

〔般涉·麻婆子〕　是日知远频频的又祝托，又告三娘子如今听信我，重镇官封长山河。四方国柄我权握，二十五两造莫着。有印后为安抚，无印后怎结束，上面有八个字，解说着事务多，被你一生在村泊。不知国法事如何，有多少跷蹊处，不忍对你学。

〔尾〕　此贵宝劳觑着，若还金印有失挫，怎向并州做经略。三娘见道，牢收金印，告儿夫听。

〔仙吕·醉落托〕　三娘告启。刘知远伊自参详。我因伊吃尽兄打枕，今日告迁，宝印我收藏，孤眠每夜何情况，一十三岁阻鸾凰。知远听说相偎傍，虽着粗衣，体上有余香。

〔尾〕　抱三娘欲意窝穰，六地权牙床。这麻科权作青罗帐，三娘言夫妇虽团圆。

起拜知远，儿夫肯发慈悲，行救度三娘离火坑，再三告早来取我。

其浑朴处，又何让《董西厢》呢？

院本的名目

院本这个名称，也是始于金。什么叫做院本呢？《太和正音谱》上说："行院之本也。"行院是倡伎的居处，所演唱之本就是院本。陶九成《辍耕录》所载院本名目，六百九十种。其中子目分为：

一、《和曲院本》（十四本）。二、《上皇院本》（十四本）。三、《题目院本》（二十本）。四、《霸王院本》（六本）。五、《诸杂大小院本》（一百八十九本）。六、《院幺》（二十一本）。七、《诸杂院爨》（一百〇七本）。八、《冲撞引首》（一百〇九本）。九、《拴搐艳般》（九十二本）。十、《打略拴搐》（八十八本）。十一、《诸杂砌》（三十本）。

在《打略拴搐》中，有《星象名》、《果子名》、《草名》、……《和尚家门》、《先生家门》、《秀才家门》等。当是一种游戏技艺，如《三教讶鼓》之类的。我们从所著曲名分析起来，属于大曲的有十六，在曲名上加括弧以示别：

《上坟》〔伊州〕、《烧花》〔新水〕、〔熙州〕《骆驼》、《列良》〔瀛府〕、《贺贴》〔万年欢〕、《挦廪》〔降黄龙〕、《列女》〔降黄龙〕（以上是《和曲院本》）

《进奉》〔伊州〕(是《诸杂大小院本》)

《闹夹棒》〔六幺〕、《送宣道》〔人欢〕、《扯彩》〔延寿乐〕、《讳老》〔长寿仙〕、《背箱》〔伊州〕、《酒楼》〔伊州〕、《抹面》〔长寿仙〕、《羹汤》〔六幺〕(以上是《诸杂院爨》)

属于法曲的有七:

《月明》〔法曲〕、《郓王》〔法曲〕、《烧香》〔法曲〕、《送香》〔法曲〕(以上是《和曲院本》)

《闹夹棒》〔法曲〕、《望瀛》〔法曲〕、《分拐》〔法曲〕(以上是《诸杂院爨》)

属于词曲调的,有三十七:

《病郑》〔逍遥乐〕、《四皓》〔逍遥乐〕(以上是《和曲院本》)

〔春从天上来〕(《上皇院本》)

〔杨柳枝〕(《题目院本》)

〔似娘儿〕、〔丑奴儿〕、〔马明王〕、〔斗鹌鹑〕、〔满朝欢〕、〔花前饮〕、〔卖花声〕、〔隔帘听〕、〔击梧桐〕、〔海棠春〕、〔更漏子〕(以上《诸杂大小院本》)

〔逍遥乐〕《打马铺》、〔夜半乐〕《打明皇》、〔集贤宾〕《打三教》、〔喜迁莺〕《剁草鞋》、〔上小楼〕《衮头子》、《单兜》〔望梅花〕、〔双声叠韵〕、〔河转〕《迓鼓》、《和》〔燕归梁〕、〔谒金门〕《爨》(以上《诸杂院爨》)

〔憨郭郎〕、〔乔捉蛇〕、〔天下乐〕、〔山麻秸〕、〔捣练子〕、〔净瓶儿〕、〔调笑令〕、〔斗鼓笛〕、〔柳青娘〕(以上是《冲撞引首》)

〔归塞北〕、〔少年游〕(以上《拴搐艳段》)

〔春从天上来〕、〔水龙吟〕(以上《打略拴搐》)

在《拴搐艳段》中,有一本名《诸宫调》,想来就是以诸宫调敷演的。

这院本名目里，不但有简易的戏剧，而且还杂着不少说唱杂戏在里头，例如：《讲来年好》、《讲圣州序》、《讲道德经》、《讲蒙求爨》、《讲心字爨》，大约就是“说经”、“诨经”一类的玩意儿。还有如《订注论语》、《论语谒食》、《擂鼓孝经》、《唐韵六帖》，都是这一类的，又有《背鼓千字文》、《变龙千字文》、《摔盒千字文》、《错打千字文》、《木驴千字文》、《埋头千字文》，是取周兴嗣千字文中的话，演一故事，以悦观众耳目的。在后来南曲宾白之中，间或还用着。又如《神农大说药》、《讲百果爨》、《讲百花爨》、《讲百禽爨》，也不外这说唱一类的游戏。

院本名目的大略情形既如上述，再将王氏所以认为是金人所作的四种证据，分述如下：

一、《辍耕录》云：“金有杂剧、院本、诸宫调。院本、杂剧，其实一也。国朝院本、杂剧，始厘而二之。”（《辍耕录》作者陶宗仪是元黄岩人。此处国朝二字，当然指的元朝）今此目之与官本杂剧段数同名者十数种，而一谓之杂剧，一谓之院本，足明其为金之院本，而非元之院本。

二、中有《金皇圣德》一本，明为金人之作，而非宋元人之作。

三、如〔水龙吟〕、〔双声叠韵〕等之以曲调名者，其曲仅见于《董西厢》，而不见于元曲。

四、与宋官本杂剧名例相同，足证其为同时之作。

其中说到开封的不少。因为开封是宋之东都、金之南都。金宣宗贞祐后便迁居来了，所以演宋汴京故事很多，《上皇院本》是不必说了。如郓王、蔡奴，是汴京的人。金明池、陈桥是汴京的地方。与宋官本杂剧同名的，或者还是北宋时作的。在戏剧上宋金有割不开的地方，杂班之名，大概由北而南；唱赚之作，大概由南而北。譬如蔡中郎故事，在南方便有“负鼓盲翁正作场”的记载；而《蔡伯喈》一本，又为院本名目中所有的。

脚色名称的增加

脚色名称在唐代只有参军、苍鹘。到了宋、金二代，便渐渐的增加起来。《辍耕录》上说：“院本则五人，一曰副净，古谓之参军。一曰副末，古谓之苍鹘，鹘能击禽鸟，末可打副净，故云。一曰引戏，一曰末泥，一曰孤装，又谓之‘五花爨弄’。”明宁献王朱权却说色目有九种：一曰正末，当场男子谓之末，俗谓之末泥。二曰副末，古谓苍鹘。三曰狚，当场之妓曰狚。狚，猿之雌也，俗呼曰旦。四曰孤，当场装官者。五曰靓，傅粉墨者，谓之靓，献笑供谄者也。古谓参军，俗呼为净。六曰鸨，鸨似雁而大，无后趾，俗呼为独豹者是也。七曰猱。猱，猿属，贪兽也。八曰捷讥，古谓之滑稽，院本中便捷讥谑者也，俳优称为乐官。九曰引戏，即院本中之狚也。这九色除了末、旦、孤之外，其余就在元曲也找不着的。朱权所论，是据古曲而言，好多后来便没有了。

今人所知道的，是生、旦、净、丑。元曲中有正末，没有“生”名，与朱权所说很相合。但是另有冲末、小末。旦有正旦、老旦、大旦、小旦、贴旦、色旦、搽旦、外旦、旦儿这些名称。丑、净二色名，与今日相同，此外又有卜儿、邦老、孛老、徕儿等名目。有许多俗字，如卜儿就是娘儿，娘字俗写作女卜，刻的人再把偏旁去掉，遂成卜字了。邦老指恶人说，元人以入伙行劫谓之合帮，帮字又被刻手省作邦了。孛老，男子之老者，即老悖之意，也是省笔字。俫儿是小童，元人《货郎旦》剧中李春郎前称俫儿，后称小末。大概是在前春郎年幼，是童子，后来长大起来，所以前面用俫儿色。又《青楼集》里谓张奔儿为风流旦，李娇儿为温柔旦，在旦色加以形容的词头，更是不可解的事了。

宋金脚色中，还有些奇异的，如谓秀才为“酸”。还有什么“爷老”，大概是用契丹语罢。他如“厥”、“偌”、“哮”、“郑”、“和”，都令人不解其义。虽然自身未必是脚色名，但必有某脚色适当去扮他。副净、副末二色名，在北宋人著述中可以见到。黄山谷《鼓笛令》词云：“副净传语木大，鼓儿里且打一和。”王直方诗话中，欧阳公致梅圣俞简云：“正如杂剧人，上名下韵不来，须副末接续。”《梦粱录》说：“末泥色主张，引戏色分付，副净色发乔，副末色打诨。”发乔，是乔作愚谬之态，以供嘲讽。打诨，则益发挥之以成笑谑。主张、分付，皆编排命令之事，大约自身是不复演剧的。

脚色既然这么多，而宋官本杂剧和金院本二目之中又多歌曲，究竟当时歌者与演者，是不是一人呢？想来，滑稽戏的言语是必演者自言，自唱歌曲与否，还要看此时已否有了代言体的戏曲为断，若仅叙事体之曲，则歌唱与动作，还是分为两事。说至此处，我要补叙几句关于唱《董西厢》诸宫调的话，张大复说：“先君云：‘予发未燥时，曾见之卢兵部许。一人援弦，数十人合坐，分诸色目而递歌之，谓之磨唱。’卢氏盛歌舞，然一见后，未有继者，赵长白云一人自唱，非也。”这真是笑话。诸宫调明明是叙事体，虽然有一部分代言体，也在说白之中的，如何分色目？又如何分唱起来？还有焦循《剧说》引张氏这一节话，并注云：“按今之马上戳本此。”张氏所谓赵长白的话，“一人自唱”，比较是可信的。《董西厢》诸宫调在元钟嗣成《录鬼簿》上就说："胡正臣独于董解元《西厢记》自吾皇德化，至于终篇，悉能歌之。"当时已矜为难得，岂有到了南北曲唱法失传的时候，还有卢兵部家会有人唱元人北曲以前的古董唱法？何况又有数十人之多，这是绝不可信的事。倘使我们能找出赵长白的全文，再把"磨唱"和"马上戳"弄明白了，就可找出诸宫调的唱法来。因为由脚色说到唱法，我在此附带写几句；这问题，须待他日来解决。

本章参考书目：

王国维　《宋元戏曲史》（第五、第六两章）
任二北　《天宝遗事诸宫调考评》
许之衡　《戏曲史》（金之戏曲及宋金以来脚色之名称）
任二北　《南宋词音谱拍眼考》
青木正儿　《刘知远诸宫调考》
吴梅　《霜厓曲跋》
王国维　《古剧脚色考》
王元生　《元剧脚色考》
吴梅　《中国戏曲概论》
卢前　《曲话丛钞》
卢前　《南北曲溯源》

第五章　元代的杂剧

《天宝遗事诸宫调》

钟嗣成《录鬼簿》:“王伯成,涿州人。有《天宝遗事诸宫调》行于世。”在元代,据我们现在知道的,有这么一部诸宫调。虽然今日已看不见传本,明清以来各家目内,都没有著录。但是乾隆初年编《九宫大成谱》的时候,还根据原书,考订种种。如何到现在不足二百年,便已没有传本,真令人可疑。或者总有一天可以发现的。

任二北和日本仓石武四郎都有《天宝遗事》的辑本,仓石武四郎的纂稿,我不知道是什么情形;二北所辑的材料底来源,一共五部书,其分量如下表:

类别	雍熙乐府	太和正音谱	北词广正谱	九宫大成谱	词林摘艳
套曲	五十六		二	一	一
零调		十一	六十六		
套式			十四		

结果是五十九套全的,七套残的,一共六十六套。猜谜似的把他排列起来,于是元代的唯一的这一部《天宝遗事诸宫调》,可以将它的大概公布于世了。

王氏另有两种杂剧(《张骞泛浮槎》及《李太白贬夜郎》),在当时也是行于世的,但名声远不如《天宝遗事》之大。

杂剧体制之构成

现在要谈一谈杂剧的成功了(此处杂剧二字,与宋杂剧意义不同)。到了杂剧的完成,而中国戏曲的进步,才显然的到了成形的时期。这里有两个大原因:一是曲的方面,一是曲的作用方面。原来在宋大曲中,虽遍数很多,但是前后都是一曲,次序不能颠倒,字句不能增减的,所以运用起来,很感觉不便的。用诸宫调是不拘于一曲了,只要同在一宫调的曲子,都可以用。但是一宫调中虽然也有联至十余曲的,不过大都用二三曲为止,常常移宫换韵,转变的多,所以减少雄肆的气度。到了元杂剧便完全不一样了,每剧普通用四折,每折易一宫调,每宫调的曲子必定在十曲以上(虽然近来有人怀疑一剧四折的规定,他们以为作剧者或者本来不分折的,但究竟证据薄弱,不足以推翻旧说)。因此较大曲自由多了,较诸宫调雄肆多了。而且在正宫的〔端正好〕、〔货郎儿〕、〔煞尾〕,仙吕宫的〔混江龙〕、〔后庭花〕、〔青哥儿〕,南吕宫的〔草池春〕、〔鹌鹑儿〕、〔黄钟尾〕,中吕宫的〔道和〕,双调的〔折桂令〕、〔梅花酒〕、〔尾声〕等,字句可以增减(这在制曲者,名之为“增句格”。王国维说“皆字句不拘”,这是不对的。实际上有一定式,在定式上可以增句。例如〔折桂令〕定式是十句,可以增至十七句。所增之句,也有规定的)。这的确是乐曲上一大进步。

何以又说曲的作用上有进步呢?就是由叙事体演为纯粹的代

言体。从现存的宋大曲看来，都是叙事体。金代的诸宫调，虽有代言的，但大体也是叙事体，只有元杂剧是科白叙事，曲文代言。到了曲文是纯粹的代言体，才是纯正的戏曲产生的时候。这些曲调是如何产生呢？据周德清《中原音韵》所记，有三百三十五调。计：黄钟（二十四）、正宫（二十五）、大石调（二十一）、小石调（五）、仙吕（四十二）、中吕（三十二）、南吕（二十一）、双调（一百）、越调（三十五）、商调（十六）、商角调（六）、般涉调（八）。

现在把它们分析起来，出于大曲的十一：

〔降黄龙衮〕（黄钟）

〔小梁州〕、〔六幺遍〕（以上正宫）

〔催拍子〕（大石）

〔伊州遍〕（小石）

〔八声甘州〕、〔六幺序〕、〔六幺令〕（以上仙吕）

〔普天乐〕（《宋史·乐志》太宗撰大曲有〔平普天乐〕，此或其略语也）、〔齐天乐〕（以上中吕）

〔梁州第七〕（南吕）

出于唐宋词者七十有五：

〔醉花阴〕、〔喜迁莺〕、〔贺圣朝〕、〔昼夜乐〕、〔人月圆〕、〔抛球乐〕、〔侍香金童〕、〔女冠子〕（以上黄钟宫）

〔滚绣球〕、〔菩萨蛮〕（以上正宫）

〔归塞北〕（即词之〔望江南〕）、〔雁过南楼〕（晏殊《珠玉词·清商怨》中有此句，其调即词之〔清商怨〕）、〔念奴娇〕、〔青杏儿〕（宋词作〔青杏子〕）、〔还京乐〕、〔百字令〕（以上大石）

〔点绛唇〕、〔天下乐〕、〔鹊踏枝〕、〔金盏儿〕（词作〔金盏子〕）、〔忆王孙〕、〔瑞鹤仙〕、〔后庭花〕、〔太常引〕、〔柳外楼〕（即〔忆王

孙〕)(以上仙吕)

〔粉蝶儿〕、〔醉春风〕、〔醉高歌〕、〔上小楼〕、〔满庭芳〕、〔剔银灯〕、〔柳青娘〕、〔朝天子〕(以上中吕)

〔乌夜啼〕、〔感皇恩〕、〔贺新郎〕(以上南吕)

〔驻马听〕、〔夜行船〕、〔月上海棠〕、〔风入松〕、〔万花方三台〕、〔滴滴金〕、〔太清歌〕、〔捣练子〕、〔快活年〕(宋词作〔快活年近拍〕)、〔豆叶黄〕、〔川拨棹〕(宋词作〔拨棹子〕)、〔金盏儿〕、〔也不罗〕(原注即〔野落索〕,案其调即宋词之〔一落索〕也)、〔行香子〕、〔碧玉箫〕、〔骤雨打新荷〕、〔减字木兰花〕、〔青玉案〕、〔鱼游春水〕(以上双调)

〔金蕉叶〕、〔小桃红〕、〔三台印〕、〔要三台〕、〔梅花引〕、〔看花回〕、〔南乡子〕、〔糖多令〕(以上越调)

〔集贤宾〕、〔逍遥乐〕、〔望远行〕、〔玉抱肚〕、〔秦楼月〕(以上商调)

〔黄莺儿〕、〔踏莎行〕、〔垂丝钓〕、〔应天长〕(以上商角调)

〔哨遍〕、〔瑶台月〕(以上般涉调)

其出于诸宫调中各曲者,二十有八:

〔出队子〕、〔乱地风〕、〔寨儿令〕、〔神仗儿〕、〔四门子〕、〔文如锦〕、〔啄木儿煞〕(以上黄钟)

〔脱布衫〕(正吕)

〔荼蘼香〕、〔玉翼蝉煞〕(以上大石)

〔赏花时〕、〔胜葫芦〕、〔混江龙〕(以上仲吕①)

---

① “仲吕”当作“仙吕”。——整理者注

〔迎仙客〕、〔石榴花〕、〔鹘打兔〕、〔乔捉蛇〕(以上中吕)

〔一枝花〕、〔牧羊关〕(以上南吕)

〔搅筝琶〕、〔庆宣和〕(以上双调)

〔斗鹌鹑〕、〔青山口〕、〔凭栏人〕、〔雪里梅〕(以上越调)

〔耍孩儿〕、〔墙头花〕、〔急曲子〕、〔麻婆子〕(以上般涉调)

此外如〔六国朝〕大石、〔憨郭郎〕大石、〔叫声〕中吕、〔快活三〕中吕、〔鲍老儿〕、〔古鲍老〕中吕、〔四边静〕中吕、〔乔捉蛇〕中吕、〔拨不断〕仙吕、〔太平令〕仙吕,也是宋代旧曲,或者宋时习用语。照此看来,元曲有不少是前代乐曲的遗留。就是曲的配置,也不少是用旧法的。例如《梦粱录》所说宋之缠达、引子后只有两腔,迎互循环。迎互循环,在元曲中很可找出来,如马致远《陈抟高卧》剧第一折:

仙吕

〔点绛唇〕、〔混江龙〕、〔油葫芦〕、〔天下乐〕、〔醉中天〕、〔后庭花〕、〔金盏儿〕、〔醉中天〕、〔金盏儿〕、〔赚煞〕。

在第五曲之后,不是用〔金盏儿〕、〔后庭花〕二曲迎互循环么?在同剧的第四折,我们更可寻出明显的例子:

正宫

〔端正好〕、〔滚绣球〕、〔倘秀才〕、〔滚绣球〕、〔倘秀才〕、〔叨叨令〕、〔倘秀才〕、〔滚绣球〕、〔倘秀才〕、〔滚绣球〕、〔倘秀才〕、〔三煞〕、〔三煞〕、〔煞尾〕。

除了中间所插〔叨叨令〕一曲外,差不多就是〔滚绣球〕、〔倘秀才〕二曲迎互循环的。

至于元剧的剧材,也有很多取诸古剧的。王国维曾列一表,现在就拿王氏的表示例:

元杂剧		宋官本杂剧	金院本名目	其他
作者	剧名			
关汉卿	姑苏台范蠡进西施		范蠡	董颖《薄媚大曲》
同	包待制三勘蝴蝶梦		蝴蝶梦	
同	隋炀帝牵龙舟		牵龙舟	
同	刘盼盼闹衡州		刘盼盼	
高文秀	刘先主襄阳会		襄阳会	
白朴	裴少俊墙头马上	裴少俊伊州	鸳鸯简墙头马	
同	崔护谒浆	崔护六幺、崔护逍遥乐		
庾天锡	隋炀帝风月饰帆舟		牵龙舟	
同	薛昭误入兰昌宫		兰昌宫	
同	封骘先生骂上元	封涉中和乐		
李文蔚	蔡逍遥醉写石州慢		蔡逍遥	
李直夫	尾生期女淹蓝桥		淹蓝桥	
吴昌龄	唐三藏西天取经		唐三藏	
同	张天师断风花雪月	风花雪月爨	风花雪月	
李寿卿	船子和尚秋莲梦		船子和尚四不犯	
王实甫	韩彩云丝竹芙蓉亭		芙蓉亭	
同	崔莺莺待月两厢记	莺莺六幺		董解元《西厢记诸宫调》
尚仲贤	海神庙王魁负桂英	王魁三乡题		宋末《王魁》戏文
同	凤凰坡越娘背灯	越娘道人欢		
同	洞庭湖柳毅传书	柳毅大圣乐		
同	崔护谒浆	见前		

元杂剧		宋官本杂剧	金院本名目	其他
作者	剧名			
尚仲贤	张生煮海		张生煮海	
史九敬先	花间四友庄周梦		庄周梦	
郑光祖	崔怀宝月夜闻筝		月夜闻筝	
范康	曲江池杜甫游春		杜甫游春	
沈和	徐驸马乐昌分镜记			南宋《乐昌分镜戏文》
周文质	孙武子教女兵			宋舞队有《孙武子教女兵》
赵善庆	孙武子教女兵			同上
无名氏	硃砂担滴水浮沤记	浮沤传永成双、浮沤暮云归		
同	逞风流王焕百花亭			宋末《王焕》戏文
同	双斗医		双斗医	
同	十样锦诸葛论功		十样锦	

元杂剧在曲调、曲式和剧材上，蹈袭前代的如此之富，才构成这样伟大的体制，足见天下是没有无种子的花果的。

剧坛的收获与作剧家的地理底分布

元人的杂剧，共分十二科：

一、神仙道化。二、林泉丘壑。三、披袍秉笏。四、忠臣烈士。五、孝义廉节。六、叱奸骂谗。七、逐臣孤子。八、钹刀赶棒。

九、风花雪月。十、悲欢离合。十一、烟花粉黛。十二、神头鬼面。

剧材不出这十二科的范围。据现在最流传的剧本，计算起来，是一百十六种，让我来列举如次：

一、关汉卿作的：《西蜀梦》、《拜月亭》、《谢天香》、《金线池》、《望江亭》、《救风尘》、《单刀会》、《玉镜台》、《诈妮子》、《蝴蝶梦》、《窦娥冤》、《鲁斋郎》、《西厢》。

二、高文秀作的：《双献功》、《谇范雎》、《遇上皇》。

三、郑廷玉作的：《疏者下船》、《后庭花》、《忍字记》、《冤家债主》、《看钱奴》。

四、白朴作的：《梧桐雨》、《墙头马上》。

五、马致远作的：《青衫泪》、《岳阳楼》、《陈抟高卧》、《汉宫秋》、《荐福碑》、《任风子》、《黄粱梦》。

六、李文蔚作的：《燕青抟鱼》。

七、李直夫作的：《虎头牌》。

八、吴昌龄作的：《风花雪月》、《东坡梦》。

九、王实甫作的：《西厢记》、《丽春堂》。

十、武汉臣作的：《老生儿》、《玉壶春》、《生金阁》。

十一、王仲文作的：《救孝子》。

十二、李寿卿作的：《伍员吹箫》、《度柳翠》。

十三、尚仲贤作的：《柳毅传书》、《尉迟公》、《气英布》、《单鞭夺槊》。

十四、石君宝作的：《秋胡戏妻》、《曲江池》、《紫云亭》。

十五、杨显之作的：《潇湘夜雨》、《酷寒亭》。

十六、纪君祥作的：《赵氏孤儿》。

十七、戴善甫作的：《风光好》。

十八、李好古作的:《张生煮海》。

十九、张国宝作的:《公孙汗衫》、《薛仁贵》、《罗李郎》。

二十、石子章作的:《竹坞听琴》。

二十一、孟汉卿作的:《魔合罗》。

二十二、李行道作的:《灰阑记》。

二十三、王伯成作的:《贬夜郎》。

二十四、孙仲章作的:《勘头巾》。

二十五、康进之作的:《李逵负荆》。

二十六、岳伯川作的:《李铁拐》。

二十七、狄君厚作的:《介子推》。

二十八、孔文卿作的:《东窗事犯》。

二十九、张寿卿作的:《红梨花》。

三十、宫天挺作的:《范张鸡黍》。

三十一、郑光祖作的:《周公摄政》、《王粲登楼》、《倩女离魂》、《㑳梅香》。

三十二、金仁杰作的:《追韩信》。

三十三、范康作的:《竹叶舟》。

三十四、曾瑞作的:《留鞋记》。

三十五、乔吉作的:《两世姻缘》、《扬州梦》、《金钱记》。

三十六、秦简夫作的:《破家子弟》、《赵礼让肥》。

三十七、萧德祥作的:《杀狗劝夫》。

三十八、朱凯作的:《昊天塔》。

三十九、王晔作的:《桃花女》。

四十、杨梓作的:《霍光鬼谏》。

四十一、李致远作的:《还牢末》。

四十二、杨景贤作的:《马丹阳》。

四十三、无名氏:《七里滩》、《博望烧屯》、《张千替杀妻》、《小张屠》、《陈州粜米》、《玉清庵》、《风魔蒯通》、《争报恩》、《来生债》、《硃砂担》、《合同文字》、《衣锦还乡》、《小尉迟》、《神奴儿》、《清风府》、《马陵道》、《渔樵记》、《举案齐眉》、《梧桐叶》、《隔江斗智》、《盆儿鬼》、《百花亭》、《连环计》、《抱妆盒》、《碧桃花》、《泣江舟》。

据涵虚子所录,元剧有五百多种。但现今所存的,只有明万历间臧晋叔编刻《元曲选》一百种(其中有六种是明初人作的),日本影印元刊杂剧三十种(其中有十三种与臧刻同)。又南京国学图书馆影印的《元明杂剧》,元人杂剧总算赖此以传了。至于与臧刻同时的无名氏的《元人杂剧选》、海宁陈与郊的《古名家杂剧》与金陵唐氏世德堂汇刊之本(唐刊现在仅存三残本),我们已不可得见。然而就其所传的看来,已是惊人的事业。

或说元朝本以词曲考试士子,此话是很难说的,因为《元史·选举志》并无明文。只是臧晋叔《元曲选叙》、清吴伟业《北词广正谱序》、毛奇龄《词话》上说到。这种话头,颇难置信,现在看《元曲选》中第四折临末,往往有颂扬的话,如郑德辉《㑇梅香》剧末云:"端的个美哉壮哉,这都是圣裁,愿万万载民安国康!"王实甫《丽春堂》剧末云:"从今后四方八荒,万邦齐仰,贺当今圣上!"乔梦符《金钱记》:"想草茅遇遭这圣朝,知甚日把隆恩补报。"如此情形,与清代试帖诗临末抬头颂圣,是一样的;或者人家以此推想元曲是考试用的,似乎也不算是充分的证据罢。

《太和正音谱》说:"汉卿为杂剧之始。"假使杂剧果是关汉卿所创,那么创作的年代,应在金天兴到元中统这二三十年之间。与关汉卿同时的人,有杨显之、费君祥、梁进之、石子章和王实甫。王国维曾把元剧分为三大时期。

第一期,蒙古时代:

关汉卿、杨显之、张国宝(宝一作宾)、石子章、王实甫、高文秀、郑廷玉、白朴、马致远、李文蔚、李直夫、吴昌龄、武汉臣、王仲文、李寿卿、尚仲贤、石君宝、纪君祥、戴善甫、李好古、孟汉卿、李行道、孙仲章、岳伯川、康进之、孔文卿、张寿卿。

这是属于创造的时期,作者大都是北方人。时代在太宗取中原以后,而在至元一统以前。

第二期,一统时代:

杨梓、宫天挺、郑光祖、范康、金仁杰、曾瑞、乔吉。

这是继起的时期了。作者以南方人为多,或者就是北人侨居南方的。时在至元后到至顺"后至元"之间。

第三期,至正时代:

秦简夫、萧德润、朱凯、王晔。

这已到渐衰的时期了,这时的作品,较第一期的产量,也少起来。

再从这班剧作者的籍贯看来,要以大都为最盛,其次是真定、东平。再其次才数到襄陵、平阳、杭州、嘉兴。

一、属于大都的有:王实甫、关汉卿、庾天锡、马致远、王仲文、杨显之、纪君祥、费君祥、费唐臣、张国宝、石子章、李宽甫、梁进之、孙仲章、赵明道、李子中、李时中、曾瑞、王伯成。

二、属于真定的有:白朴、李文蔚、尚仲贤、戴善甫、侯正卿、史九敬先、江泽民。

三、属于东平的有:陈无妄、高文秀、张时起、顾仲清、张寿卿、赵良弼。

四、襄陵有：郑光祖；平阳有：石君宝、于伯渊、赵公辅、狄君厚、孔文卿、李行甫；杭州有：金仁杰、范康、沈和、鲍天佑、陈以仁、范居中、施惠、黄天泽、沈拱、周文质、萧德祥、陆登善、王晔、王仲元；嘉兴有：杨梓。

四大家之剧作

元剧四大家是：关汉卿、白朴、马致远、郑德辉。

关汉卿，号已斋叟，大都人，官太医院尹。明杨维桢《元宫词》云："开国遗音乐府传，白翎飞上十三弦。大金优谏关卿在，《伊尹扶汤》进剧编。"于此可见关汉卿曾事金朝，而又在元开国初期。不过《伊尹扶汤》这本剧，据《录鬼簿》说，是郑德辉所作。《太和正音谱》评关汉卿的曲"如琼筵醉客"，又云："观其词语，乃可上可下之才。"大概因他是杂剧创始的人，所以排在前列。他所作杂剧有六十三种之多。现在存的有：《鲁斋郎》、《蝴蝶梦》、《窦娥冤》、《玉镜台》、《救风尘》、《望江亭》、《金线池》、《谢天香》（以上见《元曲选》）、《拜月亭》、《诈妮子》、《单刀会》、《西蜀梦》（以上见《元剧三十种》）、《续西厢》。元人记载，有时以《西厢》为汉卿作，这是错误的。王元美《曲藻》中，已论辩得很清楚，无容再说。其所以误为汉卿的，因《续西厢》是汉卿作的。其中如："裙染榴花，睡损胭脂皱。纽结丁香，掩过芙蓉扣。线脱珍珠，泪湿香罗袖。杨柳眉颦，人比黄花瘦。"这可算俊语如珠。但金人瑞曾诋諆甚力，因为元人用本色处，就非浅人所可深赏了。再如《谢天香》第三折：

〔端正好〕 我往常在风尘为歌妓，不过多见了几个筵席，回家仍作个自由鬼，今日倒落在无底磨牢笼内。

有人说："汉卿诸作，大都雄豪爽朗，不屑为靡丽之语，放笔直干，惟意所之。"这也未必尽然。这一首自然可以说雄豪爽朗，但像前一首，何尝不是靡丽之词呢？王国维说："关汉卿一空倚傍，自铸伟词，而其言曲尽人情，字字本色，故当为元人第一。"又："以唐诗喻之，则汉卿似白乐天。"又："以宋词喻之，则汉卿似柳耆卿。"又明宁献王《曲品》跻马致远于第一，而抑汉卿于第十。盖元中叶以后，曲家多祖马、郑，而祧汉卿，故宁王之评如是，其实非笃论也。关于汉卿在元剧之地位，我们也于此可知道了。

白朴，字兰谷，又字太素，号仁甫，真定人。父华字文举，金枢密院判，在《金史》中有传。元、白世为通家，白朴从小是养育在元遗山家。他的《天籁集》，在王博文的序上就说元、白通家故事，遗山曾有诗赠朴，有"元白通家旧，诸郎独汝贤"的话。后来他官礼仪院太卿，赠嘉议大夫。《正音谱》评他的曲"如鹏抟九霄"，又云："风骨磊块，词源滂沛。"他所作共十六种。以《梧桐雨》为最著名，其次是《墙头马上》(此二种同见《元曲选》)。《御水流红叶》、《箭射双雕》二剧，只各存一折(见《雍熙乐府》)了。《泗上亭长》也有一套在《雍熙乐府》中，不过笔致不类其他诸作，有人疑心不是白朴作的。

王国维说："白仁甫、马东篱高笔雄浑，情深文明。"又以唐诗喻之，"仁甫似刘梦得"；以宋词喻之，"仁甫似苏东坡"。可以知道他在四家中如何的重要了。友人郑振铎说："《梧桐雨》是一篇极高超的悲剧；无数的中国悲剧，其结果总是止于团圆或报仇，即关汉卿的《窦娥冤》、马致远的《汉宫秋》，也是大圆满快人意的结束；无数的叙唐明皇、杨贵妃的故事的文字，其结果也都是止于幻造的大团圆之境地，如陈鸿的《长恨歌传》乃有叶法善的《传语》，洪升的《长生殿》乃以天上的重圆结束全剧，全失了悲剧的意境。独仁甫此剧，则为最完美的悲剧，其全剧乃在唐明皇于杨贵妃死后的悲叹声中而收局。他写明皇的悲怀，甚为着力，使人读完了此剧，为之感伤无已。"试举其一段：

正末（扮明皇做睡科，唱）〔倘秀才〕闷打颏，和衣卧倒，软兀刺方才睡着。（旦上云）妾身贵妃是也，今日殿中设宴，宫娥，请主人赴席咱。（正末唱）忽见青衣走来报道，太真妃将寡人邀宴乐。（正末见旦科云）妃子你在那里来？（旦云）今日长生殿排宴，请主人赴席。（正末云）吩咐梨园子弟齐备着。（旦下）（正末做惊醒科云）呀，元来是一梦。分明梦见妃子，却又不见了。（唱）〔双鸳鸯〕斜軃翠鸾翘，浑一似出浴的旧风标，映着云屏一半儿娇。好梦将成还惊觉，半襟清泪湿鲛绡。〔蛮姑儿〕懊恼，窨约惊我来的，又不是楼头过雁，砌下寒蛩，檐前玉马，架上金鸡；是兀那窗儿外梧桐上雨潇潇，一声声洒残叶，一点点滴寒梢，会把愁人定虐。

这一场梦境，这一阵滴落于梧桐上的雨点，使全剧增添了不少的活气。在《墙头马上》叙裴少俊与李千金的恋史，也有不少的俊语，如："榆散青钱乱，梅攒翠豆肥。轻轻风趁蝴蝶队，霏霏雨过蜻蜓戏，融融沙暖鸳鸯睡。落红践踏马蹄尘，残花酝酿蜂儿蜜。"

马致远，号东篱，大都人。江浙行省务官。元代有两个马致远：一为秦淮人，马文璧之父。父子善画，钱牧斋《列朝诗集》有张以宁题为致远清溪晓渡图，那不是这曲家的马致远。《正音谱》评他的曲“如朝阳鸣凤”，又云：“其词清雅典丽，可与灵光相颉颃，有振鬣长鸣，万马皆瘖之意。”王国维以唐诗喻之：“东篱似李义山。”以宋词喻之：“东篱似欧阳永叔。”所作杂剧共十五种。现在的只有《汉宫秋》、《荐福碑》、《任风子》、《误入桃源》、《岳阳楼》、《青衫泪》、《陈抟高卧》、《黄粱梦》八种。大都是属于神仙道化科的。唯《汉宫秋》不同，的确也是最好的一种，所以臧选把它首列。其写景之工，例如第三折：

〔梅花潭〕 呀，对着这回野凄凉，草色已添黄。兔起早迎霜，犬褪得毛苍，人搠起缨枪，马负着行装，车运着糇粮，打猎起围场。他他他伤心辞汉主，我我我携手上河梁。他部从入穷荒，我銮舆返咸阳。返咸阳，过宫墙；过宫墙，绕回廊；绕回廊，近椒房；近椒房，月昏黄；月昏黄，夜生凉；夜生凉，泣寒螀；泣寒螀，绿纱窗；绿纱窗，不思量。

〔收江南〕 呀，不思量便是铁心肠，铁心肠也愁泪滴千行，美人图今夜挂昭阳，我那里供养，便是我高烧银烛照红妆。

（尚书云）陛下回銮罢，娘娘去远了也。（驾唱）

〔鸳鸯煞〕 我煞大臣行，说一个推辞谎，又则怕笔尖儿那火编修讲。不见那花朵儿精神，怎趁那草地里风光，唱道，伫立多时，徘徊半晌。猛听的塞雁南翔，呀呀的声嘹亮，却原来满目牛羊，是兀那载离恨的毡车，半坡里响。

他如《任风子》第二折〔端正好〕：“添酒力晚风凉，助杀气秋云暮，尚兀自的脚趔趄醉眼模糊，他化的我一方之地都食素，单则俺杀生的无缘度。”也都是“明白如画，而言外有无穷之意”。

郑光祖，字德辉，平阳襄陵人，以儒补杭州路吏。他已是属于第二期的作家了。《录鬼簿》上说他是：“名闻天下，声振闺阁，伶伦辈称郑老先生，皆知其为德辉也。”《正音谱》评他的曲，“如九天珠玉。”王国维以唐诗喻之：“德辉似温飞卿。”以宋词喻之：“德辉似秦少游。”所作杂剧共十九种。现在所存的有：《㑳梅香》、《王粲登楼》、《倩女离魂》（见《元曲选》）。又《周公辅成王摄政》（见《元剧三十种》）。《王粲登楼》剧中，有一支词是脍炙人口的：

〔迎仙客〕　雕檐红日低，画栋彩云飞。十二玉栏天外倚，望中原，思故国，感慨伤悲，一片乡心碎。

《㑳梅香》剧中一支〔寄生草〕，也是很好的。其中有两句是：“不争琴操中单诉你飘零，却不道窗儿外更有个人孤零。”又〔六幺序〕里有两句：“却原来群花弄影，将我来唬一惊。”是如何的蕴藉。在《倩女离魂》第三折中，其写男女之离情如：

〔醉春风〕　空服遍瞑眩药不能痊，知他这腌臜病何日起。要好时直等的见他时；也只为这症候因他上得，得。一会家缥渺呵，忘了魂灵；一会家精细呵，使着躯壳；一会家混沌呵，不知天地。

〔迎仙客〕　日长也愁更长，红稀也信尤稀，春归也奄然人未归。我则道相别也数十年，我则道相隔着数万里；为数归期，则那竹院里刻遍琅玕翠。

诚如王国维所谓“词为弹丸脱手,后人无能为役”的了。

元杂剧家之总检讨

所有的杂剧家,实在不能出这四家的范围。此处且按着前面所分三期,叙述大概。四大家已有三家是在这第一期内。除了关、白、马,我们不能不数到王实甫。

实甫也是大都人。《正音谱》评他的曲“如花间美人”,又云:“铺叙委婉,深得骚人之趣。极有佳句,如玉环之出浴华池,绿珠之采莲洛浦。”所作有十四种,现存的除了《西厢》外,在《元曲选》里只有《丽春堂》一剧,又《芙蓉亭》还存一折,在明闵遇五所刻《六幻西厢》本后面附着。其余的都已散佚了。实甫以《西厢》得名,《西厢》在元曲中如明珠一样,它的光辉,普遍为人所珍赏。关于《西厢》的评论,可以说盈篇累牍,人所谂悉。此处我不再赘叙了。

杨显之也是大都人。《正音谱》评其曲“如瑶台夜月”。所作杂剧八种,现存的只《临江驿》、《酷寒亭》二种罢了。《酷寒亭》,原题是《萧县君风雪酷寒亭》,《元曲选》作《郑孔目风雪酷寒亭》。

张国宝也是大都人,共作三杂剧:《公孙汗衫记》、《薛仁贵衣锦还乡》、《罗李郎大闹相国寺》。国宝是一个教坊,而他的文章颇不弱,现在这三种都在《元曲选》中,我们随手就可讽诵的。

石子章也是大都人,《正音谱》评他的曲“如蓬莱瑶草”。所作杂剧二种:《秦翛然竹坞听琴》,现存《元曲选》中,至于《黄贵娘秋夜打窗雨》这一种,已不可见了。

高文秀,东平人,府学生。《正音谱》评其曲“如金瓶牡丹”。所作杂剧有三十四种。现在所存的，是《谇范雎》、《黑旋风双献头》（并见《元曲选》中）、《赵元遇上皇》（见《元剧三十种》）三种。文秀作剧，最喜欢用李逵作中心人物，除了《双献头》之外，如《黑旋风诗酒丽春园》、《黑旋风大闹牡丹园》、《黑旋风敷衍刘要和》、《黑旋风斗鸡会》、《黑旋风乔教学》、《黑旋风穷风月》、《黑旋风借尸还魂》，大概是一种游戏，并非本诸事实的。这许多故事，可惜我们无从得见。

郑廷玉，彰德人。《正音谱》评他的曲子"如佩玉鸣銮"。所作的杂剧二十四种，只存下《疏者下船》、《后庭花》、《忍字记》、《看钱奴》、《冤家债主》五种，在《元曲选》内。廷玉所谱，多折狱的事情，就开龙图公案等剧的先声。词笔老辣，可谓义情相副。

李文蔚，真定人，江州路瑞安县尹。《正音谱》评他的曲"如云压苍松"。所作杂剧十二种，只有《燕青搏鱼》一种，存《元曲选》里。其余《担水浇花旦》一种，有几支曲子，见《北词广正谱》，全套已不可见。

李直夫，女真人，即蒲察李五。《正音谱》评他的曲"如梅边月影"。所作十二种杂剧，在《元曲选》中存着的只有《虎头牌》一剧。写金代的风俗，要算直夫写得最多的。

吴昌龄，西京人。《正音谱》评他的曲"如庭草交翠"。所作十一种，在《元曲选》中存《张天师》、《东坡梦》二种。《鬼子母揭钵记》有一折，见《纳书楹曲谱》。《唐三藏西天取经》一名《西游记》，这一本杂剧的体例，与通常四折一本是不相同的。在《九宫大成谱》中"取经"曲有十几套，文字的气势和《天师》、《东坡》二剧相类，或者就是《西游记》的一部分。

武汉臣，济南府人。《正音谱》评他的曲"如远山叠翠"。所作十三种杂剧，只《玉壶春》、《老生儿》、《生金阁》三种，存在《元曲选》中。《玉壶春》喜用词藻，在元曲中是独开一派的。

王仲文，大都人。《正音谱》评他的曲"如剑气腾空"。所作十种，只《救孝子》一剧，存《元曲选》中。

李寿卿，太原人。将仕郎除县丞。《正音谱》评他的曲"如洞天春晓"。又曰："其词雍容典雅，变化幽玄，造语不凡，非神仙中人，孰能致此。"所作杂剧十种，以《伍员吹箫》、《度柳翠》二剧最有名（并见《元曲选》）。《鼓盆歌庄子叹骷髅》剧，有儿支曲存在《北词广正谱》中，其余都亡佚了。

尚仲贤，真定人，江浙行省务官。《正音谱》评他的曲"如山花献笑"。所作也有十种。《尉迟恭三夺槊》（一作《尉迟恭单鞭夺槊》）、《柳毅传书》二剧，存在《元曲选》中。

石君宝，平阳人。《正音谱》评他的曲"如罗浮梅雪"。所作十种，存在《元曲选》中的是《秋胡戏妻》、《曲江池》二种。《曲江池》最好，所谱郑元和、李亚仙的故事，至今还在人口耳之间。至于诸宫调《风月紫云亭》一种，戴善甫也有同题之作，现在存《元剧三十种》中的未题姓氏。是戴作还是石作？我们无从断定了。

纪君祥，名天祥，大都人。《正音谱》评他的曲"如雪里梅花"。所作六种，只有《赵氏孤儿》独存《元曲选》中。这是一本世界闻名的戏曲。译名为"L'orphelin de la Maison de Tchao."见 R. P. de Premare 法译"Description de L'Empire de la Chine"本（1735）。又单行本（1755）。英译本"Miscellaneous pieces relating to the Chinese"（1762）。Voltaire 的"L'orphelin de la Chine"一七五五年在欧洲曾上演过。Stanislas Julien 另外还有法文重译本（1834）。

戴善甫，真定人，江浙行省务官。《正音谱》评他的曲"如荷花映水”。所作五种剧，在《元曲选》中存的是《陶秀实醉写风光好》一种，其余尽佚。

李好古，保定人（一作西平人）。《正音谱》评他的曲“如孤松挂月”。所作三种，存《元曲选》中的只《张生煮海》一种。尚仲贤也有这同题之作，但尚作已佚，无从比较两家的优劣了。

孟汉卿，亳州人，所作的就是存《元曲选》中《张鼎智勘魔合罗》的一种。

李行道，绛州人。所作一种《包待制智勘灰阑记》存《元曲选》。

孙仲章（一说姓李），大都人。《正音谱》评他的曲“如秋风铁笛”。所作三种，只《河南府张鼎勘头巾》这一种在《元曲选》中。

岳伯川，济南人（或云镇江人）。《正音谱》评其曲“如秀林翘楚”。所作二种：《吕洞宾度铁拐李岳》（见《元曲选》）、《罗光远梦断杨贵妃》，已佚。但《北词广正谱》引《雍熙乐府》中《马践杨贵妃》一套，下注岳伯川作，疑即《梦断贵妃》中的一折。

康进之（或云姓陈），棣州人，所作二种，都是黑旋风故事，与高文秀有同癖。《梁山泊黑旋风负荆》现存《元曲选》中，《黑旋风老收心》的一种，已佚了。

孔文卿，平阳人。所作一种《秦太师东窗事犯》今存《元剧三十种》中。

张寿卿，东平人，浙江省掾吏，所作一种《谢金莲诗酒红梨花》今存《元曲选》中。

第一期的作家（照王表所列）及其作品，略如上述。

第二期的作家，除郑光祖外，便首推宫天挺。天挺字大用，大名开州人。历学官，除钓台书院山长，为权豪所中，后来获辨明白，也不再见用。卒于常州。《正音谱》评他的曲“如西风雕鹗”。王国维说一切曲家，都不出关、白、马、郑四家的范围。“唯宫大用瘦硬通神，独树一帜”。以唐诗为喻，“大用则似昌黎”。以宋词为喻，“大用似张子野”。其地位之重要，可以窥见了。所作杂剧六种，今存二种：《范张鸡黍》，见《元曲选》；《严子陵垂钓七里滩》，见于《元剧三十种》。

杨梓，海盐人，官至浙江路总管。追封弘农郡公，谥康惠。元姚桐寿《乐郊私语》上说：“海盐少年多善歌乐府，皆出于澉川杨氏。当康惠公梓存时，节侠风流，善音律，与贯云石交善。云石翩翩公子，无论所制乐府、散套，俊逸为当行之冠。即歌声高引，可彻云汉。而康惠独得其传，以故杨氏家僮无有不善南北歌调者。由是州人往往得其家法，以能歌名于浙右云。”所作杂剧三种：《霍光鬼谏》（存《元剧三十种》中）、《敬德不伏老》（《九宫大成谱》中尚存一折）、《豫让吞炭》（见《元明杂剧》）。

范康，字子安，杭州人。《录鬼簿》上说他“明性理，善讲解，能词章，通音律”。《正音谱》评他的曲“如竹里鸣泉”。所作二种：《陈季卿悟道竹叶舟》（见《元曲选》）、《曲江池杜甫游春》（已佚）。他因为王伯成有《李白贬夜郎》，有李不可无杜，于是作此剧。钟嗣成说他“编《杜子美游曲江》，一下笔即新奇”，可惜现在不可得见了。

金仁杰，字志甫，也是杭州人。天历元年授建康崇宁务官，第二年便死了。《正音谱》评其曲“如西山爽气”。所作七种，只有《萧何追韩信》一剧尚存（见《元剧三十种》中）。另有与孔文卿同题之作《东窗事犯》，也在《三十种》中，很难断定是哪一个所作的了。

曾瑞，字瑞卿，大兴人。住在钱塘，隐于市井，自号褐夫，能画。

所作《王月英月夜留鞋记》一种，尚存《元曲选》中。

乔吉（一作乔吉甫），字梦符，号笙鹤翁，又号惺惺道人，太原人，住在杭州。至正五年二月死的。《正音谱》评他的曲“如神鳌鼓浪”。所作十一种剧，现存三种：《金钱记》、《扬州梦》、《玉箫女》，并存《元曲选》里。许之衡说他“俊伟不群，洵元曲中大家”。明郁蓝生《曲品》中又著录他的一部传奇，名《金縢记》，已佚。

这是第二期的作家。

第三期的作家。秦简夫，里居已不可考。《正音谱》评他的曲“如峭壁孤松”。所作五种，今存的是《东堂老》、《赵礼让肥》二种（并见《元曲选》）。亡友双流刘鉴泉（著有《推十斋曲论》）至谓《东堂老》为元剧第一。文笔之苍老，取材之谨严，用意之深刻，诚如孤松一样。

萧德祥，号复斋，杭州人。以医为业。善作南曲，所作五种，只有《杀狗劝夫》，存《元曲选》中。

朱凯，字士凯，里居也不可考了。所作二种，《昊天塔孟良盗骨》，见《元曲选》；《醉走黄鹤楼》，已佚。

王晔，字日华，杭州人。作剧三种，《卧龙冈》、《双卖华》，都佚；只存《元曲选》中一种，就是《破阴阳八卦桃花女》，说周公得儿媳的故事，极神奇。

第三期的作家，确是很零落的了。

据《正音谱》所载元剧家一百八十七人，其中未必是完全作剧的。所列剧本五百六十六本，也不尽是元人所作。不过此处所举二期的作家，缺漏极多，只就王氏所举，加以补缀而已，至于其余诸家，有钟嗣成的《录鬼簿》可按，每剧的摘句，也可以去看程羽文的《曲品》（见《曲话丛钞》）。不再在此处占去珍贵的篇幅了。

元曲之传播于海外的，除了《赵氏孤儿》，还有好多种。因为这是含有国际性的，我且附记于此，以便有志之士，加以校阅，以免使元代戏曲在国外失了它的本来面目。

武汉臣的《老生儿》，是 John Francis Davis 译的，名为"An Heir in his old age"(1817)。后来法人 A. Bruguire de Sorsum 重译为法文本，名"Les trois Etages Consacores conte moral"(1819)。

马致远的《汉宫秋》，也是 J. F. Davis 译的，名"The Sovrow of Han"(1829)。

郑光祖《㑳梅香》，是 M. Bozin 法译本。名"Les Intrigues D'une Soubrette"(1838)。又另一个单行本(1835)。

关汉卿的《窦娥冤》，"Le Ressentiment de Teon Ngs"。

无名氏的《货郎旦》，"La Chanteuse"。

张国宝的《合汗衫》，"La Tunique Confrontee"。皆是 M. Bazis 的译品。

李行道的《灰阑记》，"L'Histoire du Cercle de Craie"(1832)。

王实甫的《西厢记》，"L'Histoire du Pavillon d'occident"(1873—1878)。

无名氏的《连环记》，"La Mort de Tong tcho"。

郑廷玉的《看钱奴》，(译名不详)。以上都是 S. Julien 的法译本。《看钱奴》还有一种英译本"The Slave of the Treasures Heguards"。

无名氏的《来生债》，是 P. C. de Bussy 的法译本。名"Le Savetier et le Finanoier"(1905)。

此外见于《中国书志》的译本，还有十几种，此处略举一斑。至于日译本，有冈岛献太郎的《西厢记》(仅有八折)，明治二十七年刊本。金井保三的《西厢》(大正年刊)、岸春风楼的《西厢》,是新的译本了。宫原民平还有译注的《西厢》。此外《窦娥冤》、《倩女离魂》、《老生儿》都是宫原民平译的,见《古典剧大系》中。

本章参考书目:

宁献王　《太和正音谱》(中国书店石印本)
钟嗣成　《录鬼簿》(暖红室刊本、《王忠悫公遗书》补注本、中国书店石印本)
臧晋叔　《元曲选》(商务印书馆石印本)
无名氏　《元刊杂剧三十种》(上海朴社影印本)
无名氏　《元明杂剧》(南京国学图书馆石印本)
王国维　《宋元戏曲史》(第八章至十三章)
许之衡　《戏曲史》(元之戏曲及诸曲家略史章)
吴梅　《元剧略说》
吴梅　《元剧研究》(上)
任二北　《天宝遗事诸宫调考评》
卢前　《曲话丛钞》
罗体基　《元杂剧谚语钞》(尚友书塾本)
蔡莹　《元杂剧联套述例》(商务本)

第六章　元代的传奇

《永乐大典》本戏文三种

从宋金戏曲，进步到元代的杂剧。但杂剧究竟是很短小的，其时有比较长的体制，那就是传奇，原来在北曲以外的南曲，也是兴起于宋之末季。北曲的歌法，一套曲子是由一人独唱到底，而弥补这个缺陷的正是南曲。南曲除了独唱的方式以外，有接唱的、合唱的、接合唱的、同唱的。合唱的往往一支曲中，前半独唱，后半由两人唱；而同唱的就是两人一同唱完这一支曲子。

我们谈传奇，先谈一谈戏文。所谓戏文，我在叙述宋戏的时候，曾提到《王魁戏文》、《赵贞女戏文》等，在那时所谓"永嘉杂剧"的，便是南曲的先声。戏文的体例，就开始和杂剧不同。戏文是出数不定的（出是原来在杂剧里叫做折的），不像杂剧那样通常四折。

最近发现的戏文三种，是叶玉虎先生从英国买回来的《永乐大典》卷一万三千九百九十一"戏（戏文二十七）"三本。《永乐大典》一共二万二千八百七十七卷，凡例、目录六十卷，共计一万二千册。自明成祖永乐元年开始修的，成于永乐六年。这写本是一向藏于宫中的。嘉靖时作正、副两本，副本放在翰林院。一直到清代嘉庆时，宫中失火，焚掉了正本。而咸丰以后，存在翰林院的副本，又渐渐的零星的散失了。义和团之变，被外国军队一掠几尽。据缪荃孙《永乐大典考》上说，后来只存有三百多册。其中自卷一万三千九百六十五到一万三千九百九十一，里面共编入戏文三十三种。叶氏所得的三种是：《小孙屠》（古杭书会编选）、《张协状元》（九仙书会编）、《宦门子弟错立身》（古杭才人新编）。著作的年代，我们不能确定，但总不出元代，或者还在《琵琶记》成功以前，因为从这三种的编制上看来，决不是传奇制作以后的东西。

《小孙屠》这种题材，在元杂剧中，也有这么同题的一种。戏文约十数出，说开封孙必贵的故事。必贵有一位哥哥必达，侍母在家，爱上了妓女李琼梅，便娶回来；而琼梅另有情人。情人杀了她的婢女，把她藏起来，说必达杀妻，遂被陷下狱。必贵回来又被杀，被神救了他。结果必达发现琼梅，告到包龙图那儿，其事始大白。

《宦门子弟错立身》，也有与此同题的杂剧。戏文约六出，是说女真人延寿马的事。寿马恋一女优工金榜。一天他把金榜带至书斋，为父所见。寿马惧，遂同逃于外。金尽，乃以演院本度日。后来他的父亲督政经过一处，在旅中无聊，召演院本者，恰遇寿马。于是为两人配为夫妇。

《张协状元》是比较长的，约有三十出之多。《南九宫谱》曾引一种《张叶》，与此或同是一题材。这戏文是说西川张协上汴京应考，路过五鸡山，遇盗受伤。投一古庙中，庙中一贫女，为之看护，后来配成夫妇。张协既入京，中了状元，游街时又被王德用女见了，赠丝鞭给张协，欲缔婚好，协不受，德用女愤死。张协奉命任梓州佥判，再过五鸡山，见贫女，又生厌心，以刀斩之，弃之而去。而女并未死，被德用认为养女。原来德用以生女故，故意到梓州任通判,以图报复张协,后来以养女伪称己女,仍嫁了张协,夫妇团圆。

《小孙屠》是曲多白少,《张协状元》的白文,便冗长得多。而且开传奇骈偶之例。如:

(末白)小客肩担五十秤,背负五十斤。通得诸路乡谈,办得川广行货。冲烟披雾,不辞千里之迢遥;带雨冒风,何惜此身之跋涉。

一个做小生意的人,说出这样文句,实在令人可笑。这三种的戏文,曲辞固然平凡,全局的排场也非常幼稚。当时北曲杂剧之所以盛,而南曲之所以不能争胜,可以知其原故了。

南曲的渊源

戏文与传奇,同是以南曲为基础。南曲之渊源于宋,是无可疑的。而据《南曲谱》看来,可知南曲也较北曲的渊源为古。可惜元人不曾有南曲谱留下来,今之南曲谱大都出明清之手,最早的是沈宁庵的《南九宫谱》二十二卷。李维桢序说是出于陈、白二谱。其中的注,新增的很多。里面《犯曲》(就是《集曲》)不计(《集曲》在南曲谱多不完备,最完备的要算明珠珊瑚阁中所藏的一部稿本,现在已归我的饮虹簃书库了,据吴瞿安先生说就是《随园曲谱》底本),仙吕宫曲六十九、羽调九、正宫四十六、大石调十五、中吕六十五、般涉一、南吕八十四、黄钟宫四十、越调五十、商调三十六、双调八十八、附录三十九,一共五百四十三曲。把他分析起来(据王国

维考证),“出于大曲者二十四”:

〔剑器令〕(仙吕引子)

〔八声甘州〕(仙吕慢词)

〔梁州令〕、〔齐天乐〕(以上正宫引子)

〔普天乐〕(正宫过曲)

〔催拍〕、〔长寿仙〕(以上大石调过曲)

〔大胜乐〕(疑即大圣乐)、〔薄媚〕(以上南吕引子)

〔梁州序〕、〔大胜乐〕、〔薄媚衮〕(以上南吕过曲)

〔降黄龙〕(黄钟过曲)

〔入破〕、〔出破〕(以上越调近词)

〔新水令〕(双调引子)

〔六幺令〕(双调过曲)

〔薄媚曲破〕(附录过曲)

〔入破第一〕、〔破第二〕、〔衮第三〕、〔歇拍〕、〔中衮第五〕、〔煞尾〕、〔出破〕(以上黄钟过曲,见《琵琶记》。七曲相连,实大曲之七遍,而亡其调名者也。)

其出于唐宋词者一百九十:

〔卜算子〕、〔番卜算〕、〔探春令〕、〔醉落魄〕、〔天下乐〕、〔鹊桥仙〕、〔唐多令〕、〔似娘儿〕、〔鹧鸪天〕(以上仙吕引子)

〔碧牡丹〕、〔望梅花〕、〔感庭秋〕、〔喜还京〕、〔桂枝香〕、〔河传序〕、〔惜黄花〕、〔春从天上来〕(以上仙吕过曲)

〔河传〕、〔声声慢〕、〔杜韦娘〕、〔桂枝香〕(以上仙吕慢词)

〔天下乐〕、〔喜还京〕(以上仙吕近词)

〔浪淘沙〕(羽调近词)

〔燕还巢〕、〔七娘子〕、〔破阵子〕、〔瑞鹤仙〕、〔喜迁莺〕、〔缑山

月〕、〔新荷叶〕(以上正宫引子)

〔玉芙蓉〕、〔锦缠道〕、〔小桃红〕、〔三字令〕、〔倾杯序〕、〔满江红急〕、〔醉太平〕、〔双鸂鶒〕、〔洞仙歌〕、〔丑奴儿近〕(以上正宫过曲)

〔安公子〕(正宫慢词)

〔东风第一枝〕、〔少年游〕、〔念奴娇〕、〔烛影摇红〕(以上大石引子)

〔沙塞子〕、〔沙塞子急〕、〔念奴娇序〕、〔人月圆〕(以上大石过曲)

〔蓦山溪〕、〔乌夜啼〕、〔丑奴儿〕(以上大石慢词)

〔插花三台〕(大石近词)

〔粉蝶儿〕、〔行香子〕、〔菊花新〕、〔青玉案〕、〔尾犯〕、〔剔银灯引〕、〔金菊对芙蓉〕(以上中吕引子)

〔泣颜回〕(见《太平广记》,有〔哭颜回〕曲)、〔好事近〕、〔驻马听〕、〔古轮台〕、〔渔家傲〕、〔尾犯序〕、〔丹凤吟〕、〔舞霓裳〕、〔山花子〕、〔千秋岁〕(以上中吕过曲)

〔醉春风〕、〔贺圣朝〕、〔沁园春〕、〔柳梢青〕(以上中吕慢词)

〔迎仙客〕(中吕近词)

〔哨遍〕(般涉调慢词)

〔恋芳春〕、〔女冠子〕、〔临江仙〕、〔一剪梅〕、〔虞美人〕、〔意难忘〕、〔薄幸〕、〔生查子〕、〔于飞乐〕、〔步蟾宫〕、〔满江红〕、〔上林春〕、〔满园春〕(以上南吕引子)

〔贺新郎〕、〔贺新郎衮〕、〔女冠子〕、〔解连环〕、〔引驾行〕、〔竹马儿〕、〔绣带儿〕、〔琐窗寒〕、〔阮郎归〕、〔浣溪沙〕、〔五更转〕、〔满园春〕、〔八宝妆〕(以上南吕过曲)

〔贺新郎〕、〔木兰花〕、〔乌夜啼〕(以上南吕慢词)

〔绛都春〕、〔疏影〕、〔瑞云浓〕、〔女冠子〕、〔点绛唇〕、〔传言玉女〕、〔西地锦〕、〔玉漏迟〕(以上黄钟引子)

〔绛都春序〕、〔画眉序〕、〔滴滴金〕、〔双声子〕、〔归朝欢〕、〔春云怨〕、〔玉漏迟序〕、〔传言玉女〕、〔侍香金童〕、〔天仙子〕(以上黄钟过曲)

〔浪淘沙〕、〔霜天晓角〕、〔金焦叶〕、〔杏花天〕、〔祝英台近〕(以上越调引子)

〔凤凰阁〕、〔高阳台〕、〔忆秦娥〕、〔逍遥乐〕、〔浇地游〕、〔三台令〕、〔二郎神慢十二时〕(以上商调引子)

〔满园春〕、〔高阳台〕、〔击梧桐〕、〔二郎神〕、〔集贤宾〕、〔莺啼序〕、〔黄莺儿〕(以上商调过曲)

〔集贤宾〕、〔永遇乐〕、〔熙州三台〕、〔解连环〕(以上商调慢词)

〔骤雨打新荷〕(小石调近词)

〔真珠帘〕、〔花心动〕、〔谒金门〕、〔惜奴娇〕、〔宝鼎现〕、〔捣练子〕、〔风入松慢〕、〔海棠春〕、〔夜行船〕、〔贺圣朝〕、〔秋蕊香〕、〔梅花引〕(以上双调引子)

〔书锦堂〕、〔红林檎〕、〔醉公子〕(以上双调过曲)

〔柳摇金〕、〔月上海棠〕、〔柳梢青〕、〔夜行船序〕、〔惜奴娇〕、〔品令〕、〔豆叶黄〕、〔字字双〕、〔玉交枝〕、〔玉抱肚〕、〔川拨棹〕(以上仙吕入双调过曲)

〔红林檎〕、〔泛兰舟〕(以上双调慢词)

〔帝台春〕(附录引子)

〔鹤冲天〕、〔疏影〕(以上附录过曲)。

出于金诸宫调者十三：

〔胜葫芦〕、〔美中美〕（以上仙吕过曲）

〔石榴花〕、〔古轮台〕、〔鹘打兔〕、〔麻婆子〕、〔荼蘼香傍拍〕（以上中吕过曲）

〔一枝花〕（南吕引子）

〔出队子〕、〔神仗儿〕、〔啄木儿〕、〔刮地风〕（以上黄钟过曲）

〔山麻秸〕（越调过曲）

出于南宋唱赚者十：

〔赚〕、〔薄媚赚〕（以上仙吕近词）

〔赚〕、〔黄钟赚〕（以上正宫过曲）

〔本宫赚〕（大石过曲）

〔本宫赚〕、〔梁州赚〕（以上南吕过曲）

〔赚〕（南吕近词）

〔本宫赚〕（越调过曲）

〔入赚〕（越调近词）

同于元杂剧曲名者十有三：

〔青哥儿〕（仙吕过曲）

〔四边静〕（正宫过曲）

〔红绣鞋〕、〔红芍药〕（以上中吕过曲）

〔红衫儿〕（南吕过曲）

〔水仙子〕（黄钟过曲）

〔秃厮儿〕、〔梅花酒〕（以上越调过曲）

〔绵搭絮〕（越调近词）

〔梧叶儿〕（商调过曲）

〔五供养〕（双调过曲）

〔沉醉东风〕、〔雁儿落〕、〔步步娇〕(以上仙吕入双调过曲)

〔货郎儿〕(附录过曲)

其有出于古词曲所未见,而可知其出于古者,如左:

〔紫苏丸〕(仙吕过曲)。《事物纪原》(卷九)吟叫条:"嘉祐末,仁宗上仙,四海遏密,故市井初有叫果子之戏,盖自至和、嘉祐之间,叫〔紫苏丸〕,洎乐工杜人经十叫子始也。京师凡买一物,必有声韵,其吟哦俱不同;故市人采其声调,间以词章,以为戏曲也。"则〔紫苏丸〕乃北宋叫声之遗,南宋赚词中犹有此曲。

〔好女儿〕、〔缕缕金〕、〔越恁好〕(均中吕过曲)均见南宋赚词。

〔耍鲍老〕(中吕过曲)、又(黄钟过曲)、〔鲍老催〕(黄钟过曲),见第八章〔鲍老儿〕条。

〔合生〕(中吕过曲)。

〔杵歌〕(中吕过曲)。

〔园林杵歌〕(越调过曲)。《事物纪原》(卷九)有杵歌一条。又《武林旧事》(卷二)舞队中有男女杵歌。

〔大迓鼓〕(南吕过曲)。

〔刘衮〕(南吕过曲)、〔山东刘衮〕(仙吕入双调过曲)。《武林旧事》(卷四)杂剧三甲,内中只应一甲五人,内有次净刘衮。又(卷二)舞队中有《刘衮》,又金院本名目中有《调刘衮》一本。

〔太平歌〕(黄钟过曲)。南宋宫本杂剧段,《钱手帕爨》下注小字〔太平歌〕。

〔蛮牌令〕(越调过曲)。

〔四国朝〕(双调引子)。

〔破金歌〕(仙吕入双调过曲)。此词云破金,必南宋所作也。

〔中都俏〕(附录过曲)。金以燕京为中都,元世祖至元元年,又改燕京为中都，九年改大都，则此为金人或元初遗曲也。

以上十八章。其为古曲或自古曲出，盖无可疑，此外想尚不少。总而计之，则南曲五百四十三章中，出于古典者凡二百六十章，几当全数之半；而北曲之出于古曲者，不过举其三分之一，可知南曲渊源之古也。所以就渊源说，南曲是决不晚于北曲的。

《琵琶记传奇》

《琵琶记传奇》的作者高明，字则诚。浙江瑞安人。蒋一葵《尧山堂外纪》上说："高拭，字则成，作《琵琶记》者。或谓方谷真据庆元时，有高明者，避地鄞之栎社，以词曲自娱。——案高明，温州瑞安人，以春秋中至正乙酉第，其字则诚，非则成也。或曰二人同时同郡，字又同音，遂误耳。"的确，有很多的人把高明当作了高拭。王元美《艺苑卮言》，就说："南曲高拭，遂掩前后。"这实在是一个错误。则诚是元末至正五年的进士，此书当成功在五年前。《留青日札》上说："高皇帝微时，尝奇此戏。"明太祖起兵，在至正十二年闰三月，此记之作，必成于十二年之前。《日札》上又说："初，东嘉以伯喈为不忠不孝，梦伯喈谓之曰：公能易我为全忠全孝，当有以报公。遂以全忠全孝易之。东嘉后果发解。"据此，此记作成，必在中进士第以前。那么《琵琶记》的完成，自然不是至正五年以后的事了。

《琵琶记》的取名，有人说则诚完全是讽刺王四的，王四是他的朋友，登第后，弃其妻而赘于太师不花家，故用琵琶二字，暗含四个王字。元人呼牛为不花，所以谓之牛太师。像这样穿凿的话，是最

不可信的。这一段故事,且作一个简略的叙述如次:

蔡邕与赵五娘结婚了两个月,父亲要他上京应举,他不得不去。到京以后,果然中了状元。而当时的一位牛太师,要招他作个女婿,他不肯,上表求归。但太师请天子主婚,不准他的假。他只得勉强的与牛女配合。这时,他家中,自他一出来,日渐穷迫。赵五娘侍奉二老,自己只能吃糠。不幸二老相继而死,五娘剪发营葬,用麻裙包土筑坟,于是背一面琵琶和翁姑的真容,入京寻夫去了。既到牛府,与牛小姐相见,遂留居府中。蔡邕回府,牛小姐告诉一切,邕知父母俱亡,哭着要见五娘。他们又回家去扫墓,此后牛小姐、赵五娘同度其安乐生活,全剧于是告终了。

姚福《青溪暇笔》云:"明太祖尝闻则诚名,遣使征辟不就。太祖尝云,五经四书,如五谷不可缺,《琵琶记》如珍馐百味,富贵家其可无邪?"可见《琵琶记》这二十四出的一部传奇,是如何的为当时所爱重了。王国维论《琵琶》的文章,说他"独铸伟词,其佳处殆兼南北之胜。"赵五娘吃糠的一节,文字是如何的动人,如:

〔商调过曲·山坡羊〕(旦)乱荒荒不丰稔的年岁,远迢迢不回来的夫婿,急煎煎不耐烦的二亲,软怯怯不济事的孤身体。衣典尽寸丝不挂体,几番拼死了奴身已。争奈没主公婆教谁看取。思之,虚飘飘命怎期,难挨,实丕丕灾共危。

〔前腔〕滴溜溜难穷尽的珠泪,乱纷纷难宽解的愁绪,骨崖崖难扶持的病身,战兢兢难挨过的时和岁。这糠,我待不吃你呵,教奴怎忍饥?我待吃你呵,教奴怎生吃?思量起来,不如奴先死,图得不知亲死时。思之,虚飘飘命怎期,难挨,实丕丕灾共危。

〔双调过曲·孝顺歌〕（旦）呕得我肝肠痛，珠泪垂。喉咙尚兀自牢嘎住。糠那，你遭砻被舂杵，筛你簸扬你，吃尽控持，好似奴家身狼狈，千辛万苦皆经历！苦人吃着苦滋味！两苦相逢，可知道欲吞不去。

〔前腔〕（旦）糠和米本是相依倚，被簸扬作两处飞。一贵与一贱，好似奴家与夫婿，终无见期。丈夫便是米呵，米在他方没处寻！奴家便似糠呵，怎的把糠来救得人饥馁？好似儿夫出去，怎的教奴供膳得公婆甘旨？

〔前腔〕（旦）思量我生无益，死又值甚底？不如忍饥死了为怨鬼。只一件公婆老年纪，靠奴家相依倚，只得苟活片时。片时苟活虽容易，到底日久也难相聚，漫把糠来相比。这糠尚兀自有人吃，奴家的骨头，知他埋在何处？

相传则诚填词，案上所烧双烛，填至吃糠一出，两支烛光交而为一。吴舒凫《长生殿传奇》也说到“则诚居栎社沈氏楼，清夜案歌，几上蜡炬二枚，光交为一，因名其楼曰瑞光”。虽然是近于神话，但于此也可知《琵琶记》所博得的声誉了。《琵琶记》的译本，是出于法人 M. Bazin 之手。名为：“L. Histoire du Luh”(1841)。元明的传奇，只有《琵琶记》是流传海外的。

《荆》、《刘》、《拜》、《杀》四大传奇

《荆钗记》，清高奕《传奇品》上说，是元柯丹邱所作。黄文旸《曲海》也是如此说的。王国维《曲录》却作明宁献王撰。徐渭《南

词叙录》说有两个本子：一是宋元间无名氏的旧篇，一是明李景云撰。想来总是元末明初的作品。《荆钗记》的故事是叙述王十朋与钱玉莲定婚约，以荆钗为聘礼。时有富人孙汝权见玉莲貌美，欲娶之。她的继母与姑母，是逼她嫁汝权的。她不从，并且和十朋草率成婚。十朋入京赴试，他的母亲与玉莲同住岳家，他中了状元，万俟丞相欲招他为婿，他也不从。汝权正也在京，改写十朋家信，说已娶万俟女，要休玉莲。玉莲于是投江自杀。又为钱安抚救起，收为女儿，同赴福建任。十朋闻玉莲死讯，异常悲痛，万俟丞相因他不肯就婚，遂将他改调广东潮阳佥判。饶州本缺，换了一位王士宏。玉莲请钱安抚派人到饶州打听十朋消息。回来人说王佥判死了（把士宏误作十朋）。后来十朋升任吉安，安抚要将玉莲嫁他，他不肯。经了好些波折，十朋才同玉莲重圆了。此段故事，据《欧江佚志》说，是宋时史浩门客，造以诬王十朋和孙汝权的。

《荆钗记》文章颇能动人。王元美评他“近俗而时动人”。如第十三出《时祀》，就非常之好：

〔沽美酒〕　纸钱飘，蝴蝶飞；纸钱飘，蝴蝶飞。血泪染，杜鹃啼，睹物伤情越惨凄。灵魂恁自知，灵魂恁自知。俺不是负心的，负心的随着灯灭！花谢有芳菲时节，月缺有团圆之夜；我呵，徒然间早起晚寐，想伊念伊。妻，要相逢，除非是梦儿里，再成婚契！

〔尾声〕　昏昏默默归何处？哽哽咽咽思念你，直上姮娥宫殿里。

《刘》是《白兔记》，因为叙述刘知远的故事，这是与《刘知远诸宫调》同一题材的。说刘知远被继父逐了，飘游于外，被李文奎招回家去。文奎有二子：洪一、洪信；一女：三娘。一天，他见知远昼卧，火光透天，知他将来必大贵，就把三娘嫁他。文奎死后，洪一逐知远，又逼写休书。他为守瓜园，得了石匣装的头盔衣甲、兵书宝剑。他就别妻出去，建立功业。三娘在家，受不尽兄嫂磨折，不久，生下一子，名咬脐郎，兄嫂要害其子，三娘偷偷地托窦老抱去，送与知远。知远这时又娶了岳氏，便留孩子下来。后来，知远讨贼立功，封九州安抚使，咬脐郎已长大，出外游猎，因赶白兔，到沙陀村，遇了三娘。后来知远接她去了。又把兄嫂追住，并且取香油麻布，把她的嫂子，点了通天烛。剧情便止于此。

这剧作者也难考出，大约也是元末明初的作品。其文辞之朴质，为四大传奇之最。想来未必出于文人之手的。

〔一枝花〕　昔日做朝内官，今日做山中寇，俺只为朝中奸诈多，有功的恨杀为仇，杀功的即便封侯，因此上撇了名锁利勾。（见第二十五出）

〔江泉水〕　那日因游猎，见村中一妇人，满怀心事从头诉，裙布钗荆惨凄楚。蓬头跣足身落薄，却原来亲娘生母。爹爹，你负义辜恩，全不念糟糠之妇。（见第三十二出）

《拜月亭》是施惠作。惠字君美，杭州人。《录鬼簿》上说他："居吴山城隍庙前，以坐贾为业。每承接款，多有高论。诗酒之暇，惟以填词和曲为事，有《古今砌话》亦成一集，其好事也如此。"

这段故事，是这样的：蒋世隆与妹瑞莲，在家读书。当时蒙古侵略金人。金臣陀满海牙主不迁都，以其儿子兴福御敌；大臣聂贾主迁都避元之锋。金主信聂贾，杀陀满海牙。兴福避难，一日，入蒋氏园中，世隆知其故，遂和他拜了弟兄。兴福过一山，为盗所推，作了头领。尚书王镇，奉命缉盗。有一女，名瑞兰。此时金正迁都，各处大乱，蒋世隆与瑞莲，以及瑞兰母女都飘流奔走，世隆失散了妹妹，瑞兰失散了母亲。世隆叫着瑞莲，偏遇了瑞兰，假作夫妇，同路逃走。王母叫着瑞兰，偏遇了瑞莲，认了母女，也一路逃了。世隆二人过一山，为盗捉去；盗魁正是兴福。赠金作别，到了一家旅舍，正式成了婚。世隆忽生了病，王镇刚经过此地，听瑞兰说婚事，大怒，强迫瑞兰跟他回去。镇到官驿，遇到了妻子和瑞莲。后来，元军已退，金庭赦免诸罪，举行贡举，兴福约了世隆，各中了文武状元。镇奉旨招两状元为婿。那知世隆与瑞兰俱不从命。镇请世隆到府中宴会，认了妹妹，又说明了一切，才与瑞兰重圆。

一班人的批评[①]，《拜月亭》是四传奇中最出色的，且高出《琵琶记》。但王国维以为《拜月亭》的佳处，都出于关汉卿的《闺怨佳人拜月亭》。实则他的文章，很有好的。如《萍迹偶合》中：

〔销金帐〕　黄昏悄悄助冷风儿起。想今朝，思向日，曾对这般时节，这般天气。羊羔美酒，销金帐里。兵乱人荒，远远离乡里。如今怎生，怎生街头上睡！

〔前腔〕　初更鼓打，哽咽寒角吹，满怀愁分付与谁？遭逢这般磨折，这般离别，铁心肠打开，打开鸾孤凤只，我这里恓惶，他那里难存济。翻覆，怎生，怎生独自个睡！

---

① “班”当作“般”。——整理者注

〔前腔〕 咚咚二鼓，败叶敲窗纸，响扑簌聒闷耳。谁楚这般萧索，这般岑寂，骨肉到此，伊东我西去。又无门住，又无依倚。伤心怎生，怎生街头上睡！

《杀狗记》是徐（𤋮）作。（𤋮）字仲由，淳安人，明洪武初征秀才，有《巢松阁集》。他自己说："吾诗文未足品藻，惟传奇词曲，不多让故人。"《杀狗记》是据萧德祥《杀狗劝夫》而作，吴瞿安先生颇怀疑此剧出于仲由之手的。他说："余尝读其小令曲《满庭芳》，语之俊雅，虽东篱小山，亦未多逊，不知所作传奇，何以丑劣乃尔。或者《杀狗》久已失传，后人伪托仲由之作，羼入歌场中耳。"这很是一个疑问。

现在且把这个故事，简单地叙述一下。孙华与结拜兄弟柳龙卿、胡子传二人，日耽酒色。华弟孙荣，勤谨好学，不为柳、胡所喜，被华驱逐出去。荣初在旅店借居，金尽，穷途无路，遂乞食为生。雪夜，华醉归，卧雪中，几冻死。荣看见了，救醒，送回家中。华见荣，不独不感，且打骂不已。华妻杨月真，屡谏不听。清明节，有老仆借扫墓机会，又劝华，华更恨荣。后来杨氏出一计策：买了一只狗，杀死了，穿上人的衣服，乘夜放在家门口。华这夜又醉归，踏狗上，满身染了血，以为一个死人，惊得无计可施。去找柳、胡，柳、胡畏罪不来，于是杨氏劝华招荣。荣来，慨然自任，自将尸体背去埋了。华才感荣之至诚，招他回家。不再和胡、柳往来。胡、柳怨恨，想报复，把孙华杀人事告到官，裁判下来，真相大明，胡、柳以诬告得罪，而孙荣之悌、杨氏之义，都与以表彰。文如：

〔宜春令〕 心间事难推索，我官人作事全不知错。存心

不善，结交非义谋凶恶。更不思手足之亲，把骨肉埋在沟壑。吓得人战战兢兢，扑簌簌泪珠偷落。（第二十五出）

这样朴质的文笔，当然不能如《拜月》、《琵琶》之受人的欣赏。但四大传奇毕竟还是齐名的。在《鸳鸯绦传奇》第二十出上，有一支〔小桃红〕曲词说到这四部传奇，道："古曲到今朝，《拜》和《荆》狗尾貂，《刘》和《杀》无人晓也。四大家分建旗旄，俟知音示尔曹。"

此外元传奇还有一鳞半爪，我们可以看见。据钮少雅所刻《牡丹亭》中，考订的地方，曾引在元人南戏，如元《柳耆卿传奇·引曲》云：

〔小蓬莱〕　古道西风瘦马，瓜期紧，行色奔波。青山万叠，白云万里，回首天涯。（《柳耆卿传奇》，徐渭《南词叙录》亦记载的，而未言何代，得此可证明为元人作）

元《王莹玉传奇·引曲》云：

〔朝元歌〕　（十至十四）齐唱采菱歌，同攀擎露荷，厮并娇娥，照影苍波。双双俊也，伊共我。（《王莹玉传奇》，各曲籍未见其名。少雅引此云：是元传奇。所引〔朝元歌〕只此数句，以上之句未引）

元杨实《锦香囊传奇·引曲》云：

〔称人心〕 翻思向日孤轩，旅怀萦击。良宵永倦，听漏迟。拥单衾欹半枕，展转无寐。谁知道今日相逢，何啻如鱼得水！〔换头〕论欢娱能有几？忒破体，被爹娘百端骂詈。告娘行休叹息，姻缘不至，休得唱分别，佳词聒得我情怀戚戚。（杨实《锦香囊》之名，各曲籍亦未见载）

钮氏所引的，还有《王祥》、《王十明》、《陈光蕊》、《古西厢》诸传奇，但未言朝代，所以此处无从提及。但元代的传奇，在此处已可窥见其一斑了。

本章参考书目：

徐渭 《南词叙录》（《读曲丛刊》、《曲苑》本）
高明 《琵琶记》（《六十种曲》本、暖红室本、坊间石印本）
《荆钗记》、《白兔记》、《拜月亭》、《杀狗记》（《六十种曲》本、暖红室本）
王国维 《宋元戏曲史》（第十四、十五两章）
许之衡 《戏曲史》（元之戏曲及诸曲家略史章）
青木正儿 《支那近世戏曲史》（第一编第三、四两章）
卢前 《曲话丛钞》

第七章　明代的杂剧

明代初年的杂剧家

有人说元代是杂剧的时代，而明代是传奇的时代了。其实这句话不尽可信的。如何的不可信？我们可以以事实来证明。现在从明的初年说起，明初与元末，实在不易分划得明白。据《太和正音谱》所举明初十六家，有许多就是生于元末的。这十六人是王子一、刘东生、谷子敬、汤舜民、杨景言（言一作贤）、贾仲名、杨文奎、王文昌、蓝楚芳、陈克明、李唐宾、穆仲义、苏复之、杨彦华、夏均政、唐以初。《正音谱》是著于洪武三十一年，这十六家当然不全是明代生出来的人。在贾仲名的《续录鬼簿》上记载这同时的作家很不少。向来我们以为没有什么材料可以考证这班作家的，现在有了此书，已足弥其缺憾了。

贾仲名的时代，恰好上接至正，下到永乐。他是山东人，工吟咏。在燕王时，仲名与汤舜民、杨景言，都受其宠遇。仲名后来迁居兰陵，自号雪水散人。所作杂剧共十四种，现存只《荆楚臣重对玉梳记》、《铁拐李度金童玉女》、《萧淑兰情寄菩萨蛮》（这三种皆见《元曲选》）、《吕洞宾桃柳升仙梦》（见《古名家杂剧》）四种而已。

王子一，又作汪元亨，所作杂剧，现存《刘晨阮肇桃源洞》一种。

刘东生，名兑，曾有《月下老世间配偶》之作。贾仲名以为“极为骈俪，传诵人口”，可是现在已无从得见。现在所可见的，是他的《金童玉女娇红记》。《娇红记》本于元清江宋梅洞所作同名的说部。在这部杂剧中，把申生与娇娘的恋爱，写得深切极了。

谷子敬，金陵人。枢密院掾史。知医明《易》，所作杂剧五种，只存下《吕洞宾三度城南柳》。此剧与仲名的《铁拐李》、东生的《娇红记》，同是染上一些道教的色彩。

汤舜民，名式，一作咸，象山人，号菊庄，曾补象山县吏。所作杂剧已失传了。

杨文奎，《正谱》评他的词“如匡庐叠翠”，所作杂剧有四种，现存于《元曲选》中者，只有《翠红乡儿女两团圆》一种。

李唐宾，广陵人，号玉壶道人。官淮南省宣使，所作只存《李云英风送梧桐叶》一剧，在《元曲选》中。

唐以初，名复，京口人，号冰壶道人，以后住金陵，吟诗，晓音律，所作杂剧有《陈子春四女争夫》，现在也已失传了。

此外蓝楚芳，当时有个兰楚梦，西域人，我疑心就是他。与刘廷信在武昌唱和，一时有元、白之目。不过他的杂剧已不可知。

杨彦华，名贲，滁阳宦族，自号春风道人。永乐初，为赵府记室。他的杂剧也已不可考了。

所谓明初十六家者，我们所可知道的如此。其中也有以传奇名者，如苏复之；散曲名者，如陈克明，此处都不再叙述。据《续录鬼簿》所要补入的，还有丁野夫，西域人。朱经，字仲谊，陇人。金文质，湖州人。陈伯将，无锡人。这几位所作杂剧，我们连题目都不知道的。

两宗室

其次，比较要慎重提出的，是两位王爷：

一、宁献王朱权。他是太祖第十六子。洪武间，就封大宁。永乐，改封南昌。涵虚子、丹邱先生、臞仙都是他的别号。所作杂剧有十二种，可惜连一种到现在我们都不能见到。

二、周宪王朱有燉。他是周定王长子，洪熙元年袭封，景泰三年死的（1377—1452）。所作杂剧，总名是《诚斋乐府》。原刊本现在藏在长洲吴氏的，有二十二种之多。北平图书馆藏的，有二十五种。董氏诵芬室所印《杂剧十段锦》中，有八本是有燉之作，现存合计是三十一种。据《百川书志》著录诚斋三十一本，名目与现存相同，这是多么可喜的事！在《列朝诗集》说到诚斋诸作："音律谐美，流传内府，至今中原弦索多用之。李梦阳《汴中元宵绝句》曰：中山孺子倚新妆，赵女燕姬总擅场。齐唱宪王新乐府，金梁桥外月如霜。"可见当时的盛况。郑振铎君据北平藏本各剧序文上，考出他所作剧的先后。我且排列如次：

永乐二年　作《张天师明断辰勾月》

四年　作《甄月娥春风庆朔堂》

六年　作《惠禅师三度小桃红》

《神后山秋猕得驺虞》

十四年　作《关云长义勇辞金》

二十年　作《李妙清花里识真如》

宣德四年　作《群仙庆寿蟠桃会》

五年　作《洛阳风月牡丹仙》

六年　作《天香圃牡丹品》

《美因缘风月桃源景》

七年　作《瑶池会八仙庆寿》

《孟浩然踏雪寻梅》

八年　作《紫阳仙三度常椿寿》

《刘盼春守志香囊怨》

《赵贞姬身后团圆梦》

《黑旋风仗义疏财》

《豹子和尚自还俗》

九年　作《清河县继母大贤》

《东华仙三度十长生》

《十美人庆赏牡丹园》

十年　作《吕洞宾花月神仙会》

正统四年　作《河嵩神灵芝庆寿》

《南极星度脱海棠仙》

其余的八种，序上未署年月，无从断知其年代。日本青木君将《诚斋杂剧》分为五类：

第一是“道释剧”，关于神仙度脱、庆寿之类的故事皆是。如《惠禅师》、《李妙清》、《紫阳仙》和《小天香半夜朝元》，都是度脱剧。如《瑶池会》、《蟠桃会》、《仙官庆会》、《得驺虞》等，是庆寿剧。如《张天师明断辰勾月》，却是女仙剧了。从“长寿”进步到“成仙不死”，所以这一类的戏剧，就是为表示这愿望而产生了。

第二是“妓女剧”，以妓女作对象，用来描写调情的事。如《刘盼春守志香囊怨》、《李亚仙花酒曲江池》、《美姻缘风月桃源景》、《宣平巷刘金儿复落娼》、《甄月娥春风庆朔堂》、《兰红叶从良烟花梦》都是代表这一类的。写这类故事，往往落入一个呆板的公式去。这公式是：一个妓女爱上一个秀才，两人恩爱非常。忽然有一个富豪要夺此妓。假母为财帛而同意，将逐秀才，逼妓女归富豪，妓女不肯，经过许多困难，仍然与这秀才团圆了事。这类“妓女剧”，大都不出此式范围。其中以《香囊怨》为最杰出，因为不以团圆了事，所以含有凄艳的悲剧底味儿。《香囊怨》是叙开封妓女刘盼春和周恭的故事。周恭与她相爱，有盐商陆源要想夺她去。半年之后，周父知道了，不准周恭出外。因为经济的压迫，她在各处卖唱，周恭知道了，偷偷地寄一封情书，附一阕词寄给她。她珍重的把它放到香囊中，旦夕不离。最后假母因穷得无赖，逼她嫁陆源。于是她自经而死。周恭闻信前往，见火葬时，独香囊不被烧去，信词都在里面。从此周恭便立志不娶了。能这样打破公式的收场，所以异乎其他诸作。在《桃源景》一戏，插入些蒙古人，作蒙古语，唱蒙古歌，也是有特殊情调的一幕。

三是“牡丹剧”，指《洛阳风月牡丹仙》、《天香圃牡丹品》、《十美人庆赏牡丹园》等而言。想来，这些杂剧是供赏花宴饮用的。剧情都简单，而以歌舞为主。《牡丹仙》一剧，因欧阳修《洛阳牡丹记》一文而作，于是便以他为剧中主角。

四是“节义剧”，如《清河县继母大贤》，如《赵贞姬身后团圆梦》，都是代表作。《继母大贤》写异母兄弟王谦、王义的故事。后母以前母所生子王谦孝悌正直，而自己的儿子王义杀人，兄弟争认罪，后母却为王谦洗雪，于是为官所感动，申告上司，表彰母德。《团圆梦》写的赵官保殉其父母指腹所定之未婚夫钱锁儿，后来东岳神感两人的情义，使两人在死后团圆。这类杂剧便是提倡节与义的。

五是"水浒剧"，如《黑旋风仗义疏财》，如《豹子和尚自还俗》，写的梁山泊上人物，故名"水浒剧"，但是这两个故事并不见于现在所流传的小说《水浒传》上。《仗义疏财》是说一位赵都巡要夺刘撇古的女儿，被李逵、燕青见了，救了撇古。后来赵都巡又到刘家村来，李逵便装了新娘，嫁过去，把赵都巡全家杀得落花流水。一直叙到张叔夜招安宋江为止。《豹子和尚》是鲁智深的故事。他被宋江打了四十大板，气得再在清静寺出家为僧。宋江教李逵劝他还俗，不肯；叫智深妻子去劝，也不肯。最后叫人去打他母亲，他一愤而破戒打人，于是才回山寨。此剧极生动可爱。

六是零星诸作，如《关云长义勇辞金》，写关羽离曹而去的故事。如《搊判官乔断鬼》是叙徐行的古画被裱画师占有，行幽愤而死。后来阴府判官为之伸冤，将裱画师下地狱。此剧说三教源流和论书法的地方，颇有趣味。如《孟浩然踏雪寻梅》，是用李太白来陪着浩然，咏诗争长，以破向日"白也诗无敌"之旧说的。他如《汉相如献赋题桥》，写司马相如、卓文君故事。第一折文君夜奔，第二折两人成婚，第三折文君当垆，相如应试，文君送至升仙桥，相如赋诗桥柱。第四折相如献赋于武帝。此剧是合关汉卿、屈子敬《升仙桥相如题柱》杂剧而作。

在《杂剧十段锦》中还有一篇《善知识苦海回头》，向来也以为宪王之作。据周珲《金陵琐事》："陈鲁南有《善知识苦海回头记》行于世。"松泽老泉《汇剧书目外集》，记四大史杂剧目录："《善知识苦海回头记》，明陈石亭著。"原来陈鲁南名沂，石亭也是他的别署。上元人，又自号小坡。正德进士，官太仆寺卿。《苦海回头》写的是胡仲渊为丁谓所谮，贬到雷州。召还以后，辞官出家，成了正果。比较是有一点意义的故事。

北杂剧的残余

从朱有燉到陈沂，中间有六七十年。与陈沂同时的，还有几家：

陈铎，字大声，金陵将家子，他是明代的一大散曲家。所作杂剧《花月妓双偷纳锦郎》、《郑耆老义配好因缘》二本，现在已佚去了。

康海，字德涵，号对山，武功人。弘治十五年状元，授翰林院修撰。正德中，因为他与刘瑾交往，落职。他怎样与刘瑾交往呢？为的李梦阳被瑾置诸狱，出片纸曰："对山救我。"瑾以海是同乡状元，颇以结交为荣，于是海去见瑾，救了梦阳，而海以此故，在瑾事败时，便坐此削职为民了。梦阳并不帮助他，所以相传《中山狼》一剧，即是康海讥梦阳而作，第三折中一支〔天净沙〕道：

> 俺为您拼了身躯，俺为您受了忧虞。刚把您残生救取，早把俺十分饱觑，这瘦形骸打点充补。

充满了愤怨的情绪，尤其是第四折末尾一支〔太平令〕：

> 怪不得那私恩小惠，却教人便叫唱扬疾；若没有个天公算计，险些儿被幺魔得意。俺只索含悲忍气，从今后见机莫痴。呀，把这负心的"中山狼"做傍州例。

更可以看出他的幸幸之意来[1]。他罢官三十年,卒于嘉靖十九年,年六十六。在另一方面,这中山狼故事,是有世界性的,印度、高丽都这样的传说,不过施恩之人,非皆东郭先生,负恩之兽,非皆狼而已。郑振铎君曾列一表(见《小说月报·中国文学研究号外》),附录于此。这故事极普遍,不劳再赘及了。

故事来源	施恩的人	忘恩的兽	兽所遇之困厄	初次遇见之二或三物	最后遇见之人或物
中山狼传及中山狼杂剧	东郭先生	狼	赵简子打猎	牛、杏树	杖藜老子
中山狼院本	东郭先生	狼	赵简子打猎	牛、杏树	土地神
列那狐的历史(文基译本)	人	蛇	落于网中	乌鸦、熊与狼	狐
Steele 的潘约故事	婆罗门	虎	落于陷阱中	Pipae 树、水牛	豺儿
西伯利亚的故事	Kirghiz	蛇	鹤的捉食	牛、榆树	狐
高丽的神仙故事 Criffih	和尚	虎	落于陷阱中	大树、石神	青蛙
Asbjornsen & Moe 的挪威的民间故事		龙	被压于大石下	狗、马	狐

《中山狼》院本是王九思作。九思字敬夫,号渼陂,鄠县人。弘治丙辰进士,授检讨。他因为交刘瑾,遽升高位。瑾败以后,降寿州同知。勒致仕。归家以后,以厚赀募国工,杜门学唱数年,尽其

[1] “幸幸”当作“悻悻”。——整理者注

技以出。他是与康海同负盛名的。这一部《中山狼》只有一折，杂剧从此就看出转变的痕迹来了。他另有《杜子美沽酒游春》一本，《盛明杂剧》作《曲江春》。叙杜工部游曲江，在贾婆婆酒店中遇见卫太郎，为着骂李杜甫的诗①，二人争执起来。贾婆婆驱杜工部出门，典衣沽酒，另在一家店中遇岑参，约游渼陂。翌日，至钓鱼台，正遇丞相房琯来迎，时工部升为翰林学士。大家欲敬贺，而工部有隐居之志。相传此剧讥李西涯而作。骂杜甫即所以骂西涯。有人说九思贬后所以不复起用，即为此剧故。其曲中如："三三两两厮搬弄，管什么皂白青红。把一个商伯夷生扭做虞四凶。兀的不笑杀了懵懂，怒杀了天公"以及"甘心儿不听景阳钟"，都是愤激不平之气。

到了这时，北剧已渐渐衰落，王骥德说，金元之北词，其法今复不能悉传。可见当时北剧之凌替，原来北剧南戏，相对而称，杂剧当然不必说明北字，然而此非其时了。沈德符《顾曲杂言》说得好："嘉隆间，度曲知音者有松江何元朗。蓄家僮习唱，一时优人俱避舍。以所唱俱北词，尚得金元遗风。予幼时犹见老乐工二三人，其歌童也，俱善弦索，今绝响矣。何又教女鬟数人，俱善北曲，为南教坊顿仁所赏。顿曾随武宗入京，尽传北方遗音，独步东南。暮年流落，无复知其技者，正如李龟年江南晚景。其论曲，谓南曲箫管，谓之唱调，不入弦索，不可入谱。近日沈吏部所订《南九宫谱》盛行，而《北九宫谱》反无人阅，亦无人知矣。"又："自吴人重南曲，皆祖昆山魏良辅，而北词几废。今惟金陵尚存此调。然北派亦不同，有金陵，有汴梁，有云中，而吴中以北曲擅场者，仅见张野塘一人。故

① "杜"当作"林"。——整理者注

寿州产也，亦与金陵小有异同处。顷甲辰年，马四娘以生平不识金阊为恨。因挈其家女郎十五六人来吴中，唱《北西厢》全本。其中有巧孙者，故马氏粗婢，貌甚丑，而声遏云，于北曲关捩窍妙处，备得真传，为一时独步。他姬曾不得其十一也。四娘还里中，即病亡。诸妓星散。巧孙亦去为市妪，不理歌谱矣。今南教坊有傅寿者，字灵修，工北曲，其亲生父家传誓不教一人，寿亦豪爽，谈笑倾座，若寿复嫁去，北曲真同广陵散矣。”可见北曲之寥落。

所以这时的剧作，俱染南风。即如折数，此时多者至七八折，少者至一折。杂剧原来一本叙一事，或合数本叙一事，从没有四折之中分叙四事的，而此时也有了。“楔子”在此时变成传奇的“副末开场”样子了。在王骥德《曲律》卷四，有几句话说得很明白。他道：“余昔谱《骂后》剧，曲用北调而白不纯用北体，为南人设也。已为《离魂》，并用南调。郁蓝生谓自尔作祖，当一变剧体。既遂有相继以南词作剧者，后为穆考功作《救友》。又于燕中作《双鬟》及《招魂》二剧，悉用南体，知北剧之不复行于今日也。”原来在北剧唱曲，四折是每一个主角唱的，到这时候，因受南戏的影响，唱的角色，自由多了。在题材上，又不像专门写包龙图、李逵、郑元和、尉迟恭之类民间的中心人物，而改写文人所爱的故事，俾作剧者可以借剧中人以泄其自己的心志。于是北剧那种蒜酪之风，遂不可复。此后的杂剧，非复是以前所谓的杂剧了。

徐渭及其《四声猿》

在明代的杂剧中，有一怪杰，他在后来的杂剧上最重要。他是谁呢？就是山阴徐渭。渭字文清，一字文长，号青藤道士、天池山人，有时署田水月。他所作杂剧，名《四声猿》，有全集附刻本、李告辰本、暖红室本。胡宗宪督师浙江时，招致他入幕府，管书记。时胡氏有势，一时将官，莫敢仰视。渭以书生与相抗衡。戴敝乌巾，衣白布浣衣，非时闯门而入，长揖就座，奋袖纵谈。幕中有事，急，召之不至，夜深开戟门以待。侦者还报，徐秀才方泥饮大醉，叫呶不可致，宗宪闻之，顾称善。文长知兵，好奇计。宗宪饵王、徐诸虏，用间钩致，皆用文长说。及宗宪被杀，文长惧被祸，佯狂而去。后因杀继室，坐罪论死，赖张元忭力救，才得免。卒年七十二。

袁宏道《瓶花斋集》说到他："文长放浪曲蘖，恣情山水，走齐、鲁、燕、赵之地，穷览朔漠。其所见山奔海立，河起云行，风鸣树偃，幽谷大都，人物鱼鸟，一切可惊可愕之状，一一皆达之于诗。其胸中又有一段不可磨灭之气，英雄失路，托足无门之悲。故其为诗如嗔如笑，如水鸣峡，如种出土，如寡妇之夜哭，羁人之寒起。当其放意，平畴千里，偶尔幽峭，鬼路秋坟。善作书，笔意奔放如其诗，诚八法之散圣，字林之侠客也，间以其余旁及花草竹石，皆超逸有致。"王骥德评他的杂剧道："至吾师徐天池先生所为《四声猿》而高华爽俊，秾丽奇伟，无所不有，称词人之极则，追躅元人。"又："徐天池先生《四声猿》，故是天地间一种奇绝文字。《木兰》之北，与《黄崇嘏》之南，尤奇中之奇。先生居与余仅隔一垣。作时，每了一剧，辄呼过斋头，朗歌一过，津津意得。余拈所警绝以复，则举大白以釂，赏为知音。中《月明度柳翠》一剧，系先生早年之笔。《木兰》、《祢衡》得之新创。而《女状元》则命余更觅一事，以足四声之数，余举杨用修所称黄崇嘏《春桃记》为对。先生遂以春桃名嘏。今好事者以《女状元》并余旧所谱《陈子高传》称为《男皇后》，并刻以传，亦一的对，特余不敢与先生匹耳。先生好谈词曲，每右本色。于《西厢》、《琵琶》皆有口授心解。独不喜《玉块》，目为板汉。先生逝矣，邈成千古。以方古人，盖真曲中缚不住者，则苏长公其流哉。”又：“山阴徐天池先生瑰玮浓郁，超迈绝尘。《木兰》、《崇嘏》二剧，刳肠呕心，可泣神鬼，惜不多作。”（皆见《曲律》）而沈德符《顾曲杂言》有不满之意，他说：“徐文长渭《四声猿》盛行，然以词家三尺律之，犹河汉也。”这未免太苛刻了。

《狂鼓史渔阳三弄》在《四声猿》中是一折的短剧。是说祢衡不久要上天作天官了，判官察幽，请他把当日击鼓骂曹的事，实地演出来。其中〔油葫芦〕、〔天下乐〕两支曲文，最为沉痛：

> 〔油葫芦〕 第一来逼献帝迁都，又将伏后来杀，使郄虑去拿。唉，可怜那九重天子，救不得一浑家。帝道：后，少不得你先行，咱也只在目下。更有那两个儿又不是别树上花，都总是姓刘的亲骨血，在宫中长大。却怎生把龙雏凤种，做一甕鲜鱼虾。
>
> 〔天下乐〕 有一个董贵人，是汉天子第二位美娇娃。他该甚么刑罚？你差也不差！你肚子里又怀着两三月小哇哇，既杀了他的娘，又连着胞一搭。把娘儿们两口，砍做血虾蟆！

《玉禅师翠乡一梦》是二折的杂剧。第一折是妓女红莲去破玉通禅师的法体。第二折，玉通投胎去到柳宣教家做女儿，名唤柳翠，也陷为娼妓，以报前仇。幸亏师兄月明和尚把她唤醒。在《湖壖杂记》上“今俗传《月明和尚度柳翠》”就是这个故事了。二折末尾〔收江南〕一支，袁中郎评为“石破天惊，语语叫绝”的，真是绝世奇文。

〔收江南〕（旦）师兄,和你四十年好离别。（外）师弟,你一霎时做这场。（合）把夺舍投胎,不当烧一寸香。（旦）师兄,俺如今要将。（外）师弟,俺如今不将。（合）把要将不将,都一齐一放。（外）小临安,显出俺黑风波浪。（旦）泼红莲,露出俺粉糊粘糨。（合）柳家胎,漏出俺血团气象。（此下外起旦接,一人一句。）（外）俺如今改腔换妆,俺如今变娼做娘。弟所为,替虎伥阱羊,兄所为,把马缰捆獐。这滋味,蔗浆拌糖,那滋味,蒜秧捣姜。避炎途,趋太阳早凉,设计较,如海洋斗量。再簸舂白粱米糠,莫笑他郭郎袖长。精哈哈,帝皇霸强,好胡涂,平良马臧。英杰们,受降纳疆,吉凶事,吊丧弄璋。任乖刺,嗜菖吃疮,干功德,掘塘救荒。佐朝堂,三纲一匡,显家声,金章玉珰。假神仙,云床月窗,真配合,鸳鸯凤凰。颓行者,敲珰打梆,苦头陀,柴扛碓房。这一切万桩百忙,都只替无常背装。捷机锋刀枪斗铓,钝根苗蜣螂跳墙。肚疼的假孀,海棠,报怨的几霜,鸹鸧。填几座鹊潢宝扛,几乎做鸨乘乃堂。费尽了哑佯妙方,才成就滚汤雪炀。两兄弟一双雁行,老达摩裹粮渡江。脚根踹芦蒋叶黄,霎时到西方故乡。依旧嚼果筐雁王,遥望见宝幢法航。撇下了一囊,贼赃,交还他放光,洗肠。（合唱）呀,才好合着掌,回话祖师方丈。

《雌木兰替父从军》也是二折的剧,本于古诗《木兰辞》。剧中较诗的本事,略有增加。如擒贼,如姓花名弧,如嫁王郎,都是以作者之意给她添上的,其收尾:

我做女儿则十七岁,做男儿倒十二年;经过了万千瞧,那一个解雌雄辨，方信道辨雌雄的不靠眼。

此又为后来吴伟业的“毕竟妇人家难决雌雄，则愿那决雌雄的放出个男儿勇”之所本了。

《女状元辞凰得凤》是五折的剧。按《十国春秋》，黄崇嘏好男装，以失火系狱。邛州刺史周庠爱其丰采，欲妻以女。崇嘏乃献诗云：“幕府若容为坦腹，愿天速变作男儿！”庠惊召问，乃黄使君之女。幼失父母，与老妪同居。庠命摄司户参军，已而罢归，不知所终。文长此剧却把她变成状元，后来嫁给周丞相的儿子。在《四声猿》中，此剧最少生气，根本就是戏罢了。

《四声猿》之外，文长还有一本《歌代啸》，较《四声猿》本色得多。前有凡例七则，有云：“此曲以描写谐谑为主，一切鄙谈猥事，俱可入调，故无取乎雅言。”四句“正名”是：

没处泄愤的，是冬瓜走去，拿瓠子出气。
有心嫁祸的，是丈母牙疼，炙女婿脚跟。
眼迷曲直的，是张秃帽子，教李秃去戴。
胸横人我的，是州官放火，禁百姓点灯。

借这每一句俗语，拍合一个故事。又以此四故事，用张、李二和尚为中心，一气将它联贯起来，结构极趣。虽然间有斧凿之痕，大体是很自然的。书前有袁石公的序：“《歌代啸》不知谁作，大率描景十七，摛词十三，而呼照曲折，字无虚设。又一一皆本地风光，似欲直问王、关之鼎，说者谓出自文长。”卷头又题着“山阴徐文长撰”，想来出于文长，是无可疑议的。

明杂剧之总检讨

在文长以前的杂剧家，如杨慎之有《洞天元记》、《太和记》，李开先的《园林午梦》、汪道昆的《大雅堂杂剧》、梁辰鱼的《红线》、《红绡》，都应提及的。

杨慎，字用修，号升庵，新都人。官翰林院修撰。谪戍云南三十多年，始终未召还。他所作杂剧，就是《宴清都洞天元记》一本和《太和记》六本。《洞天元记》据《剧说》说，是叙的"形山道人收昆仑六贼事，所以阐明老氏之旨。"可惜已没有传本了。《太和记》现在也不可得见。但知《太和记》是六本，一本四折，每折叙一事，共二十四事，按一年二十四节令排列的。

吕天成《新传奇品》也著录一种《太和记》："每出一事，似剧体，按岁月，选佳事，裁制新异，词调充雅，可谓满意。"但此书作者是许潮。许潮所作，现存《盛明杂剧》中者，有《武陵春》、《兰亭会》、《写风情》、《午日吟》、《南楼月》、《赤壁游》、《龙山宴》、《同甲会》八种。想来或是《太和记》中短剧。唯沈编《盛明杂剧》二集于许作《武陵春》上，注了几句："弇州诮升庵多川调，不甚谐南北本腔。说者谓此论似出于妒，今特遴数剧以商之知音者。"《兰亭会》下又直注升庵。大概当时把《太和记》就未分别明白，究是杨作，抑是许作？未能定夺。焦循为《割肉遗细君》剧，在《剧说》上说："今得杨升庵所撰《太和记》，是折乃出其中。"足见杨氏本有此作。"许氏、杨氏各有一《太和记》。"我们现在也只可如此说。

李开先是嘉靖八才子之一。所作杂剧，名《一笑散》。现存《园林午梦》一种。开先字伯华,号中麓。所藏曲籍,在当时称第一,有“词山曲海”之目。《列朝诗集》云:“伯华弱冠登朝,奉使银夏,访康德涵、王敬夫于武功、鄠杜之间。赋诗度曲,引满称寿。二公恨相见晚也。……罢归,置田产,蓄声妓,征歌度曲,为新声小令,挡弹放歌,自谓马东篱、张小山无以过也。……为文一篇辄万言,诗一韵辄百首,不循格律,诙谐调笑,信手放笔。……所著词多于文,文多于诗。又改定元人传奇乐府数百卷,搜集市井入艳词、诗禅、对联之属,多流俗琐碎,士大夫所不道者。尝谓古来才士,不得乘时利用,非以乐事系其心,往往发狂病死。今借此以坐销岁月,暗老豪杰耳。”于此可知他是别有怀抱,故所作不能免“词意浮浅”之讥了。

汪道昆,字伯玉,号南溟,歙县人。除义乌知县,历襄阳知府、福建副使、按察使。擢右佥都御史,巡抚福建,改郧阳,进右副都御史,巡抚湖广,召拜兵部侍郎。与王世贞同时,为后五子之一。所作有《大雅堂杂剧》四种,又《太函集》。他的诗文颇不得好评。沈德符说:“汪文刻意摹古,仅有合处,至碑板记事之文,时援古语,以证今事,往往扞格不畅。其病大抵与历下同。弇州晚年甚不服之。尝云,余心服心陵之功,而口不敢言,以世所争恶也;予心悱《太函》之文,而口不敢言,以世所争好也。”钱谦益说:“伯玉名成之后,肆意纵笔,拖沓潦倒,而循声者犹目之曰大家。于诗本无所解,沿袭士子末流,妄为大言欺世。”沈德符评他的杂剧也不好,他说:“北杂剧已为金元大手笔胜场,今人不复能措手。曾见汪太函四作,为《宋玉高唐梦》、《唐明皇七夕长生殿》、《范少伯游五湖》、《陈思王遇洛神》,都非当行。”按其中《七夕长生殿》应作《张京兆戏作远山》,或者沈氏记错了。四剧各一折,在律上完全不合此剧规例。有引子以末来开场,唱曲又不限主角一人,这是受南戏的影响。而且故事的趣味少，抒情成分多，实开文人案上之剧的先河。

梁辰鱼是一大传奇家，他却也有两种杂剧：《红线女》及《红绡》。这两个故事，本于唐代“传奇文”，至今还流行着。同时胡汝嘉另有一《红线记》，可惜不传了。汝嘉字懋礼，号秋宇，金陵人。顾起元《客坐赘语》中说到“其《红线》杂剧，大胜梁辰鱼”。

沈璟《属玉堂十七种传奇》，《十孝记》与《博笑记》却是杂剧的体裁。《十孝记》是每事一出。《博笑》体与《十孝》类。沈自晋说：“《十孝记》系先词隐作，如杂剧体十段。”实在以黄香、郭巨、缇萦、闵子、王祥、韩伯俞、薛包、张孝、张礼、徐庶等十人孝亲故事，分叙成编的。

顾大典又有《风教编》一种，也是杂剧合集。《列朝诗集》说：“副使家有谐赏园、清音阁，亭池佳胜，妙解音律，自按红牙度曲。今松陵多蓄声伎，其遗风也。”吕天成说：“道行俊度独超，逸才早贵，菁华缀元、白之艳，潇洒挟苏、黄之风。曲房姬侍如云，清阁宫商和雪。”又：“《风教编》一记分四段，仿四节，趣味不长，然取其范世。”可惜其书不传，不知所谱是何故事？原来沈采的《四节记》是按四时景节分作四剧的，却开了明代杂剧的一个奇例。

与徐文长同时或后于文长的剧作家也不少。如梅鼎祚的《昆仑奴》，与辰鱼《红绡》同剧材，皆本裴铏之文，曲白骈整，据说文长曾经润色过的。

陈与郊王阳最是能手①，其《昭君出塞》一剧，是足与东篱《汉宫秋》相颉颃的。又《文姬入塞》，是因蔡琰《悲愤诗》及《胡笳十八

① “王阳”当作“玉阳”。——整理者注

拍》而发，说她弃了二子回中原来的故事，这是一折很出色的杂剧。我最爱它〔莺集御林春〕末尾的二句："明夜冷萧萧是风耶雨耶，教我娘儿怎宁贴。"别子的那一段情景，读之令人酸鼻。《袁氏义犬》一剧，本《南史·袁粲传》。其事既雅，文亦足以副之。

王衡，字辰玉，太仓人，锡爵之子。官翰林院编修。所作三剧：《郁轮袍》、《真傀儡》、《葫芦先生》。《郁轮袍》是叙唐王维事。《真傀儡》剧下作绿野堂无名氏编，实则出辰玉手，叙宋杜衍事。《葫芦先生》一名《没奈何》，未见传本。陈与郊《义犬》中插《没奈何》全文，不知即此作否？

叶宪祖作杂剧九种：《易水寒》、《团花凤》、《北邙说法》、《夭桃纨扇》、《碧莲绣符》、《丹桂钿合》、《素玉梅蟾》（此四种，合称《四艳记》）、《金翠寒水记》、《灌将军使酒骂座记》。《易水寒》写的英雄，而《四艳》写的儿女；在《北邙说法》中却表见出他的佛家思想来。《金翠寒衣》本《剪灯新话·翠翠传》。《使酒骂座》写窦婴、灌夫都有生气，可惜收场差了一些。

王骥德，字伯良，会稽人。所作有《男王后》、《离魂》、《双招》、《救友》、《鬓魂》。现在只有《男王后》一剧存在《盛明杂剧》一集中。唯此剧是他早年的手笔，用北曲写成，其余都是南曲。《男王后》说的是陈子高改妆事。最可笑在收尾时，从临川王陈蒨口中说出这段说白来："我看那做剧戏的，也不过借我和你这件事，发挥他些才情，寄寓他些嘲讽。今日座中君子却认不得真哩。"这真是以戏为戏了。

汪廷讷有《广陵月》一种，叙唐韦青与张才人遇合事。

车廷远有《四梦记》：《高唐》、《南柯》、《邯郸》、《蕉鹿》。现在只存《蕉鹿》，是演《列子》中鄯人得鹿失鹿的故事。《四梦记》之联合四事，与《四节》仍出一辙的。

任远，字棍斋，号蘧然子，上虞人。

徐复祚的《一文钱》，是用佛经故事。

王澹有《樱桃园》一剧。澹字澹翁，自号澹居士，会稽人。

陈汝元也是会稽人，字太乙，著《红莲债》一剧。事与《翠乡梦》相似，而主角是苏东坡与佛印。

林章，字初文，福清人，所作《青虬记》，已佚。

佘翘，字聿云，池州人，有《赐环记》、《锁菩萨》二剧，都不传。

黄方胤，字醒狂，金陵人，著《陌花轩杂剧》。《剧说》云："《陌花轩杂剧》凡十折：曰倚门，四折；再醮，一折；淫僧，一折；偷期，一折；督伎，一折；娈童，一折；惧内，一折。皆举市井敝俗，描摹出之。"

孙源文，字南公，号笨庵，无锡人，著《饿方朔》一剧。《剧说》云："《饿方朔》四出，以西王母为主宰，以司马迁、卜式、李陵、李夫人等串入。悲歌慷慨之气，寓于俳谐戏幻之中，最为本色。"

陆世廉，字起顽，号生公，又号晚庵，长洲人。宏光时官光禄卿。著《西台记》，叙谢皋羽恸哭事，今已不传。

茅维，字孝若，归安人，坤子。自号僧昙。著《苏园翁》、《秦庭筑》、《金门戟》、《双合欢》、《闹门神》等五剧。《剧说》说："《闹门神》，谓除夕夜，新门神到任，旧门神不让，相争也。"曲中〔紫花儿〕序云："唯将俺画张纸装的五彩冷面皮，意气雄赳竖剑眉。阔口鬔髭，手擎着加冠进爵，刀斧彭排。奇哉。刚买就，遍街人惊骇。尽道俺庞儿古怪，满腹精神，倜傥胸怀。"〔金蕉叶〕云："俺且眼偷瞧桃符好乖，那戴头盔将军忒呆；只你几年上都剥落了颜色，甚滋味全无退悔。"〔小桃红〕云："少不得将笤帚儿刷去尘埃，把旧门神摔碎扯纸条儿满地踹。化成灰,非俺莫面情挈带,只你风光过来,威权黥龂,到今日回避也应该。”又《金门戟》一剧,演的是“辟戟谏董偃事,皆本正史”。

明代的杂剧,大概如是。比较重要的,此处都已叙述了。至于入清的作家,这儿不再赘及。

明杂剧家之地理的分布

这一代的杂剧家,以浙人为最多,苏、皖籍也不少。此处简要的列为一表,以便检阅。挂一漏万,在所不免。而传奇家另在下章叙述,其没有杂剧者,也不便列入。

浙江省十四人:

卓人月、徐士俊(杭州);陈与郊(海宁);金文质、凌濛初(湖州);徐渭(山阴);王澹、孟称舜、陈汝元、王骥德(会稽);车任远(上虞);吕天成、叶宪祖(余姚);茅维(归安)。

江苏省十三人:

谷子敬、陈沂、陈铎(或作邳州)、胡汝嘉、黄方胤(南京);李唐宾(江都);陈伯将、孙源文(无锡);陆世廉(长州);梁辰鱼(昆山);徐复祚(常熟);王衡(太仓);沈自征(吴江)。

安徽省五人:

汪道昆(歙);汪延讷(休宁)[1];梅鼎祚(宣城);佘聿云(池

① “延”当作“廷”。——整理者注

州)；宁献王(凤阳)。

山东省二人：

冯惟敏(临朐)；李开先(章丘)。

陕西省二人：

康海(武功)；王九思(鄠)。

四川省一人：

杨慎(新都)。

湖南省一人：

许潮(靖州)。

福建省一人：

林章(福清)。

河南省一人：

周宪王(开封)。

本章参考书目：

贾仲名　《续录鬼簿》(天一阁钞本)
吕天成　《曲品》(暖红室刊本)
王骥德　《曲律》(《读曲丛刊》本、《重订曲苑》本)
沈泰　《盛明杂剧》初、二集(武进董康新刊本)
邹式金　《杂剧新编》(清初刻本)
许之衡　《戏曲史》(明清诸曲家略史及其作品章)
青木正儿　《支那近世戏曲史》(第一篇、第四章及第二篇之一部)
郑振铎　《插图本中国文学史》(戏曲之部)
卢前　《短剧论》一卷(稿本)

第八章　明代的传奇

明代初年的传奇家

本书第六章末所述四大传奇，其中一部分是产于明初的，我在前面已经说过。此处将继此有所叙述。与四大传奇同为元末明初名作的，还有《金印记》一种（有《玉夏斋传奇》十种本、李卓吾评本、暖红室刊本），玉夏斋本题作《金印合纵记》，一作《黑貂裘》。《曲品》说得好："写世态炎凉曲尽，真足令人感喟发愤。近俚处，具见古态。"此记叙苏秦、张仪的事，此类故事，稍读中国书者，都颇熟悉。其末尾以苏秦挂六国相印归来，仍装出穷迫样子，家人仍不睬他，结果取出金印，大家才惊而谢罪。故以金印题名。其中如逼钗、寻夫、刺股、背剑、金圆等出，至今还演出在梨园之中。

还有一部《赵氏孤儿记》，与元人《赵氏孤儿》杂剧同题材，也是与《金印》差不多的时候底产品。无名氏作，有万历间富春堂刊本，但极少见。又《牧羊记》，叙苏武事。在《缀白裘》、《醉怡情》中共收八出，至今犹存。这许多不知名者所作传奇，当时还不少。但究不若丘濬、邵灿诸大家的作品。

丘濬，字仲深，琼州人。景泰五年进士。官至大学士。谥文庄。著有《琼台集》、《五伦全备》、《忠孝记》、《投笔记》、《举鼎记》、《罗囊记》。其中以《投笔记》流传最广，因有富春堂、文林阁、世德堂、罗懋登注释、魏仲雪批评五个本子之多。《曲品》上说："《投笔》词平常，音不叶，俱以事佳而传耳。"又："《五伦》，大老巨笔稍近腐。"评意不甚好，与王世贞的"不免腐烂"之评相同。原来《五伦全备》就是取五伦备于一家之意。用伍伦全、伍伦备两位兄弟来尽忠孝节义之事。这故事显然是凑合的(《五伦记》，现存世德堂刊本一种)。《投笔》却写班超从戎、远征西域之事。《举鼎记》只有传钞的本子，写的秦穆公欲并诸国，行斗宝会于临潼，幸伍子胥举鼎，展雄助力，众诸侯始得脱身。《罗囊记》现已不存，在胡文焕《群音类选》中尚存《相赠罗囊》、《春游锡山》、《刘公赏菊》、《罗囊重会》四出。可知其叙的是以罗囊为线索的一部恋爱剧。比较起来，《投笔记》最有生气，《举鼎记》亦能状出伍员之勇，非尽若《五伦》之迂腐也。

邵灿，字文明，宜兴人(《曲品》作常州人)。《曲品》上说："常州邵给谏既属青琐名臣，乃习红牙曲技，调防近俚，局忌入酸。选声尽工，宜骚人之倾耳；采事尤正，亦嘉客所心赏。"这句话的是确评。《香囊记》在传奇上的重要，就是因为它能够一面扫尽《杀狗》、《白兔》之俗，所谓"调防近俚"。铸辞之典雅，所以"宜骚人之倾耳"了。只是在情节上仍不免有所拘泥，虽"嘉客所心赏"，然不免如《艺苑卮言》之所言："《香囊》雅而不动人。"徐渭云："《香囊》乃宜兴老生员邵文明作。"他究竟是老生员呢，抑或作过给谏？非所得知了。但传奇中自有了《香囊》，此后便有了沈、汤，昆腔以后的正宗，大都是受此记的影响。不独曲文之整，便对白也工整起来。如第八出之〔排歌〕："放达刘伶，风流阮宣，休夸草圣张颠，知章骑马似乘船，苏晋长斋绣佛前。”难怪徐渭说他：“习《诗经》，专学杜诗，遂以二书语句，匀入曲中，宾白亦是文语，又好用故事。作对子最为害事。”所谓正中其病了。又第二十三出上有“舌能翻高就低，语皆骈四俪六。”其叙张九成忤权奸被谪以外，陷胡庭十年，不失臣节，终于得王侍御之救，书锦荣归。所以如此收场，因为受《五伦记》之指示，谈忠说孝，善得善报之故。璨自言此记：“续取《五伦》新传，标记《紫香囊》。”这“续取”两字，是不可忽视的。《香囊记》有世德堂、继志斋和《六十种曲》三个本子，又李卓吾评本，不甚难得。

在《曲品》中列入“能品”者，还有沈采、姚茂良。

沈采，字练川，吴县人。所作有《千金记》、《还带记》及《四节记》。《曲品》说：“沈练川名重五陵，才倾万斛；记游适则逸趣寄于山水，表勋猷则热心畅于干戈。元老解颐而进卮，词豪捆指而搁笔。”《四节记》诚如《曲品》所云，“一记分四截自此始”，可惜不能见到了。《千金记》叙韩信事，即《南词叙录》中《韩信筑坛拜将》一剧。其中写项羽的楚歌、别姬，极能动人。《还带记》叙裴度未遇时事。说一天，裴度在香山寺拾得玉带，还给原主；以此阴德，后来得中进士，做宰相。

姚茂良，字静山，武康人。所作有《双忠记》、《金丸记》、《精忠记》。但《曲品》云：“武康姚静山仅存一帙，惟睹《双忠》，笔能写义烈之刚肠，词亦达事态之悲愤。求人于古，足重于今。”同时在卷下，能品八、九、十，三种下注云：“以上三本武康姚静山作。”两相对勘，《金丸》、《精忠》是否姚作，颇难决断。《双忠记》，据《曲品》有“境惨情悲，词亦充畅”之评。因为张巡、许远守睢阳，的是好题目。其中如第十三折，召募勇士时，一支〔四边静〕，可见其激昂慷慨之致："逆胡狂猰殊猖獗，生民困颠越。募士远行师，终将破虏穴。裹创饮血卧霜月，一剑靖边尘，归来朝金阙。"《精忠记》是叙岳武穆事，与宋元戏文《秦桧东窗事犯》、元杂剧《秦太师东窗事犯》同题材。此记有《六十种曲》本、富春刊本，别名《岳飞破虏东窗记》（汲古阁本）。其中略有小异同，或经改编者。《金丸记》，据《曲品》："元有《抱盒》剧，此词出在成化年。曾感动宫闱，内有佳处可观。"此即叙李宸妃生子，为刘妃所换事。如盒隐、潜龙、拷问前情等出，文辞略同元剧。

与前面所说《金印记》同列于妙品者，尚有王济的《连环记》。济字雨舟，浙江乌镇人，官横州通判。《曲品》上说到《连环记》："词多佳句，事亦可喜。原有《夺戟》剧亦妙。"此记近来始发见，有传钞本。

此外如沈受先、徐霖、陈罴斋、徐时敏等，且附于此处。沈受先，字寿卿，里居不详，有《银瓶记》、《三元记》、《龙泉记》、《娇红记》，《曲品》皆列入"具品"，而《银瓶》下未著作者姓氏，余三种皆归寿卿。《三元记》在明初有二本，受先此作即《南词叙录》所著录之《冯京三元记》。另有《商辂三元记》。此记叙贾人冯商，四十无子，妻劝纳妾。原来妾父张公，货女偿官的，商问知，即还其女。因此得佳儿，高捷三元。《曲品》上说："冯商还妾一事尽有致，近插入三事，改为四德，失其故矣。"徐渭评其文多市井语。如：

〔桂枝香〕　听他哀情凄惨，使我勃然色变。你双亲衰老无儿，何忍把你天伦离间。小娘子不须泪涟，不须泪涟，把你送归庭院。

倒也本色可爱。此剧现在尚存《六十种曲》中。《龙泉记》，据《曲品》云："情节阔大，而局不紧，是道学先生口气。"《娇红记》："此传卢伯生所作，而沈翁传以曲；词意俱可观，以申娇之不终合也而合之，诚快人意。第传申娇之妒红，红之污娇，生之感鬼，娇之远别。种种情态，未经描写，亦堪恨恨。"两记是如此的有缺点的。

徐霖，字髯仙，应天人。据《金陵琐事》："徐霖少年数游狭斜。所填南北词，大有人情，语语入律。娼家皆崇奉之。吴中文征仲题画寄徐，有句云：乐府新传桃叶渡，彩毫遍写薛涛笺，乃实录也。武宗南狩时，伶人臧贤荐之于上。令填新曲，武宗极喜之，余所见戏文《绣襦》、《三元》、《梅花》、《留鞋》、《枕中》、《种瓜》、《两团圆》，数种行于世。"又"武宗屡命以官，辞而不拜。中更事变，拂衣遂初。既归而名益震，词翰益奇。又几二十年，竟以隐终"。《绣襦记》，《曲品》列入"作者姓名有无可考"。朱竹坨归之薛近衮作。因《曲品》有"尝闻《玉块》出而曲中无宿客，及此记出而客复来"的话。《玉玦记》叙妓女之薄情，而此记叙郑元和、李亚仙事。所以造出妓女出金求近衮作此记以雪《玉块》之事。郑振铎很坚决的主张相信周晖的记载，归徐霖为宜。又说《商辂三元记》那样俚俗之语，决不会出之《绣襦记》作者之手的。徐作当另有一本《三元记》。郑君可谓徐氏知己了。

陈罴斋，里居不详，所作《跃鲤记》，即《南词叙录》所载《姜诗得鲤》。姜诗孝母，本行孝戏文所常见之情，但叙其出妇，在芦林相会中，恳挚陈情，读之当生感动。《绣襦记》有李卓吾、陈眉公两家评本（分二本）、凌氏朱墨本、暖红室本。而《跃鲤记》，只有富春堂本。在《南词叙录》著录，李景云编《莺莺西厢记》一本，郑振铎疑是即吴门李日华，当不是万历时的李君实。

徐时敏作《五福记》，叙徐勉之救溺、还金、拒色、行义之事。获报享福，善因善果。

明初传奇，照以上所叙，已能得一个大概。至于无名氏之作，如《南词叙录》所著录之《玉箫两世姻缘》、《张良圯桥进履》、《高文举》，至今尚存。《玉箫》，当即《唐韦皋玉环记》（有富春堂、慎余堂、《六十种曲》三种本子）。《圯桥进履》，当即《张子房赤松记》（有金陵唐氏刊本）。《高文举》，当即《高文举珍珠记》（有文林阁本）。又有本于唐伯亨戏文的《八不知犀合记》（在《群音类选》中有《陈櫕调奸》、《夜宴失儿》二出）。到了嘉靖的时候，剧坛的光景便大不相同了。

昆腔之创作

正德以前，南戏作家，无名的既多，而词又多鄙近。《南词叙录》上说："永嘉杂剧兴，则又即村坊小曲而为之，本无宫调，亦罕节奏，徒取其畸农布女顺口可歌而已。谚所谓随心令者，即其技欤？"故南戏，明人往往也叫做"乱弹"，就因它没有一定的音律，又各囿于地域，同一戏文，而各地的歌唱的腔调不同。当时，有余姚、海盐等很复杂的腔调。陆容《菽园杂记》云："嘉兴之海盐、绍兴之余姚、宁波之慈溪、台州之黄岩、温州之永嘉，皆有习为倡优者，名曰戏文子弟。"《南词叙录》云："今唱家称弋阳腔，则出于江西、两京、湖南、闽、广用之；称余姚腔者，出于会稽、常、润、池、太、扬、徐用之；称海盐腔者，嘉、温、湖、台用之。惟昆山腔止行于吴中。"汤显祖《宜黄县戏神清源师庙记》云："南则昆山之次为海盐，吴浙音也，其体局静好,以拍为之节;江以西,弋阳,其节以鼓,其调谊。至嘉靖而弋阳之调绝,变为乐平,为徽、青阳。”北剧本以弦索为主,南戏唱时,是以箫管为主,诚如《顾曲杂言》所说:“今吴下皆以三弦合南曲,而箫管叶之。”这就是指昆腔而言。陆容是成化、弘治间人,以上历举各地腔名,而无昆腔之名,想来昆腔是始于成化之后。说它是创于正德也可。不过盛行是嘉靖时事,到万历时便代替北剧了,侵入北方了。徐渭《南词叙录》:“今昆山以笛管笙琵,按节而唱南曲者,字虽不应,颇相谐和,殊为可听。亦吴俗敏妙之事,或者非之以为妄作。请问〔点绛唇〕、〔新水令〕是何圣人之作?”又:“昆山腔止行于吴中,流丽悠远,出乎三腔之上,听之最足荡人,妓女尤妙。此如宋之嘌唱,即旧声而加以泛艳者也。隋唐正雅乐,诏取吴人充弟子习之,则知吴之善讴,其来久矣。”徐氏在嘉靖三十八年为此书时,昆腔之盛于吴中,这一段话是对不了解昆腔的人说的。到了沈德符时,“自吴人重南曲,皆祖昆山魏良辅,而北词几废”。五六十年间,昆腔的势力,便大盛起来。可惜这位大音乐家——创作昆腔的人及其生平,我们不能详细地知道了。下面的两段文章,可以作昆腔小史读,不可忽略的。

南曲盖始于昆山魏良辅云。良辅初习北音,绌于北人王友山。退而镂心南曲,足迹不下楼十年。当是时南曲率平直无意致。良辅转喉押调,度为新声,疾徐高下清浊之数,一依本宫,取字唇齿间,跌换巧掇,恒以深邈助其凄泪。吴中老曲师如袁髯、尤驼者,皆瞠目以为不及也。——而同时娄东人张小泉、海虞人周梦山,竞相附和。惟梁溪人潘荆南独精其技,至今云仍不绝于梁溪矣。合曲必用箫管,而吴人则有张梅谷,善吹洞箫,以箫从曲。毗陵人则有谢林泉,工擫管,以管从曲,皆与良辅游。而梁溪人陈梦萱、顾渭滨、吕起渭辈,并以箫、管擅名。(余怀《寄畅园闻歌记》)

魏良辅别号尚泉,居太仓南关,能谐声律,若张小泉、季敬坡、戴梅川之类,争师事之。梁伯龙起而效之,考证元剧,自翻新调,作《江东白苎》、《浣纱》诸曲,又与郑思笠精研音理。唐小虞、郑梅泉、王七辈杂转之,金石铿然,谱传藩邸戚畹,金紫熠爚之家,取声必宗伯龙氏,谓之昆腔。张进士新,勿善也,乃取良辅校本,出青于蓝,偕赵瞻云、雷敷民,与其叔小泉翁,踏月邮亭,往来倡和,号南马头曲。其实禀律于梁,而自以其意稍为韵节。昆腔之用,不能易也。(胡应麟《少室山房笔丛》)

梁辰鱼诚然是第一个利用昆腔作剧的大家。在他先后,也有不少作家。青木正儿君从昆曲兴起,分为四大时期:一、初期。二、极盛时期。三、后期。四、衰落期。后期及衰落期,是一大部分已入清,此处我且斟酌损益,就明代的范围,把它分为汤、沈以前和汤、沈以后二大时期。这不过表示汤、沈二家在明代的重要而已。

汤、沈以前的诸作家

在前章叙杂剧中所提及的李开先,是在梁辰鱼较前的一个作家。他所作传奇有三种:《宝剑记》、《断发记》及《登坛记》。《宝剑记》有李氏原刊本，藏吴兴周氏家。据《曲海书目提要》说①，是叙林冲被高俅父子陷害事。《曲品》上说："传林冲事，亦有佳处。此公熟于北剧，作此记谓弇州曰：何似《琵琶》？答曰：但当令吴工老曲师讴之乃可。"列之"具品"之一。《断发记》却列入"能品"之末。评曰："事重节烈，词亦佳，非草草者。且多守韵，尤不易得。"是叙唐李德武与妻裴叔英事。相别十年，父逼李妻再嫁，妻断发绝食以明志，事本《唐书·列女传》。《艺苑卮言》说："伯华所为南剧《宝剑记》、《登坛记》，亦是改其乡先辈之作。二记余见之，尚在《拜月》、《荆钗》之下耳。"北人作南戏，本难出色的。

郑若庸，字中伯，号虚舟，昆山人。所作有《玉玦记》、《大节记》、《五福记》。现在只存《玉玦记》，叙王商夫妇事，写妓女李娟奴的没良心，欺骗王商。《曲品》上评《玉玦》说："典雅工丽，可咏可歌，开后人骈绮之派。每折一调，每调一韵，尤为先获我心。"

陆采，字子元，号天池，一号清痴叟，苏州人。性豪迈，日夜酣饮高歌，不修举业。卒年四十。所作有五种传奇：一、《明珠记》。二、《怀香记》，有《六十种曲》本。三、《南西厢》，有暖红室本。四、《椒觞记》。五、《易鞋记》，《易鞋记》有文林阁本。《明珠记》是他十九岁时之作。或谓是陆粲之作，托名于采。此记叙王仙客、刘无双离合事。《怀香记》叙贾谧女偷香赠韩寿事。《易鞋记》叙程钜夫与妻离合事，本《辍耕录》。《南西厢》，因为不满李日华作而为之，但也不能出色。《椒觞记》或作顾懋俭作。

同时有卢柟，字次楩，一字子木，大名人。作《想当然传奇》（近

① "书目"当作"总目"。——整理者注

有北平图书馆石印本)，叙刘一春遇双美事。或说实在是王汉恭作，托柟之名。

在万历间盛行的，又有《鸣凤记传奇》，是王世贞作。世贞字元美，号凤州，又号弇州山人，太仓人。嘉靖进士，时只十九。官至刑部尚书。此作实写严嵩之非，以剧书家国大事，是此记开其例的。其概略可于第一出家门〔满庭芳〕一词中见之：

> 元宰夏言，督臣曾铣，遭谗竟至典刑。严嵩专政，误国更欺君。父子盗权济恶，招朋党浊乱朝廷。杨继盛剖心谏诤，夫妇丧幽冥。忠良多贬斥，其间节义，并著芳名。邹应龙抗疏，惑悟君心①，林润复巡江右，同戮力激浊扬清。诛元恶，芟夷党羽，四海庆升平。

屠隆，字长卿，又字纬真，号赤水，官礼部主事。他是一个著名的"山人"，所作传奇有《彩毫》、《昙文》、《修文》三记。《彩毫记》叙李白事。《昙文记》叙木清泰修道事，或说此记迎合西宁侯宋世恩而作。《修文记》叙蒙曜一家成仙事，阴以曜自喻。《曲品》卷下评此三记："《昙花》，赤水以宋西宁侯嬲戏事败官，故托木西来以颂之，意犹感宋德。或曰卢相即指吴县相公，孟豖韦即指纠之者。才人丧检亦常事，何必有恚心耶？其词华美充畅，世情极醒，但律以传奇局格，则漫衍乏节奏耳。""《修文》，赤水晚修仙，为黠者所弄。文人入魔，信以为实；然以一家夫妇子女，托名演之，以穷其幻妄之

① "惑"当作"感"。——整理者注

趣。其词同足采也。”“《彩毫》,此赤水自况也。词采秀爽,较《昙花》为简洁。”后来郑之文又取屠隆与寇四儿的事,谱为《白练裙》传奇。

与《修文》、《昙花》同时,有新安郑之珍的《目莲救母行孝戏文》。又《东郭记》,据《传奇品》与《传奇丛考》,作汪道昆撰,近来对于作者颇有怀疑,但此记的确是一部极有味的传奇。把《孟子》中于陵仲子和那位有一妻一妾的齐人,作一个对照的表出,诙谑滑稽,不可多得,无怪许之衡氏推为《六十种曲》之最。

与梁辰鱼同时,还有一重要作家,就是张凤翼。凤翼字伯起,号灵虚,长洲人。与弟燕翼、献翼,时称“三张”。所作《红拂》、《祝发》、《窃符》、《灌园》、《扊扅》、《虎符》六记,合名《阳春六集》。另有《平播记》一种,共七种。《红拂记》是他新婚一月中之所为,叙李靖、红拂妓事。《灌园记》,本于《史记·田敬仲世家》。《虎符记》,叙花云在太平抗战事。《窃符》,全本已不可见。《平播记》是受总兵李应祥厚礼而为之。此记与《扊扅记》,都已佚去。《祝发记》本《南史·徐摛传》,叙摛子孝克孝亲之事,此记是因万历十四年母夫人八旬寿诞而作的。

其次便要说这时代最重要的梁辰鱼了。辰鱼字伯龙,昆山人。所作诸剧,传诵一时。王世贞有诗赞曰:“吴阊白面冶游儿,争唱梁郎雪艳词。”《蜗亭杂订》云:“梁伯龙风流自赏,修髯美姿容,身长八尺,为一时词家所宗。艳歌清引,传播戚里间。白金文绮,异香名马,奇技淫巧之赠,络绎于道。歌儿舞女,不见伯龙,自以为不祥也。其教人度曲,设大案西向坐,序列左右,递传叠和。所作《浣纱记》,至传海外,然止此不复续笔。《浣纱》初出,梁游青浦时,屠隆为令,以上客礼之,即命优人,演其新剧为寿。每遇佳句,辄浮大白。梁亦豪饮自快。演至出猎有所谓摆开摆开者，屠厉声曰：此恶句，当受罚。盖已预备污水，以酒海灌三大盂。梁气索，强尽之，吐委顿。次日不别竟去。”《浣纱记》叙吴越兴亡，以范蠡、西施为主角，一名《吴越春秋》。王世贞评云：“满而妥，间流冗长。”吕天成亦云：“罗织富丽，局面甚大。第恨不能谨严，中有可减处，当一删耳。”《浣纱记》当然算不了怎么伟大的作品，不过在当时的确是典型的作品。

汪廷讷，字昌期，一字无如，自号坐隐先生、无无居士，休宁人，官盐运使。他是一个多量的作家。所作《环翠堂乐府》，有十八种。现在只知道十五种：《长生》、《同升》、《狮吼》、《天书》、《三祝》、《种玉》、《义烈》、《彩舟》、《投桃》、《二阁》、《七国》、《威凤》、《飞鱼》、《青梅》、《高士》。《长生记》叙一个虔敬吕仙而得子成道的人。《同升记》写三教讲道度人事，与屠隆的《修文》、《昙花》，是同类的荒唐底事。《狮吼记》叙陈季常妻柳氏奇妒，极为可笑。《三祝记》叙范仲淹微时事。《种玉记》叙霍中孺事。《义烈记》叙汉末党祸事。《天书记》叙孙、庞斗智事。他这些传奇，除《六十种曲》中有《狮吼》、《种玉》二剧外，其余都见环翠堂原刊本中。周珲《续金陵琐事》①云：“陈所闻工乐府，除《濠上斋乐府》外，尚有八种传奇，《狮吼》、《长生》、《青梅》、《威凤》、《同升》、《飞鱼》、《彩舟》、《种玉》。今书坊汪廷讷皆刻为己作。余怜陈之苦心，特为拈出。”使此语属实，那么汪氏这些传奇，未必是自己作的了。

梅鼎祚，字禹金，宣城人。他是一个结束骈俪之风的人。他所

①　“珲”当作“晖”。——整理者注

作《玉合记》，可算骈俪的传奇，登峰造极之作。《玉合记》叙韩翊章台柳事。又有《长命缕》叙单符郎、邢春娘事。《曲品》评《玉合》道："词调组诗而成，从《玉玦》派来，大有色泽；伯龙极赏之。恨不守音韵耳。"其中差不多无句不对，无语没典，以致板重，使得骈俪趋于绝路。幸在万历中出了汤显祖与沈璟，一振词坛，放出异样的光彩来。所以我另在下节专叙这时代的双杰。有了主文的汤氏，有了主律的沈氏，然后传奇才有新的生意了。

汤显祖与沈璟

青木正儿君以沈氏为吴江派的首领，以汤氏为玉茗堂派的首领。以两派对峙的大势，一直叙述到传奇的末日，这两派始终还对峙着。虽然未能肯定的说，后来的作家，不入于杨必入于墨。但这两家是足以笼罩一切的。汤的天才，优于沈氏；沈的提倡之功，优于汤氏。现在先从汤氏说起。

汤显祖，字义仍，号若士，又自号清远道人，临川人。年二十一，举于乡。万历癸未成进士。官礼部主事，上疏劾首辅申时行，谪广东徐闻典史，迁遂昌知县。《列朝诗集》说他"穷老蹭蹬，所居玉茗堂，文史狼藉，宾朋杂坐。鸡埘豕圈，接迹庭户，萧闲咏歌，俯仰自得。"所作传奇：《还魂记》、《邯郸记》、《南柯记》、《紫钗记》，合称"四梦"。又《紫箫记》，共五种。王骥德评其曲："临川汤奉常之曲，当置法字不论，尽是案头异书。所作五传，《紫箫》、《紫钗》，第修藻艳，语多琐屑，不成篇章。《还魂》，好处种种，奇丽动人。然无奈腐木败草，时时缠绕笔端。至《南柯》、《邯郸》二记，则渐削芜颡，俯就矩度。布格既新，遣辞复俊。其掇拾本色，参错丽语，境往神来，巧凑妙合，又视元人别一蹊径。技出天纵，非由人造。使其约束和鸾，稍闲声律，汰其剩字累语，规之全瑜，可令前无作者，后鲜来哲。二百年来，一人而已。”又：“临川尚趣，直是横行；组织之工，几与天孙争巧。而屈曲聱牙，多令歌者齚舌。吴江曾为临川改易《还魂》字句之不协者。吕吏部玉绳以致临川，临川不怿，复书吏部曰：使恶知曲意哉。余意所至，不妨拗折天下人嗓子。”沈德符也说：“汤义仍《牡丹亭梦》一出，家传户诵，几令《西厢》减价。奈不谙曲谱，用韵多任意处，乃才情自足不朽也。”显祖诸剧之不合律，几乎为当时人所公认的了。然而“四梦”决未因此少减其声光。

现在将“四梦”叙述一个大概。

《牡丹亭》是五十五出的一部传奇，写杜丽娘与柳梦梅事。杜宝之女丽娘，未议婚姻。一天，在花园中游览，忽动怀春之念。迷迷惝惝入梦，梦见书生柳梦梅，互相爱慕，即成婚好。谁知梦回睡醒，都成幻影。从此沉思自叹，日渐消瘦，自画一像，以寄所怀。未几，一病而死。柳梦梅本来实有其人，一天，拾得丽娘画像，把它供奉起来，被丽娘的魂寻到，遂与他相聚，成为夫妻。梦梅偷开其棺，丽娘便复活过来，一同在外地居住。梦梅刚赴试，偏遇寇乱。寇平后，梦梅中了状元，携丽娘与她父母重见，此记遂了。其间写女子怀春，最多名句：

〔皂罗袍〕　原来姹紫嫣红开遍，似这般都付与断井颓垣，良辰美景奈何天，赏心乐事谁家院？朝飞暮卷，云霞翠轩，雨丝风片，烟波画船，锦屏人忒看的这韶光贱。

〔好姐姐〕　遍青山啼红了杜鹃。那荼蘼外，烟丝醉软。

牡丹虽好，他春归怎占的先！闲凝眄，听生生燕语明如剪，呖呖莺声溜的圆。

童伯章先生论此文曰："深闭幽闺之女孩，偶然涉迹园林，花花草草，莺莺燕燕，都非常见之物，新感触，旧幽郁，相混而发，乃有一种无可名言之情绪，氤缊脑中。此情绪，非愁非怨，非恨非瞋，而一切罪业魔障，皆由此为动因。此情绪，虽以善剖心理之佛祖，以相宗百法例之，将无可归纳，却被心灵手敏之文人，轻轻描出。然又一无痕迹，只是隐约流露于声中言外，诚妙文也。善治己情者，在时照见此无可名言之情绪而对治之，此曲情之旖旎妩媚者。"梁廷枏也说："玉茗"四梦"，《牡丹亭》最佳，《邯郸》次之，《南柯》又次之，《紫钗》则强弩之末耳。"此评颇可代表大多数人的欣赏。

因此关于此记的反应不少，我们可看这几种传说：一、娄江俞二娘。二、刺昙阳子。在《静志居诗话》上说："其《牡丹亭》曲本，尤极情挚，人或劝之讲学。笑答曰：诸公所讲者性，仆所言者情也。世或相传云：刺昙阳子而作。然太仓相君实先令家乐演之，且云：'吾老年人，近颇为此曲惆怅。'假令人言可信，相君虽盛德有容，必不反演之于家也。当日娄江女子俞二娘酷嗜其词，断肠而死。故义仍作诗哀之云：'画烛摇金阁，真珠泣绣窗，如何伤此曲，偏只在娄江。'又《七夕答友》诗：'玉茗堂开春翠屏，新词传唱《牡丹亭》。伤心拍遍无人会，自掐檀痕教小伶。'"昙阳子事，详沈瓒《近事丛残》中（此书近有《明清珍本小说》本）。又《弇州史料》："女昙阳子以贞节得仙，白日升举。"想来昙阳子是当时盛传的一件事，因为也有还魂之说，所以才附会到《还魂记》上。实际与《还魂记》本身没有关系的。

《南柯记》一共四十四出，本于唐李公佐的《南柯太守传》。叙淳于棼梦入蚁国，招为驸马，荣任南柯太守。后来公主病卒，与敌战败，遂失王意，铩羽还乡，原来一梦。其后淳于棼请僧追荐蚁国众生，齐得升天。与公主又约在忉利天中重聚，于是他加意修行，终成善果。

《邯郸记》一共是三十三出，本于唐沈既济的《枕中记》。叙山东卢生郁郁寡合，一日与吕仙相遇旅邸，吕仙授以枕，卢倚枕而卧，遂入梦境：中进士，为达官，富贵荣华，谪迁忧患，都已历过，寿至八十，一病才死。不觉从梦中醒来，主人炊黄粱饭尚未熟，卢生大悟，于是从吕仙入山修道，为一个扫蟠花落花的仙童。其中"度世"，今乐工易名"三醉"，文、乐并有飘然出尘之概。尤其是习唱的〔红绣鞋〕一支："趁江乡落霞孤鹜，弄潇湘云影苍梧。残暮雨，响菰蒲，晴岚山市语，烟水捕鱼图，把世人心闲看取。"在"云阳论斩"的一段，就是《死窜》这一出，是如何的惨淡：

〔刮地风〕　嗳呀！讨不得怒发冲冠两鬓华，把似恁试刀痕，颈玉无瑕。云阳市好一抹凌烟画。俺也曾施军令斩首如麻，领头军该到咱。几年间回首京华，我到到了这落魂桥下①，则恁这狠夜叉闲吊牙。甚生天断头闲话，啊呀，天嗄！再休想片时刻得争恶哈差。刽子手，恁把俺虎头燕颔高提下，还只怕血淋侵，展污了俺袍花。

① 此处衍一"到"字。——整理者注

童伯章先生论此文曰："卢生既战胜吐蕃，师还，以功入相，同列忌之，诬以通番，朝命执赴云阳市斩首，旋赦谪戍厓州。此曲为法场上行刑时语。《邯郸梦传奇》，所演皆梦境事。全书宗旨在唤醒富贵中人，使知百年有尽，不如学仙。故此曲痛言功名富贵，与罪戮为邻，无瑕玉颈，轻试刀痕。幸则画凌烟阁，不幸则斩云阳市。繁盛京华，中有落魂桥。虎头燕颔，是封侯相，亦即是県县物。宰相袍花，转瞬血污。文词奇峭，佐以事实之表演，诚足为热衷富贵者下灌顶醍醐。旧谓黄钟富贵缠绵，此曲富贵而悲惨矣。"

《紫钗记》五十三出，本于唐蒋防的《霍小玉传》。诗人李益与小玉有白头之誓，后来分别，小玉便相思成病，势将危死，有侠客黄衫客强益重至小玉家，二人重相见。原传是说小玉诉益负心而死，此记却以团圆结束。《紫箫记》是三十四出的传奇，所叙亦李、霍之事，小玉既嫁李益，益到朔方参军去了。这年七夕，益归，与二星一样的欢聚了。五剧大略如此。朱竹垞说："义仍填词妙绝一时，语虽崭新，源实出于关、马、郑、白。"其实也未必尽然呢。

沈璟，字伯英，号宁庵，又号词隐，吴江人，万历甲戌进士。官至光禄寺丞，精音律，所编《南九宫谱》，为南曲立一标的。所作传奇，有十七种之多，合称《属玉堂传奇》。但大都未刻之稿，散佚故多。其名为：《红蕖》、《分钱》、《埋剑》、《十孝》、《双鱼》、《合衫》、《义侠》、《分柑》、《鸳衾》、《桃符》、《珠串》、《奇节》、《凿井》、《四异》、《结发》、《坠钗》、《博笑》。另有改汤作《牡丹亭》的《同梦记》。《十孝》、《博笑》并非传奇，在说杂剧时曾经提到。

《义侠记》是他最著名的一种，叙武松事。添出武松妻贾氏一人。《曲品》说："《义侠》激烈悲壮，具英雄气色。但武松有妻似赘，叶子盈添出无紧要。西门庆斗杀，先生屡贻书于余云：此非盛世事,秘弗传。乃半野商君得本已梓,吴下竞演之矣。”

《红蕖记》,只有残文,存《南词新谱》中。据《曲品》,我们知道其中所叙的,是郑德璘事。

《埋剑记》,本唐人《吴保安传》。《曲品》说:“《埋剑》,叙郭飞卿事,描写交情,悲歌慷慨。”今有北平图书馆影印继志斋本。

《分钱记》,已佚,但据《曲品》知道:“《分钱》全效《琵琶》,神色逼似。”

《双鱼记》,叙刘符郎、邢春娘事。

《合衫记》,今未见,是叙公孙合汗衫事。

《鸳衾记》,也无从得见。

《桃符记》,闻有内府钞本。叙刘天义、裴青鸾事,本元《碧桃花》一剧。

《分柑记》,已佚。

《四异记》,叙乔太守乱点鸳鸯谱的故事。

《凿井记》、《珠串记》,都不能见。

《珠串记》,据《曲品》谓:“崔郊狎一青衣,赋侯门如海诗,事足传。写出有情景,第其妻磨折处不脱套耳。”

《奇节记》、《结发记》,事已难考。

《坠钗记》,又名《一种情》。《曲品》说:“兴庆事甚奇,又与贾女云华、张倩女异。先生自逊谓不能作情语,乃此情语何婉切也。”

《曲品》颂沈璟,至称为曲中之圣,道:“沈光禄,金张世裔,王谢家风。生长三吴歌舞之乡,沉酣胜国管弦之籍。妙解音律,花月总堪主持;雅好词章,僧妓时招佐酒。束发入朝而忠鲠,壮年解组而孤高。卜业郊居,遁名词隐。嗟曲流之泛滥,表音韵以立防。痛词法之蓁芜,订全谱以辟路。红牙馆内,誊套数者百十章;属玉堂中,演传奇者十七种。顾盼而烟云满座，咳唾而珠玉在豪。运斤成风，游刃余地，词坛之庖丁。此道赖以中兴，吾党甘为北面。”沈德符说：“沈宁庵吏部后起，独恪守词家三尺，如庚清真文，桓欢寒山，先天诸韵，最易互用者，斤斤力持，不少假借，可称度曲申韩。”王骥德对他却也有不满地评语：“词隐传奇，要当以《红蕖》称首。其余诸作，出之颇易，未免庸率。然尝与余言，歉以《红蕖》为非本色。殊不其然。生平于声韵官调①，言之甚毖。顾于己作，更韵更调，每折而是，良多自恕，殆不可晓耳。”然而无论如何，沈璟总是与汤显祖足以相抗衡的人物。其于剧曲提倡之功，终不可没的。

汤、沈之追逐者及其他作家

沈璟家差不多是一门鼎盛，子弟几无不知曲者，不过自晋、自征最著罢了。二人皆璟侄。自晋有《南词新谱》，是补正璟《南九宫谱》而作。自晋字伯明，又字长康，号鞠通生。沈自友《鞠通生传》云：“海内词家旗鼓相当，树帜而角者，莫若吾家词隐先生与临川汤若士先生。水火既分，相争几于怒詈。生蝉缓其间，锦囊彩笔，随词隐为东山之游。虽宗尚家风，著词斤斤尺矱，而不废绳简，兼妙神情，甘苦匠心，朱碧应度。词珠宛如露合，文治妙于丹融，两先生亦无间言矣。”他所作传奇《耆英会》，是不传了。《翠屏山》，事本《水浒传》，杨雄、石秀杀潘巧云。《望湖亭》叙钱万选代其表兄颜

① “官”当作“宫”。——整理者注

伯雅去相亲，被留婚媾，因此错误，却终与高氏女完婚。

受沈璟影响深者，还有吕天成、卜世臣。吕天成，字勤之，号郁蓝生，别号棘津，余姚人，著《曲品》外，作《双栖》、《双阁》、《四相》、《四元》、《神剑》、《二窑》、《神女》、《金合》、《戒珠》、《三星》诸记，几有二三十种之多，但俱不存。王骥德《曲律》云："勤之童年，便有声律之嗜。既为诸生，有名，兼工古文词。与余称文字交垂二十年，每抵掌谈词，日昃不休。孙太夫人好储书，于古今戏剧，靡不购存。故勤之泛澜极博。所著传奇，始工绮丽，文藻煜然。最服膺词隐，改辙从之，稍留贸易。然宫调字句平仄，竞竞毖慎，不少假借。"又说："勤之制作甚富，至摹写丽情亵语，尤称绝技。世所传《绣榻野史》、《闲情别传》，皆其少年游戏之笔。""自词隐作《词谱》，而海内斐然向风。衣钵相承，尺尺寸寸，守其榘矱者二人，曰吾越郁蓝生，曰槜李大荒逋客。郁蓝《剑神》、《二窑》等记，并其料段转折似之。而大荒《乞麾》至终帙不用上去叠字。然其境益苦而不甘矣。"

卜世臣，字大匡，一字大荒，秀水人。所著有《冬青记》、《乞麾记》二传奇。《冬青记》写唐珏葬宋帝骨殖事。《乞麾记》叙杜牧之恣情酒色事。可惜皆已不存。

王骥德自己仅有一本《题红记》，是他少年时作，或改其祖炉峰先生之《红叶记》而成。《题红记》叙于祐、韩夫人红叶题诗事，颇为汤氏所赞赏的。

在汤、沈之世，作家之众，传奇之多，当然不胜记述的。但有些重要的人和书，此处也不能不有所陈叙。

陈与郊，字广野，号玉阳仙史（王骥德也有此号），海宁人，官太常寺少卿。所著《诊痴符》四种传奇，托名高漫卿，或称任诞轩。

一、《灵宝刀》，写林冲始末，本于李开先《宝剑记》。二、《麒麟罽》，写韩世忠、梁夫人始末。三、《鹦鹉洲》，写韦皋、玉箫女始末，本于无名氏《韦皋玉环记》。以上三种，多就他人之作，改编而成。四、《樱桃梦》，可谓自创之作。事本《太平广记》所书“樱桃青衣”一节。四种全本，在今日殊难见得。

张四维，字治卿，号五山秀才，元城人，有《双烈记》一种，今尚存。此记也是写韩世忠、梁夫人的事。

许自昌，字玄祐，吴县人。所作传奇，有《水浒记》、《橘浦记》、《灵犀珮》、《弄珠楼》、《报主记》。只有《水浒记》叙宋江事的，流传最广。《橘浦记》最近日本有影印本，叙柳毅传书事，添了不少穿插。《弄珠楼》、《灵犀珮》，另有命阳王异之作，王本于许，抑许本于王？不敢断定了。

徐复祚，字阳初，号謩竹，又号三家村老，常熟人。有《红梨记》、《宵光剑》、《梧桐雨》、《祝发记》等传奇。现在只《红梨记》流行着。《红梨》本元剧《诗酒红梨记》。《宵光剑》，听说人间还有此书，但无从细读了，但知叙卫青的事。

还有前面所说作《白练裙》的郑之文，他也与显祖相熟。之文字应民，一字豹先，南城人。《白练裙》外，尚有《旗亭记》、《芍药记》。《旗亭》，至今尚存。

高濂，字深甫，号瑞南，钱塘人。所作以《玉簪记》为最出名。事本张于湖误宿女贞观，陈妙常和潘必正相悦的事。其中如《琴挑》、《偷诗》、《秋江》诸出，近日梨园犹有演之者。此外尚有《节孝记》一本，《曲品》说：“陶潜之《归去》，令伯之《陈情》，分上下帙，别是一体。”

周朝俊，字夷玉，鄞县人。所作有《红梅记》。叙裴生遇贾似道妾的魂，被救成配事。

王玉峰，松江人，作《焚香记》，叙王魁、桂英事。此事在戏文中已习见的了，但此记在结果上变成了“王魁不负桂英”。

周履靖，字螺冠，秀水人，有《锦笺记》一本，叙梅玉与柳淑娘相爱事。以“笺”为始恋，中经磨折，卒能团圆。情节未能动人，因为太平凡了。

朱鼎，字永怀，昆山人，有《玉镜台记》，事本关汉卿《温太真玉镜台记》。写国家大事，慷慨激昂。如《新亭对泣》、《闻鸡起舞》、《中流击楫》诸出，读之奋发，在传奇中写这样的情节的，唯清代《桃花扇》差足比拟。

顾大典，字道行，吴江人，所作传奇，有《清音阁四种》：一、《青衫记》，本马致远的《青衫泪》，叙白居易、裴兴娘事。二、《葛衣记》，叙任昉子西华贫无所归事。三、《义乳记》，叙后汉李善义仆事。四、《风教编》，我在上章说杂剧时提过了。现存只有《青衫记》。

叶宪祖，字美度，一字相攸，号桐柏，别号六桐，又号槲园居士、紫金道人，余姚人。所作传奇，有叙鱼玄机事的《鸾锟记》、叙窦娥事的《金锁记》。《玉麟记》、《双修记》，皆不可见。但《双修》是纯正的宗教剧。他喜用辞藻，便少真意，也是美中不足。

王穉登，字百谷，吴县人。所作传奇《全德记》，叙窦禹钧积德多子，如冯道诗所谓：“燕山窦十郎，教子以义方，灵椿一株老，仙桂五枝芳。”

金怀玉，字尔音，会稽人。所作传奇九种：《香球》、《宝钗》、《望云》、《完福》、《妙相》、《摘星》、《绣被》、《八更》、《桃花》。《望云记》叙狄仁杰事。《妙相记》，据《曲品》说：“俗称为赛目莲。”只此二记，犹有传本，余均佚。怀玉之作，颇以谐俗称。

沈鲸，字涅川，平湖人。所作有《双珠记》、《易鞋记》、《鲛绡记》、《青琐记》。《双珠》叙王楫事。《易鞋》，与陆采所作同，陆作，还是沈作，颇难决断。《鲛绡》叙魏必简及沈琼英遇合事。《青琐》叙贾午事。

吴世美，字叔华，乌程人，作《惊鸿记》，叙杨贵妃事。

陈汝元，字乙，会稽人。著《金莲记》，叙苏轼事。又《紫环记》，已佚。

车任远，有《弹铗记》，叙冯驩事，亦佚。

谢谠，号海门，上虞人。著《四喜记》，叙宋郊、宋祁兄弟事。

单本，字槎仙，会稽人。著《露绶记》及《蕉帕记》。《蕉帕》尚存，叙西施化狐事。

徐元，字叔回，钱塘人，著《八义记》，叙程婴、公孙杵臼事。

杨珽，字夷白，也是钱塘人。著《龙膏记》、《锦带记》。《龙膏》尚存，叙张无颇得起死回生药事。

胡文焕，字德文，号全庵，也是钱塘人。除编《群音类选》外，作传奇四本：叙吕不韦事的《奇货记》、叙苻世业事的《犀珮记》、叙赵简子事的《三晋记》和一本《余庆记》，都已失传了。

陆江楼，号心一山人，杭州人。有叙何文秀修行事的《玉钗记》。

《曲品》于万历间传奇家，所载的还很多，但是有的其书已不存，有的连书名都没有记下来，此处都从略了。那一班作手，以江浙人为最多。

此处我更提出一个吴县人来，他在传奇中的地位，比徐渭在杂剧中还要重要。他是谁呢？就是冯梦龙。梦龙字犹龙，一字耳犹，有时署名龙子犹。所作传奇，有《双雄记》，叙丹信、刘双结义；《万事足》，叙陈循贤妻。他所订《墨憨斋新曲》十种，除此二记外，都经过他的改窜。那八种是：《精忠旗》、《楚江情》、《女丈夫》、《洒雪堂》、《酒家佣》、《量江记》、《新灌园》、《梦磊记》。此外改汤显祖的《牡丹亭》为《风流梦》，又改《邯郸记》，改李玉的《人兽关》、《永团圆》，又改《杀狗记》。他的确是明末曲坛一个怪杰。不独于曲，就是曲之外，他所编订改动的书，也真不少。

明末曲家纷起，决非短简所可尽，有些入清才死，为叙述便利计，留在清代传奇中去补叙。至于无名氏的戏曲，在《六十种曲》中就不少。富春堂、文林阁所刊传奇，也多无名氏作。只有商氏半野堂刻的《筊簇记》，相传是出于乩笔的。这许多无名氏作品，与前面所说有作者姓氏而无书名的，我们汇集起来，加以考订，必可专成一本三四百页以上的巨制。明代传奇如此的盛况，与元杂剧将永远同其光荣，使治戏曲沿革者，也同此致其歆羡（这一代传奇作家的籍贯底统计，郑振铎曾有一表，见所著《文学大纲》第三册第二十四章中）。

附：明代传奇作家籍贯表

南直隶（江南）：

邵　深	常州	沈　采	吴县	王世贞	太仓	梁辰鱼	昆山
郑若庸	昆山	沈　璟	吴江	陆　采	长洲	张凤翼	长洲
顾大典	吴江	陆　弼	江都	冯梦龙	吴县	黄伯羽	上海
陆济之	无锡	顾希雍	昆山	顾仲雍	昆山	徐复祚	常熟
朱从龙	句容	杨柔胜	武进	卢鹤江	无锡	朱　鼎	昆山
吴　鹏	宜兴	王玉峰	松江	张景严	溧阳	沈　祚	溧阳
黄廷俸	常熟	李素甫	吴江	吴千顷	长洲	蒋麟征	长洲（？）

朱寄林	苏州	邹玉卿	长洲	王鸣九	吴县	陆世廉	长洲
王翔千	太仓	程子伟	江都	许自昌	吴县	周公鲁	昆山
顾采屏	昆山	马守真	金陵	（以上今江苏）			
梅鼎祚	宣城	汪廷讷	休宁	佘聿云	池州	吴大震	休宁
程丽先	新安	龙渠翁	安庆	阮大铖	怀宁	汪宗姬	徽州
（以上今安徽）							

浙江：

王　济	乌镇	姚茂良	武康	陈与郊	海宁	李日华	嘉兴
卜世臣	秀水	单　本	会稽	屠　隆	鄞县	龙　膺	武陵
叶宪祖	余姚	戴子晋	永嘉	陈汝元	会稽	车任远	上虞
沈　鲸	平湖	秦雷鸣	天台	谢　谠	上虞	张太和	钱塘
钱直之	钱塘	章大伦	钱塘	金无垢	鄞县	高　濂	钱塘
程文修	仁和	吴世美	乌程	史　槃	会稽	祝长生	海盐
汪　錂	钱塘	胡文焕	钱塘	吕　文	金华	陆江楼	杭州
王　恒	杭州	张从怀	海宁	杨　珽	钱塘	黄维楫	天台
朱　期	上虞	顾　瑾	杭州（?）	杨之炯	余姚	赵于礼	上虞
邹逢时	余姚	谢天佑	杭州	吾邱瑞	杭州	金怀玉	会稽
王　翊	嘉兴	沈　嵊	钱塘	姚子翼	秀水	许炎南	海盐
李九摽	武陵	庾　庚	杭州	周朝俊	鄞县	（以上浙江）	

其他：

汤显祖	临川	郑之文	南城	冯之可	彭泽	（以上江西）
卢　柟	大名濬县	张四维	元城	（以上直隶）		
许　潮	靖州	谢廷谅	湖广	（以上湖广）		
丘　濬	琼州	（以上广东）				
李玉田	汀州	（以上福建）				
王　异	郃阳	（以上陕西）				
李开先	章邱	（以上山东）				
李雨商	河南	（以上河南）				

本章参考书目：

吕天成　《曲品》
王骥德　《曲律》（《读曲丛刊》本、《曲苑》本）
黄文旸　《曲海总目提要》（大东书局本）

阅世道人　《六十种曲》(原刊本、道光翻刻本)
唐氏　富春堂所刊传奇
唐氏　文林阁所刊传奇
唐氏　世德堂所刊传奇
陈氏　继志斋所刊传奇
郑振铎　《插图本中国文学史》(戏曲之部)
青木正儿　《支那近世戏曲史》(第二篇)

第九章　清代的杂剧

清剧之四大时期

郑振铎在所刊《清人杂剧初集》的序上说：

尝观清代三百年间之剧本，无不力求超脱凡蹊，屏绝俚鄙。故失之雅，失之弱，容或有之。若失之俗，则可免讥矣。考清剧之进展，盖有四期：顺、康之际，实为"始盛"。吴伟业、徐石麟、尤侗、嵇永仁、张韬、裘琏、洪昇、万树诸家，高才硕学，词华隽秀，所作务崇雅正，卓然大方。梅村《通天台》之悲壮沉郁，《临春阁》之疏放冷艳，尤堪弁冕群伦。西堂之《离骚》、《琵琶》，坦庵之《花钱》、《浮施》，权六之《霸亭》、《蓟州》，留山之《续骚》，殷玉之《湖亭》，并属谨严之品，为后人开辟荆荒，导之正途。雍、乾之际，可谓"全盛"。桂馥、蒋士铨、杨潮观、曹锡黼、崔应阶、王文治、厉鹗、吴城，各有名篇，传诵海内。心余、笠湖、未谷，尤称大家，可谓三杰。心余《西江祝嘏》以枯索之题材，成丰妍之新著，苟非奇才，何克臻此。笠湖《吟风三十二剧》靡不隽永可喜，相传演唱《罢宴》一剧时，某大吏感动，为之辍席。而《偷桃》之语妙天下,《钱神庙》之愤懑激昂,求之前贤,实罕其匹。未谷《后四声猿》亦旷世悲剧,绝妙好词,如斯短剧,关、马、徐、沈之履迹,盖未曾经涉也。蜗寄才调未遒,然《面缸笑》诸作,谑而不虐,易俗为雅,厥功亦伟。短剧完成,应属此时。风格辞采,以及声律,并臻绝顶,为元明所弗逮。降及嘉、咸,流风未泯,然豪气渐见消杀,当为"次盛"之期。于时,有舒位、石韫玉、梁廷枏、许鸿磐、徐爔、周乐清、严廷中诸家,丽而弗秀,新而不遒,譬诸美人,艳乃在肤。然铁云之《修箫谱》,新妍若夭桃初放,花韵庵主人之《花间九奏》,佳者未让桂、蒋。至若徐爔之《写心杂剧》,以十八短剧自写身世,创空前之局。藤花亭主之《小四梦》,曲律容有或乖,而情文仍然并茂。独文泉秋槎,才弱识浅,颇呈枯竭之致。《补天八剧》,强攫陈迹,弥其缺憾,未免多事,更感索然。《判艳珞殿》,其意境尤显窃前修,殊乏创意。下逮同、光,则为"衰落"之期。黄燮清、杨恩寿、许善长、张蓟云、陈烺、袁醰、徐鄂、范元亨、刘清韵诸家,所作虽多合律,盖寡取材,亦现捉襟露肘之态,颇见迂腐,殊少情致。盖六七百年来,杂剧一体,屡经蜕变,若由蚕而蛹,而蛾,已造其极,弗复能化。同、光一期杂剧,成蛾之时也,然僵而未死,间有生意。韵珊《凌波》,窈窕多姿。《玉狮十种》,不少隽作,瞿园、坦园,时见性灵,善良、蓟云,亦有新声。是杂剧之于清季,实亡而未亡也。

这可谓清代杂剧之鸟瞰。他所分始盛、全盛、次盛、衰落四大时期,至为明显。然亦有未可成为定论者。我且举其中比较重要的作家,叙述一番:

吴伟业，字骏公，号梅村，别署灌隐主人，江苏太仓人。崇祯四年进士，授翰林院编修，迁南京国子监司业。福王时拜少詹事，与马士英、阮大铖等不合，辞官归里。入清，本不预备再出任，但以清廷之严促，不得已赴京，授国子监祭酒。然而他为此事非常伤心，到临死的时候，还有"更一钱不值可须说"之叹。康熙十年卒，年六十三。遗命在墓前树碣，曰"诗人吴梅村之墓"，不提官衔，正是为此。所作杂剧，有《临春阁》、《通天台》二种。

《临春阁》叙的是女节度使冼夫人及陈后主、张丽华事。冼夫人以女子典军，声威震时，而丽华为后主掌文诏。一日在临春阁赐宴，颇极一时之欢。隋既灭陈，丽华死。冼夫人从此也解甲入山去了。一共四出，在第四出中，冼夫人哭丽华处，又爽纵，又悲壮。如：

〔东原乐〕 娘娘，你恨血千年痛，悲歌五夜穷。便算是有文无禄做个诗人冢，消不得一碗凉浆五粒松。谁似你魂飘冻，止留得女包胥向东风一恸。

《通天台》共二出，是叙梁元帝时左丞沈炯事。炯身经家国覆亡之痛，一日，登汉武帝通天台遗址，醉后，歌哭无端，痛诉他的情怀。在第一出的末了：

你看云山万叠，我的台城宫阙不知在那里，只得望南一拜。（生拜介）

〔赚煞尾〕 则想那山绕故宫寒，潮向空城打，杜鹃血拣南枝直下。偏是俺立尽西风搔白发，只落得哭向天涯，伤心地付与啼鸦，谁向江头问荻花！难道我的眼呵，盼不到石头车驾，我的泪呵，洒不上修陵松槚，只是年年秋月听悲笳！

这儿写的不是沈炯，简直写的是他自己，我们看这段曲文，其中直是哭声了。

徐石麟（麟一作麒），字又陵，号坦庵，湖州人。流寓在扬州，工诗词制曲，兼能绘事。女延香，通音律，石麟每一曲成，高声吟哦，使女指摘声律。扬州在顺治二年，为清兵所陷，石麟冒死入城，取出他的稿本，他所作杂剧共四种：《买花钱》、《大转轮》、《浮西施》、《拈花笑》。《买花钱》叙南宋俞国宝湖上题词遇高宗事。《大转轮》是一部荒唐游戏的作品，说有一贫生司马貌苦学无成，作《怨天诗》。梦中忽至天帝前，天帝责其不敬。又命判汉四百年疑狱，司马生昂然上坐，判项羽、韩信、彭越等案，居然丝毫不爽。于是天帝命孙权、曹操、周瑜，送其还家，醒来原是一梦。后燕太子丹、高渐离、荆轲之徒，奉天帝命佐司马貌，并吞三国，成统一之业。太子丹等即羊祜、杜预、王濬等前身，而司马貌，即后来改名之司马懿。《拈花笑》是写妻妾嫉妒之事。《浮西施》即写范蠡功成身退，携西子泛江的故事。

尤侗，字同人，后改名展成，号悔庵，又号艮斋，江苏长洲人。顺治间贡生，蹭蹬场屋几十年，天下皆称之为老名士。所作达于宫闱。康熙十八年，举博学鸿词科，授翰林院检讨，入史馆修《明史》。康熙四十三年卒，年八十七。所作杂剧有《读离骚》、《吊琵琶》、《桃花源》、《黑白卫》、《清平调》五种。《读离骚》四折，谱屈原事，把《楚辞》中《天问》、《卜居》、《九歌》、《渔父》以及宋玉之《招魂》组织成曲，此剧曾在内府演过的。《桃花源》四折，谱陶渊明事，以

《归去来辞》起，以作诗自祭，入桃源洞成仙为止。《吊琵琶》四折，谱王昭君事，与马致远《汉宫秋》差不多。不过此剧以蔡文姬祭青冢为结罢了。《黑白卫》是最出色的一种。据尤侗自叙："王阮亭最喜《黑白卫》，携至雉皋，付冒辟疆家伶，亲为顾曲，吴中士大夫家，往往购得钞本，而宫谱失传；虽梨园父老，不能为乐句，可慨也。"彭孙遹恭维此剧，至于说读了《黑白卫》，"胜读龙门一传"。原来聂隐这段事，本已够动人的了。《清平调》一名《李白登科记》，谱李白中状元事。诚如杜于皇的序上说"惟梨园弟子，多扮状元；而状元之抱负，亦无以远过于扮者"之滑稽有味。

嵇永仁，字留山，号抱犊山农，无锡人。生员。范承谟总督福建的时候，延入幕府。耿精忠反，把承谟系狱，永仁等也同时被执。在狱三年，与承谟一同遇害。所作《续离骚》，即狱中之所为也。狱中无笔，只取炭屑书在纸背上，或者壁上。乱平以后，人家才钞录出来。许旭《闽中纪略》谓："留山才最敏速，性又机警，在幕中辄唱和为乐。所著医书，盈尺积几。尤善音律，制小剧引喉作声，字字圆润。逆旅之中，借以遣怀导郁，虽骨肉兄弟，无以过也。《续离骚》有范承谟书后，及同难会稽王龙光、榕城林可栋、云间沈上章诸人题诗。承谟谓《续离骚》慷慨激烈，气畅理该，真是元曲，而其毁誉含蓄，又与《四声猿》争雄矣。"《续离骚》中包含四短剧：

一、《刘国师教习扯淡歌》。叙刘基与张三丰对酌，以《扯淡歌》侑觞。

二、《杜秀才痛哭泥神庙》。写杜默哭项王庙事，此事明沈君庸有《霸亭秋》之作，永仁后又有张韬的《霸亭庙》。沈失之秾丽，张失之板滞，当以永仁所作为最活泼自然。我爱他开始的一段，就觉得非常的沉痛。

大王，你便在乌江享受血食，却不盼杀了江东父老也。

〔驻马听〕　父老江东，眼盼旌旗在目中。壶浆担奉，凄凄的魂断战场空，实指望车如流水马如龙。谁承想羊欺猛虎鸦欺凤，下场头谁送终。血染丹枫，泪滴波涛涌。

三、《痴和尚街头笑布袋》，写痴和尚在街头歌笑，本布袋和尚歌意。

四、《愤司马梦里骂阎罗》，写司马貌梦中骂阎王事，与前面所说《大转轮》同。不过石麟重在断狱，永仁重在谩骂，二剧各有精神。永仁此剧四折，折叙一事，是受《四声猿》很大的影响的。

至于专模拟《四声猿》而作，甚或标明"后"或"续"字样的，还有几家，将于下节说明。

《四声猿》的模拟者

洪昇的杂剧《四婵娟》、《天涯泪》、《青衫湿》、万树的杂剧《珊瑚球》、《舞霓裳》、《藐姑仙》、《青钱赚》、《焚书闹》、《骂东风》、《三茅宴》、《玉山庵》。我们既无从得见，不敢妄逞臆说。又王夫之的《龙舟会》、宋琬的《祭皋陶》杂剧，现在倒也流行，不劳详叙。此处我所要说者，就是那些以四件事作成一本的杂剧。这些作家，很可以看出他们的确是有意的模拟《四声猿》的。

第一，如《续四声猿》。作者张韬，字权六，号紫微山人，浙江海宁人。生平事迹，不甚可考。只知道他曾司训乌程。又和毛际可、徐倬、韩纯玉几个人往还而已。此剧自序云:“猿啼三声,肠已寸断,岂更有第四声,况续以四声哉?但物不得其平则鸣,胸中无限牢骚,恐巴江巫峡间,应有两岸猿声啼不住耳。徐生莫道我饶舌也。”这是显然的步徐渭后尘。剧中包含《杜秀才痛哭霸亭庙》、《戴院长神行蓟州道》、《王节使重续木兰诗》、《李翰林醉草清平调》四种。其中《蓟州道》写戴宗与李逵同往蓟州访公孙胜,宗在途中作弄李逵,事全本《水浒》,颇有趣味。《木兰诗》写王播贵后,至木兰院重续早年所题“惭愧阇黎饭后钟”句,事见《唐摭言》。其余二种,与嵇作、尤作相同。

再有以《后四声猿》名者,作者为桂馥。时间略后于权六。馥字冬卉,号未谷,别署老落,山东曲阜人。乾隆庚戌,年已五十五岁,才成进士,后为滇南永年令,卒于官,年七十。他不但是一个作剧家,而且是一个经学大师。他这本《后四声猿》是道光己酉年才刻出来,刻者怜芳居士,即以此剧继承徐渭。在序上说:“引商刻羽,侔色揣声,写万不得已之情,凄然纸上。令读者如过巴东三峡,听啼云啸月之声,无往而不见其哀也。是宜于青藤之后,增以四声。抑宜于青藤之上,置此四声。惜乎未谷生青藤后,不能亲较四声之高下。余又生未谷后,不识未谷之四声,抑有感于青藤之不偶,而故为此先后之同声一哭焉否耶?”其中包含《放杨枝》北调一套、《题园壁》南调一套、《谒府帅》北调一套、《投圂中》南调一套。这样一北一南的间搭着,是不甚合式的。这四段题材,却极富有诗趣。王定柱在此书的序上谓:“先生才如长吉(《投圂》中本事),望如东坡(《谒府帅》本事),齿发衰白如香山(《放杨枝》本事),落落不自得,乃取三君轶事,引宫按节,吐臆抒感。与青藤争霸风雅。独《题园壁》一折,意于戚串交游间,当有所感,而先生曰无之,要其为猿声一也。”我们于此可知作者之意。本来陆务观出妻这段故事，是值得为之怅惘的，以这垂暮的衰翁，来写这样一段的情怀，是很可注意者。

此外，一本包含四故事以模拟《四声猿》的，还有裘琏的《四韵事》、曹锡黼的《四色石》。就是后来舒位的《修箫谱》，也还逃不出这个范围。

裘琏，字殷玉，号蔗村，别署废莪子，浙江慈溪人。生而孤露，聪敏过人，二十补博士弟子，援例入太学，蹭蹬场屋之中，有五十年之久。一直到康熙甲午才举顺天乡试，次年成进士改庶常，他已七十多岁了。他所作剧曲，一定不少。在《四韵事》之首，自题《玉湖楼第三种传奇》，想来还有第一、第二的。《四韵事》是以四件不相涉的事，四个短剧合组而成的。其实在他之前，还有黄兆森的《四才子》，以杜牧为主角的《梦扬州》杂剧和以王维为主角的《郁轮袍》杂剧，至今还存在。《四韵事》呢？一是《昆明池》，叙上官婉儿侍唐中宗，评诗于池上事。二是《集翠裘》，叙狄仁杰与张昌宗双陆赢集翠裘事。三是《鉴湖隐》，叙贺知章归隐事。四是《旗亭馆》，叙王昌龄、王之涣、高适旗亭闻伎歌诗事。琏自称：“予亦用此自娱耳。”此《四韵事》者，本没有什么寄托，但曲文倒还工稳。又其中每种有总评、折评，在他家书中不多见。譬如《集翠裘》第一折后，其折评曰：“谱入韵事，要从唐太宗觉魏郑公妩媚处想来。曲白俱有气力，确是天池子对手。”足见他也曾以徐渭为模拟的对象咧。

曹锡黼，字菽圃，上海人。与兄容圃，并有才名。锡黼早岁得功名，乾隆间仕员外郎。殁年不满三十。所作杂剧，除以崔护谒浆的故事，所写《桃花吟》四折外，便是《四色石》了。《四色石》是：《张雀网廷平感世》，叙翟公去官，宾客冷落；复官后，客又大集；《序兰亭内史临波》，叙王羲之宴集兰亭事；《宴滕王子安检韵》，叙王勃作滕王阁序事；《寓同谷老杜兴歌》，叙杜甫寓于同谷，感时歌吟事。以杜甫为剧中主角的，恐怕此剧以外，不可多见呢。

舒位的《修箫谱》，我附在此地说一说。舒位，字立人，号铁云，大兴人。他是乾隆三十年生的，死于嘉庆二十年的，较以上诸家晚得多了。他二十四岁中了举，会试屡不第，遂绝意仕进。他所作《瓶笙馆修箫谱》，也是包含四种：一、《卓女当垆》。二、《樊姬拥髻》。三、《酉阳修月》。四、《博望访星》。据《鸥波渔话》，在嘉庆十三四年的时候，舒位会试落第以后，流落在北京。刚刚有一位朋友叫做毕笔珍，客于礼亲王邸，舒与毕同精音律，偶有所作，辄付邸中乐部演习。王给润笔之资，有时有千金之巨。《修箫谱》当即作于此时。《卓女当垆》是写司马相如与文君开酒店的事，这故事太为人所熟悉了，不必再说。但舒氏此剧的白文，极其幽默，非他种所能及。姑举末段为例：

(末指净介)官人认得这人么?(生)依稀。(净转介)惭愧。(末)请商量。(生)承挈带。(末)县令有言,(生)丈人无赖。(净)如今学楚囚,(生)当日非秦赘。(净向末)愿将家业平分,(末向生)可肯生涯略改?(生向净)三生有幸可依从?(末向净)一言既出休翻悔!(净)为我即日拜覆本官。(末)问你几时再添令爱?(各大笑介)(合)不枉了《国风》好色,《大学》生财。

这简直是绝妙好词，《樊姬拥髻》是本伶元《飞燕外传》中事，叙伶元和樊姬读飞燕往事，当戒色淫。《博望访星》叙张骞溯黄河至天河，访问牛郎、织女。《酉阳修月》却以月中吴刚奉嫦娥命，督理诸仙修理月缺事。其中《访星》一出，在不久的时候，还出演于梨园。或说舒位尚有《琵琶赚》、《桃花人面》等杂剧，但未刊行。《修箫谱》也是这《四声猿》式的作品。我们虽未能一一搜集起来，却于此知道"《四声猿》式"的杂剧，在当时是最流行的。

短剧大家杨潮观

杨潮观，字宏度，号笠湖，无锡人。乾隆元年举人。任四川邛州知州。他就卓文君妆台，盖了一座舞台，自写短剧，每一折成，即付伶人。他所著《吟风阁》，共三十二种杂剧。卷首附小序，自叙作剧之旨。一折的杂剧，到了他才集其大成，案头场上，两得其便。如橄榄之在口，以少许胜多许，而其味弥隽永。与西方的独幕剧性质相同，不过此有曲文，更饶诗意。此处且录其小序：

《新丰店》：思行可也。命世无人，而马周巷遇，为世美谈。敷陈其事，聊慰夫怀才未试者。

《大江西》：思任运也。江行万里，消受无边风月，怀古之余，倚帆清啸，忘其于役之遥。

《行雨》：思济世之非易也。以学养才，敛才归道，非大贤以上，其孰能之？

《黄石婆》：思柔节也。《易》用刚，黄老用柔。光武言吾治天下，亦欲以柔道行之，柔胜刚，弱胜强，柔之时义大矣哉！

《快活山》：思分定也。即荣启期之意，而长言之，至乐性余，至静性廉，虽异《伐木》之旨，其亦神听和平者乎？

《钱神庙》：思狂狷之士也。丰啬由天，狂者胸中无物，若狂而不狷，君子奚取焉？

《晋阳城》：思雪谗也。温郎固英物，在当时国士无双，而有绝裾之谤。求忠臣于孝子门，吾决其必不然；而事或有因，如兹之所云云尔。或者曰：近世征衣之制，多缺一襟。非独便鞍马，盖即温郎遗事，以儆夫游子忘归者。

《邯郸郡》：思失职也。譬之盐车骏马，能无仰首一鸣，然知命者怨而不怒，有风人之义。

《贺兰山》：思知己之难遇，而贤者忠爱之至也。汾阳伟人，太白奇士，思其事想见其为人，慨当以慷，庶几乎登场遇之。

《朱衣神》：思贤路也。文章一小技，而名器归之。"九品中正"以后，舍此则其道无由，及其权重而取精用宏，进退予夺之际，可胜慨哉！

《夜香台》：思慎罚也。武宣之际，吏事刻深，不疑亦快吏也。史称其严而不残，训由贤母，获以功名终。若夫严延年，母虽贤，曾莫救其子之恶。悲夫！

《发仓》：思可权也。为国家者，患莫甚乎弃民。大荒召乱，方其在难，君子饥不及餐，而曰待救西江，不索我于枯鱼之肆乎？《诗》曰：载驰载驱，周爰咨度。汲长孺有焉。

《鲁连台》：思达节也。战国策士纵横，干秦货楚，惟鲁连于世无求，独伸大义于天下。其贤于人远矣！世称鲁连不死，尝读太史公书：子房东见沧海君，求力士而不著其姓氏。谁为沧海君，其即鲁连子非耶？

《荷花荡》:思托孤寄命之难也。自昔衣冠多贤智,而愚不可及,每于厮养中得之。

《二郎神》:思德馨也。礼有功德于民者,则祀之。能捍大灾御大患者,则祀之。洒沉澹菑,禹之明德远矣。三代以降,远绩禹功而大庇民者,其惟蜀之二郎乎?香火千年,蜀人尊为川主。思其德而歌舞之,宜矣。惟是神之姓氏,传闻异辞,在正史为李氏子,在虞初家皆以为杨,岂灌口有两二郎耶?

《笏谏》:思遗直也。唐人有《相笏》经,当时吉凶颇验,而不知美恶之在人。若夫万笏朝天,而魏郑公用以谏君显,段太尉用以击贼闻,此真笏之美者也。物以人重,信夫!

《配瞽》:思重匹也。孝子顺孙,义夫节妇,天性淳笃,可维风化者,辅轩所及,代有旌扬。而连类及之,从无特奖义夫者。近事可征,是用隐其名,显其事,以备激扬之缺典云尔。

《露筋》:思励俗也。烟花三月,岁岁扬州,讵二十四桥月色箫声之外,有自苦如露筋娘者,来往邗江,敬瞻祠宇,辄借哀丝豪竹,滥写其幽怨焉。

《挂剑》:思古交也。以剑何足道,而死生然诺之际,情见乎词。

《却金》:思祖德也。家藏有四知图像,并被诸弦歌,亦白圭三复之义。

《下江南》:思武德也。夫武,禁暴戢兵,安民和众。宋初李煜出降,钱氏纳士,皆以全取胜。东南之民晏然,孰知百年而后,东南即其子孙获以偏安处也。曹彬之后当昌,又其小焉者尔。

《蓝关》:思正直之不挠也。道之在天者日,其在人者心,心君气母，内不受邪，则光曜直达，通彻三界，吾于昌黎发之。

《荀灌娘》：思奇节也。至性所动，然须眉巾帼，无总角成人，临事激昂，则智勇俱出。如当日灌娘之救父，岂非动天地而泣鬼神者乎？

《葬金钗》：思补遗也。当日信陵破秦，归魏封侯生之墓，吊晋鄙之魂，而为如姬发哀。盖情事之所必有，而史不及载，辄用悲歌以补之。

《偷桃》：思谲谏也。游方之外，饰智惊愚；愚实易惊，非仙实智。知之者，其滑稽之雄乎？

《换扇》：思撄宁者，撄而后宁。若夫得全于天，胸无滞碍，非梦亦非觉，何入而不自得乎？

《西塞山》：思物外观也。风雨晦明，安危忧喜，顷刻万端，用参物变。

《忙牙姑》：思死封疆之臣也。周有遣戍及劳旋帅之诗，所以慰其心者，至矣。而于死事者，缺焉。孔明泸江酹酒，哀动三军，佥曰：吾帅待死者如此，况其生者乎？

《凝碧池》：思志义之士也。妻子具则孝衰矣，爵禄具则忠衰矣，上失而求诸士，士失而求诸伶工贱人焉。昔晏子有言：非其私暱，谁敢任之。若雷海青者，其可同类而共薄之耶！

《大葱岭》：思返本也。是儒是释，谁见道真，求诸语言文字之间，抑亦末矣。

《罢宴》：思罔极也。长言不足而嗟叹之，不自知其泪痕渍纸，哀丝急管，风木增声，恐听者与《蓼莪》具废尔！

《翠微亭》：思英特也。蕲王忠智，出则夫妇同奖王室，退则阖门养威重，不出家而得泉石之友。似此唱随，亦贤矣哉！

三十二种的本事与其作意，都可从小序中见之。焦循《剧说》："《吟风阁杂剧》中，有寇莱公罢宴一折，淋漓慷慨，音能感人。阮大中丞巡抚浙江，偶演此剧，中丞痛哭，时亦为之罢宴。"其实《吟风阁》中可以感人的，不止此折。杨潮观以嬉笑怒骂，来自写其怀抱。而在戏剧上，固定了短剧的规模，开文士剧的风气，其功终不可埋没的。

红雪楼及其他作家

与杨潮观同时的，有蒋士铨，他在传奇上的贡献，或者比杂剧还要大些；但他的杂剧也有足称述者。士铨，字清容，一字心余，号苕生，又号藏园，江西铅江人。乾隆二十三年进士，官编修。在他所作《红雪楼九种曲》中，《一片石》、《第二碑》、《四弦秋》三种是杂剧，此外有《忉利天》、《康衢乐》、《长乐箓》、《升平瑞》（这四种杂剧是他二十七岁时为江西绅民遥祝皇太后万寿而作）。还有《采石矶》、《采樵图》二种，也都是杂剧。但以《一片石》、《第二碑》、《四弦秋》三剧流行最遍。

《一片石》叙的是彭青原为娄妃立墓石事。《第二碑》又名《后一片石》，叙的也是实事：一个不得志的诗人阮龙光，读《一片石》后，极佩服蒋士铨，拜访士铨，闻娄妃墓还须廓清，于是为向他舅父吴山凤怂恿，出资给前占墓地者，而新建令又给墓前居者金，同日迁去。于是墓道廓如，并且封树门坊了。

《一片石》是他少年之作，作《第二碑》时，他已五十二岁。垂暮

之年,其情怀迥不是当日的光景了。如:

> 狂歌醉吟,独自首频搔。无人与语,闲行狎渔樵。青衫半曳,也如君年少。今日呵,便酒楼依旧,怕向栏干重靠!还恐那守墓神鸦,认不出前度诗人有二毛。

这样文章,也很有些感动人的。

《四弦秋》固是他杂剧中出色的作品,就在他全体的戏曲中,恐怕也要算压卷之作。《四弦秋》根据白居易《琵琶行》,很忠实的叙述,较元马致远的《青衫泪》,似乎还胜一筹。友人朱湘曾作《蒋士铨》一文,评到《四弦秋》,有六特色:"第一,《四弦秋》极为忠于本事。第二,《四弦秋》可以用了本事中的一点小种子,发出很美丽的花来。即如《琵琶行》中有'血色罗裙翻酒污'一句,而蒋氏衍之成'你看这一点半点晕痕原有,天长地久,鸾交凤友,但只愿洗不淡的浓情,沁奴心,都似酒'一段妙文。又如《琵琶行》中'梦啼妆泪红栏杆'一句之中的梦字,被蒋氏衍成了一出美妙的'秋梦'皆是。第三,《四弦秋》解释事实,极为满意。如琵琶妓在南,何以知道北方的事,以及白居易为何贬谪等等问题,《四弦秋》中都回答的很圆满。第四,蒋氏在他的《四弦秋》中让他的诗才自发奇花,于是我们遂有看见'恨采茶人掐断春芽,把一缕花烟吹折;待要消人渴吻热,转丢却自己风生两腋'这一类佳句的眼福。第五,《四弦秋》描写活现,如第一出中的吴名世想去又留一种犹豫的光景,以及一言束装一种坚决的光景,都是很活跳的。第六,《四弦秋》的最大好处,便是全剧的结构美妙。尤其是最末一出,白居易与琵琶妓一问一答,一声高似一声,逼到山穷水尽的时候,逼出一场情绪的大发泄来。

不单《青衫泪》，就是《琵琶行》原文，也没有这样的灵心慧舌。”《秋梦》这一出，最是我所酷爱的，犹记其〔尾声〕云：“少年情事堪追究，泪珠儿把栏干红透。唉，但不知他那一担的新茶可曾卖去否？”把这一位商人妇的心理，很曲折宛转的表达出来。

厉鹗，字太鸿，号樊榭，浙江钱塘人。他有《迎銮新曲》，与士铨的《西江祝嘏》(即《长生箓》等)一样的是应酬的作品，不须详述。

崔应阶也有《情中幻》、《烟花债》二种杂剧，颇罕见。

石韫玉，字执如，号琢堂，吴县人。年十八，补博士弟子员，乾隆庚戌进士，授翰林院修撰。仕至山东按察使，归主紫阳书院二十多年，是死在道光十七年的。所作杂剧，叫做《花间九奏》。包含九种：《伏生授经》、《罗敷采桑》、《桃叶渡江》、《桃源渔父》、《梅妃作赋》、《乐天开阁》、《贾岛祭诗》、《琴操参禅》、《对山救友》。这一位石老先生是极方正的，据《郎潜纪闻》上说：“韫玉以文章伏一世，律身清谨，实不愧道学中人，未达时，见淫词小说、一切得罪名教之书，辄拉杂摧烧之。家置一纸库，名曰‘孽海’”，收毁几万卷。一日阅《四朝闻见录》，中有《劾朱文公疏》，诬诋极丑秽，忽拍案大怒，亟脱妇臂上金跳脱，质钱五十千，遍搜东南坊肆，得三百四十余部，尽付诸一炬，可谓严于卫道矣。”如此的一个卫道士，而来写杂剧，可谓少见。然有时不免庸腐枯涩，也是无足怪的。

徐爔，吴江人，灵胎之子。他的《写心杂剧》十八折，的确是创格，把一生的事迹，分为十八节，每节以一折记之。仙风道骨，颇与九翁的气味相同(此书我在长洲吴氏奢摩他室见过，南京国学图书馆的一部，可惜残掉了)。

周乐清，字文泉，号炼情子，浙江海宁人，官同知。他因从前毛声山评《琵琶记》中有欲撰《补天石》戏曲的话，于是打了腹稿，道光九年在北上途中，便写成了《补天石》八种：《宴金台》，是燕太子丹亡秦事；《定中原》是诸葛亮灭吴、魏二国，统一天下事；《河梁归》，是李陵从匈奴归国，灭了匈奴事；《琵琶语》，是王昭君从匈奴再归中国事；《纫兰佩》，是屈原投汨罗遇救，再为楚王所用事；《醉金牌》，是秦桧被诛，岳飞灭金立功事；《纨如鼓》，是邓伯道失子再得事；《波弋乐》，是荀粲之妻不死，夫妻偕老终身事。此八事皆取自历史上有遗憾的故事，给以圆满如意的结果。

严廷中，字秋槎，生平事迹无考，好像是一个奔走四方、作幕为生的。与周文泉曾有交往。所作杂剧有《秋声谱》，包含《武则天风流案卷》（一名《判艳》）、《沈媚娘秋窗情话》（一名《谱秋》）、《济城殿无双艳福》三种。其自序云："故山归后，忽忽寡欢，斜月在门，远风生冰。秋声从落叶中来，如怨竹哀丝，助人凄恻，秋以声为谱，吾且以秋为谱；若赏音无人，则歌与寒虫、古树听之。"此记记于道光己亥，再有小记记于咸丰甲寅。三种之中，我倒颇爱《谱秋》一剧。其中文章，很可代表文士剧的洁净处。例如媚娘自诉的一段：

〔梁州新郎〕（旦）旧时情意，少年情况，又露在眉梢眼上。眼勾眉引，生疏往日秋娘。（生）看他盈盈笑脸，淡淡朱唇，想见轻年样。（旦）风怀欲逗也转羞郎。几度低头理绣裳。（生）怎欢娱候，翻怊怅。是了，为年华比似郎君长，难为煞谢秋娘。（生）媚娘，则你南朝态度，不是北地风情。旧籍何方？因何至此？（旦）公子不嫌烦絮，请慢慢饮酒，待俺弹着琵琶细细说来。（生）愿闻。（旦弹琵琶唱介）

〔前腔〕绿阴院落，青苔门巷，旧住红桥西向。高家兵马，纷纷围住邗江。抛将画阁，别了青楼，随着杨花荡。家乡何处也。阵云黄。羡小宛追随尚有郎(母女二人,来至山东地面)。茌平县,权依傍。叹余生未了风尘账,歌旧曲,换新妆。(生)美人名士,一例飘流,古今同恨也!

〔针线箱〕(旦)好琼花移来邗上,便推作群芳主将。假风情一笑他春心荡,引逗得莺贪燕想(北地风光,那有江南享受呵),说甚么同心夜月销金帐也,没个可意东风软玉床。儿郎莽,大半是匆匆行李,草草鸳鸯。(在此十年,那得个称意郎君。岂料貌陋色衰,才逢公子)

这决不是元明杂剧家的作风了。在这时,一方面固多一折、二折的杂剧,同时也有六折或十折的。六折、十折或六出、十出,还能算是杂剧么?说它是传奇,未免太少;说是杂剧,又未免太多。在不久以前,我在河南,有人送一本《鬼中仙》来求序(也是道、咸间人作的),就有十出之多,我以为这种戏曲,与其列之杂剧,无宁列之传奇。所以如梁廷枏的《小四梦》(《圆香梦》、《红梅梦》、《昙花梦》、《断缘梦》)也很难说它是杂剧(现在也还有人把十出左右的戏曲列入杂剧之类)。

杂剧的尾声

在这时昆曲势力已渐衰微,戏曲的格律已不渐为文士所知。其间作家却也不少,大概是“不知而为之”者居多。

黄燮清是模仿蒋士铨的一人,他所作以《金络索》一调为最好,我在传奇章中再说。所作的杂剧,就是叙曹子建遇洛神事的《凌波影》一种，颇为知名，但并无甚精彩处。

陈烺所作，乖律处更多。他的《悲凤曲》杂剧叙毛氏养媳王凤姑被婆婆逼她为娼，不从，割下耳舌而死事。《燕子楼》杂剧叙关盼盼事。在元杂剧中，侯克中曾以此事写过，可惜业已失传。此剧大概的情节，就是说唐张建封爱妾关盼盼，在张没后，居旧第燕子楼中，作《燕子楼诗》。后来有人送给白居易看，白作诗为和，诗中责关不为张死，盼盼得白诗，即不食而死。事详白的《燕子楼诗序》。

徐鄂的《白头新》杂剧（见《诵荻斋曲二种》中）也是六折的。向有“八股气”之讥，此剧更叙的是义夫贞女，酸腐诚然不免。曲文受蒋氏影响也很大。例如：

〔绛都春〕 春明梦后，剩十斛缁尘，归逐东流。叶落庭空，满阶凉月添僝僽。鹤氅毵，兀自把梅花守，盼不到南枝春透。箫声隔断，玉人何处？参辰卯酉。

开始的这一支曲，就可以代表其全书。本事在黄天河《金壶浪墨》中“白头完婚”一则，说得极详细，这是洪、杨以后的一部知名的杂剧。

至于张蓟云的《木瓜道人五种》，是我在蜀中得着的（已赠与郑振铎君）。其不合曲律，更加一层，有些简直不是南北曲了（像唐英的《古柏堂》戏曲中，如《面缸笑》之类，不是南北曲，所以概不提及了）。

杂剧的命运，本来是要断绝在这时候了。但光绪十年，偏偏吴瞿安先生出世了。

吴先生名梅，号霜厓，所作有《霜厓三剧》（家刻本）。他的作剧史，最好我们就看他的自序。序中说得很明白的："霜厓居士少习举子业，不能工。继学诗古文辞，又不能工。年近弱冠，读姜尧章、辛幼安词，王实甫、高则诚曲，心笃好之。操翰倚声，就有道而正，辄誉多而毁少。心益喜，遂为之不厌。初取戊戌政变事，成《苌宏血》十二折。后取瞿宗宣事，成《风洞山》二十四出。其实无所得也。居数年游梁，过金梁桥，缅想周宪王流风余韵，往往低徊不能去，而《诚斋乐府》是时犹未见也。归吴后，节衣食以购图书，力所能举，皆置箧衍。词曲诸籍，亦粲然粗具。于是益肆力于南北词，春秋佳日，引吭长吟，世或以知音称之，居士谦让未遑也。此三剧中，《惆怅》五折，用力稍勤。《湘真》则润色少作，朱鏖觞咏，不过陈藏家故实，所谓案头之书而已。又谱谢翱西台恸哭，唐珏冬青行事，曰《义士记》者，拟合成四剧。卒以排场近熟，未脱古人范围，既存复删之。嗟乎，居士行年五十矣。苟全性命，刻意声歌，思之不禁自笑。顾沈君庸《秋风三叠》，光焰万丈，流誉旗亭，余书固不足录，而剧数正与之同，则又欣然自壮焉。"

其中《惆怅爨》包含《香山老出放杨枝妓》、《湖州守乾作风月司》、《高子勉题情国香曲》、《陆务观寄怨钗凤词》四种。首尾二种，皆因不满桂馥之作，改而为之者。这四种差不多都精绝，而谱姜如须事的《湘真阁》一剧，在民国十七八年，上海、苏州好几次扮演，很博得一时观众的彩声。演剧的伶工，所谓"新乐府"这个班子，也曾经吴先生亲自教过。

吴先生弟子之为杂剧者，有丹徒赵祥瑗的《枯井泪》，谱光绪帝、珍妃事；江阴王玉章的《玉抱肚》，谱李秀成事；我的《饮虹五种》——《琵琶赚》谱蒋檀青事，《仇宛娘》谱仇宛玉事，《无为州》谱蒋师辙事，《茱萸会》实际上谱我的家事，《燕子僧》谱苏玄瑛事。

以上皆北曲（有中山大学木棉集本、开明袖珍本、渭南严氏精刻本），是吴先生子怀孟所制谱，北方曾有人唱过。亡友刘鉴泉曾题一绝句，最知余意。诗曰："慷慨悲歌亦等闲，家常本色自然妍，知君自有《茱萸会》，一任《琵琶赚》独传。"又近年作《南曲四种》，淳安邵次公为题名《四禅天》。

此外有宗君志黄作《风雪钱塘》杂剧，谱访戴事。常任侠君亦有所作，如《戏中戏》杂剧，我的学生金席庭、长瑛姊弟还作的有《双犒师》诸剧。杂剧到了这民国以后，大概也就是尾声的时候了。

本章参考书目：

邹式金　《杂剧新编》
郑振铎　《清人杂剧初集》（石印本）
许之衡　《戏曲史》（末章）
青木正儿　《近世支那戏曲史》（第二、三两编）
卢前　《短剧论》
刘咸炘　《推十斋曲论》

第十章　清代的传奇

玉茗堂的余风

从明末到清初的几位传奇家，的确受汤显祖的影响，是不可讳言的事实。其中最显著的，如阮大铖、吴炳、范文若等。

阮大铖，字集之，号圆海，一号石巢，又号百子山樵，安徽怀宁人。万历四十四年进士，官至兵部尚书。初为魏忠贤党，清兵入关，迎师至紫霞岭。卒时顺治二年也。《明史》有传，为八奸之一。其人的品行，虽然一无足取，但所作传奇，却多可取。一共是九种：《燕子笺》、《春灯谜》、《牟尼合》、《双金榜》，这是所谓《石巢四种》的，传本尚多。又见于《剧说》者，有《忠孝环》、《桃花笑》、《井中盟》、《狮子赚》、《赐恩环》。大铖家蓄倡优，每一曲成，辄付演唱。当时反对他的人，如陈定生、侯朝宗辈，都很赞赏他的家伶。现在把这《石巢四种》略叙梗概：

《燕子笺》计四十二出，叙扶风霍都梁到京会试，住伎女华行云家，画了一幅《听莺扑蝶图》，送到装裱店去。同时，礼部尚书郦安道有女飞云，貌与行云一般，正送一幅观音像到这家装裱店。店主缪酒鬼偏偏把两家画件互送错了。飞云小姐一见画上的字："茂陵霍都梁写赠云娘妆次。”女的像自己，男的又如此翩翩，便暗中收藏好了。一个春日，填词一首，为一燕子衔去，又落入都梁之手。后都梁为友人鲜于佶所陷，逃往别处。这里飞云在大乱中逃难，亦与其母在途中相失。郦母偏遇了行云，因貌似己女，收作义女。不久遇了安道，遂得归宿。而飞云被父执贾南仲收容，也认作了义女。都梁改名卞无忌，在南仲幕中，献策建功；南仲便妻以飞云，未几，乱定，大家团圆，行云也嫁给都梁了。

《春灯谜》一名《十认错》，计四十一出。叙巫山宇文行简有二子：义与彦。彦随母赴父任，泊舟黄河驿。刚好韦节度的船也泊于此，值元宵夜，韦女影娘，乔装男子，上岸观灯。彦与影娘猜谜赋诗，尽欢而别。彦携僮叫承应，影娘携婢叫春樱；两下在招呼中，各人走错了船。后来影娘被宇文母收作义女，而承应在韦舟中被捉投水，从水中救起，又以海盗的嫌疑，送进监狱。春樱自杀了，而被认为为宇文彦。既而彦兄大魁天下，被唱名者。改为李文义。授巡方御史。彦因狱中卢孔同待他好，遂改名卢更生，义不知就是他的兄弟，既释出狱，彦也不知御史就是他的哥哥。后来彦登第，韦节度作媒，以李氏女相配，就是影娘。大家相会之后，一切才弄明白，所以叫做《十认错》。

《双金榜》叙洛阳皇甫敦，妻死，遗一子孝标，寄养詹家。自己在白马寺读书，一日，寺中来一行脚僧，寺僧不纳，敦为之疏说，始允。一日，敦往汲嗣源太守家饮酒，这行脚僧本是广东海盗，姓莫名佽飞。乘敦外出，取其衣巾，扮作书生，混到蓝廷璋安抚宅中，去偷伽文佛珠，另取黄金一封，脱去衣巾而逃，却把黄金封留到皇甫敦处。敦醉归。第二天突然有一群公人来了，以衣巾、黄金为证，定说是皇甫敦偷去了佛珠。汲太守虽再三为之伸冤，但始终无效。

于是太守也辞官了。敦既到广东，遇到莫佽飞，佽飞很抱歉的保护着。时有一豪族卢家，有一女，甚美，一夜得一梦。次日，和母亲到多宝寺参拜。皇甫敦正住在寺中，两下相遇，卢母便将女儿许配给敦，敦入赘卢家后，又生一子，名孝绪。未几，佽飞等海盗招敦入海，被人向官厅告发，卢家吓得连忙逃走。敦归，不见卢家，仍在番人中教学。十八年之后，孝标、孝绪，都已长成，同在京应试。孝标中了状元，孝绪因寄在詹家①，改姓了詹，也点了探花。蓝廷璋升了平章要职，以女配孝绪。这时汲嗣源，重行出山，升官尚书，以女配孝标。但孝标并不知与孝绪是同父兄弟，后来还是孝绪托人访问敦的消息，皇甫敦才昭雪冤罪，召入翰林。二子也在翰林院，父子团圆而结束此段故事。相传大铖作此传奇，所以自雪其附魏之耻。以皇甫敦与莫佽飞的关系，来暗示自己是被人诬蔑的，想来这句话相当的可信。

还有《牟尼合》，其情节是说梁武帝孙萧思远家，有达摩传下的一对牟尼珠。萧生子日，珠放异光，因取佛珠二字名其子，幼时便定了王涧之女。有一次，思远到龙塘寺看濯龙会，遇酷吏封其蔀正欺侮芮小二，思远救了小二，便同封结下仇来，设计要捕思远，思远又赖小二之助躲起来。这时麻叔谋的恶吏，喜偷食民间小孩，封其蔀就捕了佛珠，送给他。因佛珠衣中有牟尼珠，为麻部下王涧所救。涧后为追兵所逐，又把佛珠弃掉，为令狐頔拾得，取名佛赐。思远遇了海贼，投入海中，为达摩救去。偶然令狐頔聘他为西席，叫他教佛赐。时思远妻荀氏受王家之聘，教涧之女。佛赐既及第，

① 此处“孝标”与“孝绪”倒错，应互换。——整理者注

娶涧女，思远以牟尼珠一粒为礼，女师荀氏见之，大惊，追问原委，父子夫妇，于是团圆。佛赐所娶，也就是幼年所聘，可谓无巧不成书了。

这就是《石巢四种》的大概，其结构之无依傍，全由想中自得，不借助于传闻习说，与《玉茗堂四梦》之自出心裁是一样的。

吴炳，字石渠，号粲花主人，江苏宜兴人。万历四十七年进士，崇祯末，官至江西提学副使。永明王即位，任兵部右侍郎、户部尚书、东阁大学士。王奔靖州，炳从太子行，为清兵所执，送衡州，不食而死，可算明室忠臣，但他的谥法“节愍”，是乾隆间才题赐的，所以在此地叙述。他所作共五种：《绿牡丹》、《画中人》、《疗妒羹》、《西园记》、《情邮记》（《奢摩他室曲丛》第二集中，五种齐备）。

《疗妒羹》所叙小青的故事，是至今犹挂人口的。不过向来的传说，小青因大妇之不能容，终于郁郁而死，但炳作以团圆了结。向来的传说：小青自画一幅肖像后，便香消玉殒，连与丈夫想再见一面，都不能如愿，而此处说她得灵药复活，是很牵扯强的收场，却于此可见吴炳所受《玉茗堂》的影响之大。同此题材的，明代朱京藩有《风流院》，并且把汤显祖和《牡丹亭》中的柳梦梅、杜丽娘，都加进去。以汤为风流院主，柳、杜为仙，小青回翔其间，情节更觉得冗而寡要了。

《情邮记》叙的是刘乾初因题诗而得慧娘和紫箫的事，其下场诗云：“曾闻一曲风光好，学士而今梦已醒。别谱扬州四酬和，须知不是旧邮亭。”可见本有所依据的。《绿牡丹》叙谢英得妻事。《画中人》用唐人小说《真真》作底本，也极力模仿《还魂记》，《还魂记》有《叫画》一出，此剧也有一出《叫画》。《西园记》是写赵礼的西园，有张继华者，误认玉贞为赵女玉英。朝朝思慕，赵女死后，感其真诚，冒玉贞名，与之幽媾。后来继华婚玉贞，以为玉英之魂。不知前所见者，是玉英之魂，而现在的，倒真是玉贞。此种故意的颠倒错误，本来是作剧家的长技，无足为异。

范文若，字香令，号荀鸭，自号吴侬，松江人。《吴骚合编》卷首《衡曲麈谈》评文若云："惜年不永，一时叹绝。"看来好像死在清代以前，而《曲录》列文若于清朝之部，所以在此叙述一下。他所作传奇，有九种之多。《花筵赚》、《鸳鸯棒》、《梦花酣》，此三种合名《范氏三种》，有康熙间合刊本。又《倩画姻》、《勘皮鞋》、《花眉旦》、《雌雄旦》、《金明池》、《欢喜冤家》。《花筵赚》、《鸳鸯棒》两种，比较容易见到些。《花筵赚》与关汉卿的温太真《玉镜台》杂剧、朱鼎的《玉镜台记》同一故事。唯此剧插入谢鲲来配温峤，比较更觉有趣了。《鸳鸯棒》叙的就是与《今古奇观》中《金玉奴棒打薄情郎》的故事一样。不过此剧男主角作薛季衡，女主角作钱惜惜，姓名不同，情节无异。文若文字之秾丽，是显然的出于《玉茗堂》。

在阮、吴、范三家之外，有几家是必要的附叙于此的。袁于令，原名韫玉，字令昭，号箨庵，又号幔亭，一号凫公，吴县人。官荆州府知府，十余年始终未升迁。一天，上司对他说："闻君署中有三声：弈棋声、度曲声、骰子声。"(《民斋杂说》骰子声作笛声)于令说："是的，闻公署中亦有三声：天秤声、算盘声、板子声。"上司大怒，遂至于免官。于令年逾七旬，强为少年态，还喜谈闺中事。晚年留会稽，得了异疾，不食二十余日而死。据孟森《西楼记考》(见《心史丛刊》)，于令是死于康熙十三年甲寅。所作戏曲有：《西楼记》、《金锁记》、《玉符记》、《珍珠记》、《肃霜裘》(以上五种，合名《剑啸阁传奇》)、《长生乐》、《瑞玉记》。七种是传奇，另有《双莺传》是杂剧。以《西楼记》为最有名。宋荦《筠廊偶笔》上说："箨庵以《西楼》负盛名，与人谈及，辄有喜色。一日，出饮归，肩舆过一大姓门，其家宴宾，方演《霸王夜宴》。舆人曰：如此夜，何不唱绣户传娇语（《西楼记·错梦》出曲句），乃演《千金记》邪？箨庵狂喜，几坠舆。"高奕《传奇品》评他的作风是："海鹤鸣秋，声清影淡。"

《西楼记》是三十六出的一部传奇，叙于鹃事。鹃字叔夜，工词曲，其父于鲁颇以他不修举业为忧，时加训戒。时有妓穆丽华字素徽，读所作《锦帆乐府》，心窃慕之，因录其中《楚江情》一支于花笺上。于鹃过妓家，为院中改赵祥所作曲词，见花笺，遂问素徽，两人订盟而别。赵祥因于改己作，恨之甚，故意拆散他们。一面素徽被相国三子池同所逼，一面于鹃病倒了。于鹃闻素徽别嫁他人，而素徽闻于鹃的死耗，自缢而殉。结果都没有死，终以侠士胥表之力，使两人团圆了。关于此剧，后人有不少的考据。《书隐丛说》上说：是吴江的一个富豪沈同和，一日携爱妓穆素徽游虎丘。袁于令有意于素徽。袁门下客冯某知于令意，赴沈舟夺素徽走。沈怒，诉之官。袁父惧，便把于令送去投案，在狱中于令便作成了这一部《西楼记》。陶煦《周庄志·西楼记考》说：起初沈同和有友赵凤鸣，极力为沈、穆拉合，于令因作此记以讥两人。所谓西楼，即在四通桥，本素徽之故居也。可知剧中的池同影射沈同和的，赵祥指赵凤鸣，而于鹃就是于令自己了。《瑞玉记》是写毛一鹭陷周忠介事。《肃霜裘》是写司马相如的事，《金锁记》是窦娥的事。《旷园偶录》上说："袁于令生平得意在《金锁记》，而今人盛行《西楼》。"此说或未可遽信。

苏旦，字既扬，号沂然子，无锡人。作剧十种，以《书生愿》、《醉月缘》、《战荆轲》、《芦中人》、《昭君梦》、《状元旗》六种最著。《传奇品》说他是："鲛人泣泪，点滴成珠。"

马佶人，字更生，吴县人。所作《梅花楼》、《荷花荡》、《十锦塘》三种之中，以《荷花荡》为著。《传奇品》说他是："五陵年少，白眼调人。"

刘晋充，字方所，吴县人。作《罗衫合》、《天马媒》、《小桃源》三种，《传奇品》说："山中炮响，应声徐来。"

叶稚斐，字美章，吴县人。作《琥珀匙》、《女开科》、《开口笑》、《铁冠图》（一名《逊园疑》）、《三击节》、《英雄概》、《八翼飞》、《人中人》八种。《传奇品》说："渔阳三挝，意气纵横。"可见其作风之一斑了。

朱佐朝，字良卿，也是吴县人。所作传奇有三十种。《传奇品》上著录的有二十五种，如《渔汤乐》、《吉庆图》、《九莲灯》、《艳云亭》四种的零出，至今常见于歌场。《吉庆图》叙严嵩事。《艳云亭》叙萧凤昭女惜芬与洪绘事。《渔家乐》叙的是邬翁之女飞霞，里面很有些神话。

邱园，字屿雪，常熟人。著有《虎囊弹》、《党人碑》、《百福带》、《蜀鹃啼》、《幻缘箱》、《岁寒松》、《御袍恩》、《闹勾栏》等，一共九种。《传奇品》评为："入薄后庙，绮丽满身。"

还有前章所提过的吴伟业，他所作传奇，名《秣陵春》，计四十一出。叙徐适与黄展娘事，不亚于《牡丹亭》。

尤侗的《钧天乐》，三十二出。叙科场的黑暗，为文士写失意悲郁之情。自序谓："逆旅无聊，追寻往事，忽忽不乐。漫填词为传奇，率日一出，出成则酒浇之，歌哭自若，阅月而竣。"为此剧几乎获罪，然而从此后"登场一唱，座上贵人未有不色变者"。可见其入人之深，动人之切。

嵇永仁有《双报应》、《扬州梦》二种。《双报应》是他狱中的绝笔。叙钱可贵妻周氏卖身救夫,而后来夫妻重聚。张子俊好男色,而其妻卫轻云,便同他的狎友王文用通奸,毒杀子俊。情节虽平常,人物却颇活跃,写轻云与文用处,极精彩。《扬州梦》是杜牧的故事,这在剧曲中是常见的情节,此处不须赘述了。

“一人永占”及其他

李玉是比较重要的一位作家。玉字玄玉,吴县人。《传奇品》评他的词:“如康衢走马,操纵自如。”所作传奇共三十三种,名《笠庵传奇》。《传奇品》著录的三十二种:《一捧雪》、《人兽关》、《占花魁》、《永团圆》、《麒麟阁》、《风云会》、《牛头山》、《太平钱》、《连城璧》、《眉山秀》、《昊天塔》、《三生果》、《千忠会》、《五高风》、《两须眉》、《长生像》、《风云翘》、《禅真会》、《双龙佩》、《千里舟》、《洛阳桥》、《武当山》、《清忠谱》、《挂玉带》、《意中缘》、《万里圆》、《万民安》、《麒麟种》、《岁天醮》、《秦楼舟》等。其中《风云会》、《太平钱》、《清忠谱》、《万里圆》、《麒麟阁》五种,只存零出;全本存在的,是《眉山秀》和《一捧雪》、《人兽关》、《永团圆》、《占花魁》,所谓“一人永占”这四种。论者把“一人永占”,媲美于汤氏《四梦》。

《一捧雪》凡三十出。叙莫怀古为着一支玉杯叫做“一捧雪”的,严世蕃几乎把他杀掉。幸而义仆莫诚代死,又有良友缓颊,方才脱身。其子莫昊改姓更名,复为大吏,“一捧雪”又归还原主,父母重聚。到现在此剧的情节,复演于皮黄戏中者,还常常在梨园中出演。

《人兽关》凡三十三出。叙施济好周济穷苦,遇桂薪欠官债,欲鬻妻女以偿，施济为他代付，薪感激知遇，要将女儿献他为妾。不料薪获金暴富，就负心失约了。后来梦到冥中，历经因果报应，才悟悔过来。此故事是有说教之意的。

《永团圆》凡三十二出，叙蔡文英与江兰芳幼年订婚，因江父厌贫悔婚，生了许多波折。蔡诉之府尹高谊，府尹是主张以江女自己的意见为意见，但她已奔走出外了。府尹遂判以江之次女嫁蔡。至于兰芳因父悔嫁不当，投江图自尽，被人救起了。又被强盗劫去，遭幽禁。后来府尹升任山东巡抚，捕盗时搜出她来，刚刚蔡文英以进士及第，任山东宁阳县尹，来谒高谊。谊又把兰芳嫁了她[①]，于是两团圆了。

《占花魁》是说金人侵宋，各处大乱的时候，秦钟是一个统判官的儿子，因逃难远避异乡。又一个宦家的女儿莘瑶琴，因乱中被人掠卖到勾栏里。二人相遇，非常相好。后来秦钟父升了枢密副使，二人完婚，各得封赠。相传弘光帝即位南京时，曾演此剧，因剧中《泥马渡康王》一节，与南明时事相同，所以极加赞赏。而此故事盛传民间，提起《今古奇观》中《卖油郎独占花魁女》来，谁不知道呢？《眉山秀》叙秦少游和苏小妹，也是啧啧人口的一段故事。

李玄玉除了剧作，他的《北词广正谱》至今谱北词者奉为圭臬，也是曲上的一大贡献。

在他之外，还有些作家，如朱素臣，也是吴县人，作剧有十八种之多。《传奇品》评他是："如少女簪花，修容自爱。"十八种之中，以《振三纲》、《未央天》、《聚宝盆》、《十五贯》、《瑶池宴》为著，尤

① "她"当作"他"。——整理者注

以《十五贯》最著。《十五贯》的故事,是据南宋小说《错斩崔宁》而略有变异的。《错斩崔宁》的说崔宁卖丝得到钱十五贯,偏偏与二娘子同行,蒙不白之冤,以至于被斩。此剧中人姓名更换了,又说是兄弟二人各被冤狱,幸得贤官审问,得以释出,其结果好得多了。

周坦伦,号果庵,作剧十四种。以《火牛阵》、《绨袍赠》为自己最得意之作。《传奇品》上说他的词如老僧谈禅,真谛妙理。

张大复,字星期,一字心其,号寒山子,苏州人。《传奇品》说他的词"如去病用兵,暗合孙吴"。作剧二十三种:《如是观》、《醉菩提》、《海潮音》、《钓鱼船》、《天下乐》、《井中天》、《快活三》、《金刚凤》、《獭镜缘》、《芭蕉井》、《喜重重》、《龙华会》、《双节孝》、《双福寿》、《读书声》、《娘子军》,这十六种是《新传奇品》上所著录的。还有《天有眼》一种很有名。

还有作《新传奇品》的高奕,同时也是作剧家。奕字晋音,一字太初,会稽人。所作十四种是《春秋笔》、《双奇侠》、《貂裘赚》、《千金笑》、《聚兽牌》、《锦中花》、《览香园》、《古交情》、《四美坊》、《眉仙岭》、《如意册》、《风雪缘》、《固哉翁》、《续青楼》。自谓:"清修洁操,不入世气。"

盛际时,字昌期,吴县人。作剧四种,以《飞龙盖》、《双虬判》为著,所谓"珍奇罗列,时发精光",这八个字,是他的批评。

史集之,字友益,溧阳人,一作吴县人。作《清风寨》、《五羊皮》二种,有"倜傥不羁,笑傲一世"之评。

朱云从,字际飞,吴县人。作剧十二种:《灵犀镜》、《齐眉案》、《照胆镜》、《人中虎》、《石点头》、《别有天》、《龙灯赚》、《赤龙须》、《儿孙福》、《小蓬莱》、《两乘龙》、《万寿鼎》。

陈二白,字于令,长洲人。作《双冠诰》、《称人心》、《彩衣欢》

三种。

陈子玉,字希甫,吴县人。有《三合笑》、《玉殿元》、《双喜缘》三种传奇,有"盆花小景,工致自佳"的批评,是亦可备一家。

王香裔,名里未详。作《非非想》、《黄金台》二种。

丁耀亢,字野鹤,作《蚺蛇胆》、《仙人游》、《赤松游》、《西湖扇》,在顺治朝曾进呈的。明末到清初的传奇界,可于此得一鸟瞰了。

李渔及其戏剧论

一个大剧作家,自己又兼是剧论家的,只有李渔。渔字笠翁,浙江兰溪人。少游四方,交接名士。晚年从南京迁到杭州,住在西湖边上,遂自号湖上笠翁。他住西湖时,是六十七岁,在康熙十六年。他的戏曲,浅显近俗。以前的作家是偏重曲的,他却偏重戏字。他所作的,有《奈何天》、《比目鱼》、《蜃中楼》、《怜香伴》、《风筝误》、《慎鸾交》、《凤求凰》、《巧团圆》、《玉搔头》、《意中缘》十种,称《李笠翁十种曲》。另有《万年欢》、《偷甲记》、《四元记》、《双锤记》、《鱼篮记》、《万全记》六种,知者较少。他的戏曲,虽见鄙于文士,然而颇得演者之欢受。日本人极爱重他,比他于诗中之杜甫。西洋人也有翻译他的。他的《风筝误》,在日本有《文学大观》中宫原民平的译注本。

他在他《闲情偶寄》中,有很好的戏剧论。内容分词曲部(六项三十七款:结构、词采、音律、宾白、科诨及格局)、演习部(五项十六款:选戏、调变、授曲、教白、脱套)。现在以吾友胡梦华的撮要附于

下,可以见李渔评论之一斑:

(结构)论到曲的结构,应先立主脑。“一本戏中有无数人名,究竟俱属陪宾,原其初心,止为一人而设。即此一人之身,自始至终,离合悲欢中,具无限情由,无穷关目,究竟俱属衍文,原其初心,又止为一事而设。此一人一事即作传奇(戏曲)之主脑也。”

既立主脑,次当减头绪,“后来作者不讲根源,单筹拔节,谓多一人可增一人之事,事多则关目亦多,令观者如入山阴道中,应接不暇。”此等思想,实属大误。“作传奇者能以头绪忌繁四字刻刻关心,则思路不分,文情专一;其为词也,如孤桐劲竹,直上无枝。”

主脑既立,头绪亦减,则当密针线,重机络。盖“编戏有如缝衣,其初则以完全者剪碎,其后又以剪碎者凑成。……凑成之工,全在针线紧密。一节偶疏,全篇之破绽出矣。每编一折,必须前顾数折,后顾数折,顾前者欲其照映,顾后者便于埋伏。照映埋伏,不止照映一人,埋伏一人,凡是此剧中有名之人,关涉之事,与前此后此所说之话,节节俱要想到。”“故填词之中,勿使有断续痕。……所谓无断续痕者,非止一出接一出,一人顶一人,务使承上接下,血脉相连。即于情事截然绝不相关之处,亦有连环细笱伏于其心,看到后来,方知其妙,如藕于未切之时,先长暗丝以待;丝于络成之后,才知作茧之精。”

以上系就大体而言,所谓埋伏照映,宜前宜后,尚有一定格局。“开场用末,冲场用生。开场数语包括通篇,冲场一出蕴酿全部，此一定不可移者。开手宜静不宜喧，终场忌冷不忌热；生旦合为夫妇，外与老旦非充父母即作翁姑，此常格也。然遇情事变更，势难仍旧，不得不通融兑换而用之。诸如此类，皆其可仍可改，听人为政者也。”“开场数语谓之家门。虽云为字不多，然非结构已完，胸有成竹，不能措手。”“未说家门，先有一上场小曲，如〔西江月〕、〔蝶恋花〕之类，总无成格，听人拈取。此曲向来不切本题，止是劝人对酒忘忧，逢场作戏诸套语。予谓词曲中开场一折，即古文之冒头、时人之破题，务使开门见山，不当借帽覆顶。即将本传中立言大意，包括成文与后说家门一词相为表里。前是暗说，后是明说。暗说似破题，明说似承题。如此立格，始为有根有据之文。”“开场第二折谓之冲场。冲场者，人未上而我先上也。必用一悠长引子；引子唱完，继以诗词及四六排语，谓之定场白。”“此折之一引一词，较之前折家门一曲，尤难措手。务以寥寥数言，道尽本人一腔心事，又且蕴酿全部精神，犹家门之括尽无遗也。同属包括之词，而分离易于其间者，以家门可以明说，而冲场引子及定场诗词全用暗射，无一字可以明言故也。非特一本戏文之节目，全于此处埋根，而作此一本戏文之好歹，亦即于此时定价。”“本传中有名脚色，不宜出之太迟。如生为一家，旦为一家，生之父母随生而出，旦之父母随旦而出，以其为一部之主，余皆客也。虽不定在一出、二出，然不得出在五、四折之后。太迟则先有他脚色上场，观者反认为主，及见后来人，势必反认为客矣。即净、丑脚色之关乎全部者，亦不宜出之太迟。”“上半部之末出暂摄情形，略收锣鼓，名为小收煞，宜紧忌宽，宜热忌冷。”“全本收场名为大收煞。此折之难，在无包括之痕，而有团圆之趣。如一部之内，要紧脚色共有五人，其先东西南北各自分开，到此必须会合。此理谁不知之！但其会合之故，须要自然而然，水到渠成，非由车戽。……骨肉团聚，不过欢笑一场，以此收锣罢鼓，有何趣味？水尽山穷之处，偏宜突起波澜，或先惊而后喜，或始疑而终信，或喜极、信极而又致惊疑。务使一折之中，七情俱备，始为到底不懈之笔，愈远愈大之才，所谓有团圆之乐者也。”

综观传奇——戏曲——之结构，实与西洋戏剧暗合；虽折数之多寡，幕数（Act）、场数（Scene）有悬殊，然剧情格局，则颇相似。传奇中第一折家门与第二折冲场之包括通篇酝酿全部，犹如戏剧中第一幕第一二场之暗示（Hint），后来各种人物之意志与动作，咸于此半露。自冲场以至小收煞，犹如戏剧之第一幕以至第三、四幕之间，由系结（Tying of knot）以至焦点（Climax）。而戏剧第二幕以后无新角色登场，亦正如传奇不容在第四、五折以后。自小收煞以至大收煞，犹如戏剧自焦点以降由解（Untying of knot）以至结局（Catastrophe）。

登场角色，至此并须会合，以求结束，则戏剧与传奇之成例，正属一样；而大收煞大都欢笑团圆，则又极似西洋之喜剧（Comedy）与谐剧（Farce）了。

（个性描写）结构所以布置戏剧的动作，而显著之动作，则端赖个性描写。笠翁曲评，虽无专项说明，然推重之语，散见篇中颇多，惟中国传奇偏于音乐，以歌唱动人，与西洋戏剧兼以表演取胜，略有区别。它的个性描写，非以纯粹动作表示，乃从静的动作——语言中看出来，所以笠翁说：“言者，心之声也，欲代此一人立言，先以代此一人立心。若非梦往神游，何谓设身处地？无论立心端正者，我当设身处地，代生端正之想。即遇立心邪僻者，我亦当舍经从权，暂为邪僻之思。务使心曲隐微，随口唾出，说一人肖一人，勿使雷同，弗使浮泛。若《水浒传》之叙事、吴道子之写生，斯称此道之绝技。”“极粗极俗之语，未尝不入填词，但宜从脚色起见。如在花面口中，唯恐不粗不俗，一涉生旦之曲，便宜斟酌其词。无论生为衣冠、仕宦，旦为小姐、夫人，出言吐词，当有隽雅从容之度，即使生为仆从，旦作梅香，亦须择言发，不与净丑同声。以生旦有生旦之体，净丑有净丑之腔故也。”就是说到科诨笑话，也须因人而别，“生旦有生旦之科诨，外末有外末之科诨。”古人传奇中之说白与科诨，不合于时代与环境者，且应当改易，因为“凡人做事，贵于见景生情。世道迁移，人心非旧，当日有当日之情态，今日有今日之情态。传奇妙在入情，即使作者至今未死，亦当与世迁移，自转其舌，必不为胶柱鼓瑟之谭，以拂听者之耳。”如此改易，一方面因为迎合听众之嗜好，一方面亦所以求合现代之个性。

（题材）文学题材，三事并重——情感、想象、思想。传奇不能自外于文学，当然也少不了这三种要素。笠翁评曲，虽无专项及此，然东鳞西爪亦颇说得痛切。他论情感之妙用，最为清楚：“予谓传奇无冷热，只怕不合人情。如其离合悲欢，皆为人情所必至。能使人哭，能使人笑，能使人怒发冲冠，能使人惊魂欲绝。即使鼓板不动，场上寂然，而观者叫绝之声，反能震天动地。”情感妙用，在能喊起读者或听者之同感（Sympathy），并滤清（Purging off）他们胸中抑蓄之情，又被笠翁数语道尽：“王道本乎人情，凡作传奇，只当求于耳目之前，不当索诸闻见之外。无论词曲,古今文字皆然,凡说人情物理者,千古相传。"所谓情感之特质,不仅是普遍的,并且是永久不废,江河万古流的啊。

然人情物理,一五一十老实的说来,亦未必见奇,是必有待于想象。"传奇无实,大半皆寓言耳。欲劝人为孝,则举一孝子出名,但有一行可记,则不必尽有其事,凡属孝亲所应有者,悉取而加之。亦犹'纣之不善,不如是之甚也,一居下流,天下之恶皆归焉。'其余表忠表节与种种劝人为善之戏,率同于此。"惟想象之极,乃能尽选择之能事,而最理想之人生,得以表达。盖"未有真境之所欲为,能出幻境纵横之上者"。笠翁此语,真能窥见想象之妙用!

情感、想象既具,若无思想,则言之无物,笠翁于此,也颇知注意。不过他的思想还不出儒家"文以载道"之说。所以他开宗明义便宣言说:"传奇一书,昔人以代木铎。因愚夫愚妇知书识字者少,劝使为善,诫使勿恶,其道无由,故设此种文词,借优人说法与大众齐听。"所以他力劝人重道德而戒淫秽:"于嬉笑诙谐之处,包含绝大文章,使忠孝节义之心,得此愈显。"但笠翁并不是一个道学先生,把道德的话连篇累牍的记下来,作成训诲的文章。他是一个很讲风趣的人,他主张道德思想要用旁观假托的法子写出来,所以他说:"所谓无道学气者,非但风流跌宕之曲,花前月下之情,常以板腐为戒,即谈忠孝节义,说悲苦哀怨之情,亦当抑圣为狂,寓哭于笑。"

(文词)文词分曲、白二种而言。曲文之奥义虽多,要以"意深词浅,全无一毫书本气"为贵。"其事不取幽深,其人不搜隐僻,其句则采街谈巷议。即有时偶涉诗书,亦系耳根听熟之语，舌端调惯之文，虽出诗书，实与街谈巷议无别者。”“亦偶有用着成语之处，点出旧事之时，妙在信手拈来，无心巧合，竟似古人寻我，并非我觅古人。”说白切忌“只要纸上分明，不顾口中顺逆”。“笠翁手则握笔，口却登场，全以身代梨园，复以神魂四绕，考其关目，试其声音，好则直书，否则搁笔。”“更宜调声协律，世人但知四六之句，平间仄，仄间平，非可混施叠用，不知散体之文，亦复如是。平仄仄平平仄仄，仄平平仄仄平平，乃千古作文之通诀，无一语一字可废声音者也。”且“北曲有北音之字，南曲有南音之字，如南音自呼为我，呼人为你，北音呼人为您，自呼为俺为咱之类是也”，曲、白宜求一律，不可南北混杂。“不宜频用方言，令人不解。”且“传奇之为道也，愈纤愈密，愈巧愈精”，故宜意取尖新。“当于著之初，以至脱稿之后，隔日一删，逾月一改，始能淘沙得金，无瑕瑜互见之失矣。”

（音律）传奇音律须恪守词韵，凛遵曲谱，“依样画葫芦一语，竟似为填词而发；妙在依样之中别好歹，稍有一线之出入，则葫芦体样不圆，非近于方则类乎扁矣。葫芦岂易画者哉？”能“字字在声音律法之中，言言无资格拘挛之苦，如莲花生在火上，仙叟弈于橘中，始为盘根错节之才，八面玲珑之笔”。“凡作倔强聱牙之不合句，自造新言，即当引用成语；成句在人口头，即稍更数字，略变声音，念来亦觉顺口。”

（谐语）谐语即是科诨。“插科打诨，填词之末技也。然欲雅俗同欢，智愚共赏，则当全在此处留神。文字佳，情节佳，而科诨不佳，非特俗人怕看，即雅人韵士，亦有瞌睡之时。作传奇者全要善驱睡魔；睡魔一至，则后乎此者，虽钧天之乐，霓裳羽衣之舞，皆付之不见不闻，如对泥人作揖，土佛谈经矣。……若是则科诨非科诨，乃看戏之人参汤也。养精益神，使人不倦，全在于此，可作小道观乎?”“科诨之妙，在于近俗，而所忌者，又在于太俗，不俗则类腐儒之谈，太俗亦非文人之笔。”又“妙在水到渠成，天机自露，我本无心说笑话，谁知笑话逼人来，斯为科诨之妙境耳”。我们在这里，当能记得西洋戏剧，专门有一种丑角(Clown)、痴汉(Fool)和诙谐的脚色(Humorist)。他们所说的话，便和科诨一般儿功用。

从学理上研究中国戏剧——传奇的本质，和西洋戏剧比较起来，可说是大同小异，不过缺少一门布景(Spectacle)。但这个在西洋古剧上并不重要，所以亚里斯多德论列悲剧六事，把它置于最后。就是后来到十六世纪的时候，还是可有可无。莎士比亚的戏剧杰作便没有布景。有人替他辩护说:诗人想象中的背景(Setting)是布不出来的，倒不如不布，让观者用自己的想象去悟会。我们引了上面的话，替中国戏曲勉强解释，亦未尝不可。但有须要改良的地方，还是尽去改良为是。以前中国戏曲没有布景，不必去责备求全，以后倒不可不注意布景，更须好好提倡布景，俾中国戏曲有进于完美的机会。

至于演习部，则纯为笠翁经验之谭。他所举的选剧、调变、授曲、教白、脱套六项，即包括现在戏剧上剧本、导演、化装三大问题。现在就他的原意综合分析而解说于后。

(剧本问题)“选剧授歌童，当自古本始，古本既熟，然后间以新词，切勿先今而后古。”“而古本又必从《琵琶》、《荆钗》、《幽闺》、《寻亲》等曲唱起，盖腔板之正，未有正于此者。此曲善唱，则以后所唱之曲，腔板皆不谬矣。”旧曲既熟，必须间以新词,切勿听拘士腐儒之言,谓新剧不知旧剧,一概弃而不习。戏曲限于曲调,他这种主张,自有他的相当价值,不能与西洋戏剧注重创作一例看。但他并不是一个迷信古本的人,他又主张变调,或缩长为短,或变旧为新,这种办法,却像西洋戏剧里的"改作"(Adaptation)。

(导演问题)他仅顾到授曲、教白、声音恶习、语言恶习、科诨恶习一方面,换句话说,他仅顾到说唱,而没有顾到动作——姿势。这大概由于中国戏曲是专为"听"的,不是为"看"的习惯。在未授曲、教白以先,他主张先解明曲意。他说:"解明情节,和其意之所在,则唱出口时,俨然此种神情:问者是问,答者是答,悲者黯然魂销,而不致反有喜色。欢者怡然自得,而不见稍有瘁容。且其声音齿颊之间,各种俱有分别。"这里他的目的要表情恰当,也是导演分内重要的事。

(化装问题)他仅顾到衣饰一项,主张什么身份的人穿什么衣服。如"飘巾儒雅风流,方巾老成持重,以之分别老少,可称得宜。"现在演古装剧,服饰实是一个值得研究的艺术问题!

至于很重要的布景问题。这里也未提,大约也因不重"看"之故。

他所作的传奇《风筝误》,在现今的昆班中,还常常的搬演。《逼婚》、《诧美》几出,看了没有人不要发笑的。他故意弄狡狯似的把情节安排得极曲折,他的确是精于排场的一个作家。观其戏剧的理论,再看他的作品,可算能一致的。因为他的戏在场上案头易见的缘故,此处不再加以叙述了。

南洪北孔

在康熙的末叶,“南洪北孔”是传奇界的两颗明星。不但照耀以往,而且至今还依然闪烁着的。

先从北孔说起。孔尚任,字季重,号东塘,又号云亭山人,曲阜人。是孔子的后裔,官户部郎中。作《小忽雷》及《桃花扇》二剧,《桃花扇》是足以使他不朽的。《桃花扇》之作,历时十余年,稿凡三易,经曲师王寿熙等的试拍,方才完成。所以如此的呕心沥肝去做,也想借戏曲传南明的实史。他的自序云:“族兄方训,崇祯末为南部曹,闻宏光遗事甚悉,证以诸家稗记,无弗同者,香君面血溅扇,杨龙友以画笔点成桃花,亦系龙友言于方训者;遂本此以撰传奇。于朝政得失,文人聚散,皆确考时地,全无假借。”许之衡《戏曲史》上说:“按此剧语多征实,即小小科诨,亦有所本。如香君浑名香扇坠,见《板桥杂记》;蓝田叔寄居媚香楼,见《南都杂事记》;王铎书《燕子笺》,见《阮亭诗注》。以传奇为信史,洵奇观也。相传当时进入内府,康熙帝最喜此剧,演至设朝选优诸折,帝叹曰:宏光虽欲不亡,其可得乎?往往为之罢酒云。”

《桃花扇》的情节大概是如此的:户部尚书侯恂的儿子朝宗,应试落第,留在南京。一日,往约陈定生、吴次尾,未遇;去访柳敬亭,一个有气节的卖艺的人。这时秦淮河上有一名妓李贞丽,贞丽的养女李香,年方十六,才色双绝,从曲师苏昆生学唱《牡丹亭》。贞丽有一相知杨文骢,是罢官的一个县令,常常过从。见李香,便想为朝宗拉合,因朝宗正在寻求佳丽。魏忠贤党阮大铖,是受复社排斥的。一次，大铖临文庙的释典，吴次尾等不让他进去，并且殴打他。大铖家蓄优伶，演《燕子笺》，名闻都下。陈定生宴客，将征大铖家伶，大铖以为藉此可以与复社消除意见了。那知定生等在宴会上，一说到国事，便把大铖骂得狗血淋漓。大铖心中益加怨恨。杨文骢就对大铖说：侯朝宗是陈、吴的好友，现在朝宗将娶名妓李香，不如你送他些钱，结好于他。大铖以为然，慨然出了三百金。朝宗在文骢口中，知道李香是如何的绝色了，但苦无余金，不能如愿。这天，出来踏青，遇见敬亭，同访李香去。偏偏李香母女，赴暖翠楼盒子会去了，再到暖翠楼，杨文骢、苏昆生正在那儿，大家楼下相会。朝宗赠李香以自己的扇坠，香君也将汗巾包樱桃，从楼上抛下来。两下就这样的定了情。过了一天，文骢又邀朝宗到香君处。一切由文骢布置好，而朝宗坐享其成，当夕，方域以宫扇题诗，与李香两情如漆。次日，文骢来，达大铖意，朝宗还没回答，李香就把钗环首饰衣裳，一律退还大铖，认为是不义之物。于是朝宗也谢绝文骢的请托。端阳节那一天，陈定生、吴次尾这班复社的文人，在水榭看灯船，饮酒，看见朝宗、李香的船经过，众召之入座。适值大铖乘船来，窥见复社之会，急忙逃走。在这时候，总兵左良玉驻兵武昌，因为兵粮缺乏，将下令下江南。侍郎熊明遇急得没有办法，遂使杨文骢伪造侯恂书，因良玉原是侯恂旧部。柳敬亭送信到武昌，良玉就打销下江南的意思，阮大铖知道了这件事，乘机向当道说朝宗是良玉的内应。朝宗得信，就逃到史可法处。后来李自成陷北京、崇祯帝缢死煤山的消息传出来了，弘光帝也在南京即位了。马士英任兵部尚书，阮大铖任光禄寺卿，杨文骢是礼部主事。大铖的乡人田仰起用漕抚，仰托文骢买妾，文骢便以李香对。那里知道李香誓死不肯。马士英为讨好田仰，派家奴来强夺李香。李香拼死抵抗，刚拿着朝宗所赠的扇子，在自己脸上乱打，血满颊上；文骢知不可屈，就命贞丽充着李香去，不久文骢再和苏昆生去访李香，见李香独在午睡，面横宫扇，血迹斑斑，文骢便略施点染，成了一幅折枝桃花图，笑着说：这真是一柄桃花扇呢。香君醒，欲托人将此扇寄与朝宗，昆生自愿任此责。经过困难，总算交给朝宗了。然自昆生去后，李香被选入宫了。媚香楼中住了一位画家蓝瑛。朝宗特来访香君，又未能遇着。文骢来，便将后来香君事告诉他。蓝瑛刚画好桃源图，朝宗就将满腹牢骚，为他题了一首诗。朝宗和苏昆生去访陈、吴二人，经过三山街，不巧被大铖见了，便将三人下了狱。昆生大愤，往求救于左良玉，良玉草檄命柳敬亭赴南京散布，也被大铖捉了。及清兵下南京，狱中人尽出。朝宗与敬亭暂避栖霞山，李香从宫中出来，同昆生也逃至栖霞山。七月十五这天，白云庵建经坛，朝宗、香君两人才相见了。出扇叙情，被张道喝住，撕了扇子，道：在这时候还不断私情，还能再谈花月闲情么？两人悔悟，就皈依其教。苏昆生后来作了樵夫，柳敬亭作了渔父，隐居南京城外，常相会晤，一日相逢，歌出朝代兴亡之感，这便是全剧的收尾《余韵》这一出了。正在歌时，忽有县役走来，为奉命求隐逸之士，要招他们，他们连忙就逃去了。这一出《余韵》的文章，在美丽之中有苍凉的气概：

（净）那时疾忙回首，一路伤心，编成一套北曲，名为〔哀江南〕。待我唱来：（敲板，唱弋阳腔介）俺樵夫呵，〔哀江南〕〔北新水令〕山松野草带花挑，猛抬头秣陵重到。残军留废垒，瘦马卧空壕。村郭萧条，城对着夕阳道。〔驻马听〕野火频烧，护墓马楸多半焦。山羊群跑，守陵阿监几时逃？鸽翎蝠粪满堂抛，枯枝败叶当阶罩。谁祭扫，牧儿打碎龙碑帽。〔沉醉东风〕横白玉八根柱倒，堕红泥半堵墙高。碎琉璃瓦片多，烂翡翠窗棂少。舞丹墀燕雀常朝，直入宫门一路蒿，住几个乞儿饿殍。〔折桂令〕问秦淮旧日窗寮破？纸迎风，壞槛当潮，目断魂销！当年粉黛，何处笙箫！罢灯船，端阳不闹，收酒旗，重九无聊。白鸟飘飘，绿水滔滔。嫩黄花有些蝶飞，新红叶无个人瞧。〔沽美酒〕你记得跨青溪，半里桥，旧红板，没一条，秋水长天人过少。冷清清的落照，剩一树柳弯腰。〔太平令〕行到那旧院门，何用轻敲，也不怕小犬哰哰。无非是枯木颓巢，不过些砖苔砌草。手种的花条柳梢，尽意儿采樵。这黑灰是谁家厨灶？〔离亭宴带歇拍煞〕俺曾见金陵玉殿莺啼晓，秦淮水榭花开早，谁知道容易冰消！眼看他起朱楼，眼见他宴宾客，眼看他楼塌了。这青苔碧瓦堆，俺曾睡风流觉。将五十年兴亡看饱，那乌衣巷不姓王，莫愁湖夜鬼哭，凤凰台栖枭鸟。残山梦最真，旧境丢难掉，不信这舆图换稿。诌一套〔哀江南〕，放悲声唱到老。

孔尚任的友人顾彩，字天石，无锡人。以为尚任此作，于音律上不甚合式，其实《桃花扇》虽没有好的声音，却有绝好的文词。顾彩曾将《桃花扇》改作《南桃花扇》，把一个绝好的收场，改作陈腐的生旦团圆式。点金成铁之讥，顾彩诚难免于此了。《小忽雷传奇》是孔尚任立意而顾彩填词的，此书成于康熙三十二年，在《桃花扇》完成五年之前。因为康熙三十年孔尚任在北京一举子家得唐代的乐器《小忽雷》，于是才有此传奇之拟作。这虽然是一部四十出的大剧，但比起《桃花扇》来，便远不如了。

此下且叙南洪。洪升，字昉思，号稗村，钱塘人。他的杂剧，前章曾略为提及。他本学诗于王渔洋，后来又从施愚山游。他的妻是相国黄机的孙女，深于音律。时人赠升诗有云："丈夫工顾曲，霓裳按图新；大妇和冰弦，小妇调朱唇。"其闺中之乐可知。后来为在国忌日出演他的传奇《长生殿》，一班名士一时削籍，自此都不仕进。所谓"可怜一曲《长生殿》，断送功名到白头。"康熙四十三年那一年，出游过吴兴浔溪，舟中饮酒，失足坠水而死，年纪还不到六十呢！所作的传奇除《长生殿》外，有《回文锦》、《回龙院》、《锦绣图》、《闹高唐》、《节孝坊》、《舞霓裳》、《沉香亭》。当然，《长生殿》最有名。

《长生殿》是五十出的传奇，依据白居易《长恨歌》及陈鸿的《长恨歌传》而作。此剧所写的杨玉环就是一个痴情的女子罢了，并不像《太真外传》中所写那样的秽亵。情节的大概是如此的：弘农杨玉环，幼年父母都死了，养在叔父家。天生丰美，被选入宫为宫女，得玄宗之宠，立为贵妃。定情之夕，玄宗赐以金盒。自此以后，玉环便独擅其宠。兄杨国忠因她的力量，擢做右相。姊三人封做秦国、韩国、虢国三夫人。三月三日这一天，贵妃与玄宗游曲江，招三夫人相陪。还宫，召虢国夫人，赐以饮宴，深得玄宗欢心。不料杨妃吃醋，因此玄宗大怒，将她贬出宫外。玉环于是剪断青丝，托高力士献与玄宗。玄宗本非真恨，就又把她招进宫来。这时节度使张守珪有个部将安禄山，违犯军法，送京问罪，因国忠之助，赦罪任职，又因贵妃之故，至封他东平郡王，赐新第。这时国忠与三夫人，新邸辉煌，炫耀一时。武举郭子仪待命上京，一天在酒家，听说杨氏新第之盛，想外戚宠盛，颇为感慨。安禄山又刚从楼下过，见其骄势，知后日必有叛逆之事。因拜天德军使之命，匆匆上任。

玉环再入宫后，极力固己之宠，听从玄宗。闻玄宗赞美梅妃，自己便努力歌舞，自作《霓裳羽衣曲》。六月初一，杨妃生辰，玄宗在骊山长生殿设宴，妃命乐部奏新曲，又亲作盘旋之舞。玄宗大乐，益加宠爱。后来安禄山与国忠不和，玄宗命禄山出作范阳节度使。禄山自此心怀异志，养兵待动。灵武太守郭子仪早已看出来，时加留心，练兵以备不测。玄宗和贵妃时在华清宫，七月七夕，牛女两星相会之夜，玄宗和她在长生殿指星立誓，愿生生世世同为夫妇。在温柔梦好之中，禄山造反，兵入潼关的噩耗传来，玄宗无法，受国忠之劝，带着玉环往成都避难。行至马嵬坡，谁知兵变了。结果玄宗为安抚人心计，赐玉环死。匆匆入蜀，途中闻檐前铃声，为之肠断。禄山挟兵既入长安登帝位，文武百官争来降顺。在凝碧池头大张庆筵时，命乐工奏乐，雷海青独不受命，以琵琶击禄山，终于被禄山杀了。梨园有个领袖李龟年，乱时走出长安流落江南，资斧断绝，便靠弹着琵琶卖唱自给。在青溪鹫峰寺大会中，自编一曲（即《九转货郎儿》），把杨妃盛时的事，一直叙到玄宗入蜀为止，闻者皆为感动。后来肃宗在灵武即位，任郭子仪为朔方节度使，扫荡安、史，收复二都，才迎还圣驾。玄宗回銮，途中命高力士往马嵬坡建贵妃坟，不见尸体，但有一个香囊而已。雨夜听张野狐唱《雨霖铃曲》，百感丛生。梦中见杨妃差内侍来接，因召临邛道士设法坛以寻玉环的芳魂。天上冥间，茫茫不见。毕竟在海外蓬莱仙山，找得了贵妃，贵妃给道士金钗、钿盒，又一扇送与上皇。其后中秋，道士驾仙桥，导上皇入月宫，与玉环重聚。终以玉帝之旨，在忉利天宫永为夫妇。

昉思此作，不独有绝妙的文词，而且有绝妙的声乐。我们只看这《货郎儿九转》的一段罢：

〔转调货郎儿〕 唱不尽兴亡梦幻，弹不尽悲伤感叹！抵多少凄凉满眼对江山，我只待拨繁弦，传幽怨，翻别调，写愁烦，漫漫的把天宝当年遗事弹。

（外）天宝遗事好题目也！（净）大姐，他唱的是什么曲儿？可就是咱家的《西调》么？（丑）也差不多儿。（小生）老丈，天宝年间遗事，一时那里唱得尽者，请先把杨贵妃娘娘当时怎生进宫，唱来听波。（末弹唱科）

〔二转〕 想当初庆皇唐太平天下，访丽色把娥媚选刷。有佳人生长在弘农杨氏家，深闺内端的是玉无瑕。那君王一见了就欢无那，把钿盒金钗亲纳，评跋做昭阳第一花。

（丑）那贵妃娘娘，怎生模样波？（净）可有咱家大姐这样标致么？（副净）且听唱出来者。（末弹唱科）

〔三转〕 那娘娘生的来仙姿佚貌，说不尽幽闲窈窕。端的是花输双颊，柳输腰。比昭君，较西子，倍丰标。似观音飞来海峤，恍嫦娥偷离碧霄，更春情韵饶，春酣态娇，春眠梦悄，抵多少百样娉婷难画描。

（副净笑科）听这老翁说的杨娘娘标致，恁般活现，倒像是亲眼见的，敢则谎也。（净）只要唱得好听，管他谎不谎。那时皇帝怎么样看待他来？快唱下去者。（末弹唱科）

〔四转〕 那君王看承得似明珠没两，镇日里高擎在掌。赛过那汉飞燕在昭阳。可正是玉楼中巢翡翠，金殿上锁着鸳鸯。宵偎昼傍，直弄得那官家丢不得舍不得那半刻心儿上。守住情场，占断柔乡，美甘甘写不了风流账。行厮并坐一双，端的是欢浓爱长，博得个月夜花朝真受享。

（净倒科）哎呀好快活，听得咱似雪狮子向火哩。（丑扶科）怎样说？（净）化了。（众笑科，小生）当日宫中有《霓裳羽衣》一曲，闻说出自御制，又说是贵妃娘娘所作。老丈可知其详？请唱与小生听咱。（末弹唱科）

〔五转〕　当日个那娘娘在荷亭把宫商细按，谱新声将《霓裳》调翻。昼长时亲自教双鬟，舒素手，拍香檀，一字字都吐自朱唇皓齿间。恰便似一串骊珠声和韵闲，恰便似莺与燕弄关关，恰便似鸣泉花底流溪涧，恰便似明月下泠泠清清梵，恰便似缑岭上鹤唳高寒，恰便似步虚仙珮夜珊珊。传集了梨园部，教坊班，向翠盘中高簇拥个美貌如花杨玉环。

（小生）一派仙音，宛然在耳，好形容波。（外叹科）哎，只可惜当日天子宠爱了贵妃，朝欢暮乐，致使渔阳兵起，说起来令人痛心也。（小生）老丈，休只埋怨贵妃娘娘。当日只为误任边将，委政权奸，以致庙谟颠倒，四海动摇，若使姚宋犹存，那见得有此。（外）只也说得是波。（末）嗨，若说起渔阳兵起一事，真是天翻地覆，惨目伤心，列位不嫌絮烦，待老汉再慢慢弹出来者。（众）愿闻。（末弹唱科）

〔六转〕　哎，恰恰正好喜孜孜《霓裳》歌舞，不提防扑冬冬渔阳战鼓，划地荒荒急急纷纷乱乱奏边书，送得个九重内心惶惧。早则是惊惊恐恐仓仓卒卒，挨挨挤挤抢抢攘攘出延秋西路，携着个娇娇滴滴贵妃同去。又则见密密匝匝的兵，重重叠叠的卒，闹闹吵吵轰轰剨剨四下喧呼，生逼散恩恩爱爱疼疼热热帝王夫妇。霎时间画就一幅惨惨凄凄绝代佳人绝命图。

（外、副净同叹科、泪科）哎，天生丽质，遭此惨毒，真可怜也。（净笑科）这是说唱，老兄怎么认真掉下泪来！（丑）那贵

妃娘娘死后，葬在何处？（末弹唱科）

〔七转〕 破不剌马嵬驿舍，冷清清佛堂倒斜。一代红颜为君绝，千秋遗恨滴罗巾血。半棵树是薄命碑碣，一抔土是断肠墓穴。再无人过荒凉野。（哎）莽天涯谁吊梨花谢，可怜那抱悲怨的孤魂，只伴着呜咽的鹃声冷啼月。

（外）长安兵火之后，不知光景如何？（末）哎呀，列位！好端端一座锦绣长安，自被安禄山破陷，光景十分不堪了。听我再唱波。（弹唱科）

〔八转〕 自銮舆西巡蜀道，长安内兵戈肆扰。千官无复紫宸朝，把繁华顿消，顿消。六宫中朱户挂蟏蛸，御榻旁白日狐狸啸，叫鸱枭也么哥，长蓬蒿也么哥，野鹿儿乱跑。苑柳宫花，一半儿凋。有谁人去扫，去扫，玳瑁空梁燕泥儿抛。只留得缺月黄昏照，叹萧条也么哥，染腥臊也么哥，染腥臊，玉砌空堆马粪高。

（净）呸！听了半日，饿得慌了。大姐咱和你喝烧刀子，吃蒜包儿去。（做腰边解钱与末同丑诨下）（外）天色将晚，我每也去吧。（送银科）酒资在此。（末）多谢了。（外）无端唱出兴亡恨，（副净）引得旁人也泪流。（同外下小生）老丈，我听你这琵琶非同凡手，得自何人传授？乞道其详。（末）

〔九转〕 这琵琶曾供奉开元皇帝，重提起心伤泪滴。（小生）这等说起来，定是梨园部内人了。（末）俺也曾在梨园籍上姓名题，亲向那沉香亭花里去承值，华清宫宴上去追随。（小生）莫不是加贝老？（末）俺不是贺家的怀智。（小生）敢是黄旛绰？（末）黄旛绰同咱皆老辈。（小生）这等想必是雷海青。（末）俺虽是弄琵琶，却不姓雷。他呵，骂逆贼久已身死名垂。

(小生)这等想必是马仙期了。(末)俺也不是擅场方响马仙期,那些旧相识,都休哎提起。(小生)老丈,因何来到这里?(末)俺只为家亡国破兵戈沸,因此上孤儿流落在江南地。(小生)毕竟是谁?(末)恁官人絮叨叨苦问俺为谁?则俺老伶工名唤做龟年身姓李。

这一段把玉环的当日,唐室的今朝,都赤现了出来。一种凄惋之情,在我们读过以后,真不能自已的要滴下泪来。在现在的昆班里面,还常常的演着,此剧所可惜的,是把一个悲剧的气味,让这样的收场破坏了。

昉思除了《长生殿》以外,还有所作的几种:《回文锦》是叙窦滔妻苏蕙织《锦字回文诗》给滔,挽回夫心的故事。《回龙院》叙山阳韩原睿及妻,以智勇避难平贼事。《闹高唐》叙《水浒传》柴进在高唐州失陷的事。这些剧作都远不如《长生殿》之著名。

万树,字花农,一字红友,宜兴人。吴兴祚作两广总督的时候,树在他幕府里。树每脱一稿,兴祚即令家伶捧笙璈按拍高歌以侑酒。他的杂剧在前章已提过,所作传奇有《拥双艳》三种,这三种就是《风流棒》、《念八翻》、《空青石》。这三种同是叙一个才子同时娶两个佳人的事。三种之外,还有《锦尘帆》、《十串珠》、《黄金瓮》、《金神凤》、《资齐鉴》等。他是吴炳之甥,所以能深于韵律,当行出色。

周稺廉,字冰持,别号可笑人,华亭人。所作传奇很多,只有《珊瑚玦》、《双忠庙》两种著名。《珊瑚玦》是二十八出,叙卜青与妻祁氏兵乱中分离,碎珊瑚玦为二,各持其一,后来二人复得相见。祁氏生子,亦能成名。《双忠庙》也是二十八出的传奇,叙舒真与廉国宝以忤刘瑾被杀，有义仆王保抚其孤。当救孤祀公孙杵臼、程婴的双忠庙时，忽然变为女子，生出双乳，以逃搜者之目。太监骆善也长了胡须。刘瑾既诛，舒真之子与国宝之女遂成婚姻，而王保也恢复男子模样。

卢见曾，字抱孙，号雅雨山人，德州人。官两淮盐运使，著《旗亭记》、《玉尺楼》二种。《旗亭记》所叙，即本《集异记》，王之涣、王昌龄、高适集饮旗亭的事。

夏纶，字惺斋，号臞叟，钱塘人。作曲六种，都有用意。《无瑕璧》题《褒忠传奇》，叙明成祖杀铁铉事；《杏花村》题《阐孝传奇》，叙王孝子杀父仇于杏花村事；《瑞筠图》题《表节传奇》，叙章贞母未婚守节，教子成名事；《广寒梯》题《劝义传奇》，叙王生倾囊助人，终获高第事；《花萼吟》题《式好传奇》，叙姚居仁、利仁兄弟友爱，利仁被陷入狱，居仁力救出之，二人结果大显姓名事；《南阳乐》题《补恨传奇》，叙诸葛亮与司马懿战，在五丈原没有死，结果统一天下。这些教训主义的作品，颇不易感动人。夏纶作剧时年已六十，到七十三岁时，全集才完成。晚年开始作剧的人，其风华自不如后进的少年呢。

蒋士铨是重要的传奇家，此处只约略的说一下。他所作有《红雪楼九种曲》，除了三种杂剧，还有《香祖楼》、《空谷香》、《冬青树》、《临川梦》、《桂林霜》、《雪中人》。《香祖楼》凡三十二出，叙仲约礼与妾李若兰离合事。《空谷香》凡三十出，叙顾瓒园妾事。《冬青树》三十八出，据宋末实事，叙文天祥、谢枋得、赵子昂、汪水云诸遗民的悲痛，孤臣的失意，浩莽悲呼，与《桃花扇》有异曲同工之妙。还有董榕的《芝龛记》叙明末的史实，与两家作意相同。榕字恒岩，号谦山，官九江府知府。士铨他作，如《雪中人》，十六出，叙吴六奇报查继佐的恩。《临川梦》是二十出，就以四梦的作者汤显祖和四梦中的人物，一一请出来，和显祖自己相周旋。此剧的体裁也颇特异的。《桂林霜》，计二十四出，叙马文毅合家死广西之难事。有人曾对士铨说："读君《空谷香》，如饮吾越酝，虽极清冽，犹醇醴也。此文则北地烧春，其辣逾甚。"可见《桂林霜》与《空谷香》的作风，是两不相同的。

张坚，字漱石，江宁人。有《玉燕堂四种曲》：《梦中缘》叙钟心与文媚兰、阴丽娟的遇合；《梅花簪》叙徐苞与杜女以此簪订婚约，苞在外游学，杜氏受了无数的苦，幸而终于是团圆了；《怀沙记》叙屈原沉江事；《玉狐坠》叙黄损与裴玉娥的遇合。这四种又合称《梦梅怀玉》。张坚是一个老秀才，曾入唐英之幕的。

唐英，字隽公，号蜗寄，官九江关监督。他的《古柏堂传奇》前章曾提过。此中戏剧很多是在皮黄戏中流行的，如《梅龙镇》、《钓金龟》之类。《女弹词》一种，以天宝宫人卖唱，唱出太真故事，与《长生殿》中李龟年一样。《英雄报》叙韩信事。至于《面缸笑》，写一个可笑的典史，本是梆子腔的脚本，他改成昆腔的。此时乱弹纷起，昆腔本已走到末途，而传奇也于是渐衰了。

传奇的衰落

这儿还有值得补叙的：

第一是内廷的七种戏文：《月令承应》是按月搬演的故事，《法宫雅奏》是祥征瑞庆之事，《九九大庆》是神仙赐福之事，《劝善金科》是目莲救母的故事，《升平宝筏》写唐三藏西天取经事。相传这五种是张照所作。照字得天，号泾南，华亭人。《鼎峙春秋》写《三国志》中故事，是庄亲王所作。《忠义璇图》是写的徽钦北狩的事。相传出周祥钰、邹金山等之手。宫廷承应，自然未可以平常的戏曲例之。

在乾隆诸作家中，如沈起凤，也有四种传奇。起凤字桐威，号蒉渔，又号红心词客，苏州人。四种是《报恩缘》、《才人福》、《文星榜》、《伏虎韬》。《报恩缘》与《文星榜》同是叙才子遭难，终于及第，娶得数妻，是非常无谓的情节。《伏虎韬》也是叙医妒妇事。

沈氏之外，宋廷魁有《介山记》，徐昆有《雨花台》，研露老人有《双仙记》，傅玉书有《鸳鸯镜》，黄振有《石榴记》。振稍著名，字瘦石，如皋人。《石榴记》叙的是张幼谦图圄捷报事，本《情史》。

还有以《红楼梦》为题材的，是仲云涧的《红楼梦传奇》与陈钟麟的《红楼梦传奇》。云涧号红豆山樵，钟麟字厚甫，都是苏州人。至于太仓人黄兆魁的《红楼梦散套》，是介于传奇与杂剧两体之间的。

后来步趋藏园的黄燮清倚晴楼的几部传奇，《茂陵弦》写司马相如、卓文君事。《帝女花》写明思宗之女坤兴公主嫁周世显事，最为哀艳。其中的〔金络索〕一调尤佳。如："眉衔一段悲，语杂三分喜，一个人儿，添入在心儿里。"是如何动人心脾的句子！《桃溪雪》写烈妇吴绛雪事，亦甚著名，《鸳鸯镜》事本《池北偶谈》，《居官鉴》是叙王文锡为官清廉事，《脊令原》叙《聊斋》所载曾友于事。这几种大都是作于道光十年至二十七年之间的。

道光时代的作者还有李文瀚。文瀚字云生，安徽宣城人。所作有《胭脂写》、《紫荆花》、《凤飞楼》、《银汉槎》四种。但都平淡无奇，没有什么可以称述的地方。

到咸、同之间，杨恩寿是比较有点名的。恩寿字蓬海，湖南长沙人。所作有《坦园六种》:《姽婳封》、《桂枝香》、《麻滩驿》、《再来人》、《桃花源》、《理灵坡》。其中以《桂枝香》、《再来人》二种为佳。《桂枝香》取材《吕花宝鉴》上田春航和优人李桂芳事，相传是影射毕秋帆的。《再来人》是写福建陈仲英事。徐鄂的《梨花雪》也作于此时的。

在光绪初年，陈烺最知名。烺字叔明，号潜翁，阳湖人。以盐官需次于浙江，浮沉下僚，甚不得志。最初作《玉狮堂四种曲》:《仙缘记》、《蜀锦袍》、《燕子偻》、《海虬记》。后加六种:《梅喜缘》、《同亭宴》、《回流记》、《海雪吟》、《负薪记》、《错姻缘》。分刊为前后二集。同时张云骧有《芙蓉碣》，许玉泉有《许氏传奇六种》(《神仙张》、《灵娲石》、《茯苓仙》、《瘗云岩》、《胭胭狱》、《风云会》)。许之衡评谓:“强作解事，实则于此道瞀然，其余更自郐以下矣。”

宣统间以至入民国后，丁传靖有《沧桑鉴》之作。丁字暗公，丹徒人。音乖律违，文字的优劣且不必提了。林纾，字琴南，闽侯人。也有《天妃庙》、《蜀鹃啼》、《合浦珠》之作，但也不合于曲律。吴瞿安先生早年作过《血花飞》与《风洞山》二部传奇，并未刊行。许之衡的几种传奇，也只是稿本。

传奇到了乾、嘉以后，早已是衰落了，不必到光、宣才衰落的。此中原因，当然是因为大众的趋向，向乱弹而不向昆腔。昆腔虽至今还存在着，那早成了“雅乐”，而不是大众的“乐曲”了。

清一代的传奇，并不如我所说的这样的少，在量上，未始不可媲美于明。就我所见过的，在此处没有叙述到的有很多。只就所叙的看来，我们已可知清代的传奇是如此的无生气，除了洪、孔二家值得热烈的称赞以外，还有什么作品可以值得我们特别注视的呢？传奇，这一种体裁，在我想不会再有发达的一天了。

本章参考书目：

吴梅 《奢摩他室曲丛一、二集》
吴梅 《霜厓曲跋》
刘世珩 《暖红室汇刻传奇》(《长生殿》、《桃花扇》都在内)
李渔 《李笠翁十种曲》(清初刻本、石印本)
阮大铖 《石巢四种》(董氏诵芬室重刻本)
蒋士铨 《红雪楼十种曲》(藏园原刻本、重刻本、坊刻本、石印本)
万树 《拥双艳三种》(康熙刊本)
张坚 《玉燕堂四种曲》(乾隆刊本)
黄燮清 《倚晴楼七种曲》(光绪重刻本)
陈烺 《玉狮堂十种曲》(光绪刊本)
杨恩寿 《坦园六种》(《坦园丛书》本，光绪年刊)
许善长 《许氏传奇六种》(《碧声吟馆丛书》本，光绪年刊)

第十一章　乱弹之纷起

花部雅部的对峙

在叙明代的传奇章中，曾引《曲律》，说到弋阳、义乌等腔，足见当时昆腔以外，还有许多腔调。这些虽然与昆腔并行，但总敌不过昆腔的势力。这就是因为昆腔比较雅些，适合于士大夫的口胃。所谓京腔、秦腔、弋阳腔、梆子调、高腔、二黄调之类，所谓“花部”。据《扬州画舫录》，两淮盐务蓄有花、雅两部。其中除上面所说的几种腔调，还有罗罗腔一种，凡此总称为乱弹。不过《缀白裘》（第六集至十一集）于杂曲中有乱弹腔、吹腔、高腔、西调四种。从乾隆时代起，昆腔势衰，而乱弹才渐渐抬起头来，大有取而代之之意。这些腔调的起源是怎样的情形呢？且撮要的说来。

弋阳腔是起自江西弋阳。嘉靖时已成绝响，万历间，经过谭纶的修改，才慢慢复起。

高腔是弋阳传到高阳经过变革而成的。现在四川的高腔、河南的高腔与陕西的高腔，颇不一致，想来当初的高腔是指高阳的高腔而言。

京腔也是弋阳流入京师而变的一种腔调。《新定十二律京腔谱·凡例》上就说，旧日的弋阳腔浅陋猥琐，而京腔是几经润色的。这三种腔调其实就是弋阳一支，不过传为三派罢了。

二黄是起于湖北黄陂、黄冈二县的，后来流传在湖南、广东、广西、安徽。总名又叫做湖广调。一说本用胡琴，传到北京后，又用笛子。一说本用笛子，传到北京后，改用胡琴的。

秦腔是出于陕西，其源或出于甘肃，大概在乾隆前就传到北京了。据《燕兰小谱》所载："不用笙笛，以胡琴为主，月琴副之。"至今尤盛，民国后还有新科班，专训练秦腔的人才。

西皮据张亨甫《金台残泪记》说："乱弹即弋阳腔，南方又谓下江调，谓甘肃腔曰西皮调。"照此说来，西皮是甘肃腔的别称。《扬州画舫录》上说："安徽之花部，合京、秦两腔，其班名曰三庆。"安徽的伶人习秦腔甚好，西皮与秦腔相类，亦为徽伶之所擅长。晚近是把二黄、西皮相合，称为"皮黄调"的。

在《缀白裘》中所载花部诸腔最多的是梆子腔。梆子腔的起源，我们无从得知了。欧阳予倩在《谈二黄戏》一文中，说梆子腔属于弋阳腔的咙吟调，又称吹腔。但《缀白裘》所载梆子腔戏，例如《买胭脂》一出，如此排列着：梆子腔引、吹腔、梆子腔、前腔、吹腔、梆子驻云飞六曲，好像吹腔与梆子腔有些区别。或者梆子腔一个总称之中，另有梆子腔、吹腔的区分。现在皮黄之中，还有一个南梆子。另有山西梆子一种。欧阳予倩说："西皮的慢板、快板、摇板等，和山西梆子的结构一样，行腔亦甚相似，只韵味不同。"如此说来，山西梆子是和西皮极有关系。尤卓庵《陕西戏剧的概况》一文中说，北京戏园中所唱的梆子是"京梆子"，因为经过北京伶人的修改。至于说秦腔传到京中才有山西梆子的话，是不可信的。因为山西原有勾腔一种，所用乐器是碗琴，与今山西梆子相同。所以山西梆子不必只是秦腔所变的，或者来源也颇复杂呢。

乱弹二字据《画舫录》作花部腔调的总称，有时或指一腔而言，如《燕兰小谱》说吴大保"本习昆曲，与蜀伶彭万官同寓，因兼学乱弹"。这乱弹是指秦腔。而《金台残泪记》所说："今都下徽班皆习乱弹，偶演昆曲亦不佳。"这乱弹又与昆腔成对峙的名词了。究竟乱弹包括多少腔调，不便指定。青木正儿君把以上诸腔，并列一表，于此表中可见其递变之迹。也可以看出诸腔在地理上的迁播。要之，北京是当日乐腔的总汇，而乾隆朝前后是诸腔纷起的时代。兹列青木君所制表于下：

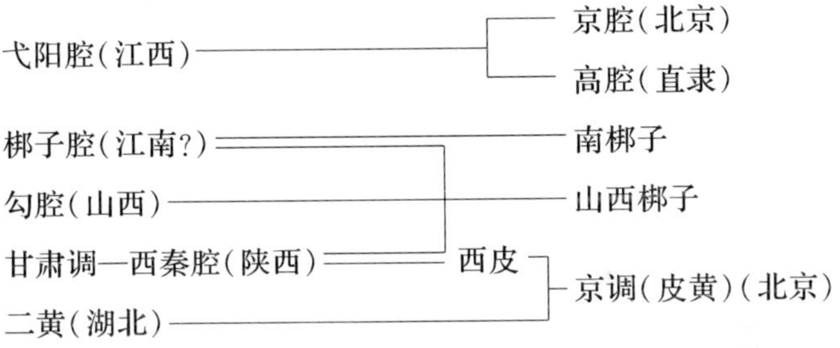

花部之所以能替雅部，乱弹之所以能代昆腔而起，不外时代与人物两大原因。乱弹在重振旗鼓以后，是当时的新声。喜新厌旧，本人情之常，一班人既爱此新声，昆腔自然衰落。兼之昆曲比较难学，规矩极谨严，文字艰深，固受士大夫的欣赏，而非大众之所喜。《梦中缘传奇序》云："长安之梨园称盛——而所好惟秦声、啰弋。厌听吴骚，闻歌昆曲，辄哄然散去。"足见《燕兰小谱》上说"昆曲非北京人所喜"的话，并非随意的论断。乱弹文字既能谐俗，声音又比较自由，容易见胜，得大众的欢迎，自是时代之所趋，不可强求的。

再说人物，花部如八达子、天保儿、白二之徒，皆一时佼佼者。《燕兰小谱》上说："京伶八达子系旗籍，在萃庆部，貌不甚妍，而声容态度，恬雅安详，大小杂剧无不可人意，一时都下称盛。"又"白二，大兴人。原系旗籍，旦中之天然秀也。昔在王府大部，与八达子、天保儿擅一时盛誉。"这是京班的。再说蜀伶魏三。三本名魏长生，字婉卿，四川金堂人。秦腔中的名花旦。乾隆四十四年演《滚楼》一出，名震京城。貌既美，声音又动人，装女子，高跷小脚，受宠于和砷，曾经在扬州江春家出演，《画舫录》上有过记载。他的徒弟陈银官亦能继承师业。从此京、秦两腔，就不分家。有这样出色的人物，乱弹安得不兴起呢？

花部优伶的籍贯统计

从花部的人物上说来，就优伶的籍贯统计一下，可知乱弹在地理上的实力是如何普遍，以此与昆腔相比，可知盛衰之无常。在《燕兰小谱》所载四十四人之中，除了河南、湖北、湖南、江西、江苏、贵州、云南各一人外，其余是：京兆十三人，四川十二人，直隶五人，陕西三人，山西二人，山东二人。

这是秦腔的黄金时代，京兆和四川是势力最大的地方。这时北京只有保和部还勉强挣持昆腔的局面。保和本部只有十人，另聚永庆部二人，宜庆、太和、端瑞、吉祥、庆春、萃庆各一人。这班优伶的籍贯是：苏州十一人，无锡三人，扬州、武进、常熟各一人，杭州二人，德清一人。

都是限于江浙两省的。而其中名角如吴太保、四喜官，皆兼乱弹。这时苏州的集秀部也不能再振。因为魏三儿挟其声态，把吴侬子弟都弄得想学乱弹为入时了。此事在沈起凤《谐铎》序上都提及的。

自秦腔中衰，徽班又入京了。高朗亭入京后，徽班兼习京、秦两腔，加上本腔，就成为"三庆部"。三庆起来，而宜庆、集庆、萃庆就被人遗忘。《梦华琐簿》上说："三庆——乾隆五十五年庚戌，高宗八旬之万岁节，入都祝厘，时称三庆徽，是徽班之鼻祖。"高朗亭这个人，据《听春新咏》说：莲官，"得魏婉卿之风流，具高朗亭之神韵。"原注："朗亭名月官，三庆部，工《傻子成亲剧》。"三庆班之后，在嘉庆中叶有五部，为三庆、四喜、和春、春台、三和，就中以四喜人才最盛，所以《都门竹枝词》说："新排一曲《桃花扇》，到处哄传四喜班。"

其实徽班中不尽是安徽人，《听春新咏》上录徽伶十五个先辈中，安庆二人，皖江三人，计安徽共五人；扬州四人，苏州五人，太仓一人，计江苏共十人。

又在名伶五十四之中，籍贯也很纷歧的。分配如下：安庆七人，皖江二人，计安徽共九人；扬州三十二人，苏州七人，计江苏共三十九人；直隶、湖南各一人，北京、湖北各二人，计其他各省共六人。

极盛的徽班

这时徽班是盛极了。起初徽班本自有腔调，这时是兼有各腔调。在《听春新咏》上所载徽部名伶所演的戏目，其中或者还有昆腔，也或以其他的腔调来唱的。从这些戏目中，我们未敢断定某戏是用某腔来唱的。其目如次：

《水关》、《断桥》(《雷峰塔》)；《醉归》、《独占》(《占花魁》)；《絮闺》、《醉妃》(《长生殿》)；《拷红》、《佳期》、《寄柬》(《南西厢》)；《捉奸》、《戏叔》(《义侠记》)；《思凡》(《孽海记》)；《藏舟》(《渔家乐》)；《楼会》(《西楼记》)；《盘秋》(《红梨记》)；《园会》(《明珠记》)；《折柳》(《紫钗记》)；《琴挑》(《玉簪记》)；《寄子》(《浣纱记》)；《杀惜》(《水浒记》)；《扇坟》(《蝴蝶梦》)；《借扇》(《西游记》)；《瑶台》(《南柯记》)；《相约》(《钗钏记》)(以上是昆腔部分)

《打面》、《别妻》、《胭脂》、《花鼓》、《戏凤》(以上是梆子腔部分)

《背侄》、《挑帘》、《裁衣》、《庆顶珠》、《香山赠镯》、《檀香坠》、《杀四门》(以上是秦腔部分)

《烤火》、《小寡妇上坟》、《卖饽饽》(以上是二黄部分，但二黄未流行前，先有此戏)

《十二红》、《关王庙》、《荡湖船》、《洛阳桥》(以上腔调不明)

徽部兼习各腔的例证，在《听春新咏》中徽部郑三宝条，就是他："工昆剧，偶作秦声，非其所好。"又添庆条："《絮阁》、《寄柬》诸剧，歌喉圆亮——简唱秦声，亦委婉多风，靡靡动听。"在同书中，还可见他部的脚色，并入徽班来的情形。如王桂林初隶金玉部，后移富华部，更改入三庆部；陆真馥初在金玉部，经富华部，入三和部；又罗霞林以前在金玉部，后亦入三和部；飞来凤始在双和部，后入三和部。金玉部是昆腔，双和是西部，富华大约也是昆部之一。大家一齐入徽班，可知徽班是如何的兴盛了。徽班入京后，蜀班大受影响，总算还有大顺宁、景和、双和三部。这三班优伶，年长的只四人，四川一，北京一，陕西二。年幼的共十二人。扬州四，北京四，直隶、山东、山西、陕西各一。这时衰落的昆部也只有庆宁、迎福、金玉、彩华四部，优伶仍然苏州人最多。自嘉庆到道光，徽班的势力日增，别种腔都无生气。所以《长安看花记》有“嘉庆以还，梨园子弟多皖人，吴儿渐少”的话。《梦华琐簿》上说：“今乐部皖人最多，吴人亚之，维扬又亚之，蜀儿无知名者。”这是嘉庆后的记录。

现在再把徽班中的四班说一说。四班之中，在道光初，春台、三庆两班最著，三和又不如四喜。《梦华琐簿》上说起四班在茶园演戏时，“观者每人出钱百九十二”，曰“座儿钱”。此数已是当时最高的代价，当时只有嵩祝班可与四班卖同样的价钱。又说：“戏庄之演剧必徽班，戏园之大者，如广德楼、广和楼、庆乐园、三庆园，亦必以徽班为主。下此则徽班、小班、西班，相杂适均。”又：“外城小戏园，徽班所不到者，分日演小班、西班。”

这四大徽班有何特色呢？《金台残泪记》上说四喜的“曲子”，饩羊尚存，不为淫哇。三庆的“轴子”，连日接排。和春的“把子”演《三国》、《水浒》，最为出色。春台的“孩子”，因春台班是孩儿班的缘故。孩儿班当是科班所本。此时的花部戏虽如此之热闹，但文学的意味是无可说的。

当在嘉庆时，徽班中还有兼昆腔的，道光以后，已置昆腔于不顾，只有四喜班中还有会演昆戏的。后来有集芳班专演昆腔，《残泪记》中说：“梨园有三法司之目，谓法龄、法庆、法保，三法并在四喜部。法保就婚南还，法龄、法庆从四喜部之诸老曲师，分为集芳部，所谱皆昆曲，无西秦、南弋诸陋习，顾听者落落然。”但《梦华琐簿》却说：“吴中旧有集秀班，其中皆梨园之父老，切究南北曲。……道光之初，京师有仿此例者，合诸名辈为一部，曰集芳班。皆一时之教师故老，大半四喜部中旧人。……先期遍张帖子告都人士，都人士亦延颈翘首，争先听睹为快。登场之日，座客常以千计。……时名誉声价，无过集芳班者。”又道光十七年，四喜部有一个小天喜，以昆腔登场，《丁年玉笋志》上说：“小天喜，字听香，扈姓。……四喜部后来之秀，近日昆腔之歌喉，推金麟第一。听香出，遽掩其上。入春，凡四喜部登场，座上之客，往往与春台相埒，视前一二年已倍之。”足见昆腔在衰落后，也曾有过这稍为复起的一次。然而比起这时的花部，仍未可相提并论。到了道光末年，徽班固有的二黄调，忽然大盛起来。《天咫偶闻》云：“道光之末，忽二黄盛行。……其声比弋则高急，其词皆市井之鄙俚，无复昆、弋之雅。”

姚华在《曲海一勺》上有过这样的感慨：

> 予生以前，不得而见，海内之广，又莫之详也。然近三十年，京师习尚，颇有所闻，楚调始衰，秦声竞作。每宾筵秦伎，客坐消闲，急筦繁弦，耳聒而欲聩，茹声逆气，情肆而弥张。众口所同，于斯为美，所谓乐姚冶以险，则民流僈鄙贱矣。夫声音之道，与政通者也。故曰：治世之音安以乐，其政和；乱世之音怨以怒，其政乖。尝推西腔之所以极盛，窃喟妖孽之先兆也。征之近事：庚子大创，清政益窳，吏黩于上，民偷于下。纲纪日隳，奸匿四起，聪明趋于诈伪，强武溃而暴裂。喜则思淫，怒则机杀，淫成而乐生，杀成而哀集；喜与乐相乘，怒与哀互进。四者不相调，而人情遂失其中。每每流露，显于嗜好，梆子因缘时会，随在触发。音感于先，而情应之；情发于后，而音

泄之。倚伏相寻，机势相投。人心所向，趋势遂成。山陕各部，旗帜遂增。以激昂之音，行暴慢之气，非惟村鄙，实属下流。既作淫盗之媒，遂破和平之序。歌者鸣其不平，闻者喻而思乱。浸淫演溢，充于江汉，优倡所习，莫此为先。恣其所习，不可遏抑。驯至法令不行，廉耻尽丧，此清室所以终覆，而民国至今不靖也。若夫村谣坊曲，樵歌渔唱，以及时剧杂弄，何地蔑有。推波助澜，莫能悉数矣。综而言之：其音益荡，其传益远，此诚情天之星孛，而欲海之迷津也。流传异域，为他人笑，今犹未洒，未复何言！若此之伦，今之郑声，放之不暇，何与于乐。执政悠悠，听其猖狂。国家之患，犹未已也。皮黄品介雅俗，士夫喜之，往往习之，盖弦索之遗制，燕乐之偏裨也。第以简易过甚，流俗易通。譬之文章，谐媚之作，只便酬应，笑乐则有余，陶写则不足。且其起也晚，渊源授受，不出教坊。音节律度，囿于市井。未经通人为之斧藻，似有待于议论，即无与于性情。百戏一端，何关得失，然而濡染正音，规随雅操，亦既有合于习俗，而复不得罪于风雅。虽羊欣羞涩，未忘揣摸，然中郎典型，已堪叹赏。苟宫词主盟，以之敷佐，犹足鼓吹休明，粉藻丰乐。等诸郐下，尚存旧国之风；即愧卢前，不废当时之体。盖皮黄之于昆调，犹元曲之于宋词。家法虽变，臭味犹亲，予以曲余之褒，宜存京调之谱。或亦论世者之所必原，而审音者之所不斥也乎。

姚先生对秦腔是如此的摈斥，而对于二黄还给它以相当的位置。

二黄之所以崛兴，还是因为咸丰年间徽班突然出了杰出的人才，就是安徽人程长庚。长庚本是三庆班的老生，生性最聪明，时时对于戏曲加以修正，所以才能新声叠出，而皮黄也才能有一日千里的进步，因此长庚得主持当日的伶界。与他同时如张二奎、余三胜，享得相当的声誉。三人之中，余三胜擅长西皮，花腔最多，而程长庚是擅长二黄，不大使花腔的。张二奎却以做工与二人相抗衡。

继此三人而出名的是汪桂芬、谭鑫培、孙菊仙。汪桂芬学的程长庚，谭鑫培学的余三胜，只有孙菊仙没有师承的。但这三人始终是皮黄戏的鼎足。

此外文武老生杨月楼、武生俞菊生、正旦余紫云、陈石头（就是后来改名的陈德霖）、时小福、老旦龚云甫、净黄三、丑刘赶三一班名角，后来造成皮黄的极峰，这是在光绪朝的事了。不过程、张、余三人是以去老生角著名的，非若前此专以旦角受人的捧赞。

乱弹中的名剧

在同治末年，与皮黄抗衡的有山西梆子。据《朝市丛载》所说：梆子有瑞胜和、源顺和、庆顺和三班，与三大徽班相峙，出演的戏园，有广和楼、庆乐园、中和园、三庆园、同乐轩等处，与三徽班同。不过徽班别在庆和楼、广德楼，梆子别在天乐园、裕乐园出演。梆子中的人才，以元元红、达子红、杨麻子诸老生，金相玉、油糕旦诸正旦，想九霄、十三旦诸贴旦为著。小生还有个胖小生的。梆子的声音，似乎更不合于南耳的。

附在此处，我再说一说昆班的穷途。昆班在北方，因洪杨之乱而凋替。在苏州的，光绪初年，有高天小班，还有追步集秀班之概，后来有聚福班。聚福班有两部：一是在城中不动的“坐城班”，一是在外跑的“江湖班”。光绪末，聚福班又瓦解，结果并在江湖班内。到民国十年前后，穆藕初等办了昆曲传习所，只办了传、习两班，习字辈还没学得成，现在的新乐府、仙霓社，都是传字辈的人。除了治曲的人，对于昆班是很少有趣味的，此所以清唱不发达，而昆戏终于一蹶不振。代替昆戏的乱弹，其曲本是无足挂齿的。此下我将谈一谈这花部的曲本。在花部诸腔全本剧可能考出的，有下列的十七种（据《燕兰小谱》、《缀白裘》、《花部丛谭》和《剧说》）：

《蜈蚣岭》、《淤泥河》、《清风亭》、《三英记》、《三荆记》、《王大娘补缸》、《铁邱坟》、《龙凤阁》、《两狼山》、《赛琵琶》、《义儿恩》、《双富贵》、《桃花女》、《周公斗法》、《沉香太子》、《劈山救母》、《五雷阵》。

通行的散出，不能成本完备的，有下列的九十五种（据《缀白裘》、《燕兰小谱》、《听春新咏》）：

《买胭脂》、《落店》、《偷鸡》、《花鼓》、《途叹》、《问路》、《雪拥》、《点化》、《阴送》、《搬场》、《拐妻》、《探亲》、《相骂》、《堆仙》、《上街》、《连厢》、《杀货》、《打店》、《借妻》、《回门》、《月城》、《堂断》、《猩猩》、《看灯》、《闹灯》、《抢甥》、《瞎混》、《赶子》、《请师斩妖》、《闹店》、《夺林》、《缴令》、《遣将》、《下山》、《擂台》、《人战》、《回山》、《戏凤》、《私行》、《算命》、《别妻》、《斩貂》、《上坟》、《除盗》、《借靴》、《挡马》、《磨房》、《串戏》、《打面缸》、《宿关》、《逃关》、《二关》、《番釁》、《败虏》、《屈辱》、《计陷》、《血疏》、《乱箭》、《哭夫》、《显灵》、《烤火》、《卖饽饽》、《吃醋打门》、《锁云囊》、《龙蛇镇》、《小寡妇上坟》、《浪子踢球》、《背娃子》、《打灶王》、《思春》、《潘金莲葡萄架》、《吉星台》、《百花公主》、《樊梨花送枕》、

《如意钩》、《订婚》、《倒听》、《滚楼》、《赐环》、《梅降雪》、《富春楼》、《吞丹》、《戏叔》、《裁衣》、《剃头》、《赠镯》、《檀香坠》、《香山》、《缝带》、《登楼》、《卖艺》、《温凉盏》、《无底洞》、《杀四门》、《庆顶珠》。

这是嘉庆以前的花部剧。全本中《淤泥河》叙罗成叫关的事。《清风亭》又名《天雷报》。《两狼山》是演杨业的事，就是《李陵碑》。散出中《戏凤》又名《梅龙镇》，《花鼓》又名《打花鼓》，《借妻》是张古董借妻，《请师斩妖》又名《青石山》，《磨房串戏》今题《十八扯》，还有《采楼配》、《三击掌》、《探寒窑》、《赶三关》、《武家坡》、《回龙阁》、《小上坟》等，都至今还存在皮黄戏中。

尤其是《庆顶珠》，一名《打渔杀家》的，欧阳予倩很称赞这出戏的，他道："二黄戏在编剧艺术上有价值的也不少，待我举几出出来说说，例如《庆顶珠》，编得何等紧凑，桂英上唱的：'太湖石边把网撒，江水照得两眼花，青山绿水难描画，那一个渔人常在家。'写景写情都好，萧恩接唱：'父女打鱼在江下，贫穷那怕人笑咱，桂英儿掌稳柁父把网撒，无奈我年迈苍苍气力不加。'桂英说：'爹爹年迈，河下生意不作也罢。'萧恩说：'本当不作河下生意，只是我囊中……唉！'说到此处，桂英长叹拭泪，萧恩说：'傻孩子，不必如此，将船摇到柳阴之下，为父要凉爽凉爽。'于是他们将船摇了过去。萧恩又说：'儿啊，将今晨打的两尾鲜鱼烧熟，为父要吃酒。'这父女二人的身世于此可见。他们失望的悲哀，在末后几句话，完全表现出来了。一会儿李俊、倪荣来访萧恩，倪荣要试试萧恩的气力，被萧恩一手架住，这下就可以知道萧恩是个精艺的汉子。他们坐下喝酒，丁家催鱼税来了，萧恩只得说鱼不上网的话去敷衍他；却怒恼了那两位朋友，将那人叫回来，说了几句硬话，在问他：'有无旨意公文？……'简单几句话里，我们便早知道是一种乡绅专横的事。而在催税之先，来一人偷看桂英，露轻薄之意，及萧恩问他：'作甚么？'他只好推说问路，问他问的是那里，他便推说是问丁府。这种烘托与介绍的笔法实在有力量。倪、李二人与萧恩的对话也很好，他们问萧恩为何那等软弱？萧答：'他们的人多。'倪、李说：'我们的人也不少。'萧说：'他们的势力大。'倪、李说：'欺压俺弟兄不成。'萧说：'这就难讲话了。'这种地方，可以看得出萧恩是一个老于江湖阅历深沉的人，不免有点暮气了。李、倪二人去后，桂英问：'二位叔父是谁？'萧恩唱几句，追叙二人的身世，很为自然。这出戏第一场丁郎儿到河下催渔税，是表明绅衿丁府结托知县鱼肉乡民的暴行，这对于萧恩，是一次催逼。教师爷到萧恩家里去，是第二次的催逼。在这时候，写教师爷怕萧恩，可见萧恩虽然流落江湖，人家不敢把他当作普通的渔夫看待。萧恩在头场的态度，只想是打鱼养家口，多一事不如少一事，到了丁家派出教师欺负到他头上来了，他也不能不施展些手段，为正当的防卫，便把他久经沉寂的英雄气概复活起来（萧恩即梁山阮小七，见《续水浒》）。他说：'……江湖上叫萧恩不才是我，大战场、小战场见过了许多。我好比出山虎独自一个，哪怕你看家犬一群一窝。你本是奴下奴，敢来欺我……'他说着打着，那教师只好望风而逃，却是萧恩虽然打个把教师爷不算数，他如何能够敌得上丁府的势力？他只想到县衙抢一个原告，他明知法律不能够保障平民，也不过希冀县官在公事上，不敢公然舞法，那他闯得祸也就可以暂时了结。谁知又经一次压迫，那县官不由分说的打他四十大板，赶出衙门，还要叫他当夜到丁府去谢罪。慢说他是个昂藏的男子，不肯这样受屈，万一他顺从了，试问以后的日子还怎样过，所以逼得他无路可走，势必出于杀人。他与桂英父女的爱情,从桂英倒茶起,到同去报仇止,写得十分充足。他父女有如此的深情,所以从来都是隐忍,直到挨了板子,他觉悟到生活不自由,纵然是父女安居,还有什么生趣。只得狠狠心,父女二人同去冒那危险。不自由,毋宁死!这出戏我当它是弱者的呼声的。这出戏从打鱼到杀家止,是完完全全一出好戏。人家问我《打渔杀家》的整本是怎么样?我必然说,这就是整本,若必如秦腔班里演到桂英投河遇救种种,那就索然无味了。”

只从欧阳予倩论《庆顶珠》这一段文章中,我们就知皮黄的结构,是比较起初期的秦腔来,已有相当的进步。实际上皮黄戏有很多剧情是用的昆腔,如:《六月雪》本诸《金雀记》,《大劈棺》本《蝴蝶梦》,《乔醋》也出自《金雀记》,《白蛇传》本诸《雷峰塔》,《击鼓骂曹》出《四声猿》,《红梅阁》出《红梅记》,《乌龙院》出自《水浒记》,《别母乱箭》出《表忠记》,《马前泼水》出《烂柯山》,《景阳冈戏叔》出《义侠记》,《拾黄金》出《三元记》。这皆显明的例子。

最近梅兰芳、程砚秋诸人新排的戏,有时连文句,都取自昆腔而加以改动的。像梁巨川、三麻子、夏月珊、夏月润诸伶,有时自己也作剧。汪笑侬更是著名的一个。《党人碑》、《马前泼水》、《受禅台》、《哭祖庙》、《马嵬坡》,相传就出他的手笔。

不过最重要的皮黄戏作家要数余治。青木正儿君说他是光绪初年的人,因为他所作《庶几堂今乐》是光绪六年刊本。但据俞樾的序是同治十二年,他的自序作于咸丰十年。他总算咸、同间人,前此在道光二十年。有观剧道人根据二黄调作《极乐世界传奇》,这是并没有什么力量一部曲本,皮黄的名作,当然仍以余治为最重要的。据原书郑官应跋,知治字莲村,金匮人。他作曲本,很有用意的。郑跋云:“金匮余莲村先生,敦行善事,垂五十年。大江南北，无贤愚疏戚，目之曰余善人。其徒数十人，承其师说，凡济物利人之事靡弗为。而先生晚年独取近世足为劝戒事，演为杂剧，牧童竖子无告者，令梨园老优，教以歌歈，而自为之行列节奏，携以出游，资用屡困，谤讪屡作。先生力经营之不少衰，至病作，不能自强，乃散诸僮，各为之所，而以所演杂剧编订付梓，将俟有力者终成其事，工未竟，而先生归道山，故世未尽见也。余求之有年，光绪己卯望炊楼主人为辗转搜辑，得先刻小板九种，近刻六种，草稿十余种。参互厘定，得二十八种，尽付梓人。凡孝弟节义，可戒可劝之事，约略备具。刻成，将约同志牍呈当路，颁诸梨园，令日演一二折，而严禁嫚媟诸戏，犹先生志也。先生尝谓：人纪之坏，乱狱之丰，其始无不起于耳目濡染之微。自悬象读法，教化不行，常人耳目所倾注而易于感动者，惟观剧时尚有其机，其声容情事入于人心而不能忘。而不识字愚无知人，其感尤至。通都大邑，鞠部盛鸣，男女杂遝，每为靡声妖态，以供谑浪，乡村赛社，尤而效之，则淫僻之罪，寖不可制。以其习于恶而恶之易，则知习于善而善之无难也。君子于此，宜为之防而导于正，不当相与纵任如见溺而不为援，见焚而不之扑灭也。嗟乎！以先生阅世之深，用心之切，而穷老尽气所自任者，惟是之为亟，则非阔疏迂浅而无效，可知也。苟推行而无废，使世人闻见所及，油然以兴，怵然以戒，罪罟消于无形，善良薰而成俗，斯岂惟先生之幸，抑亦凡有耳目者所共幸者矣。先生殁之日，出所著《祛邪崇正》、《条议教化》两大敌论，贻廉访使应公宝时，谓：'淫书宜毁，淫戏宜禁。'又尝自撰楹帖云：'自晋头衔，木铎老人村学究；群夸手段，淫书劈板戏翻腔。'其倦倦如此"云云。

这样一位道学先生，其作品之流为教训主义的曲本，自无可疑。现在就其集中所得有《后劝农》、《活佛图》、《同胞案》、《义民记》、《海烈妇记》、《岳侯训子》、《英雄谱》、《风流鉴》、《延寿菉》、《育怪图》、《屠牛报》、《老年福》、《文星现》、《扫螺记》、《前出劫图》、《后出劫图》、《公平判》、《阴阳狱》、《朱砂痣》、《同科报》、《福善图》、《酒楼记》、《绿林铎》、《劫海图》、《烧香案》、《回头峰》、《义犬记》、《推磨记》二十七个题目。其中如《朱砂痣》到现在还流行着的。

《庶几堂今乐》之外,就要数到李世忠所编的《梨园集成》十八卷,收皮黄戏四十六种,其中《鱼藏剑》、《取南郡》、《骂曹》、《探母》、《走雪》等,也是至今还流行的戏文。王大错的《戏考》和坊间的《戏学汇考》,更载有不少的皮黄戏本。皮黄的曲本大略已备于此了。

皮黄的衰落

皮黄是乱弹中的幸运儿,差不多咸、同以来皮黄就足以代表整个的乱弹戏。其所以进步至于此极的,因为乱弹本尚自由,在前面已说过,就因为可以自由。在声音方面,但求悦听者之耳,所以没有很悠久的时间,而皮黄就渐渐衰落了。

我且仍以人物来作叙述的中心,从程、张、余三人再说起。程派、余派和张二奎的奎派,这是皮黄的发动力。与三人同时而势力迥不如的,是安徽人王九龄,《选元戎》、《定军山》是他的拿手戏。继程长庚而起的汪桂芬,前面所提过的,他也自成一个汪派,因为他自己有天才,已能变了程氏的面目。

孙菊仙，前面所说过并没有学谁的一个人，但他颇能兼取程派、奎派而有之。他是天津人，把一副极洪亮的嗓音，任意直来直往，一泄他那傲慢粗犷之气。不过使人可以听一个痛快，没有规矩，做工、台步，初不在意，且有土音，所以北京人并不重视他。

在天津、上海是极有名的，《逍遥津》、《教子》一类戏，是孙派拿手。这时冯柱、卢台子也自成一派，但他两人嗓音都不好，所以全以花腔取胜。冯柱是江苏人，他就是多啰腔（一种连续不断的西皮流水板）的创造者。他演起《宫门带》、《天水关》、《焚绵山》、《骂阎罗》这些戏来，很享盛名的。卢台子是江西一个落第的举子，唱工勉强平正，而做工念白极佳。他的戏是《盗宗卷》、《打严嵩》之类。相传《舌战群儒》等戏就是他自己编的。

李三的一派，嗓音充实，靠把亦好，尤能红生。《斩黄袍》、《洒金桥》、《龙虎斗》、《渑池会》，曾博得一时美誉。其弟李五能尽传其技。

龙长胜是用左嗓，极其尖锐，能高不能低，所以声名不震。

与汪、孙鼎立的谭鑫培，他的嗓音与气魄虽都不及汪、孙，但他巧走低音，能镕化一切的长处，甚至于鼓词的韵味都含在里面。他那样委靡流荡的神情适合清末的风气，上自慈禧太后、王公贵人，以至天桥的混混儿，差不多都趋之如狂。只有刘鸿声差可与敌。刘是顺义人，嗓音黏厚，极其高亮，运转抑扬，所向如意，因为他天赋特厚的缘故。他的"三斩"（《斩黄袍》、《斩马谡》、《斩子》）、"一探"（《四郎探母》），一时称最。

这些名派的传人，在奎派中，杨月楼、周春奎、许荫棠、德建堂，皆能保张氏遗规。杨氏的《回龙阁》、周氏的《除三害》、许氏的《打金枝》，皆是代表的作品。又刘景烈也以奎派见称，他演《审头刺汤》这出戏是比较著名的。

王九龄派，在长江一带有王玉芳，却不十分著名。

汪派的继响，王凤卿念字不能真切，而工夫极深；邓远芳天赋也差，却善于运用。

孙派有时慧宝、白文奎。又双处本孙派，而晚年归于奎派。冯柱、卢台子之后，有个吴良奎，融合两家。演《开山府》、《清官册》，竟与谭鑫培相颉颃。

在谭派盛行的时候，还有足称述的是票友下海（非伶人而串演曰票友，由票友而做伶人曰下海）的王雨田与谭氏的门徒贾洪林。王以《奇冤报》、《失街亭》名于时；贾演《打棍出箱》、《断臂说书》，能得谭氏之传。贵俊卿也是谭派名角，其余张毓庭、孟朴斋、李鑫甫瑕瑜互见。

刘鸿声的模仿者是陈福寿，还有王斌芬，也不甚出色。

后来的伶人，大都学谭派的。王又宸是鑫培的女婿，谭小培是鑫培第五子，谭富英又是小培之子。贯大元、罗小宝，也都是谭派的嫡系。言菊朋也是谭派的一员。

但继谭氏而起，据老生行的首席的，终是余叔岩。余氏是唱念做打，色色以圆滑见长的。后之学谭者，大都学的余。同余相抗者，是马连良，马名过于余，实际上比不上余叔岩的。谭派有了余、马，而谭之真味，便失其传了。

同时又有高庆奎，本以刘调名，兼融并取，不能定他是谁派的。至于张荣奎、王少芳、张春彦、雷喜福，也还各有可观处。

坤生去老生的，于谭派有小翠喜、孟小冬，刘派只一李桂芬最好。

以上说的老生行。至于红生戏，在前并非专行，自三麻子（即王洪寿)依据俗传关羽像,创出种种身段工架,成为一种“老爷戏”。所以当时有“活关公”之誉。

其次武生。以武生享名的,有俞菊笙、黄月山。至今还是俞、黄二派。俞有子振庭,传其父业,不过光大俞派的是杨小楼。其父月楼,本也能武戏,曾有杨猴子的外号。因为他演《西游记》极佳。俞派中还有于德芳,以至小振庭、茹富兰,皆师法小楼。黄月山念唱有声色,长于悲歌慷慨的戏,后来马德成、瑞德宝都学他。另有张长保,专唱猴子戏,亦有大名。

小生起初分徽、鄂两派,曹眉仙是徽人,龙德云是鄂人。其后苏州人徐小香,师法曹氏而取精于昆班,遂成小生的祖师。继起者有王桂官、程继仙、李桂芳,亦小生的正宗。还有鲍福山长于雉尾,陆杏林、冯惠林长于穷酸。鲍弟子有朱素云,冯弟子有姜妙香。

正旦有两派,从胡喜禄、罗巧福、时小福,到孙怡云、张子仙、陈德霖、兼演花旦的余紫云,及后起的尚小云、王幼卿,是旧派。新派自王瑶卿起,他本学于余紫云,把假嗓改为低腔,大变旧调。而梅兰芳、程艳秋、徐碧云、荀慧生等,从此竞尚新腔了。此可谓之新派。花旦是重说白,不重唱工的,早年有田桂凤、梅巧玲、杨桂云。继起者杨小朵、秦五九、路三宝。后来的有王蕙芳、小翠花。武旦也没甚派别的,前有朱文英、余玉琴。后有九阵风、朱桂芳,皆有名。说到老旦,是唯有龚云甫独尊的了。

坤角初兴,只在天津、上海。清亡以后,北京才有。后来便兴盛起来。大概花旦昔以刘喜奎、王克琴为著。正旦有苏兰舫、任绛仙、李慧琴、小兰芬、汪碧云。兼演花旦的,如潘雪艳、新艳秋、雪艳琴、容丽娟,并是一时之选。武旦中有小金铃、傅兰英、粉菊花、小菊铃。老旦有尚俊卿,也是龚派。

在净角里，大花脸以何桂山最著。后起如杨永春、裘桂仙，虽宗何而不能至。何桂山是所谓旧派的。李牧子兼用鼻音，声调峭拔，是新派的祖师。自金秀山兼师何、李，而能以沉厚见长，后来的净角，都以金氏为依归。其子少山与刘寿峰，都是金派的名脚。少山气魄极大，而深沉之致，不如寿峰。二花脸（所谓架子花脸）中，庆春圃、钱宝峰二家为著，黄润甫集二家之长，遂成了二花脸的大师。李连仲及后来侯喜瑞、郝寿臣都宗黄氏，名极盛。不过郝稍过火，而侯又火力不及，不无遗憾。武净以钱金福为宗，钱之后范宝亭、许德义也还各有所长。

丑角上，前面提过刘赶三，与赶三同时有罗百岁。后有李百岁、张文斌。兼文武丑的是王长林，萧长华是以方巾丑见长的。后辈中马富禄师王，茹富蕙师萧，于是丑角也分起派来，此外曹二庚，略差强人意。武丑，前有麻德子、张黑和王长林。后有傅小山，武艺尚可观。

皮黄本以北京为根据地，而具有完全的规模。各处演皮黄而不合正当轨范的，都叫做“外江派”。杨四立是外江的祖师，通行一种极长的怪腔由他创始的。潘月樵、麒麟童是所谓“做工老生”。武生方面趋向粗暴，李吉瑞之黄派、杨瑞亭之俞派，都是有名的外江老生。短打以李春来与其徒盖叫天为领袖人物。旦行中赵君玉、小杨月楼、刘小衡名气最大。净角中文净有李长胜、增长胜，武净有冯志奎。上海是流行外江派戏的，本来上海的外江戏与别处本来无异，但后来大排其《狸猫换太子》、《诸葛亮出世》之类的戏，于是在外江派中，变成独具的“海派”。小达子、常春恒与坤角露兰春、张文艳，皆是海派中的中心人物。

皮黄到了海派的出现，而皮黄也衰落到不可挽回的地步。欧阳予倩说得好："如此二黄已经近到破产了。固然不妨当古物一般，将他保存，不过也无须惋惜。因为它虽有些好处，已是过时之物，现在的社会，决不以这种艺术为满足。我们很热烈的期望有新艺术产生，决不希望费些无谓的光阴，去在朽木上加以雕漆。"今后究竟是什么新的戏剧才能代替旧有的地位？我想：一方面是应大众的要求，一方面要顾到戏剧上世界的趋势。所以在皮黄流行的时候，而话剧已暗暗地输入了。

本章参考书目：

青木正儿　《从昆腔到皮黄的变迁》（单行本，又《近世支那戏曲史》第三篇）
焦循　《花部丛谭》（《怀豳杂俎》本）
杨掌生　《京尘杂录》（石印本）
周明泰　《几礼居戏曲丛书》三种：一、《都门纪略中之戏曲史料》；二、《五十年来北平戏剧史材》；三、《道咸以来梨园系年小录》
吴太初　《燕兰小谱》（《双梅景暗丛书》本）
余治　《庶几堂今乐》（光绪刻本）
李世忠　《梨园集成》（光绪刻本）
王大错　《戏考》（排字本）
吕仙吕　《皮黄戏指迷》（《蓝皮小书》本）
欧阳予倩　《谈二黄戏》（《中国文学研究》本）

第十二章　话剧之输入

初期的话剧

这是中国戏剧史上更新的一页。一方面由于雅戏的衰微，一方面由于皮黄戏本身之缺少价值，更一方面就是戏剧上世界的趋势。中国之有话剧，最初是在西洋人所办的学校里开始的。从民国纪元前十年起，到民国三年止，这十多年的"戏剧信史"，我们可以根据朱编的《新剧史》中"内篇"分年的记载里，知道话剧发展的经过：

光绪二十八年，即1902年，己亥十一月①，上海基督教约翰书院创始演剧，徐汇公学踵而效之。然所演皆欧西故事，所操皆英、法语言，苟非熟谙蟹行文字者，则相对茫然，莫名其妙也。

光绪二十九年，即1903年，庚子冬十二月②，上海南洋公

---

① "己亥"当作"壬寅"。——整理者注

② "庚子"当作"癸卯"。——整理者注

学演剧一次。是年适丁拳乱，因年假余暇，私取“六君子”及义和团事编成新剧，就课堂试演，知者绝鲜。

光绪三十年，即 1904 年，甲辰秋七月，上海南洋中学及上海民立中学并演新剧。

光绪三十一年，即 1905 年，乙巳冬，汪优游创文友会于海上（汪优游者，民立中学学生也，民立之演新剧，优游实耸成之，顾其愿犹未足，因借年假余暇，创文友会于城东，节取时事之有稗社会，有益世道者，编纂新剧。越岁丙午元夜，假昼锦牌坊陈宅试演，观者殊济济矣。开今日各剧社之先声，优游诚人杰哉）。

光绪三十二年，即 1906 年，丙午春正月，上海沪学会组织演剧部，群学会亦如之（沪学会就会堂试演，主其事者为美术家李叔同）。冬十月，上海明德学校演剧筹款（此次拦入《化子拾金》一剧，致见轻识者，售券之数顿减，而后此新旧剧之杂然并奏者，实自此始）。冬十一月，南市商会学堂演剧。是月，青年会组织演剧部。冬十二月，南翔镇南翔小学演剧（所演《黑龙江新剧》，慷慨激昂，全场多为感动）。是月朱双云、汪优游、王幻身等，立开明演剧会于沪。

光绪三十三年，即 1907 年，丁未春正月，任天树、金应谷合组益友会，假座张园演剧。春二月，春柳社成立于东京（留日学生曾存吴、李叔同、吴我尊、谢抗白等，慨祖国文艺之堕落，发起春柳社于东京。会徐淮告灾，乃演《巴黎茶花女遗事》，集资振之。日人惊为创举，啧啧称道，即各报亦多誉辞。嗣是新剧于社会之益，人多知之。伶人之稍具思想者，亦相率规仿以趋时尚，时丹桂之《潘烈士投海》、《惠兴女士》，春仙之《瓜种兰因》、《武士魂》等，并受社会欢迎。上海各日报亦提倡不遗余力，因是而新戏之价值日增，流至今日，而其风始昌）。春三月，上海南洋公学联合徐汇公学演剧三日（徐淮患水，待振甚迫，南洋学生乃合徐汇学生假座李公祠演剧三日，得资助振。演《冬青引》剧，悉用古代衣冠，实开今日各剧社演历史剧之先河）。夏六月，管西园、孙芝圃立公益会演于上海英租界议事厅（所演多《教子碰碑》等旧剧）。秋七月，开明演剧会联合上海学生调查会演于春仙戏园。秋八月，上海徐家汇商部高等实业学校演剧。秋九月，王钟声来沪，立春阳社（新剧之优于旧剧，已昭昭在人耳目。至布景一端，则固发源钟声与春阳社。王钟声者，莫知其家世，或谓系浙江世胄，来沪自命为调查戒烟丸委员，以演说而识马湘伯与沈仲礼。未几遂与马、沈二人发起春阳社，借圆明园路爱提西戏园大演新剧，并刻意布景，以新阅者耳目）。冬十一月，春柳社又演于东京（陆镜若、马绛士、欧阳予倩等连翩入春柳，同志渐众，因演《黑奴吁天》、《生相怜》等剧于东京之本乡座，卖座甚盛）。冬十二月，马绛士立奇生社，陆镜若立申酉会（二社皆春柳之旁枝，实未尝自别于母社，演《电术奇谈》、《热血》等剧，日人自叹勿如）。

光绪三十四年，即1908年，戊申春正月，春阳社又演于张园，旋即解散。春二月，王钟声与任天知合创通鉴学校于沪。春三月，通鉴学校试演于春仙戏园。是月，通鉴学校往吴。夏四月，通鉴学校由吴适杭。是月，通鉴学校返沪，演于愚园，旋即解散（连演《张汶祥刺马》剧，计七日。卖座寥寥，因即解散）。夏五月，龚玉灰立可社（可社，又新剧中之别派也。缘彼所演各剧，多带唱者。尝演于丹桂，观者颇盛，秦腔之《双泪碑》,哀感顽艳,尤为时称)。是月,王钟声北走燕京(燕京初无所谓新剧也。崔灵芝虽以演《惠兴女士》新剧名,然其所谓新剧者,多类乎可社,非纯粹之新剧也。有之,自王钟声始。钟声既屡蹶于上海,不得已乃北走燕京,提倡新剧。演于某园,大为时重。于是刘木铎、徐光华辈,乘时崛起,遂成一时之盛)。夏六月,汪优游、朱双云、任天树合组一社演于天仙,得资助振,剧为《新加官》、《一剑愤》、《诉哀鸿》、《烈女传》等。同时钱绍芬组织达社演于沪南,金应谷组织慈善会演于张园,姚桂生、陈无我合组天义社演于大观戏园。秋七月,沪南沈景麟、陆申麟合组仁社,演于天仙,剧为《上海故事》、《小镜子》、《本地风光》。秋八月,上海民立中学演剧祝圣,王安民起而纠之。秋九月,沪北屠开征、李廉甫等合组余时学会。

宣统元年,即1909年,己酉春正月,一社、天义社、仁社、慈善会合组为上海演剧联合会,演于春桂(剧社之多,于斯为盛。姚桂生以各立门户之为前途障也,爰谋诸朱双云、任天树等,合各小团而为一大团,庶几群策群力,不致陷新剧于危途。朱任等力赞其成,乃联合各团,合组为上海演剧联合会。本拟就城内福佑路康园举行,嗣以不得警厅之许,乃改就春桂开演。事出仓卒,多未预备,故卖座甚稀)。春三月,上海演剧联合会,如吴演三日。夏五月,上海演剧联合会演于张园,剧为《金田波真械相搏》。夏六月,上海袁苠之立亦社,演于张园。秋九月,苏州东吴大学演剧。主其事者为陈大悲。所演皆西洋剧。

宣统二年,即1910年,庚戌夏六月,王钟声、陆镜若、徐半梅合组文艺新剧场,演于张园。演《爱海波》、《猛回头》诸剧。

秋七月，汪处庐组织广济社，演于张园。冬十一月，任天知来沪，立进化团。冬十二月，苏州福音医院学生组织游艺会演剧助皖振，会长杨君谋被创。剧为《血手印》，该社长杨君谋自为大班濮乐士。演至被刺一幕，忽为饰葛恩之陈耀德真杀，全场大溃。耀德之杀君谋，其说不一，卒以戏杀定罪。而杨氏家族为之力求减等，当道不之许，判为无期徒刑。未几，死于狱。除夕，进化团如宁。

宣统三年，即 1911 年，辛亥春正月，进化团演于南京升平戏园。首日演《血蓑衣》，二、三日演《东亚风云》，四、五日演《新茶花》，宁人趋之若骛。天知以其道得行，乃于门前高张旗帜，大书特书曰：天知派新剧。春二月，进化团副团长温亚魂出而别立为醒世新剧团，演于镇江，旋即失败。夏四月，进化团由南京至芜湖（首日演《恨海》）。夏五月，芜湖齐悦羲发起迪智群。是月，芜湖警察厅厅长丁幼兰禁进化团演剧，驻宁日领事起而交涉。夏六月，上海张雪林组织世界新剧团，演于留园夜花园。是月，进化团由芜湖至汉口将开幕，为鄂督瑞澂所禁，并下令拘捕。是月，芜湖迪智群开幕。秋七月，徐半梅立社会教育团，演于上海谋得利戏园（演《镜中影》、《猛回头》、《谁先死》、《明盲目》、《遗嘱》、《闺门训》诸剧）。是月，尚义队成立。秋八月，世界新剧团演于歌舞台。是月，迪智群由芜湖之九江。冬十月，进化团演于张园（南京光复。沪人谋所以纪念之者，乃发起东南光复纪念大会于张园，并请进化团演《赤血黄金》及《新加官》诸剧）。是月，王钟声死于燕（上海光复后，王钟声只身北上运动军队，事泄被害）。冬十一月，社会教育团如苏。冬十二月，社会教育团如常州。是月，改进团演于第一台(剧为《薄命花》,隐刺时事,为时盛称)。

民国元年,即1912年,壬子春正月,温亚魂立爱群社演于谋得利。是月,苏州王守仁、朱亚仁等发起游艺助饷团。春二月,迪智群演于南昌。春三月,刘艺舟来沪,入新舞台(刘艺舟者,木铎之化名也。初演于北京,颇为时重。辛亥鼎革,木铎弃优投军,恢复登州。自谓有勋,以不得志于时,退而仍为剧。来沪入新舞台,与沈缦云、叶惠钧等同日登场。首夕演《波兰亡国惨史》,二夕演《吴禄贞》,卖座之盛,为该台从来所未有)。是月,社会教育团适汉。是月,陆镜若立新剧同志会演于张园。是月,进化团入新新舞台,旋即失败。是月,顾无为、陈无我等去进化团而如甬。是月,中华演剧团与新剧同志会合演于上海青年会(剧为《家庭恩怨记》、《自由结婚》)。是月,学生游艺会与新剧同志会合演于张园。是月,新剧同志会演于新新舞台。是月,徐光华来沪,演于新舞台,仅二日。夏四月,新剧同志会由沪之苏。是月,哀鸣团演于华洋游艺赛珍会。夏五月,进化团如甬。是月,苏州新剧研究会,演于全浙会馆(王守仁等所组织之游艺助饷团,久而无所举,于是陈万里、刘航燕辈将其旧部改组为新剧研究会)。是月,女子参政会演剧于张园(女子演剧,前未之闻,有之,自女子参政会始)。是月,社会教育团演于新舞台(剧为《猛回头》)。是月,中西书院演剧。是月,李君磐、朱旭东合组之开明社演于大舞台(所演都注重于音乐跳舞)。是月,戴天仇、吴稚晖、王君复等演于新舞台(《民权报》记者戴天仇等,以劝国民捐,现身说法于新舞台,志在刺激人心,故并不售券)。是月,南洋大学学生演于新舞台,特排新剧二出,一为西洋戏《双骗计》,一为时事戏《榴花血》(徐锡麟故事)。是月,南洋中学学生发起学生劝捐团,演剧于鸣盛梨园。是月,南洋大学学生又演于大舞台。是月,黄喃喃之自由演剧团演于爱提西。是月,开明社演于谋得利。是月,自由演剧团演于大舞台,黄兴与焉。是月,文士演剧团演于张园。夏六月,苏州新剧进行社演于全浙会馆。是月,新剧同志会演于谋得利。秋七月,书业商团演于徐园。是月,许黑珍组织之醒社演于张园(演《铁血健儿》、《谋产奇谈》两剧)。是月,林孟鸣、陶天演合组社会教育团,出发之温州。秋八月,黄喃喃立流天影新剧团于沪(演《谁之罪》剧于爱提西)。是月,新剧同志会如常州。是月,上海顾静鹤立飞鸣社,出发至杭州。是月,曹开元以同志会名义,赴杭演剧。是月,汪优游、顾无为、范天声等由甬而镇。是月,安庆张恼吾立醒民新剧团,王无恐、王山樵、陈天晓归之。是月,安庆醒民新剧团之一部分出,而别树为新民团,开往寿州。是月,上海开明社演于中华大戏园,三日而辍。是月,上海新剧俱进会成立(社会教育团团员王汉祥以海上新剧摧残殆尽,用发起新剧俱进会以通声气)。是月,苏州贝晋美立开明新剧社,演于全浙会馆。是月,绍兴何悲夫立模范新剧团,王无恐、查天影辈与焉。是月,汪优游、范天声辈由镇江之芜湖。秋九月,安庆之醒民新剧团易名为新剧流动团,往大通。是月,进化团之维扬。是月,童子演剧团出现于大通。冬十二月,上海城东女学演剧(剧为《女律师》)。是月,开明社之蜀。是月,新剧流动团之青阳。

民国二年,即 1913 年,癸丑春正月,汪优游等由扬之汉。是月,新剧同志会之湘。春二月,新剧流动团由青阳而木镇,复由青阳而宁阳。是月，钱樵孙、樊琅圃等立上海国民俱乐部于沪。春三月，刘艺舟入汉，旋即之汴。是月，张翠翠等发起苏州进化团，演于全浙会馆。夏四月，新剧流动团由宁阳，而徽州，而屯镇。是月，吴寄尘等发起新剧社，演于群乐及全浙会馆，更出发至梨里、周庄、角泽等镇。夏五月，绍兴模范新剧团散，王无恐辈之汉。夏六月，迪智群由江西之安庆。是月，汪优游、王无恐等之湘，立社会教育进化团。秋七月，郑正秋创新民社，新剧中兴于上海，继起者有经营三之民鸣社，孙玉声之启民社，林孟鸣之移风社，而开明社遂反自蜀，同志会亦返自湘矣。

民国三年，即1914年，甲寅春三月，新剧公会成立。是月移风社易名为文明新剧团。夏四月，十有一日，新民、民鸣、启明、开明、同志、文明六大团体，联合演剧于民鸣社。

这一段初期话剧的最详尽的史料，是颇可珍贵的，因为一切的活动，都尽于此年表之中。不过在角色上分出的种类，此地要附带叙述着：

生类：

激烈派：愤气填胸，目眦尽裂，奋不顾身，斯为激烈（刘艺舟、顾无为是所擅也）。

庄严派：举止大方，言词诚挚，气度从容，望之俨然，是曰庄严派（王无恐是所擅也）。

寒酸派：低头下气，足进趋趄，口言嗫嚅，是为寒酸派（郑正秋是所擅也）。

潇洒派：翩翩年少，彬彬儒雅，吐属隽而不俚，举止放而不佻，是曰潇洒(汪优游之所擅也)。

风流派:轻浮华丽,放浪不羁,顾影翩翩,风流自诩,是曰风流派(查天影是所擅也)。

迂腐派:空谈古学,闭塞不通,迂阔腐败,不近人情,是曰迂腐派(沈冰血是所擅也)。

龙钟派:伛偻其背,龙钟其状,言语宜缓,举止宜迟,是曰龙钟(萧天呆、曹龙钟是所擅也)。

滑稽派:谈言微中,可以解纷,寓庄于谐,不流轻薄,是谓滑稽(徐半梅、钟笑吾、蒋镜澄是所擅也)。

旦类:

哀艳派:天生丽质,遭际不逢,薄命红颜,自伤自叹,是谓哀艳(凌怜影、马绛士是所擅也)。

娇憨派:天真烂漫,哭笑无端,是谓娇憨(陆子美是所擅也)。

闺阁派:幽娴贞静,大家风范,不苟言笑,敦柔温厚(徐寒梅、张翠翠是所擅也)。

花骚派:目语眉挑,妖冶备至,是谓花骚(张双宜是所擅也)。

豪爽派:倜傥不群,爽利无匹,是谓豪爽(陈素素是所擅也)。

泼辣派:(辩)泼之与辣,绝然不同,万不可相提并论。顾今之论者,辄以泼、辣二字连用,殊不知失之毫厘,谬以千里矣。泼者蛮悍之谓,辣者阴狠之谓。《马介甫》之尹氏,泼者也。《风月鉴》之熙凤,辣者也。苟以尹氏之做工,移而至于熙凤,未有不失身份,故泼、辣二字,万万不可误会。陈镜花、张双宜皆以泼辣派称者,其实皆泼也,而非辣也。唯汪优游之柔云,斯可谓之辣矣。

因为这时的话剧(所谓文明戏的),只重演员个人,所以才有许多派别可分。在出演时,又没有固定的台词,所以这时候的话剧,还不是成熟的话剧。要有成熟的话剧，是非从翻译剧本上检讨不可。所以下节是注意叙述西洋剧本的输入。

西洋戏剧的翻译

中国文字翻译各国剧本比翻译小说晚得多了，最初的一部大概就是在巴黎翻的万国美术研究社所出版的法国莫里哀（当时译作穆雷）的《鸣不平》与波兰廖抗夫的《夜未央》。因为中国正在闹革命的时候，所以这两个剧本的介绍是有意义的鼓吹。这不独是戏剧翻译之祖，而且也是有目的的文学作品介绍的先声。后来马君武译了一部德国西喇的《威廉退尔》，在《大中华杂志》上发表，是文言译的，所以有很多不能达出的地方。到了民国七年以后，西洋剧本才开始有人很重视的介绍，最先是《新青年》杂志出了一本《易卜生号》，是易卜生的《娜拉》、《小爱友夫》、《国民之敌》。于是写实派的作品便传到中国来。同时新浪漫派的剧本也有译成中文的了。当时杂志和日报最努力的是：《新潮》、《新青年》、《新中国》与《时事新报》、《晨报》、《小说月报》。丛书方面，也有《共学社丛书》与《文学研究丛书》。在民国十年以前，据各杂志丛书的刊载，我们知道翻译成中文的，有下列的许多剧本：

一、关于英国的，有萧伯纳的《华伦夫人之职业》及《遗扇记》、王尔德的《意中人》、《莎乐美》、《同名异娶》、《少奶奶的扇子》及《一个不重要的妇人》、高士倭塞的《银匣》。

二、关于爱尔兰的，有格利各雷夫人的《月上》。

三、关于法国的，有白利安的《梅毒》及《红袍记》。

四、关于北欧的，有易卜生的《海上夫人》、《国民之敌》、《娜拉》、《小爱友夫》、《社会柱石》、般生的《新结婚的一双》。

五、关于俄国的，有哥郭里的《巡按》、阿史特洛夫斯基的《雷雨》、屠格涅夫的《村中之月》、托尔斯泰的《黑暗之势力》、《教育之果》、柴霍甫的《海鸥》、《万尼亚叔父》、《伊凡诺夫》。

六、关于德国的，有西喇的《威廉退尔》、苏德曼的《福利慈欣》。

七、关于比利时的，有梅德林的《青鸟》、《丁太尼之死》、《白侣哀与梅立桑》、《婀拉亭与巴罗米德》。

八、关于西班牙的，有阿尔伐、昆戴罗斯兄弟的《妇人镇》。

九、关于印度的，有太戈尔的《齐德拉》。

十、关于日本的，有武者小路实笃的《一个青年的梦》，等等。

因为翻译的渐盛，又有人感觉到不适合于中国舞台，于是喜欢"改译"（Adaptation）。这时已间或搬演西洋名剧在中国舞台之上，不过因观众的鉴赏力薄，始终不能大受欢迎。最近十年来的努力，气象迥然不同了。有专家集的翻译，如《易卜生集》、《萧俄全集》等。有国别集的翻译，如《俄国戏曲集》、《日本名剧选》等。在舞台上的更新，也非十年前的景况。在以上所说这初期的戏剧翻译，缺点是很多的。郑振铎君曾在质的方面，指出五种通病来：

> 第一、好把原戏的名称改了，换上一个与中国人习气相投的名称。如把《缊德麦夫人之扇》改为《遗扇记》，把《忠实之重要》改为《同名异娶》之类。这种习惯非常不好，不惟对于原文不忠实，并且或许引起人家对于原文的误会。还有一层毛病，就是使人看了，不知原名是什么。泰东图书局出版的一本

《同名异娶》，我始终不知道他就是《忠实之重要》的改名，所以对他没有注意，没有买他。后来编定《文学丛书》的目录，把《忠实之重要》也写进去，写信请大悲担任翻译。他回信说，已经有人译了，名称改为《同名异娶》，我们可以不必再译。我把他买来一看，才明白原来他就是《忠实之重要》。像这一类的事实常常发生。我想，欲求免除，非译本极忠实的照原文的名称不可。

第二、译文体例互异，时而用现在的体裁，时而又仿照宋元戏曲的办法。如《红袍记》的译本。前面叙动作之处，都照原文，如“出了门提着外套跑上去”、“慕容入施礼作冷淡状”、“作骄傲状”等，到了第三幕，忽然把叙动作的地方，仿《西厢记》、《牡丹亭》的样子，下面加上一个介字，如：“入介”、“预备作出门介”、“作证介”、“作接读介”、“尚作微笑介”、“作起身介”等，成了很可笑的新旧合璧的句子。这种例子，虽然不多见，但决不可不预防。译者也应该注意，求不再犯。

第三、有许多译文，于中文多不可通，只是字对字的把原文搬了过来，使人看了，非对照原文不能明其意，这是极不好的。如果译文不可通，又何必译呢？我固是主张直译的一人，但直译的限度，只能做到句对句的译法，决不能字对字地译。为求更充分地留存原文的神韵与用字的新颖起见，我们有时也把译文颠倒着，或用于中文上向未用过的形容词，但译文却决不能有说不通的地方。所写的虽不必像中国人所常写的一样，却并不是不正确不明了的中文。这一层，译者应该格外注意。因为犯的人太多了，虽不单是译戏曲的人犯之，然而译戏曲的人犯之尤多且甚。所以我在此特别提一下，希望译戏曲的人,对此更注意一些。

第四、戏曲的译本上,错误的译文也是常常的遇到,并且是较小说尤易遇见错误。其原因大概是因为戏曲中多是对话,而各国的言语中,特别用语与成语、通用俗语,在戏曲中用的特别多。非十分精通这一国的言语,多与其国人交际的,差不多是无由知之。所以普通的译者遇见这种地方,是必定要错的。除了这个错以外,译者也常有因不小心而致误。这种错处,译者应该负完全责任。求译本的忠实与不会贻误他人,头一件事,应该于这一层大加注意。

第五、中国通英语的人最多,通别国的话的人较少,肯翻译文学作品的人尤少。所以近一二年来所翻译的德、法、北欧各国的剧本,都是由英译本中重译出来的。我固不反对重译,因为不重译,则此种译本之介绍,将不知何日始得成功。不过重译有许多坏处,大家不可不防备:第一所据的重译的本子,应该极有价值,不能胡乱取一本来重译。英国所译的东西,也有极坏的,并且有很多错的。第二应该取好几个译本来互相对照着译,——如果有好几个译本的话,如此才可以更为精密。如果能够叫一两个通原文的人拿原本来校对一下,那是更好了。

这五种质上的通病,的确已渐渐的更正,在最近的译本中,虽不能完全免除,但已有很大的进步。在量上,更是有大批的收获。只要读者把各出版家的书目展开,就可以一目了然。

从民国三年到民国十年,除了剧本的翻译,还有什么可称述呢?同时我们应当注意的,就是自己的创作。我将于下节中,把几位比较知名的作家，加以叙论。

一些努力写剧的人

说到努力写剧的人，第一是陈大悲。大悲的戏剧受前期话剧（即文明戏）的影响很深的。他在戏剧上的功绩是从幕表制改变到正式的剧本。他最早的剧作有《幽兰女士》、《不如归》、《英雄与美人》等，前两个是从日本小说改作的。其余还有《父亲的儿子》、《维持风化》、《良心》、《虎去狼来》（皆多幕剧）。独幕剧有《平民恩人》、《爱国贼》。另有《说不出》（一幕哑剧）。论者以为《英雄与美人》是他的代表作。

与大悲相近者有蒲伯英，他作两剧：《道义之交》与《阔人的孝道》。他们曾主办一个人艺戏剧专门学校，是开戏剧教育这条途径的。

在前期话剧活动的人物，如汪仲贤（即汪优游），也有《好儿子》一剧之作。剧中写一个因家庭负担迫得使用假钞票因而被捕的事，是一部描写比较深刻些的戏剧。

又欧阳予倩，在后期的努力远过于他在前期的活动。他也作了些戏剧的：《泼妇》、《回家以后》、《屏风后》等等，和歌剧《刘三妹》、《杨贵妃》、《潘金莲》等。以他在舞台的实际经验来从事写作，自然适合现有的观众。尤其他最近在广州所办的戏剧研究所，对于中国戏剧上是有相当贡献的。

当《新青年》上谈到戏剧改良的时候，胡适作了他唯一的一本独幕剧，叫《终身大事》。这个剧可以叫他做婚姻解放的宣言。作者正言的告诉了大家:“若是父母顽固,听什么瞎子的话,或者讲道学,你便以一跑了之,田女士已经作你们的榜样了。”

比胡适在技巧上高强一些的,有熊佛西,他在美国是专门治戏剧的人。所作如《新闻记者》、《新人的生活》、《这是谁的错》、《青春的悲哀》,都似乎含有揭破秘密的意思。去国后,又作《洋状元》、《一片爱国心》等。而《长城之神》一剧,梁实秋称为“技术上毫无缺憾”的作品。

与熊氏相近的有侯曜。侯曜有《复活的玫瑰》、《山河泪》、《弃妇》、《顽石点头》、《可怜闺里月》诸作。他的努力是相当可佩服的。

王成组有《飞》之作,是叙一个少爷恋一婢女的事,而终于这婢女飞了。

顾一樵作《孤鸿》。后来他是喜欢以历史故事来写剧的,此处暂不述及。

有以写短剧著名的,是丁西林。他作有四个独幕剧:《一只马蜂》、《酒后》、《亲爱的丈夫》和《压迫》。《一只马蜂》写吉先生和看护妇余小姐,看了非常令人发笑;《亲爱的丈夫》写旦角男伶黄凤卿与文人任先生的滑稽的故事;《酒后》是根据凌叔华的小说改编的;《压迫》写一个男子要在北京租房子,临时来了一位女客,权且认做夫妇,把房子租定了。作者捉住了趣味的事实,才写成这些有弹力的令人发笑的脚本。

在这时最著名的而且比较成功的作家田汉,我们值得较详的叙述一下。他的剧作集,最初是一本《咖啡店之一夜》,包含四个剧本。在《咖啡店之一夜》一剧中,写白秋英和李乾卿,是用很悲伤的调子写出来的。《午饭之前》含有一些教训主义的意味,《落花时节》是他心平气和的、合乎中庸的创造些人物，创造了这一幕剧。第四种《乡愁》，却只是一篇对话式的东西。他继此以后，又作了不少的剧，最近有《戏曲全集》之辑，计：

第一集内含：《环珴璘与蔷薇》（三幕）、《灵光》（一幕）、《薛亚罗之鬼》（一幕）、《少女时代》（二幕）。

第二集内含：《咖啡店之一夜》（一幕）、《午饭之前》（一幕）、《获虎之夜》（一幕）、《不朽之爱》（四幕）。

第三集内含：《湖上的悲剧》（一幕）、《苏州夜话》（一幕）、《生之意志》（一幕）、《名优之死》（三幕）。

第四集内含：《南号》（一幕）、《第五号病室》（三幕）、《颤栗》（一幕）、《古潭的声音》（一幕）。

第五集内含：《一致》（一幕）、《垃圾桶》（一幕）、《火之跳舞》（三幕）、《孙中山之死》（一幕）。

第六集内含：《水道》（四幕）、《狱中记》（三幕）、《弹子房之恋》（一幕）、《裁判》（一幕）。

没有收入这六集以内的，还有《暴风雨中七个女性》等。他所主持的南国社，倡导所谓南国运动的，在最近戏剧史上，很可纪念的事情。我们读他所作《我们的自己批判》（见《南国月刊》二卷一期）一文，可以知道南国社的详细的经过。

与田汉齐名的，是洪深。他两人所表现的内容完全不同。洪深是第一个到西洋学戏剧的人，同时他有舞台经验，所以他的戏剧也是称为比较成功的作品。在《洪深戏曲集》中，每一剧作都为人所爱好的。尤其是《赵阎王》，是话剧中罕见的名作。田汉初发表剧作的杂志《少年中国》上，还有张闻天的《青春的梦》，注意的人较少。

创造社的郭沫若，他也有《三个叛逆的女性》之作，内含：《聂婆》、《卓文君》、《王昭君》及《孤竹君之二子》，皆以历史上的故事写所谓历史剧的，是以近代的精神注入到已死的尸体中，借古人的事实，来写自己所要说的话。顾一樵所写的《岳飞》、《项羽》、《荆轲》也都是这类的作品。还有赵伯颜的《宋江》也与此同出一辙。

染有感伤气味的还有王新命，他有三幕剧《蔓萝姑娘》，是写的一个华俄混血儿。与他同样含有异国情调的，还有曹靖华的《恐怖之夜》，也是三幕剧，描写往俄国去的倾向共产党的青年。

白薇女士的诗剧《琳丽》曾被推为中国最好的十部书之一，又有《访雯》一剧，也出于她的手笔。陶晶孙有《黑衣人》和《尼庵》两种。徐葆炎作的有《受戒》、《惜春赋》、《结婚之前日》等。朋其有《她的兄弟》、《刮脸之晨》等。杨晦的《来客》是四幕剧，《庆满月》、《磨镜》是两幕独幕剧。成仿吾有《欢迎会》，张资平有《军用票》，王统照有《死后的胜利》，这些恐怕都不适宜于舞台的。余上沅有独幕剧《白鸽》、《兵变》，顾千里有《画家之妻》，孙佷工有《死刑》，孙景章有三幕剧《宝珠小姐》，张鸣岐有独幕剧《雷田之夜》。而陈楚淮是后起的一个努力的作家，他的集子叫《金丝笼》。

我们若更详尽的把这十年来的作家和剧作无遗的叙述起来，恐非十几万言不能尽，而且自民国十年以后的情形，是不致为大众所遗忘的，所以简略的在此处作一鸟瞰式的说明。而上海戏剧协社及赵太侔所主持的国立艺术专门学校的戏剧系等、爱美戏剧团体、职业戏剧团体及戏剧的教育机关，不能一一有所记载。在这复杂的进展的中国戏剧的前途上，这最近十年的努力与前期文明戏剧团体的纷起，是同一的纷歧，不能集中力量，这实在是可惜的事。虽然，在此十年之中，中国的话剧虽不能与各国齐驱，却已向着这个方向走来了。

中国戏剧的前途

未来的，不是我们所能预知，然希望是向着未来前进的。歌剧与话剧，同在我们希望之中，用以去建筑中国戏剧前途的理想。欧阳予倩在《戏剧改革之理论与实际》文中，对于歌剧，有这样的希望：

一、剧本

应当有美的具体化的绪论，有适时代的中心思想，有诗的文词，有剧的行为，有鲜明的性格，有表现的技巧，须求整个的完成，不取片段的齐整。中国旧歌剧对于美的情绪的表现多半用词藻，而不在剧的本身。所以全剧的情绪不能全剧贯串，如此便不能整个的具体化。过去的思想已经不适于现代，而且有许多戏，只注意片段的技艺，本无行为与思想之可言。至于歌词，全是二二三与三三四的句法，不能令人满意。最好改为长短句，但不是拟古诗，也不是按曲牌填词，要崇尚素朴的美，不取传奇式的专趋于典丽。道白要能适合音乐，但也不能去实生活的言语太远，所谓“诗的”，也只求有诗意，不必立于诗格。元曲的精神最为可采，能打破词曲的旧套而学元曲，必有成就，如《还魂》、《紫钗》之类，颇为不取。

性格在中国戏中，从不注意，却如《桃花扇》中之李香君、侯朝宗、史阁部、柳敬亭、《卖马》中的秦琼、《捉放》中的曹、陈，性格都写得很好。元曲更有些好的，如《救风尘》之类。

《救风尘》这出剧，结构、运词、性格、描写，都比《汉宫秋》好。称美《汉宫秋》的，是词家之论，不是戏剧家之论。至于多数的传奇，只顾敷衍故事，毫不顾到性格，已经落了下乘。到了目下，弄到连故事都不成立，所以说中国没有戏剧并非过言。

中国戏的结构，照元曲四折的办法，颇为经济。但行为的进展多不完全，明清之传奇变为冗长，平铺直叙之中，又胡拉许多不相干的情节进去，越弄得莫名其妙。如《琵琶记》之《坠马》，《牡丹亭》之《劝农》、《闹学》之类，都与正文无关。这种十项角式之弊，到皮黄戏完全打破，这戏剧史上是进步。可是皮黄戏除些简短的数出外，稍为复杂一点的戏，仍然是废场子很多。一来不善于用暗场，二来不懂行为进展的道理，三来除了平直的叙事，不懂得分析式的技巧，四来舞台太幼稚，没有分幕的段落。……

二、音乐

倘若剧本更变，表演当然不同。第一发生问题的，就是音乐。（中略）治本的办法是将中国古今的音乐算一算总账，根本整理一下，再把各处的民间音乐集拢来铸过一下，改造乐器，厘订乐谱，订正标准音，参考西乐而编制中国的和声学。这种重大的问题，都要按次一一解决，这当然不是一天的事。应急的办法是就现有的场面，向着我们需要的方面逐渐改革，渐次将噪音的乐器减少，将乐音的乐器加多。在编剧方面，将剧的大体确定，音乐可以跟着一步步走，由勉强做到自然，由少做到多，由单调作成完备，待之以时日，也可以逐渐有比较好的歌剧出来。……

在剧本与音乐之外，对于动作、舞台装置、化妆与服装三点，欧阳君也有很好的理论。大体是：动作与剧中的情感要调和，舞台装置也要看剧的性质如何，而求其适当。服装自然要注重时代，但不必如考古家的拘泥。而他归根到底的主张：歌剧与话剧表演的方式虽然不同，精神应当一样，因为歌剧也不能出人生范围以外。所以他说："就是灵的表演，也不能与肉毫不相干。而时代的精神和超时代的理想，尤其万不可忽略。"同时他对于话剧也有下列的言论：

论话剧之将来，必先谈谈话剧与文明新戏的分别。

一、文明戏没有剧本，话剧是有完全剧本。

二、文明戏即令有剧本，也是照旧戏或传奇的方法来组织，专以敷衍情节为主；话剧是根据戏剧的原则，用分析的技巧，表现具体的情绪，进展整个的行为。

三、文明戏虽有许多不近人情的地方，亦能描写现实，但是文明戏的写实，不过真菜、真嗬囒水上台、真烧纸锭哭亲夫之类；话剧的写实是用锐敏的观察，整齐的排列，精当的对话，显出作者的中心思想，描写的是社会某种生活人物的某种性格、时代的某种精神。

四、文明戏多以低等滑稽迎合低级社会之心理；话剧是拿严格的批评态度，站在社会前面，代表民众的呼声。

五、文明戏以浅薄的教训将就观客；话剧是以艺术的精神领导观众。

我们所希望完成的话剧，绝对不是文明新戏。欧洲的戏剧有很多的派别，从古典主义以至于表现主义，各有各的一种

> 精神。我们对于这许多派别,应当持怎么一种态度,却是一个问题。据我的意见,以为现在应当从写实主义作起。(中略)写实主义戏曲的对社会是直接的,革命的中国用不着藏头露尾虚与委蛇的说话,应当痛痛快快处理一下社会的各种问题。我们主张写实主义的理由,大致如此,不过有几句紧要的话,非郑重的说一说不可。因丑恶描写而起的厌世思想,因决定而起的颓废,因物质的刺激而生的变态病,因纵一己的情欲而流于无意义的感伤,这是决然不取的。(中略)写实主义简单的解释,就是镜中看影般的如实描写。不过这也不限于存形,何尝不可以存神?尤以神形并存,方为上乘。灵的写实当然不能忽略,所以不妨拿写实两个字广义的解释一下。譬如三一律、第四堵墙之类,本来无遵守的必要,描写的技巧,也不是一定要画着格子走方步的。演《机织工》而用酸菜,与乎那种应有尽有的舞台布置,都未免太蠢。又譬如两片灰布并垂,就算门算窗户,戏里要用桌子,就放个桌子,要椅子,就布置把椅子,不是客室,就一定要摆全堂酸枝,挂全堂字画,卧室必定要连床几、莎法、痰盂、便器、字画、钟表、毡毯、被褥,弄得巨细无遗,才算写实。布景如此,表演法也就可以推想而知了。

有能履行这许多建议的人,才能有新的话剧底创造。总之,在茫茫的前途,是要大众集中力量去前进的。我就停笔于这个热烈的希望之中了。

本章参考书目：

朱双云　《新剧史》（新剧小说社出版）
欧阳予倩　《自我演戏以来》（《戏剧月刊》及单行本）
郑振铎　《现在的戏剧翻译界》（民众戏剧社所编《戏剧杂志》一卷二号）
欧阳予倩　《编译剧本的困难》（《戏剧月刊》第一期）
向培良　《中国戏剧概评》（《狂飚丛书》，励群书局本）
田汉　《我们的自己批判》（《南国月刊》二卷一期）
谢寿康　《中国的戏剧运动》（《矛盾月刊》第五、六期合刊本）
欧阳予倩　《戏剧改革之理论与实际》（《戏剧月刊》第一期）

词 曲 研 究

自序

当这一本小书献到读者之前，去我属稿的时候，差不多快要五年了。以目下的见解较之，自然有很多出入的地方。但我当时写这一本小书，也还觉得自家有一点独到处。

用史的进展底叙述来看这两种不同的文体，词与曲，又同时把这相接近的两种文体作比较的研究。大概向来谈曲的，没有不以杂剧、传奇为主，那是错误的，尤其是说明词到曲的转变，非以散曲为主不可。在这一本小书中，我是这样写下来的。

一种文体必自含有与其他文体不同的特性，词与曲，也是各具特性的。如何知道特性的存在呢？惟有在规律里去寻，因此，作法是不可不知道的。现代的文人是主张研究词曲而不需要制作词曲的，于是有许多不合事实的论断便发生了。

有人说，词是从诗解放的，曲是从词解放的，总之词曲是一种解放。假使但在形式上说也许有几分还像，若在规律上说的话，那正是相反的，词比诗固然束缚得多，曲比词更要束缚得多。这几句话请读者在未读我这本小书之前，且考量一下。

二十三年五月十日冀野记于暨南大学

第一章 词的起源和创始

从词的形式上讲起词的起源来，大都在“长短句”的长短二字上着想，于是有人说，词源于三百篇，并且取出证据来，如《召南·殷其雷》篇“殷其雷，在南山之阳”，这是三言和五言；《小雅·鱼丽》篇“鱼丽于罶，鲿鲨”，这是四言和二言；《齐风·还》篇“遭我乎猺之间兮，并驱从两肩兮”，这是七言和六言；《召南·江有汜》篇“不我以，不我以”，这是叠句韵；《豳风·东山》篇“我来自东，零雨其濛。鹳鸣于垤，妇叹于室”，这是换韵调；《召南·行露》篇“厌浥行露”的第二章“谁谓雀无角”，这是换头。同时，也有人说，词是从古乐府推化而出的。成肇麐在《七家词选》序里说：“十五国风息而乐府兴，乐府微而歌词作，其始也皆非有一成之律以为范也。抑扬抗队之音，短修之节，连转于不自己，以蕲适歌者之吻。而终乃上跻于雅颂，下衍为文章之流别。”王应麟《困学纪闻》也有这样的话：“古乐府者，诗之旁行也，词曲者，古乐府之末造也。”在这儿我们可以看得出，除了根据形式上字句长短的差异推论词的起源，音乐上的关系也不能不说是产生词体重要的原因了。方成培说：“古者诗与乐合，而后世诗与乐分；古人缘诗而作乐，后人倚调以填词，古今若是其不同，而钟律宫商之理，未尝有异也。自五言变为近体，乐府之学几绝。唐人所歌，多五七言绝句，必杂以散声，然后可被之管弦，如阳关必至三叠而后成音，此自然之理。后来遂谱其散声，以字句实之，而长短句兴焉。”——见《香研居词麈》。

不过这种音乐的根据，又从何而起呢？大约可分作三种来讲：

一、古乐的遗留。在《旧唐书·音乐志》里，说得很详细：“宋梁之间，南朝文物号为最盛。人谣国俗，亦世有新声。后魏孝文宣武，用师淮汉，收其所获南音，谓之‘清商乐’。隋平陈，因置清商署，总谓之清乐。遭梁、陈亡乱，所存盖鲜。隋室以来，日益沦缺。武太后之时，犹有六十三曲。……自长安以后，朝廷不重古曲，工伎转缺，能合于管弦者，唯〔明君〕、〔杨伴〕、〔骁壶〕、〔春歌〕、〔秋歌〕、〔白雪〕、〔堂堂〕、〔春江花月〕等八曲。”足见古曲逐渐的陵替底状况。在同书《音乐志》又说：“自开元以来，歌者杂用胡夷里巷之曲。”所谓胡夷里巷之曲，便是影响于“词”最为重要的。现在且分开来叙述。

二、胡曲的输入。中国音乐受外来影响，在历史上，汉以前我们不知道；汉以后，我们很可晓得的，翻开隋、唐《音乐志》来，便有详细的记载。唐代诗人如王之涣、王昌龄诸人的诗，在旗亭传唱，恐怕很多就是用流行的外来的歌谱。我们看《旧唐书·音乐志》的话可知：“自周、隋以来，管弦杂曲将数百曲，多用西凉乐，鼓舞曲多用龟兹乐。其曲度皆时俗所知也。”时俗所知，已可见胡曲在民间的普遍了。在崔令钦《教坊记》所载三百二十五曲，有许多鼓舞曲。像〔献天花〕、〔归国遥〕、〔忆汉月〕、〔八拍蛮〕、〔卧沙堆〕、〔怨黄沙〕、〔遐方怨〕、〔怨胡天〕、〔牧羊怨〕、〔阿也黄〕、〔羌心怨〕、〔女王国〕、〔南天竺〕、〔定西蕃〕、〔望月婆罗门〕、〔穆护子〕、〔赞普子〕、〔蕃将子〕、〔胡攒子〕、〔西国朝天〕、〔胡僧破〕、〔突厥三台〕、〔穿心蛮〕、〔龟兹乐〕等，望名可知其为胡曲，或自胡曲蜕变出，至少也是受过胡曲影响的。蔡絛《诗话》也说过：“按唐人《西域记》龟兹国王与其臣庶之知乐者，于大山间，听风水声均节成音。复翻入中国，如〔伊州〕、〔甘州〕、〔梁州〕等曲，皆自龟兹所致。”于此，我们晓得古曲衰而胡曲侵入，因为这样音乐上一次变动，后来渐化为我们自己的，利用外来的乐器而自编新谱，自制新词。其次，里巷之曲，也是“词”的种子。

三、俚词的采仿。在最早许多词调之中，如〔竹枝词〕、〔杨柳枝〕、〔浪淘沙〕、〔忆江南〕、〔调笑〕、〔三台〕等颇多就是从里巷出来的。所谓里巷之曲，因为散在各地，有些很偏僻的地方，并且这种曲大都有“地方性”，所以不大普遍的，而为文人所喜，便形成初期的“词”了。刘禹锡在《竹枝词序》里就说：“里中儿联歌《竹枝》，吹短笛，击鼓以赴节。歌者扬袂睢舞，以曲多为贤。聆其音，中黄钟之羽。率章激讦如吴声，虽伧伫不可分，而含思宛转，有《淇澳》之艳。”把素不见重的民歌，渐渐的文艺化。他如张志和的《渔歌子》，想来是润饰或者改作当时的渔歌而成。元结的《欸乃曲》或亦模仿船歌而作。可见里巷之曲，虽不是“词”惟一的因缘，然而和“词”也颇有关系。从上面的话看来，无论就形式去推论，或源音乐而考究，“词”的起源决不如向来词论家所说那么单纯。

在任何一种文学的体裁没有确定以前，都是属于大众的。等到这种体裁固定了以后，又必渐变为个人的，“词”也不是例外。以上所谈还是“词”的胚胎，而非创始的“词”。在这儿我先解释“词”这个名称。

有人借用“意内言外”来解释“词”，这不是“词”之所以为词。词本来与曲相对而言，声音的疾徐、腔调的高低，就是所谓曲。而所填的文字叫做“词”，就如现在泛称的词章一样的意思。又因此种词章的形式，别称为“长短句”。还有人称之为“诗余”的。所谓

“诗余”，并不是因为有王应麟那班人说词曲者，古乐府之末造，于是便说他是诗之余。据我的解释，就是许多情感，或者许多境界，在“诗”这种体裁里，不容易表现出来，我们不得不在“诗”之外另创一种体裁，此体裁是诗之外的，故名“诗余”。我在我的《词学通评》中曾说过：“或名诗余者，意非可以入诗。诗之所余，自成其式之谓。”“诗余”既然自有独立的意义，与别体便不相干涉了。这“词”、“长短句”、“诗余”三种名称，都是指这同一样的体裁而言。此外还有什么“新声”、“余音”、“别调”、“乐府”……皆是词人为他的作品题的，并不是这种体裁的名称。以下谈“创始的词”，我们可于此看出“词调”的来源。

无论是古代的遗留，或者胡夷里巷之曲，这大都为大众所欣赏的，后来便有个人创制了。个人创制也有两个时期：最早的是皇家或贵族，这时词体初定，大约先制曲，逐渐填文字进去。如《羯鼓录》上面说：“明皇爱羯鼓玉笛，云八音之领袖。时春雨始晴，景色明丽。帝曰：对此岂可不为判断？命羯鼓临轩纵击，曲名〔春光好〕。回顾柳杏皆已微坼。”《教坊记》：“隋大业末，炀帝幸扬州。乐人王令言以年老不去，其子从焉。其子在家弹琵琶。令言惊问：此曲何名？其子曰：内里新翻曲子，名〔安公子〕。令言流涕悲怆，谓其子曰：尔不须扈从，大驾必不回。子问故。令言曰：‘此曲宫声，往而不返。宫为君，吾是以知之。’”又“〔春莺啭〕，高宗晓声律，晨坐闻莺声，命乐工白明达写之，遂有此曲”。《乐府杂录》上也有记的：“〔黄骢叠〕，太宗定中原时所乘战马也。后征辽，马毙，上叹惜，乃命乐工撰此曲。”又“〔雨霖铃〕，明皇自西蜀返，乐人张野狐所制”。又如〔倾杯乐〕，“宣帝喜吹芦管，自制此曲，初捻管令排儿辛骨𩨘拍不中，上嗔目瞠视，骨𩨘忧惧一日而殂”。这些未必有辞的。在《填词名解》上:“〔天仙子〕,唐韦庄词,刘郎此日别天仙云云,遂采以名。”那么曲与词都制好的了。

后来词到黄金时代,不是皇家贵族,词人自己也创制。《填词名解》有很多的记载。如“宋秦观谪岭南,一日饮于海棠桥野老家,遂醉卧。次早题词于柱而去。末句云,醉乡广大人间小。此调遂名〔醉乡春〕”。又“〔扬州慢〕,中吕宫词调,宋姜夔自度曲也。淳熙中夔过维扬,怆然有黍离之感,作感旧词,因创此调也”。又“宋史达祖作咏燕词,即名其调曰〔双双燕〕”。又“〔云仙引〕,冯伟寿桂花词,自度此调”。再看毛滂题〔剔银灯〕词:“同公素赋侑歌者以七急拍拜劝酒,以词中频剔银灯语名之。”我们从上面可知创一词调,或就动机,或就对象,或取词中语命名。还有许多调名,杨用修与都元敬曾经考得很详细,譬如〔蝶恋花〕,取梁元帝“翻阶蛱蝶恋花情”句。〔满庭芳〕,取吴融“满庭芳草易黄昏”句。〔点绛唇〕,取江淹“白雪凝琼貌,明珠点绛唇”句。〔鹧鸪天〕,取郑嵎“春游鸡鹿塞,家在鹧鸪天”句。〔惜余春〕,取太白赋语。〔浣溪纱〕,取杜陵诗意。〔青玉案〕,取《四愁诗》语。〔踏莎行〕,取韩翃诗:“踏莎行草过青溪。”〔西江月〕,取卫万诗:“只今惟有西江月。”〔菩萨蛮〕是西域妇人的髻子。〔苏幕遮〕是西域妇人的帽子。〔尉迟杯〕,因为尉迟敬德饮酒必用大杯。〔兰陵王〕,因为兰陵王入阵先歌其勇。〔生查子〕是古槎子,张骞乘槎故事。〔潇湘逢故人〕又是柳浑的诗句。他如〔玉楼春〕,取白乐天诗:“玉楼宴罢醉和春。”〔丁香结〕,取古诗:“丁香结恨新。”〔霜叶飞〕,取杜诗:“清霜洞庭叶,故欲别时飞。”〔清都宴〕,取沈隐侯诗:“朝上阊阖宫,夜宴清都阙。”〔风流子〕出《文选》,刘良《文选注》上说:“风流言其风美之声,流于天下,子者男子之通称。”〔荔枝香〕出《唐书》:贵妃生日,命小部奏新曲，未有名。适进荔枝至，因名命〔荔枝香〕。〔解语花〕出《天宝遗事》，亦明皇称贵妃语。〔解连环〕，据《庄子》“连环可解”的话。〔华胥引〕出列子：“黄帝昼寝，梦游华胥之国。”〔塞垣春〕，“塞垣”二字见《后汉书·鲜卑传》。〔玉烛新〕，“玉烛”二字出《尔雅》。〔多丽〕，张均妓名，善琵琶。〔念奴娇〕，唐明皇为宫人念奴作。足见为各个词调立名的时候，原因也颇复杂的。

“词”在这创始时，我们也可以说唐人的词大都“缘题生咏”，从调名一方面看出此调所以创制的缘故，一方面词的内容约略可以望文而知。缘〔临江仙〕言水仙，〔女冠子〕说道情，〔河渎神〕缘祠庙的事，〔巫山一段云〕状巫峡，〔醉公子〕就讲公子的醉。以调为题，触景生情，必合词名的本意。后来就不如此了。

问题：

一、“词”是不是就从“诗”演化出来？

二、词句长短是为着什么关系？

三、古乐的遗留、胡曲的输入所予词的影响孰轻孰重？

四、初期的“词”何以有一部分还带着地方性？

五、词的别名“诗余”其意义究竟何在？

六、形成词调以后，创制调名有多少不同的方法？

参考书：

郑振铎　《词的启源》篇，见郑著《中国文学史·中世卷》第三篇上册，商务印书馆印行。

胡适　《词的启源》篇，见胡适《词选》附录，出版处同上。

傅汝楫　《寻源》、《述体》，见傅著《最浅学词法》第一、二章，大东书局印行。

第二章　词各方面的观察

词分作小令、中调、长调,犹之诗分作古体近体一样。这个名目始自《草堂诗余》。钱塘毛氏说:“五十八字以内,为小令;五十九字至九十字,为中调;九十一字以外为长调。古人定例也。”这是很可笑的话,所谓定例,究竟是什么根据?假使少了一字为短,多了一字为长,这决不是合理的事。譬如〔七娘子〕有五十八字调,有六十字调,那么说是小令,还是中调呢?譬如〔雪狮儿〕有八十九字调,有九十二字调,那么说是中调,还是长调呢?这种分析是靠不住的,而且于词也没有便当,不过如《词综》所说以臆见分之而已。其实《草堂》旧刻,也有这种分类,并没有标出小令、中调、长调的名色。在嘉靖的时候,上海顾从敬刻《类编草堂诗余》四卷,才把三个名目写出来。何良俊序中说:“从敬家藏宋刻,较世所行本,多七十余调,明系依托。自此本行,而旧本遂微。”于是小令、中调、长调的分别,便牢不可破了。(现在通例:五十字以下为小令,百字以下为中调,百字以上为长调。相差一两字,也不妨移置,不必十分的限制。)

词中还有调异名同、名异调同二种。调异名同的比较少些,如〔长相思〕、〔浣溪纱〕、〔浪淘沙〕在小令里有,长调里也有,是迥然有别的。名异调同的,就有许多,让我来列举于下,免初学者为之迷惑。

如〔捣练子〕杜晏二体即〔望江楼〕,〔荆州亭〕即〔清平乐〕,〔眉峰碧〕即〔卜算子〕,〔月中行〕即〔月宫春〕,〔惜分飞〕即〔惜双双〕,〔桂华明〕即〔四犯令〕,〔清川引〕即〔凉州令〕,〔杏花天〕即〔于中好〕,〔番枪子镳铲金井〕即〔四犯剪梅花〕,〔月下笛〕即〔琐窗寒〕,〔八犯玉交枝〕即〔八宝妆〕,〔荐金蕉〕即〔虞美人之半〕,〔醉思仙〕即〔醉太平〕,〔折丹桂〕即〔一落索〕,〔醉桃源〕即〔桃源忆故人〕,〔醉春风〕即〔醉花阴〕,〔惜余妍〕即〔露华〕,〔庆千秋〕即〔汉宫春〕,〔月交辉〕即〔醉蓬莱〕,〔雪夜渔舟〕即〔绣停针〕,〔恋春芳慢〕即〔万年欢〕,〔月中仙〕即〔月中桂〕,〔菩萨蛮引〕即〔解连环〕,〔十六字令〕即〔苍梧谣〕,〔南歌子〕即〔南柯子〕,又即〔春宵曲〕,〔双调〕即〔望秦川〕,又即〔风蝶令〕,〔三台令〕即〔翠华引〕,又即〔开元乐〕,〔忆江南〕即〔梦江南〕、〔望江南〕、〔江南好〕,又即〔谢秋娘〕,其〔望江海〕、〔梦江口〕、〔归塞北〕、〔春去也〕等名,则人不甚知道了。〔深夜月〕即〔捣练子〕,〔阳关曲〕即〔小秦王〕,〔卖花声〕、〔过龙门〕、〔曲入真〕即〔浪淘沙〕,〔忆君王〕、〔玉叶黄〕、〔栏干万里心〕即〔忆王孙〕,〔宫中调笑〕、〔转应曲〕、〔三台令〕即〔调笑令〕,〔忆仙姿〕、〔宴桃源〕即〔如梦令〕,〔一丝风〕、〔桃花水〕即〔诉衷情〕,〔内家娇〕即〔风流子〕,〔红娘子〕、〔灼灼花〕即〔小桃红〕,〔水晶帘〕即〔江城子〕,〔乌夜啼〕、〔上西楼〕、〔西楼子〕、〔月上瓜洲〕、〔秋夜月〕、〔忆真妃〕即〔相见欢〕,〔双红豆〕、〔忆多娇〕、〔吴山青〕即〔长相思〕,〔醉思凡〕、〔四字令〕即〔醉太平〕,〔愁倚栏令〕即〔春光好〕,〔一痕沙〕、〔宴西园〕即〔昭君怨〕,〔湿罗衣〕即〔中兴乐〕,〔南浦月〕、〔沙头月〕、〔占樱桃〕即〔点绛唇〕,〔月当窗〕即〔霜天晓〕,〔百尺楼〕即〔卜算子〕,〔罗敷媚〕、〔罗敷艳歌〕、〔采桑子〕即〔丑奴儿〕,〔青杏儿〕、〔似娘儿〕即〔促拍〕,

〔丑奴儿慢〕、〔子夜歌〕、〔重叠金〕即〔菩萨蛮〕,〔钓船笛〕即〔好事近〕,〔好女儿〕即〔绣带儿〕,〔玉连环〕、〔洛阳春〕、〔上林春〕即〔一落索〕,〔花自落〕、〔垂杨碧〕即〔谒金门〕,〔喜冲天〕即〔喜迁莺〕,〔秦楼月〕、〔碧云深〕、〔玉交枝〕即〔忆秦娥〕,〔江亭怨〕即〔荆州亭〕,〔忆罗月〕即〔清平乐〕,〔醉桃源〕、〔碧桃春〕即〔阮郎归〕,〔乌夜啼〕即〔锦堂春〕,〔虞美人歌〕、〔胡捣练〕即〔桃园忆故人〕,〔秋波媚〕即〔眼儿媚〕,〔早春愁〕即〔柳梢青〕,〔小阑干〕即〔少年游〕,〔步虚词〕、〔白苹香〕即〔西江月〕,〔明月棹孤舟〕、〔夜行船〕即〔雨中花〕,〔春晓曲〕、〔玉楼春〕、〔惜春容〕即〔木兰花〕,〔玉珑璁〕、〔折红英〕即〔钗头凤〕,〔思佳客〕即〔鹧鸪天〕,〔舞春风〕即〔瑞鹧鸪〕,〔醉落魄〕即〔一斛珠〕,〔一箩金〕、〔黄金缕〕、〔明月生〕、〔南浦〕、〔凤栖梧〕、〔鹊踏枝〕、〔卷珠帘〕、〔鱼水同欢〕即〔蝶恋花〕,〔南楼令〕即〔唐多令〕,〔孤雁儿〕即〔玉阶行〕,〔月底修箫谱〕即〔祝英台近〕,〔上西平〕、〔西平曲〕、〔上南平〕即〔金人捧露盘〕,〔上阳春〕即〔蓦山溪〕,〔瑞鹤仙影〕即〔凄凉犯〕,〔锁阳台〕、〔满庭霜〕即〔满庭芳〕,〔碧芙蓉〕即〔尾犯〕,〔绿腰〕即〔玉漏迟〕,〔花犯念奴〕即〔水调歌头〕,〔红情〕即〔暗香〕,〔绿意〕即〔疏影〕,〔催雪〕即〔无闷〕,〔瑶台聚八仙〕、〔八宝妆〕即〔秋雁过妆楼〕,〔百字令〕、〔百字谣〕、〔大江东去〕、〔酬江月〕、〔大江西上曲〕、〔壶中天〕、〔淮甸春〕、〔无俗念〕、〔湘月〕即〔念奴娇〕,〔疏帘淡月〕即〔桂枝香〕,〔小楼连苑〕、〔庄椿岁〕、〔龙吟曲〕、〔海天阔处〕即〔水龙吟〕,〔凤楼吟〕、〔芳草〕即〔凤箫吟〕,〔台城路〕、〔五福降中天〕、〔如此江山〕即〔齐天乐〕,〔柳色黄〕即〔石州慢〕,〔四代好〕即〔宴清都〕,〔菖蒲绿〕即〔归朝欢〕,〔西湖〕即〔西河〕,〔春霁〕即〔秋霁〕,〔望梅〕、〔杏梁燕〕、〔玉联环〕即〔解连环〕,〔扁舟寻旧约〕即〔飞雪满群山〕,〔惜余春慢〕、〔苏武慢〕、〔选冠子〕即〔过秦楼〕,〔寿星明〕即〔沁园春〕,〔金缕曲〕、〔貂裘换酒〕、〔乳燕飞〕、〔风敲竹〕即〔贺新郎〕,〔安庆摸〕、〔买陂塘〕、〔陂塘柳〕即〔摸鱼儿〕,〔画屏秋色〕即〔秋思耗〕,〔绿头鸭〕即〔多丽〕,〔个侬〕即〔六丑〕。这里面有许多是割裂名篇中的警句而来,至于拼合几调而成新名,在词中是不多见的。

就词体论,有两种特殊的地方,与诗绝不相似。一、"隐括体",所谓隐括,就是化许多诗成为词句,此等风气,开自周美成,南宋诸家相沿成习。至辛稼轩、陆放翁的"掉书袋",尤其奇异,什么经书史籍,无一不可入词。好处是借别人的巧话为我的隽语,而不能发抒自己的真性情,便是弊病。二、"回文体",逐句回文,苏东坡就有这种办法;到了明朝,汤义仍辈竟通首回起来了。譬如丁药园便爱为此,举例如下:

> 下帘低唤郎知也,也知郎唤低帘下。来到莫疑猜,猜疑莫到来。道侬随处好,好处随侬道。书寄待何如?如何待寄书。

毕竟是近于纤巧了。大概惟体是求,不免就自缚才力。白石以后,在一阕前又必多作题目,把词意先在散文中显示了,于是词的本身底情味便觉淡薄。至于咏物的词,非有寄托不可。南宋词人有一时期因为不便(直接可以是不敢)直说出他们心中的苦闷,所以托赋一物以自见,后来失了原意,以咏物为词中一体,翻检类书,堆砌典故,更是味同嚼蜡。如朱彝尊《茶烟阁体物集》,〔沁园春〕赋耳口鼻……实在无聊之至。沈伯时《乐府指迷》"音律欲其协,不协则成长短之诗;下字欲其雅,不雅则近乎缠令之体。用字不可太露，露则直突而无深长之味；发意不可太高，高则狂怪而失柔婉之意。此四语为词学之指南，各宜深思也”。这全就制作的技巧来谈，大概一种文学起初是自然的，形成专体以后，无不逐渐在技巧上进展，词尤其逃不出此例。以下让我把词所用字、韵、法式和简易的作法分几段来讲，这也是研究词者所必要的知识。

字有平仄，无论什么人都知道的，稍详细一点分四声，再精细些就辨阴阳声。词之为长短句，一切平仄在创调的时候，按宫调管色的高下，立定程序。而字音之开齐撮合，别有美妙。古人成作，有许多读之拗口，正是音律最谐的地方。张綖《诗余图谱》遇着拗句，便改做顺适，实在是可笑的。大概这种拗调涩体，清真、梦窗、白石三家集中最多。如清真词〔瑞龙吟〕“归骑晚，纤纤池塘飞雨”。梦窗词〔莺啼序〕“快展旷眼，傍柳系马”。白石词〔暗香〕“江国正寂寂”，读起来，都有些拗口。虽然平仄之分，不过两途，而仄还有上去入三种分别，在仄处不能三声统用的。大约一调中统用的有十之六七，不可统用的也有十之三四，下字时都经过斟酌的。因为一调自有一调的风度声响，假使上去互易，便有落腔之弊。如〔齐天乐〕有四处必须用去上声，清真词“云窗静掩，露囊清夜照书卷。凭高眺远，但愁斜照敛”。“静掩”、“眺远”、“照敛”，非去上不可。虽入可作上，也不相宜（此说详后）。此外如〔兰陵王〕仄声字多，〔寿楼春〕平声字多，应当一一遵守，不能混用。因为上声舒徐和软，其腔低；去声激厉劲远，其腔高，配搭用起来，才抑扬悦耳。所以两去两上最当避用，如再间用阴阳声，更可动听。万树说：“名词转折跌荡处，多用去声。”这是很有心得的话。黄人论曲：“三仄应须分上去，两平还要辨阴阳。”于词何独不然呢？至入叶三声（仄当分作八部：以屋沃烛为一部，觉药铎为一部，质职迄昔锡职德缉为一部，术物为一部，陌麦为一部，没曷末为一部，月黠牵屑薛叶帖为一部，合盍业洽狎乏为一部），戈载分之为五部，虽然太宽，而分派三声，约分列在各部之下。入作平，作上，作去，我们可按《词林正韵》（王氏四印斋刊本中有）而索得，并且皆有切音，使人知有限度，并不得滥用了。例如晏幾道〔梁树令〕“莫唱阳关曲”，曲字作邱雨切，叶鱼虞韵。辛弃疾〔丑奴儿慢〕“过者一霎”，霎字作始鲊切，叶家麻韵。我们于此可以知道入声固有一定的法则。

论词韵，与诗韵、曲韵都不相同。戈载《词林正韵》分十九部，清初沈谦的《词韵略》，删并又颇多失当，分合之界模糊不清。同时赵钥、曹亮武都有《词韵》，和沈氏大同小异。李渔的《词韵》列二十七部，根据乡音，颇为人所不满。胡文焕《文会堂词韵》平上去三声用曲韵，入声用诗韵，不免是骑墙之见。许昂霄《词韵考略》亦以今韵分编，平上去分十七部，入声分九部，又说什么古通古转，今通今转，借叶。自称本楼敬思《洗砚集》，以平声贵严故从古，上去较宽便参用古今，入声更宽所以从今。但不知何古何今，又何为借叶？真无异痴人说梦了。吴烺、程名世诸人的《学宋斋词韵》所学的却是宋人误处，郑春波的《绿漪亭词韵》也不过为之羽翼而已。吾师吴瞿安先生参酌戈、沈二书，分为二十二部，并列其目（韵目用广韵）。

第一部

　　平　一东　　二冬　　三钟

　　上　一董　　二肿

　　去　一送　　二宋　　三用

第二部

　　平　四江　　十阳　　十一唐

上	三讲	二十六养	三十七荡			
去	四绛	四十一漾	四十二宕			

第三部

平	三支	六脂	七之	八微	十二齐	十五灰
上	四纸	五旨	六止	七尾	十一荠	十四贿
去	五置	六至	七志	八未	十二霁	十三祭
	十四太半	十八队	二十废			

第四部

平	九鱼	十虞	十一模
上	八语	九噳	十姥
去	九御	十遇	十一暮

第五部

平	十三佳半	十四皆	十六咍	
上	十二蟹	十三骇	十五海	
去	十四太半	十五卦半	十六怪	十七夬
	十九代			

第六部

平	十七真	十八谆	十九臻	二十文	二十一欣
	二十三魂	二十四痕			
上	十六轸	十七准	十八吻	十九隐	二十一混
	二十二很				
去	二十一震	二十二稕	二十三问	二十四焮	
	二十六慁	二十七恨			

第七部

平	二十二元	二十五寒	二十六桓	二十七删

二十八山　一先二仙

上　二十阮　二十三旱　二十四缓　二十五潸

二十六产　二十七铣　二十八狝

去　二十五愿　二十八翰　二十九换　三十谏

三十一裥　三十二霰　三十三线

第八部

平　三萧　四宵　五肴

上　二十九篠　三十小　三十一巧　三十二晧

去　三十四啸　三十五笑　三十六效　三十七号

第九部

平　七歌　八戈

上　三十三哿　三十二果

去　三十八个　三十九过

第十部

平　十三佳半　九麻

上　三十五马

去　十五卦半　四十祃

第十一部

平　十二庚　十三耕　十四清　十五青　十六蒸

十七登

上　三十八梗　三十九耿　四十静　四十一迥

四十二拯　四十三等

去　四十三映　四十四诤　四十五劲　四十六径

四十七证　四十八澄

第十二部

平　十八尤　　十九侯　　二十幽

上　四十四有　　四十五厚　　四十六黝

去　四十九宥　　五十候　　五十一幼

第十三部

平　二十一侵

上　四十七寝

去　五十二沁

第十四部

平　二十二覃　　二十三谈　　二十四盐　　二十五添

二十六咸　　二十七衔　　二十八严　　二十九凡

上　四十八感　　四十九敢　　五十琰　　五十一忝

五十二俨　　五十三豏　　五十四槛　　五十五范

去　五十三勘　　五十四阚　　五十五艳　　五十六㮇

五十七酽　　五十八陷　　五十九鉴　　六十梵

第十五部

入　一屋　　二沃　　三烛

第十六部

四觉　　十八药　　十九铎

第十七部

五质　　七栉　　九迄　　二十二昔　　二十三锡

二十四职　　二十五德　　二十六缉

第十八部

六术　　八物

第十九部

二十陌　　二十一麦

第二十部

十一没　　十二曷　　十三末

第二十一部

十月　　十四黠　　十五牵　　十六屑　　十七薛

二十九叶　　三十帖

第二十二部

二十七合　　二十八盍　　三十一洽　　三十二狎

三十三业　　三十四乏

韵有开口、闭口的分别，第二部江阳、第七部元寒是开口音，第十三部侵、第十四部覃是闭口音。有时容易混淆的如第六部、第十一部和第十三部，宋人就往往牵连混合，这因为作者避难就易，不明开闭口的道理。总之，词韵是一种专门学问，以前韵学的失败有四个缘故：一、因为浅学之士妄选韵书。二、蹇丁牙吻，囿于偏方，或者稍窥古法，而自己吐咳不明。三、更有妄人不知古例，孟浪押韵。四、才劣口给者乐三弊，而为他们张帜。于是词韵之紊乱，几乎不可收拾了。

比词韵更不易明白的，便是音律。音律特别是专学，现在我且简单的说几句。音有七：宫、商、角、徵、羽、变宫、变徵。律有十二：黄钟、大吕、太簇、夹钟、姑洗、中吕、蕤宾、林钟、夷则、南吕、无射、应钟。以七音乘十二律，得八十四音，这叫做宫调。以宫乘十二律名曰宫。以商、角六音乘十二律曰调。所以宫有十二，调有八十四。宋词中清真、屯田自注宫调于各牌下，梦窗虽然仍旧，但谱已亡了。这八十四调是音律的次第，论音律的应用，只有黄钟、仙吕、正宫、高宫、南吕、中吕、道宫七宫。大石、小石、般涉、歇指、越调、仙吕、中吕、正平、高平、双调、黄钟、羽商十二调。其所以然的道理甚精微,可参看傅氏《学词法》第四、五章。

在音律一方面是属于声乐的,在词章一方面是属于文字的,大概宋时有有谱而无词的,在现在却变成有词而无谱。今之所谓谱如万树《词律》、《钦定词谱》、舒梦兰《白香词谱》、《填词图谱》,皆是文字的谱,因为歌法已废,所遗留的文字的谱也无法考订了。

词有六百六十几调,而体有一千一百八十多,我们按谱填字,只求不背古人法式。譬如意思有多少,配贴几句,既定以后就可运笔。凡题意宽大,可以直抒胸臆的要用长调,题意较纤仄,便宜于用中调或小令。至于悲欢哀乐的情绪,也有一定法度。商调、南吕诸词近于悲怨,正宫、高宫的词宜于雄大,越调冷隽,小石风流,可看词旨如何去择调。有人以些调名的字面强合本意,最为可笑。如送别用〔南浦〕(此是欢词),祝寿用〔寿楼春〕(此是悼亡词)之类。大抵小令注重蕴藉含蓄,要有言外之意;中长调(又合称慢词)结构布局,最须匀称。字义也是要十分分辨的,因为我国文字往往有一字好几音,譬如"萧索",索叶速;"索取",索叶啬。数目的"数",叶素;烦数的"数",叶朔。睡觉的"觉"去声;知觉的"觉"入声。多少的"少"上声;老少的"少"去声。平时习诵,非一一加以考核不可。

其次,谈词的句法,现在取一字句到七字句来研究。

"一字句"。除《十六字令》第二句外,平常都用做领字(多仄声如正、渐、又等)。

"二字句"。大概用在换头首句,或者暗韵处。有"平仄"、"仄平"、"平平"、"仄仄"四种。"平仄"用的最多,如〔无闷〕"清致,悄无似”。“清致”二字便是。

“三字句”。通常用“仄仄平”，如〔多丽〕“晚山青”便是。“平平仄”、“仄平仄”、“平平平”、“仄仄平”、“仄仄仄”，大半近于领头句了（领头句是不完全的句子）。

“四字句”。“平平仄仄”、“仄仄平平”，这种当然是普通的格式，但〔水龙吟〕“是离人泪”，是上一下三的句法。如〔曲江秋〕“银汉坠怀，渐觉夜阑”是“平仄仄平”的句法。

“五字句”。有上二下三与上一下四两种。“平平平仄仄”、“仄仄仄平平”、“仄仄平平仄”、“平平仄仄平”，皆上二下三句法。如〔燕归梁〕“记一笑千金”，便是上一下四句法。如〔寿楼春〕第一句用五平声字在“五字句”中是特殊的。

“六字句”。有普通用在双句对下和折腰两种用法。平仄无定，并且词中不多见。

“七字句”。有上四下三和上三下四两种，上四下三如诗句，至于像〔唐多令〕“燕辞归客尚淹留”便属于上三下四了。

此外“八字句”、“九字句”无非合三五、四五成句而已。结声字（第一韵和两叠结韵处）第一韵叫做“起调”，“两结韵”叫做“毕曲”，三处下韵的音却必须相等。我们读词可细心的按句逐韵的考核。

至于制作种种说法，在词话中很多，本书并非专谈填词的，并且现在词之有无填作的需要，这也是另一问题。

问题：

一、试论小令、中调、长调的区别。

二、名异调同和调异名同，那一种最容易淆乱人的观念？

三、“隐括”和“回文”，诗中有而此体否？试寻检之。

四、如何而产生咏物词？（参阅本书第四章）

五、上、去两声何以不能在词中通用？如何知道入声作去作上？

六、以前的词韵为何而失败？

七、在词上应用的音律有几宫几调？

八、词调的选择与词旨有何关系？

九、试考词中一字句到七字句的用法，究竟哪一种最普遍？

参考书：

吴梅　《词学通论》（东南大学讲义）。

傅汝楫　《最浅学词法》（大东）。

第三章　几个重要的词家(上)

无论研究那一种文学,必定要直接向作品里去探讨,词当然也不是例外。但是这么多的词集,从那里下手才好呢?我们要看每个人的专集,现在很流行的有:毛刻《六十一家词》(就是汲古阁本)、《王刻词》(就是四印斋本)、《朱刻词》(就是《疆村丛书》本),大部分是专集。不过,这决非入门的书籍。要初步去研究词,还是用选本为宜。词的选本也很多,从赵崇祚《花间集》起,什么黄昇《花庵绝妙词》、《中兴以来绝妙词》、陈景沂《金芳备祖乐府》、元好问《中州乐府》、彭致中《鸣鹤余音》、凤林书院《元词乐府补题》、许有孚《圭塘欸乃集》、顾梧芳《尊前集》(《尊前集》有两部,最早的只留书名而没有传本。这是明朝人顾梧芳用他原名另外编辑的)、杨慎《词林万选》、陈耀文《花草粹编》、沈际飞《草堂诗余广集》、茅映《词的》、卓人月《词统》。真可谓名目繁多。朱彝尊后来又选唐五代宋金元词三十卷,曰《词综》,这比较是有宗旨而选辑的。在康熙四十六年沈辰垣这班人奉敕撰百卷,一共取了九千多阕,这便是《历代诗余》,是一部重要的词选。王昶又加了吴则礼到吴存二十八位词人的作品,成《词综补人》,又因为朱彝尊《词综》缺明清二代的词,遂搜辑《明词综》三十卷、《国朝词综》四十八卷、《二集》二卷。黄燮清又有《国朝词综续编》二十四卷。丁绍仪有《国朝词综补》,陶梁有《词综补遗》,又有《女词综》二卷,可惜没有传下来。

这些选本卷帙颇富，不是一时所能看得完的。比较简略而最为初学所取读的，就是张惠言、张琦的《宛邻词选》（平常大家简称做《词选》），从李白起一共四十四家，一百十六阕词。他们的外甥婿董毅撰《续词选》共五十二家，加了一百二十二阕词。惠言的信徒周济又辑《词辨》十卷，这是最有主张的采选，这部选本后来让一位姓田的在水中飘失了，只存下前两卷来。至于限时代的选集，如刘逢禄的《词雅》，只是取唐、五代、宋三朝。成肇麟的《唐五代词选》（这部书最近商务有古活字本）取唐、五代的词品，皆极精审。此外并限于家数的，如周之琦《心日斋十六家词》，从唐到元。周济的《宋四家词选》，此书向为词坛推称选本的正鹄。冯煦的《宋六十一家词选》、戈顺卿的《宋七家词选》，也皆初学最可宝贵的选本。还有朱祖谋的《宋词三百首》，我看词之研究者可以第一部去看他。此外更有许许多多选本，我在这儿不必再絮叨叨的叙述了。

我们读某一位词人的作品，最好还要知道这个人的身世，更进一步要知道他作这阕词的动机。那么非注意"词话"不可，词话从前曾有丛编，遗漏很多。即以清人的著作而论，如彭孙遹《金粟词话》、毛大可《西河词话》、沈雄《柳塘词话》、董以宁《蓉湖词话》、李调元《雨村词话》、陆鎣《问花楼词话》、赵庆熹《听秋声馆词话》、吴衡照《莲子居词话》、贺裳《皱水轩词筌》、王士祯《花草蒙拾》、彭孙遹《词藻》、王又华《词论》、徐釚《词苑丛谈》、刘体仁《七颂堂词绎》、邹祗谟《远志斋词衷》、方成培《香研居词麈》、宋翔凤《乐府余论》、张宗橚《词林纪事》、冯金伯《词苑萃编》、周济《介存斋论词杂著》、孙麟趾《词选》、蒋剑人《芬陀利室词话》、况周颐《蕙风词话》、江顺诒《词学集成》……写不尽的瑰宝，可惜散见各处，这都是我们研究词者的宝贝（现在我的朋友郑振铎先生正预备整理汇刻）。

在此处,让我且择出几个重要的词家,使初学者加以注意,同时也可得到研究词的方法。大概考证、欣赏、制作是三种不同的途径,但是最低度的却应当同一的寻相当的了解,我所谓方法,便是求了解的意思,非指考证一项而言。

平林漠漠烟如织,寒山一带伤心碧,暝色入高楼,有人楼上愁。　　玉阶空伫立,宿鸟归飞急。何处是归程?长亭更短亭!(〔菩萨蛮〕)

箫声咽,秦娥梦断秦楼月。秦楼月,年年柳色,灞陵伤别。乐游原上清秋节,咸阳古道音尘绝。音尘绝,西风残照,汉家陵阙。(〔忆秦娥〕)

我们说唐代的词,不能不先说李白。在李白前不独柳范〔折桂令〕,沈俭期也有〔回波词〕,实在都是六言诗。就是唐明皇(李隆基)的〔好时光〕,虽见在《尊前集》,好多人都说是伪作。李白这两首词同时怀疑的也不少。如〔清平乐〕确有许多理由,可证其非李白作;而这两首词,是没充分的根据来推翻的。胡适之先生在《词的启源》里据《杜阳杂编》说〔菩萨蛮〕不是李白的手笔,旁证太少,这也难足信(郑振铎的《词的启源》中有驳论)。刘融斋说:"〔菩萨蛮〕、〔忆秦娥〕,足抵杜陵《秋兴》,想其情境,殆作于明皇西幸之后。"此语前人所没说过的。实在这两首词非后人所能伪托,繁音促节,长吟远慕,使我们想见那样高冠岌岌大诗人的风度。他的词留在《全唐诗》十四首,《尊前集》也收了十二首。

现在我们且以〔菩萨蛮〕为例,供我们欣赏一下。在这首词就有许多不同的解释。我有一位朋友,他曾经对学生讲,“有人楼上愁”这个“人”我们可以说是“她”,她怀着她的“他”,流落在他乡,现在不知怎么样了。而下阕“玉阶空伫立”,这伫立的人,便是他乡的“他”。他见鸟归飞,而自己不能归,便感伤起来。照此说来,这首词上下阕描写两人两地,互相想念之情。而我的意见就和我的那位朋友不相同。我以为就王静安先生所谓“境界”二字讲来,这儿所表现的是楼上和楼下两个境界,这个人先在楼上,从远摄近,所以用“平”来形容“林”,用“一带”来写“山”,用“入”来联络,皆居高对低的光景。而下阕是自低眺高,所以见“宿鸟”“归飞”,后面推到“归程”——“长、短亭”,那便是从近至远了。上阕写的“静”,下阕写的“动”,也可见“愁”是如何的!用“漠漠”写“烟”,所以说“暝色”,用“伤心”来说山之“碧”,所以“有人”是在“愁”着。这词的技巧,非常周密,倘逐字我们咏味起来,可知他每一字都不虚设的。我为避免高头讲章的习气,不必再分析了。在欣赏者眼中固不妨作如是观,此处聊以示例而已。

在李白之次,如韦应物、白居易、刘禹锡,我觉得都没有温庭筠在当时词坛的重要,所以略而不说了。

> 玉炉香,红蜡泪,偏照画堂秋思。眉翠薄,鬓云残,夜长衾枕寒。　　梧桐树,三更雨,不道离情正苦。一叶叶,一声声,空阶滴到明。(〔更漏子〕)

这首词便是温庭筠的名作。庭筠字飞卿,太原人。他有许多浪漫的故事,然而他于词上的成功,比他的诗光荣得多了。诚如陈亦峰所说:“所谓沉郁者,意在笔先,神余言外,写怨夫思妇之怀,写孽子孤臣之感。凡交情之冷淡,身世之飘零,皆可于一草一木发之。而发之又必若隐若现,欲露不露,反复缠绵,终不许一语道破。匪独体格之高,亦见性情之厚。”在《花间集》以他为首,实在是很有缘故。《旧唐书》上说他能“逐弦吹之音,为侧艳之词”,他的确开这“侧艳”的风气。他那〔菩萨蛮〕十四阕,直写景物,不事雕镂而敻绝不可及。如:“花落子规啼,绿窗残梦迷。”“杨柳又如丝,驿桥烟雨时。”“鸾镜与花枝,此情谁得知?”皆细腻之笔写缠绵之思,教人读了有无可奈何的样子。后来被张惠言那班人奉为“常州词派”的祖师,说他“祖风骚,托比兴”,于是像这十四阕绝妙的词句,都变成“感士不遇”的寓言,岂不可笑!(读者可参阅拙著《温飞卿及其词》,里面有一篇传略,他的全部的词和各家的评语。)

在温庭筠这样秾艳风气的传播中,一直流传到五代。这是很奇异的事迹,在《花间集》收录的,蜀中词人作品最早,固然因为辑者赵崇祚是蜀人,但当时西蜀确是文艺的中心。前蜀主王建、王衍,后蜀主孟昶皆词的爱好者。但是主持词坛的,却不能不推韦庄。

红楼别夜堪惆怅,香灯半卷流苏帐。残月出门时,美人和泪辞。 琵琶金翠羽,弦上黄莺语。劝我早归家,绿窗人似花。

人人尽说江南好,游人只合江南老。春水碧于天,画船听雨眠。 垆边人似月,皓腕凝霜雪。未老莫还乡,还乡须断肠。

如今却忆江南乐,当时年少春衫薄。骑马倚斜桥,满楼红袖招。 翠屏金屈曲,醉入花丛宿。此度见花枝,白头誓不归。

洛阳城里春花好,洛阳才子他乡老。柳暗魏王堤,此时心转迷。　　桃花春水渌,水上鸳鸯浴。凝恨对斜晖,忆君君不知。(〔菩萨蛮〕)

庄字端己,杜陵人。陈亦峰《白雨斋词话》说他的词:"似直而纡,似达而郁,珣然虽一变飞卿面目,而绮罗香泽之中,别具疏爽之致。"实际温、韦两家比较,一浓一淡。庄的词多真情实景,所以动人的力量格外来得大。《尧山堂外纪》曾经有这样记载,说庄思念旧姬作〔荷叶杯〕一首,姬为王建所夺,入宫。见此词,不食死。词云:"记得那年花下,深夜,初识谢娘时。水堂西面画帘垂,携手暗相期。惆怅晓莺残月,相别从此隔香尘。如今俱是异乡人,相见更无因。"清新晓畅,不专是堆砌字句的可比的(读者要阅韦庄全词,可看《王忠悫公遗书》第四集《浣花词》的辑本)。

《花间集》中作者一共有十六家,除韦庄外,蜀人有十二家,是:薛昭蕴、牛峤、毛文锡、欧阳炯、牛希济、顾夐、魏承班、鹿虔扆、阎选、尹鹗、毛熙震、李珣,虽不尽是西蜀的籍贯,却都居于蜀中的。

舍西蜀外,南唐也是文艺的中心点。提起南唐来,中主(李璟)、后主(李煜)如日月在天,为万众所作仰望。中主所作词虽不多,而极高隽。

手卷真珠上玉钩,依前春恨锁重楼。风里落花谁是主?思悠悠。　　青鸟不传云外信,丁香空结雨中愁。回首绿波三楚暮,接天流。

菡萏香销翠叶残,西风愁起绿波间。还与韶光共憔悴,不堪看。　　细雨梦回鸡塞远,小楼吹彻玉笙寒。多少泪珠何限恨!倚阑干。

这两阕〔山花子〕最负盛名,“菡萏销翠”、“愁起西风”,与“韶光”毫无干涉,但是在伤心人的眼中,夏景亦容易摧残,和春光同此憔悴。既说“不堪看”,又说“何限恨”,这般顿挫空灵,读之凄然欲绝了。而“细雨”、“小楼”也为后来人所赞赏,不能算内家的玩味。吾师吴瞿安先生为二主词并评,说:“中主能哀而不伤,后主则近于伤矣。”这一点便是他们父子的异处。说起后主的词真有些罄竹难书,差不多每一首都教人读之不忍释手。大概后主的词,在江南隆盛之时,正是他写〔喜迁莺〕、〔阮郎归〕、〔木兰花〕、〔菩萨蛮〕(“花明月暗”一首)一类的作品。这时期密约私情是词中的主题,如“眼色暗相钩,秋波横欲流”,“画堂南畔见,一向偎人颤”,“脸慢笑盈盈,相看无限情”。温馥柔美,与温、韦又别有不同了。周济曾以女子为譬:温似严妆,韦似淡妆,后主却是粗服乱头,不减国色。又曾有这样的话:温是句秀,韦是骨秀,而后主是神秀,这也是的当的批评。等到降宋以后,此中生活,日以眼泪洗面,尽是亡国哀痛之语,如王静安先生所说“血书”一般的词句。被宋主监视之际,回想起从前的光景来,于是有“故国梦重归,觉来双泪垂”,“故国不堪回首月明中”的悲啼。无怪他“烛残漏滴频欹枕,起坐不能平”。现在且举几阕最为世人所激赏的,供读者赏鉴:

帘外雨潺潺,春意阑珊,罗衾不耐五更寒。梦里不知身是客,一晌贪欢。　　独自莫凭栏,无限江山,别时容易见时难。流水落花春去也,天上人间。

往事只堪哀，对景难排，秋风庭院藓侵阶。一珩珠帘闲不卷，终日谁来？　　金锁已沉埋，壮气蒿莱，晚凉天净月华开。想得玉楼瑶殿影，空照秦淮。（〔浪淘沙〕）

无言独上西楼，月如钩，寂寞梧桐深院锁清秋。　　剪不断，理还乱，是离愁，别是一般滋味在心头。（〔捣练子〕）

多少恨，昨夜梦魂中，还似旧时游上苑，车如流水马如龙，花月正春风。　　多少泪，断脸复横颐，心事莫将和泪说，凤笙休向别时吹，肠断更无疑。（〔忆江南〕）

一字一泪，读了谁能不黯然消魂呢？清代词人项莲生曾在后主词后题上一阕〔浪淘沙〕："楼上五更寒，风雨无端，愁多不耐一生闲。莫问画堂南畔事，如此江山。　　铅泪洗朱颜，歌舞阑珊，心头滋味只余酸。唱到宫中新乐府，杜宇啼残。"于是很可窥见后主的悲哀（二主词合刻，有《晨风阁丛书》本、刘继曾笺本、拙撰刘笺补正本）。

南唐除二主外，冯延巳也是了不得的一个词人。他的专集名《阳春集》，最早的词品遗留至今为多的，要算他第一个了。忠爱缠绵，是张惠言对他的词评。〔蝶恋花〕四阕，最为有名。

六曲阑干偎碧树，杨柳风轻，展尽黄金缕。谁把钿筝移玉柱？穿帘燕子双飞去。　　满眼游丝兼落絮，红杏开时，一霎清明雨。浓睡觉来莺乱语，莺残好梦无寻处。

只看这第一阕，便知他如何的情词悱恻（《阳春集》有侯氏《粟香室丛书》本和王氏四印斋刻本)。其余如张泌、成幼文、徐昌图、潘佑,这班人在“词”上的地位远不如冯,在这里不必再详述。以下,我就讲北宋的词家。

论词者有一句通常的话:“词至北宋而大,至南宋而精。”这大字真是最妙于形容了。北宋词如何成其为大呢?据我看来有四大性质。一、在宋初,晏殊等保守五代十国之举;二、到了柳永等便开慢词之源;三、苏轼出来革去词中绮罗香泽之习;四、有一个周邦彦集了古今词的大成。换句话说:能保守,能创造,能革命,能集成,北宋的词毕竟所以为大了。但是从数量计,词品之多,词人之众,当然远迈前代。在本章仅举其重要的而言。

宋初保守的词人,很多是朝廷的显宦。王禹偁、钱惟演,他们不是词人,虽然也有小词流播在人口,却迥非晏殊那样的气象。殊字同叔,临川人。官至枢密使,鼎食钟鸣,花团锦簇,一派富贵的光景。他的儿子幾道说:“先君平日小词虽多,未尝作妇人语也。”其实他时时流露出妇人语来。所作〔浣溪纱〕有“无可奈何花落去,似曾相识燕归来”二句(有人说下一句是王琪所对,见《复斋漫录》所记),一时传诵。刘攽《中山诗话》说他“喜延巳词,其所自作亦不减延巳”。细心读他的《珠玉词》,比〔浣溪纱〕那两句好的,不知多少,就是突过延巳的句子,也常有。如:“满目河山空念远,落花风雨更伤春,不如怜取眼前人”,“未知心在何谁边?满眼泪珠言不尽”。这是多么荡人心魄的话。不过在保守的眼光中,如“东城南陌花下,逢着意中人”,“心心念念,说尽无凭,只是相思”,“淡淡梳妆薄薄衣,天仙模样好容仪”,开俳语一体,不能无贬辞。他的儿子幾道有《小山词》(并存毛刻《六十家词》中,还有《彊村丛书》本、杭州晏氏刻本、商务古活字本),颇有丽句。

至于大臣中当以欧阳修为代表。欧词纯疵参半，据蔡絛《西清诗话》说："欧词之浅近者，谓是刘烨伪作。"《名臣录》也有同样记载，大概刘烨改窜他的词，借以攻击他，这种也是意中事。不过词中的他，与散文中的他，完全两副面目，可知他在道学中并具热烈的感情。除有名的〔少年游·咏草〕外，下面这一阕〔踏莎行〕，也极婉转动人。

候馆梅残，溪桥柳细，草熏风暖摇征辔。离愁渐远渐无穷，迢迢不断如春水。　　寸寸柔肠，盈盈粉泪，楼高莫近危栏倚。平芜尽处是春山，行人更在春山外。

婉转之中，有苍劲之致，这是他独有的作风（他的词集《六一居士词》毛刻《六十家》中有。又《欧阳文忠公近体乐府》、《醉翁琴趣外编》有双照楼影印本）。

此外，张先也是一位名作家，附在这儿说。先字子野，吴兴人。李端叔说他"子野词才不足而情有余"。《古今词话》有一段故事："有客谓子野曰：人皆谓公张三中，即心中事，眼中泪，意中人也。公曰：何不目之为张三影？客不晓。公曰：云破月来花弄影；娇柔懒起，帘压卷花影；柳径无人堕飞絮无影，此余平生所得意也。"（他的《安陆集词》有葛氏本、扬州诗局本。又名《张子野词》，有粟香室本、《知不足斋》本、《彊村》本）可以知道他的情趣（因为叙述便利，放他在此处。其实与柳苏同时）。

慢词的创造者不一定便是柳永，但到了柳永，而后慢词才流行。永初名三变，字耆卿，乐安人。在《能改斋漫录》上说他的出身很有趣："仁宗留意儒雅，务本向道，深斥浮艳虚华之文。初，进士柳三变好为淫冶讴歌之曲,传播四方,尝有〔鹤冲天〕词云:忍把浮名,换了浅斟低唱。及临轩放榜,特落之。曰:且去浅斟低唱,何要浮名!景祐元年,方及第。后改名永。”他的生活诚然是在浅斟低唱里。他的词也是妓女所乐于歌唱的。因此传唱甚广,以至于凡有井水饮处,即能歌柳词。所谓通人,却甚鄙视之。李端叔说:“耆卿词铺叙展衍,备足无余,较之《花间》所集,韵终不胜。”孙敦立曾说:耆卿词虽极工,然多杂以俚语。诚然柳词的俚语有许多太不成话了。如:〔两同心〕“个人人,昨夜分明许伊偕老”。〔征部乐〕“待这回好好怜伊,更不轻拆”。〔传花枝〕“平生自负风流才调,口儿里道知张陈赵”。未免太无味了。然而他词中的好处,能工铺叙,每首事实必清,点景必工,并且有警语。冯煦说:“曲处能直,密处能疏,奡处能平;状难状之景,达难达之情,而出之以自然。”冯氏可谓柳永的知己了。我们试读他的代表作〔雨霖铃〕:

> 寒蝉凄切,对长亭晚,骤雨初歇。都门帐饮无绪,留恋处兰舟催发,执手相看泪眼,竟无语凝咽。念去去,千里烟波,暮霭沉沉楚天阔。　　多情自古伤离别,更那堪冷落清秋节。今宵酒醒何处?杨柳岸,晓风残月;此去经年,应是良辰好景虚设,便纵有千种风情,更与何人说?

这样的词境决非如《花间》那样陈陈相因,雷同冗复的(柳词名《乐章集》,有毛刻《六十家》本,《续添曲子》见《彊村丛书》)。

至能变昵昵情语为壮语,那是苏轼的功绩。轼字子瞻,号东坡,眉山人。胡致堂说:“词至东坡,一洗绮罗香泽之态,摆脱绸缪宛转之度,使人登高望远,举首高歌,逸怀浩气,超乎尘垢之外,于是《花间》为皂隶，而耆卿为舆台矣。”晁无咎云：“居士词人多谓不谐音律，然横放杰出，自是曲子内缚不住者。”“不谐音律”，是不可讳言的。而陆游还说：“公非不能歌，但豪放不喜裁剪以就声律耳。”其实，轼曾自言：生平有三不如人，着棋、吃酒、唱曲。所以陈师道说：“为教坊雷大使之舞，虽极天下之工，要非本色。”但如他那样豪情，却不能不说“前无古人”了。《四库提要》谓：词至柳永一变，如诗家之有白居易；至轼而又一变，如诗家之有韩愈。这个比方是不错的。陆游又说：“东坡词歌之，曲终觉天风海雨逼人”，的确是非关西大汉，铜琵琶，铁绰板，高声狂唱不可，决不似柳永的词只合十七八女郎，执红牙板而歌的。现以大家所熟诵的为例：

大江东去，浪淘尽、千古风流人物。故垒西边，人道是三国孙吴赤壁。乱石崩云，惊涛掠岸，卷起千堆雪。江山如画，一时多少豪杰。　　遥想公瑾当年，小乔初嫁了，雄姿英发，羽扇纶巾，谈笑间，樯橹灰飞烟灭。故国神游，多情应笑我，早生华发。人间如寄，一尊还酹江月。（〔念奴娇〕）

张炎说：“东坡词清丽舒徐处，高出人表，周、秦诸人所不能到。”足见苏轼一面有这样雄放的词，一面还有清丽的词。在相反的情调中，我们可读〔卜算子〕：

缺月挂疏桐，漏断人初定。时见幽人独往来，缥缈孤鸿影。　　惊起却回头，有恨无人省。拣尽寒枝不肯栖，寂寞沙洲冷。

这是多么凄清的境界(《东坡词》毛氏、王氏、朱氏都有刻本。商务有古活字本和《学生国学丛书》本)。

苏门有四学士,那是黄庭坚、秦观、晁补之、张耒四人。秦观是其中最昭著的词家,字少游,高邮人。晁补之说:“近来作者皆不及少游。如‘斜阳外,寒鸦数点,流水绕孤村。’虽不识字人亦知是天生好言语。”蔡伯世说:“子瞻辞胜乎情,耆卿情胜乎辞。辞情相称者,惟少游而已。”还有推之为正宗的,如张埏的话:“少游多婉约,子瞻多豪放,当以婉约为主。”好事者取他的名句和柳永〔雨霖铃〕中警语作一联词,道:“山抹微云秦学士,晓风残月柳屯田。”屯田是指柳永的官屯田员外郎说。他那阕〔满庭芳〕全词,现在写在下面:

> 山抹微云,天粘衰草,画角声断谯门。暂停征棹,聊共引离尊。多少蓬莱旧事,空回首烟霭纷纷。斜阳外,寒鸦数点,流水绕孤村。　　消魂,当此际,香囊暗解,罗带轻分,漫赢得青楼薄幸名存。此去何时见也?襟袖上空染啼痕。伤情处,高城望断,灯火已黄昏。

叶少蕴说:“少游乐府,语工而入律,知乐者谓之作家歌。”秦观不可不说他是一个当行的词人,他的词名《淮海长短句》(有《彊村》本,毛刻本名《淮海词》)。

贺铸字方回,卫州人。他的词名《东山寓声乐府》(朱氏、王氏、毛氏、侯氏都有刻本,还有涉园影印残本)。张耒说:“贺铸《东山乐府》妙绝一世,盛丽如游金张之堂,妖冶如揽嫱施之祛;幽索如屈宋,悲壮如苏李。”可知他的风格怎样了。他住在苏州盘门外的横塘,往来其间,于是有〔青玉案〕之作,为当时人称他做贺梅子了。

凌波不过横塘路，但目送芳尘去。锦瑟年华谁与度？月台花榭，琐窗朱户，惟有春知处。　　碧云冉冉蘅皋暮，彩笔新题断肠句。试问闲愁都几许？一川烟草，满城风絮，梅子黄时雨。

他的词与秦观有非常相似处，大概同是从《花间》融化出来的。又差不多同时的像王安石、李之仪、周紫仪，此处可以不必详及了。

周邦彦之所以被称为集词大成的原因，一来这时是慢词成熟的时候，二来由他开了南宋词坛的局面，正是继往开来，惟他独尊。邦彦字美成，钱塘人。张炎评谓："美成词浑厚和雅，善于融化诗句。"吾师吴瞿安先生说："究其实，不外沉郁顿挫而已。"且以〔瑞龙吟〕为例：

章台路，还见褪粉梅梢，试华桃树。愔愔坊陌人家，定巢燕子，归来旧处。　　黯凝伫，因记个人痴小，乍窥门户，侵晨浅约宫黄，障风映袖，盈盈笑语。　　前度刘郎重到，访邻寻里，同时歌舞，唯有旧家秋娘，声价如故。吟笺赋笔，犹记燕台句。知谁伴，名园露饮，东城闲步？事与孤鸿去！探春尽伤春离绪，官柳低金缕。归骑晚，纤纤池塘飞雨，断肠院落，一帘风絮。

吴先生说："其宗旨所在在'伤离意绪'一语耳。而人手先指明地点曰'章台路'，却不从目前景物写出，而云'还见'，此即沉郁处也。须知'梅梢桃树'原来旧物，惟用'还见'云云，则令人感慨无端,低徊欲绝矣。首叠末句云:‘定巢燕子,归来旧处。’言燕子可归旧处,所谓‘前度刘郎者’,即欲归旧处而不得,徒彳亍于‘愔愔坊陌’章台故路而已,是又沉郁处也。第二叠‘黯凝伫’一语,为正文。而下文又曲折,不言其人不在,反追想当日想见时状态,用‘因记’二字则通体空灵矣,此顿挫处也。第三叠‘前度刘郎’至‘声价如故’言‘个人,不见,但见同里秋娘未改声价,是用侧笔以衬正文,又顿挫处也。‘燕台’句用义山柳枝故事,情景恰合。‘名园露饮,东城闲步’,当日已亦为之。今则不知伴着谁人赓续雅举? 此‘知谁伴’三字又沉郁之至矣。‘事与孤鸿去’三语,方说正文。以下说到归院,层次井然,而字字凄切。末以飞雨风絮作结,寓情于景,倍觉黯然。通体仅‘黯凝伫’,‘前度刘郎重到’,‘伤离意绪’三语为作词主意。此外则顿挫而复缠绵,空灵而又沉郁。骤视之,几莫测其用笔之意,此所谓神化也。”因为美成于词有这样的技巧,所以有人以为是制词的正法。沈伯时便说:“作词当以《清真集》为主。”《清真集》就是美成的词集(又名《片玉词》,毛、王刻本外,涉园影印本、商务《学生国学丛书》本,还有广东印本、《西泠词萃》本),此外他的词如为溧水主簿姬人而作的〔风流子〕,为道君幸李师师家而作的〔少年游〕,为睦州梦中作而成的〔瑞鹤仙〕,都有很兴味的故事在里面。与美成同时还有如晁端礼、万俟雅言、吕渭老、王灼、朱敦儒等部是作手①,更有和后主身世相同的“词王”宋徽宗,他的一字一句皆词中宝物。因为在词史上没有十分的影响,有许多都被我略过了。

① “部”当作“都”。——整理者注

问题：

一、选本除为初学者设想外，还有什么价值？

二、五代词人的中心点在何处？并推详所以集中此处的缘故。

三、试想北宋词的进程三大阶段底相互关系。

四、柳永在“民众文学”的地位上如何？当时“词”与民众关系何若？

五、秦、贺与周邦彦之比较。

参考书：

详见下章。

第四章　几个重要的词家(下)

以下从南宋说起。实际南宋和北宋是不容易划分的,有些词人,他在北宋有许多作品,到了南宋,又有好多词,我们就要权其轻重,放在北宋或南宋。南宋的词已是极盛时代,但因国势的关系,分明显示出三个时期:一、在南渡后,爱国之士眼见胡人夺去半个中国,于是慷慨悲歌,添了不少雄句。二、金人既自己有了内乱,不得再侵中国,中国得以苟安,未免又宴安享乐,变成粉饰升平的文字。三、等到元人渡江,南宋已将灭亡,而一班词人敢怒不敢言,仅能将悲恨之心,托于咏物之作。从词的本体上说,这三期的状况是这样:一、添了词不少的新力量,二、就成形的慢词加意改进,三、已渐流入模拟的风气,生趣索然了。

现在第一个我所说的,还是北、南两宋之间的一大作者。我所以叙在此处,因为她曾予南宋一大词人以感兴,她自己也有不少很好的词是在南宋时写的。她,唯一的词的女作家,不问而知是说的李清照了。清照自号易安居士,济南人。赵明诚的妻子。父格非,母王氏,都有文学的素养,她幼时便受很好的启示。嫁给明诚以后,明诚常出游,她寄小词给他颇多。一次一阕〔醉花阴〕题为"重阳"的,明诚见了想作一词胜她,废食苦思三昼夜,成五十余阕,杂易安之作出示他的朋友陆德夫,但德夫玩味再三,仍以"莫道不销魂,帘卷西风,人比黄花瘦"三句为绝佳,这三句正是易安的作品。

易安不独能作，并且工评论。她尝说道："本朝柳屯田永，变旧声作新声，出《乐章集》，大得声称于世。虽协音律，而词语尘下。又有张子野、宋子京兄弟、沈唐、元绛、晁次膺辈继出，虽时时有妙语而破碎何足名家！至晏丞相、欧阳永叔、苏子瞻，学际天人，作为小歌词直如酌蠡水于大海，然皆句读不葺之诗耳，又往往不协音律。……王介甫、曾子固，文章似西汉，若作小歌词，则人必绝倒，不可读也。乃知词别是一家，知之者少，晏叔原、贺方回、黄鲁直出，始能知之。而晏苦无铺叙，贺苦少典重，秦少游专主情致而少故实，譬如贫家美女，虽极妍丽丰逸，而终乏富贵态。黄则尚故实而多疵病，譬如良玉有瑕，价自减半矣。"她这样的讥弹前辈，的确能切中其病。金兵南侵的时候，她家已破，四方流徙，明诚不幸又死了。于是在她词中不少苦语。她的集名《漱玉词》（有《诗曲杂俎》本、王氏四印斋本，现在也有标点本）。今举〔声声慢〕一首于此：

寻寻觅觅，冷冷清清，凄凄惨惨戚戚。乍暖还寒时候，最难将息。三杯两盏淡酒，怎敌他晚来风急！雁过也，正伤心，却是旧时相识。　　满地黄花堆积，憔悴损，而今有谁堪摘？守着窗儿，独自怎生得黑。梧桐更兼细雨，到黄昏点点滴滴。这次第，怎一个愁字了得。

这样的词笔非断肠词人朱淑真所能望她的项背了。何以在上面又说她曾予一大词人以感兴呢？这故事是在一个军营之中。有历城人辛弃疾字幼安的，正在山东节制忠义军马的耿京那儿掌书记。闲时听营中士兵歌易安的词句，于是启发自己的情思，后来成为南宋词坛上一颗闪烁的明星。因为这样生香活色的妇人之声，而使一个跃马挥戈的英雄，更在词上建筑新的壁垒，这才是奇迹呢。幼安的词间与苏轼并称，其实他们决不相同。如幼安的豪迈忠勇之气，在前只有岳飞，飞的〔满江红〕“靖康耻，犹未雪，臣子恨，何时灭？驾长车，踏破贺兰山缺！壮志饥餐胡虏肉，笑谈渴饮匈奴血，待从头收拾旧山河，朝天阙”，是千古绝调。幼安的词也是如此金声玉振的。他的词我们不能不多录出几首：

野塘花落，又匆匆过了清明时节。刬地东风欺客梦，一枕云屏寒怯。曲岸持觞，垂杨系马，此地曾经别；楼空人去，旧游飞燕能说。　　闻道绮陌东头，行人曾见帘底纤纤月。旧恨春江流不尽，新恨云山千叠；料得明朝，尊前重见，镜里花难折。也应惊问，近来多少华发？(〔念奴娇·书东流村壁〕)

宝钗分，桃叶渡，烟柳暗南浦。怕上层楼，十日九风雨。断肠点点飞红，都无人管，更谁劝流莺声住！　　鬓边觑，试把花卜归期，才簪又重数。罗帐灯昏，哽咽梦中语。是他春带愁来，春归何处？却不解带将愁去。(〔祝英台近〕)

绿树听鹈鴂，更那堪杜鹃声住，鹧鸪声切。啼到春归无啼处，苦恨芳菲都歇。算未抵人间离别，马上琵琶关塞黑，更长门翠辇辞金阙；看燕燕，远归妾。　　将军百战身名裂，向河梁回头万里，故人长绝。易水萧萧西风冷，满座衣冠似雪。正壮士悲歌未彻，啼鸟还知如许恨，料不啼清泪常啼血！谁伴我，醉明月？(〔贺新郎·别茂嘉十二弟〕)

> 更能消几番风雨，匆匆春又归去。惜春长怕花开早，何况落红无数！春且住，见说道天涯芳草无归路，怨春不语，算只有殷勤，画檐蛛网，尽日惹飞絮。　　长门事，准拟佳期又误。蛾眉曾有人妒，千金纵买相如赋，脉脉此情谁诉？君莫舞，君不见玉环飞燕皆尘土！闲愁最苦，休去倚危栏，斜阳正在，烟柳断肠处。(〔摸鱼儿·淳熙己亥自北湖漕移湖南，同官王正之置酒小山亭为赋〕)

这样的词又非东坡的门户所能限制。毛滂说："词家争斗秾纤，而稼轩(是幼安的别号)率多抚时感事之作，磊砢英多，绝不作妮子态，宋人以东坡为'词诗'，稼轩为'词论'，善评也。"其实幼安一方面固有这样"大声镗鞳"的词，而另一方面"秾丽绵密"的小词，诚如刘潜夫所说："不在小晏秦郎之下。"幼安初为词时，曾去看蔡元，蔡便道："子之诗，则未也，他日当以词名家。"蔡元毕竟是知音者。

幼安的肖徒有个襄阳人，刘过字改之的，也善作壮词，他的《龙洲词》不过不如辛幼安《稼轩长短句》的伟大罢了。(《稼轩词》有毛刻、王刻，《稼轩长短句》有涉园景印本。又商务古活字本、《学生国学丛书》本。)

陆游也是与辛齐名的一个词人。不过杨慎以为："放翁词纤丽处似淮海，雄快处似东坡"，雄放自恣，有时因与辛相近，但还是纤丽的地方，是他擅长处。

此时的词再一转变，又趋向技巧上去了。为一时坛坫的，当然推姜夔。夔字尧章，号白石，鄱阳人，流寓吴兴。周济说得最好：

“吾十年来服膺白石,而以稼轩为外道。由今思之,可谓扪龠也。稼轩郁勃故情深,白石放旷故情浅;稼轩纵横故才大,白石局促故才小。”但是恭维他的人,却说得非常动听。张炎说:“如野云孤飞,去留无迹。”又“不惟清虚,且又骚雅,读之使人神观飞越。”范石湖也说:“白石有裁云缝月之手,敲金戛玉之声。”这大概为他那二首盛传于世的〔暗香〕、〔疏影〕而发。

旧时月色,算几番照我,梅边吹笛,唤起玉人,不管清寒与攀摘。何逊而今渐老,都忘却春风词笔。但怪得竹外疏花,香冷入瑶席。　　江国正寂寂,叹寄与路遥,夜雪初积,翠尊易泣,红萼无言耿相忆。长记曾携手处,千树压西湖寒碧。又片片吹尽也,几时见得?(〔暗香〕)

苔枝缀玉,有翠禽小小,枝上同宿。客里相逢,篱角黄昏,无言自倚修竹。昭君不惯胡沙远,但暗忆江南江北。想珮环月下归来,化作此花幽独。　　犹记深宫旧事,那人正睡里,飞近蛾绿。莫似春风,不管盈盈,早与安排金屋。还教一片随波去,又却怨玉龙哀曲。等恁时重觅幽香,已入小窗横幅。(〔疏影〕)

咏物之作不能不推为名篇。张炎说他是“前无古人,后无来者,真为绝唱”,未免过誉了。但他〔扬州慢〕一阕,却有动人的力量。

淮左名都,竹西佳处,解鞍少驻初程。过春风十里,尽荠麦青青。自胡马窥江去后,废池乔木,犹厌言兵。渐黄昏,清角吹寒,都在空城。　　杜郎俊赏,算如今重到须惊。纵豆蔻词工,青楼梦好,难赋深情。二十四桥仍在,波心荡,冷月无声。念桥边红药,年年知为谁生?

因为真气磅礴,实在的情绪,决非浮泛可比。(《白石词》在毛、朱两本外,有陆氏刊本、许氏刊本、广东刊本。)

又卢祖皋、高观国在这时也算名家。黄升说卢词字字可入律吕,《古今词话》谓高词工而入逸,婉而多风。这两人却不能如史达祖。达祖字邦卿,姜夔就很佩服他的词。以为:"邦卿之词,奇秀清逸,有李长吉之韵,盖能融情景于一家,会句意于两得者。其'做冷欺花,将烟困柳'一阕,将春雨神色拈去,'飘然快拂花梢,翠影分开红影',又将春燕形神画出矣。"张镃说他的词:"织绡泉底,去尘眼中,妥贴轻圆,辞情俱到,有瑰奇警迈,清新闲婉之长,而无訑荡污淫之失。端可分镳清真,平睨方回。"他那样精细的用功铸句,所以成其为细腻的词人。看〔绮罗香〕全词可知:

做冷欺花,将烟困柳,千里偷催春暮。尽日冥迷,愁里欲飞还住。惊粉重蝶宿西园,喜泥润,燕归南浦。最妨他佳约风流,钿车不到杜陵路。　　沉沉江上望极,还被春潮晚急。难寻官渡,隐约遥峰,和泪谢娘眉妩。临断岸,新绿生时,是落红带愁流处。记当日,门掩梨花,剪灯深夜语。

楼敬思云:"史达祖南宋名士,不得进士出身。以彼文采,岂无论荐,乃甘作权相堂吏,至被弹章,不亦降志辱身之至耶?读其〔书怀·满江红〕:‘好领青衫,全不向诗书中得。三径就荒秋自好,一钱不值贫相逼’,亦自怨自艾者矣。”他有很苦的身世,所以词句沉着。他的集名《梅溪词》(有毛刻本、王刻本)。

还有一位为近数十年词坛所崇奉着的,是吴文英。字君特,四明人,梦窗是他的号。尹惟晓说:“求词于吾宋,前有清真,后有梦窗。”足见在当时他的地位也颇重要。我们且读他的名作:

> 残寒正欺病酒,掩沉香绣户,燕来晚飞入西城,似说春事迟暮。画船载清明过却,晴烟冉冉吴宫树,念羁情,游荡随风,化为轻絮。　　十载西湖,傍柳系马,趁娇尘软雾。溯红渐招入仙溪,锦儿偷寄幽素。倚银屏春宽梦窄,断红湿歌纨金缕。暝堤空,轻把斜阳,总还鸥鹭。　　幽兰旋老,杜若还生,水乡尚寄旅。别后访六桥无信,事往花委,瘗玉埋香,几番风雨。长波妒盼,遥山羞黛,渔灯分影春江宿。记当时短楫桃根渡,青楼仿佛,临分败壁,题诗泪墨,惨澹尘土。　　危亭望极,草色天涯,叹鬓侵半苎。暗点检离恨欢唾,尚染鲛绡,亸凤迷归,破鸾慵舞。殷勤待写,书中长恨。蓝霞辽河沉过雁,漫相思弹入哀筝柱。伤心千里江南,怨曲重招,断魂在否?(〔莺啼序·春晚感怀〕)

以梦窗比清真,似乎不及清真词的自然。因为梦窗的词,大都经过苦心的经营,而且有意的雕饰。张炎说:“吴梦窗如七宝楼台,眩人眼目,拆碎下来,不成片段。”沈伯时也说:“梦窗深得清真之妙,但用事下语太晦处,人不易知。”但平心而论,梦窗于造句独精,超逸处,仙骨珊珊,洗脱凡艳;幽素处,孤怀耿耿,别缔古欢。如〔高阳台·落梅〕:“宫粉雕痕,仙云堕影,无人野水荒湾。古石埋香,金沙锁骨连环。南楼不恨吹横笛,恨晓风千里关山。半飘零,庭院黄昏,月冷阑干。”〔祝英台近·春日客龟溪游废园〕:“绿暗长亭,归梦趁风絮。”〔水龙吟·惠山酌泉〕:“艳阳不到青山,淡烟冷翠成秋苑。”〔满江红·淀山湖〕:“对两蛾犹锁绿烟中,秋色未教飞尽雁,夕阳长是坠疏钟。”〔八声甘州·游灵岩〕:“箭径酸风射眼,腻水染花腥。”又“连呼酒上琴台,秋与云平”。皆是超妙入神的隽语。可惜梦窗被后来者推为大师,置之诸天才的词人之上,反埋没他的本来面目。实则大家趋于他的门下,正是因为他工于铸词(《梦窗稿》毛、王刻本外,有曼陀罗华阁刊本)。

这一个时期的词,大概受北宋周邦彦的影响最深,同时是辛、刘一类粗豪作品的反动。再一转变,便成亡国之音了。现在举蒋、周、张、王四家来说。

蒋捷字胜欲,阳羡人。有《竹山词》(毛刻《六十家》中有),颇有自然之趣,朱彝尊推为南宋一家,源出白石。现以〔虞美人〕小令为例:

> 少年听雨歌楼上,红烛昏罗帐。壮年听雨客舟中,江阔云低,断雁叫西风。　　而今听雨僧庐下,鬓已星星也。悲欢离合总无情,一任阶前点滴到天明。

却是毫无矫揉造作的样子。不过有时叫嚣奔放,很可笑的。如〔贺新郎·钱狂士〕:“据我看来何所似?一任韩家五鬼,又一似杨家风子。”〔沁园春〕:“若有人寻,只教童道:这屋主人今自居。”又〔次强云卿韵〕:“结算平生风流债负,请一笔勾!盖攻性之兵,花围锦阵；毒身之鸩，笑齿歌喉。”〔念奴娇·寿薛稼堂〕：“进退行藏，此时正要一著高天下。”读了这些句子，真要教人喷饭，不能不说他愧对辛幼安了。

周密，字公谨，号萧斋，济南人，而流寓吴兴。自号弁阳啸翁，又号四水潜夫，草窗是很著名的别署。他的词独标清丽。他的交游甚广，杨守斋号紫霞翁的，于音律极精，他颇得切磋之益。〔一萼红·登蓬莱阁有感〕苍茫感慨，情见乎词：

步深幽，正云黄天淡，雪意未全休。鉴曲黄沙，茂林烟草，俯仰今古悠悠。岁华晚，飘零渐远，谁念我同载五湖舟？磴古松斜，崖阴苔老，一片清愁。　　回首天涯归梦，几魂飞西浦，泪洒东州。故国山川，故园心眼，还似王粲登楼。最负他秦鬟妆镜，好江山何事此时游？为唤狂吟老监，共赋销忧。

这是压卷的一阕，恐怕美成、白石见了还要敛手，可惜这样作品在他集中不多（《草窗词》有曼陀罗华阁刊本、《知不足斋丛书》本。又名《蘋洲渔笛谱》，有《知不足斋丛书》本、《彊村》本）。又他编的《绝妙好词》是不可多得的词选。

张炎字叔夏，是循王张俊的后裔，居临安，自号乐笑翁。词皆雅正，所以集中没有鄙语。〔台城路〕一阕，读之无不感动。

十年旧事翻疑梦，重逢可怜俱老。水国春空，山城岁晚，无语相看一笑。荷衣换了，任京洛尘沙，冷凝风帽。见说吟情，近来不到谢池草。　　欢游曾步翠窈，乱江迷紫曲，芳意今少。舞扇招香，歌桡唤玉，犹忆钱塘苏小。无端暗恼，又几度流连,燕昏莺晓。回首妆楼,甚时重去好?

毫无拙滞语,诚如仇仁近所说:“叔夏词意度超玄,律吕协洽,当与白石老仙相鼓吹。”而且叔夏词中颇多愤意,隐在浓红淡绿之中。如“只有一枚梧叶,不知多少秋声!”“恨乔木荒凉,都是残照。”还有送舒亦山:“布袜青鞋,休误入桃源深处。”〔饯菊泉〕:“且莫把孤愁,说与当时歌舞。”很可看出他言外之深意来。他的《玉田词》(朱氏、王氏刻本外,有曹刊、许刊,又名《山中白云洞》[1],与白石称“双白”)有时用韵杂一些,把真文庚青侵寻同用,或寒删间杂覃盐,却是入声韵又非常谨严的,屋沃不混觉药,质陌不混月屑。我们看他的词可注意一下。

王沂孙,字圣与,号碧山,又号中仙,会稽人。他的作风是写忠爱之忱,托咏物之篇。意境高隽,造句亦美。张惠言《词选》除〔齐天乐·赋蝉〕外,取他〔眉妩·赋新月〕、〔高阳台·赋梅花〕、〔庆清朝·赋榴花〕三阕,又在每词之下加注案语。〔眉妩〕是喜君有恢复之志,而惜无贤臣也。〔高阳台〕是伤君臣宴安,不思国耻,天下将亡也。〔庆清朝〕是言乱世尚有人才,惜世不用也。可见他一片热肠,无穷的哀感,又比白石〔暗香〕、〔疏影〕专以词工的品格高多了。试看〔眉妩〕的全词:

渐新痕悬柳,澹彩穿花,依约破初暝,便有团圆意。深深拜,相逢谁在香径?画眉未稳,料素娥犹带离恨。最堪爱,一

① “洞”当作“词”。——整理者注

曲银钩小,宝帘挂秋冷。　　千古盈亏休问,叹谩磨玉斧,难补金镜,太液池犹在凄凉处,何人重赋清景。故山夜永,试待他窥户端正。看云外山河,还老桂花旧影。

像他这样君国之忧,时时寄托,足以领袖宋末词人的风气。所以他的《碧山乐府》(一名《花外集》,有知不足斋和王氏四印斋本)为词中珠玉。此外如陈允平的《日湖渔唱》、刘克庄的《后村别调》、石孝友的《金谷遗音》……也有相当的地位。在多如牛毛的两宋词人中,我只寥寥说了这几家,当然有沧海遗珠之憾,不过于此也可略见端倪。想治宋词者可从这几家入手,以下叙述是宋以后的词坛。

词到了宋的末季,已仅是奄无生气,此后词的时代更是过去了。现在先从金元说起。金这一代的词,前面为宋所掩,后面又让元压住,差不多在文学史上为人遗忘了。其实元好问《中州集》所集三十六家,亦有可述。何况金章宗也是天资聪颖爱好词章的帝主,《归潜志》就说他,"诗词多有可称者"。密国公璹的《如庵小稿》,词虽不过七首,亦有情致。刘君叔说:"其举止谈笑,真一老儒,殊无骄贵之态。"他的〔西江月〕,"一百八般佛事,二十四考中书;山林朝市等区区,着甚来由自苦。"从几词中可见其人风度。至于自宋使金,而未得归的吴激,更为金词一大家。激字彦高,建州人。我们看他的〔风流子〕:

书剑忆游梁。当时事,底处不堪伤。望兰楫潋滟向吴,南浦杏花微雨,窥宋东墙。凤城外燕随青步,障丝惹紫游缰。曲水古今,禁烟前后,暮云楼阁,春草池塘。　　回首断人肠!

流年去如电，镜鬓成霜。独有蚁尊陶写，蝶梦悠扬。听出塞琵琶，风沙淅沥；寄书鸿雁，烟月微茫。不似海门潮信，犹到浔阳。

所谓“当时事”，所谓“回首”，无非故国之思。此时宇文叔通主文盟，视彦高是后进，都叫他做“小吴”。有一次一个宋宗室的妇人，流落北方，在饮酒时会见了。大家感叹起来，各赋乐章。叔通成〔念奴娇〕，彦高也作一阕〔人月圆〕道：“南朝千古伤心事，犹唱〔后庭花〕。旧时王谢堂前燕子，飞向谁家？恍然一梦，仙肌胜雪，宫鬓堆鸦。江州司马，青衫泪湿，同是天涯。”大家见了，为之变色。后来有人求叔通乐府，叔通就说：“吴郎近以乐府名天下，可径求之。”彦高词虽不多，都极精美。还有蔡松年的《明秀集》（王刻四印斋本中有）亦有名作，元人杂剧内《蔡脩闲醉写石州慢》就是写他的故事。《中州乐府》所选的十二阕，有些是《四印斋》本中所没有的。辽阳刘仲尹在《中州》存词十一阕，无一草率之作。得名较早的，更有熊岳人王庭筠。赵秉文赠他的诗所谓：“寄语雪溪王处士：年来多病复何如？浮云世态纷纷变，秋草人情日日疏。李白一杯人影月，郑雯三绝画诗书。情知不得文章力，乞与黄华作隐居。”可以晓得他是一个隐士了。又为金章宗所宠视的赵可，他比较算得重要些的。在他幼小的时候，他就很爱填小词。一次，他应试，文章成了，便在他的席上戏书一阕：“赵可，可。肚里文章可可。三场挨了两场过，只有这番解火。恰如合眼跳黄河，知他是过也不过？”以后毕竟中了。韩玉也好像从南方到北方去的，他的词常有如“故乡何在？梦寐草堂溪友”的句子。但是从北游南，为金使者的王渥便是在他的词中能把北方的风光返映出来，如〔水龙吟·从商帅国

器猎〕:

短衣匹马清秋,惯曾射虎南山下。西风白水,石鲸鳞甲,山川图画。千古神州,一时胜事,宾僚儒雅。快长堤万弩,平冈千骑,波涛卷鱼龙夜。　　落日孤城鼓角,笑归来长围初罢,风云惨淡貔貅,得意旌旗闲暇。万里天河,更须一洗,中原兵马。看犍橐鸣咽,咸阳道左,拜西还驾。

这迥不是南人的声口,一望而知是北人,无怪他死于军阵之中了。

此外如景覃、李献能、辛愿,各有词作,然终不如赵秉文、元好问的伟大。赵、元可以是金源文士的导师,也是金词的中心。赵字周臣,镃州人。自号闲闲居士,他的《水调歌头·自序》有言:“……玉龟山人云,子前身,赤城子也。……吾友赵礼部庭玉说,丹阳子谓余再世苏子美也。赤城子则吾岂敢,若子美则庶几焉,尚愧词翰微不及耳。”据此可见他是以苏子美自拟的。这阕词也是他述志之作,我且录在此处:

四明有狂客,呼我谪仙人。俗缘千劫不尽,回首落红尘。我欲骑鲸归去,只恐神仙官府,嫌我醉时嗔。笑拍群仙手,几度梦中身。　　长倚松,聊拂石,坐看云,忽然黑霓落手,醉舞紫毫春。寄语沧浪流水,曾识闲闲居士,好为濯冠巾。却返天台去,华发散麒麟。

元好问字裕之,秀容人。他的一生也经宋金元三个时代,不过他是金的忠臣，所以在此叙述。《遗山乐府》（有通常石印本）颇负盛名。〔迈坡塘〕一阕是他首唱的，和者极多。有《自序》："太和五年乙丑岁赴试并州，道逢捕雁者云：今日获一雁，杀之矣。其脱网者，悲鸣不能去，竟自投于地而死。余因买得之，葬之汾水之上。累石为识，号曰雁丘。"

> 问世间情是何物？直教生死相许。天南地北双飞客，老翅几回寒暑。欢乐趣，离别苦，就中更有痴儿女。君应有语，渺万里层云，千山暮雪，只影向谁去？　　横汾路，寂寞当年箫鼓。荒烟依旧平楚。招魂楚些何嗟及？山鬼暗啼风雨。天也妒，未信与莺儿燕子俱黄土。千秋万古，为留待骚人，狂歌痛饮，来访雁丘处。

张叔夏说："遗山词深于用事，精于炼句，风流蕴藉处，不减周秦。"《乐府·自序》："子故言宋诗大概不及唐，而乐府歌词过之，此论殊然。乐府以来，东坡为第一，以后便到辛稼轩，此论亦然。东坡、稼轩即不论，且问遗山得意时，目视秦、晁、贺、晏诸人为何如？予大笑，附客背云：那知许事，且啖蛤蜊。"大概在苏、辛这一类的词，遗山是很有追踪的力量，从上面这番话看来，也知道他是如此的自负了。我们谈金代的词，如此已算得详尽的，且继续谈元代的词罢。

元是"曲"的时代，正同宋是"词"的时代一样。谈元的词，当然没有灿烂的记载。而且在"曲"初起的时候，词与曲往往混而不分。如〔乾荷叶〕、〔鹦鹉曲〕之类实际是曲，就如许鲁斋的〔满江红〕、张弘范的〔临江仙〕不过余技，那里是词人的作品呢？到燕公楠、程钜夫,词还没能扩张门户。仇远起来,稍为一振。赵子昂、虞伯生、萨都剌可算作手,却不如张翥。张翥是元词的维持者。此后又渐衰,倪瓒、顾阿瑛之流词尚可观,其余不足数。再有一个邵亨贞,为词稍稍生色,如是而已。

仇远字仁近,钱塘人,与同时唱和的周密、王沂孙一班遗民,而后来的张翥、张羽等又都出在他的门下。他的词清新拔俗,却不能出南宋末季的范型。试翻开《乐府补题》来看,可以晓得作风都差不多。

赵子昂名孟頫,宋宗室,仕于元,为当时人所讥,但他晚年有诗自悔:"同学少年今已稀,重嗟出处寸心违。"且词中常流露哀思,所以邵复孺说:"公以承平王孙,晚婴世变,黍离之盛,有不能忘情者,故长短句深得骚人意度。"兹录〔蝶恋花〕为例:

侬是江南游冶子,乌帽青鞋,行乐东风里。落尽杨花春满地,萋萋芳草愁千里。　　扶上兰舟人欲醉,日暮青山,相映双蛾翠。万顷湖光歌扇底,一吹声下相思泪。

虞伯生名集,崇仁人。词不多作,有所作亦必挥翰自如,毫不缚束。尝自拟老吏断狱,在虞、杨、范、揭四家中,伯生当然算得冠冕了。

学东坡的有萨都剌,字天锡,雁门人。受遗山的影响甚大,不过他诗名掩住词名,到明宁献王才品评他的词格,稍为世重。〔满江红·金陵怀古〕一阕,也为一时传唱:

六代豪华,春去也更无消息。空怅望山川形胜,已非畴昔。王谢堂前双燕子,乌衣巷口曾相识。听夜深寂寞打孤城,春潮急。　　思往事，愁如织；怀故国，空陈迹。但荒烟衰草，乱鸦送日。玉树歌残秋露冷，胭脂井坏寒蛩泣。到如今只有蒋山青，秦淮碧。

张翥字仲举，晋宁人。他的词气度冲雅，足为元词代表。然而究其极诣，也只规抚南宋，得诸家之神似。〔多丽〕这个调子，大家所推为正格的，今选其一：

晚山青，一川云树冥冥。正参差烟凝紫翠，斜阳画出南屏。馆娃归，吴台游鹿，铜仙去，汉苑飞萤；怀古情多，凭高望极，且将尊酒慰飘零。自湖上爱梅仙远，鹤梦几时醒。空留得六桥疏柳，孤屿危亭。　　待苏堤歌声散尽，更须携妓西泠；藕花深雨凉翡翠，菰蒲软风弄蜻蜓。澄碧生秋，闹红驻景，采菱新唱最堪听，一片水天无际，渔火两三星。多情月，为人留照，未过前汀。

我们研究词的演进，在元只有算张仲举首屈一指。倪瓒字元镇，词也还雅洁。顾阿瑛字仲瑛，词中风趣特胜，晚年间有身世之悲。至元末的词坛，当推邵亨贞。亨贞字复孺，他那一部《蛾术词选》颇有好处（王氏四印斋中有）。学问渊博，不独以词名。词学清真、白石、梅溪、稼轩，就像清真、白石、梅溪、稼轩。摸拟的手段①，的确有特长的。他入明以后才死，总算元词的尾声了。

① “摸”当作“模”。——整理者注

明代的词更是衰落了,其原因也很多,只可说“南词”(即南曲)是明的产物,词不过附庸而已。词之所以衰,一、以词当作酬应,了无生气。二、托体香奁,没有真实的情绪。三、好施小慧,流于纤巧。这都是昭著的流弊。在明初时,刘基、高启齐名。刘字伯温,青田人。小词颇可诵,如〔转应曲〕:“秋雨秋雨,窗外白杨自语。”〔踏莎行〕:“愁如溪水暂时平,雨声一夜依然满。”都是隽句。高字季迪,长洲人。隐于青丘,自号青丘子。词以疏旷见长,不与伯温相似。杨基字孟载,也有擅长小令的,如〔清平乐〕、〔浣溪纱〕,这些调子,尤能出色。其他王九思、杨慎、王世贞,曲中的地位高于词中多多,这儿不详叙了。张綖字世文,马洪字浩澜,他两人在当时有词人之称,但时有秽语,并没有十分佳作。只有明季的陈子龙是唯一的词家了。子龙字卧子,青浦人。陈亦峰《白雨斋词话》说:“明末陈人中(就是卧子)能以浓艳之笔,传凄惋之神,在明代便算高手。”实在明人受“八股文”的范围,理学炽而词意熄,像卧子这样沉着,无怪不为别的人所能追及的了。他也是风流婉丽,偏于小令。柴虎臣谓:“华亭肠断,宋玉魂消,惟卧子有之。所微短者,长篇不足耳。”录他的〔蝶恋花〕:

> 雨外黄昏花外晓,催得流年,有恨何时了?燕子乍来春又老,乱红相对愁眉扫。　　午梦阑珊归梦杳,醒后思量,踏遍闲庭草。几度东风人意恼,深深院落芳心小。

他如〔山花子〕“杨柳凄迷晓雾中,杏花零落五更钟。寂寂景阳宫外月,照残红”,凄丽如后主。〔江城子〕“楚宫吴苑草茸茸,恋芳丛,绕游蜂。料得来年相见画屏中。人自伤心花自笑,凭燕子,骂东风”。绵邈凄恻，不落凡响。明亡了，他殉了难，明词也只有这一点可提及了。

到了清代，我们可以说是词的回光返照期。一时词人之盛，门户派别之多，在这二百八十年中很留下不少的光荣。浙派、常州派和最近广西的词风，皆有叙述的必要。先从清初曹洁躬论起。洁躬名溶，嘉兴人，为浙派的先导。朱彝尊最心折，尝说：“往者明三百禩，词学失传，先生搜辑遗集，余曾表而出之。数十年来浙西填词者，家白石而户玉田，春容大雅，风气之变，实由于此。”可知他与浙派的关系了。王士祯、曹贞吉、吴绮，虽也算得作手，但王的精力大部分在诗，曹的词所取途径甚正，才力却差，吴在清初词人中也是兼为清丽和雄壮两方面的词，却未能自树一帜。彭孙遹字羡门，他的词较为深厚，严绳荪说：“羡门惊才绝艳，长调数十阕，固堪独步江左；至其小词，啼香怨粉，怯月凄花，不减南唐风格。”这种朋友标榜的话，当然不能当作定论，但他的词确有可观，可惜未能沉着，专以聪明见长罢了。就中有满洲正白旗人纳兰成德字容若。有人说他是李后主转生，为“小令之王”。每一阕必尽凄惋之致。现举〔临江仙〕如下：

长记纱窗窗外语，秋风吹送归鸦。片帆从此寄天涯。一灯新睡觉，思梦月初斜。　　便是欲归归未得，不如燕子还家。春云春水带轻霞，画船人似月，细雨落杨花。

谭复堂说：“第其品格，殆叔原、方回之亚乎？”他的《饮水词》（坊间刊本甚多，吾友唐圭璋校本最佳）为治词者所爱好。还有一个顾贞观，字华峰，号梁汾，有两阕〔金缕曲·寄汉槎〕，可谓至性流露,字字从肺腑吐出,所以传诵于世。

季子平安否?便归来,生平万事,那堪回首!行路悠悠谁慰藉?母老家贫子幼,记不起从前杯酒,魑魅搏人应见惯;料输他覆雨翻云手。冰与雪,周旋久。　　泪痕莫滴牛衣透,数天涯依然骨肉,几家能够?比似红颜多薄命,更不如今还有。只绝塞苦寒难受,廿载包胥承一诺,盼乌头马角终相救。置此札,君怀袖。

我亦飘零久,十年来深恩负尽,死生师友。宿昔齐名非忝窃:试看杜陵消瘦,曾不减夜郎僝僽。薄命长辞知己别,问人生到此凄凉否?千万恨,为君剖。　　兄生辛未吾丁丑,共些时冰霜摧折,早衰蒲柳。词赋从今须少作,留取心魂相守。但愿得河清人寿,归日急翻行戍稿,把空名料理传身后。言不尽,观顿首。

读之,可使人增友朋之情。陈维崧字其年,宜兴人,是比较重要一些的词家。他的气魄之壮,古今称最,不独长调如苏、辛那样壮阔,就是小令,也豪极了。如〔点绛唇〕:"悲风吼,临洺驿口,黄叶中原定。"〔好事近〕:"别来世事一番新,只吾徒犹昨。话到英雄失路,忽凉风索索。"有时也婉丽闲雅,与朱彝尊齐名。曹秋岳说:"其年与锡鬯并负轶世才,同举鸿博,交又最深,其为词工力悉敌。"锡鬯是彝尊的字,又号竹垞,秀水人,浙派的开山,《静志居琴趣》(总名《曝书亭词》,扫叶山房有石印本)是他词集中最了不得的作品。试看他自己题词集的〔解珮令〕:

十年磨剑，五陵结客，把平生涕泪飘零都尽。老去填词，一半是空中传恨，几曾围燕钗蝉鬓。　　不师秦七，不师黄九，倚新声玉田差近。落托江湖，且分付歌筵红粉，料封侯白头无分。

可见浙派所师是《双白词》。彝尊外还有同邑李良年字符曾的，嘉兴李符字分虎为他的辅翼，浙江词学之盛可知了。作手中尤推厉鹗，鹗字太鸿，钱塘人。以他的才力很想于宋词之外别成面目，可惜这是办不到的事。但他词中佳处颇多可取。《樊榭山房词》（在全集中，全集坊本颇多）不难购得，我们可取来欣赏。项鸿祚，号莲生，也是浙中名词家，词少薄弱一些。至于常州派，自张惠言和他的兄弟张琦而后张目。惠言字皋文，琦字翰风，抬出温、韦来高标比、兴、风、骚，以深美闳约为准，不像浙江之守南宋。但论调太高，毕竟手不应口。惠言的《茗柯词》（附《词选》后）在清词中固有地位，以较北宋诸集，当然有愧色了。论词家有了一个周济，作手中有了周之琦、蒋春霖，差不多垄断了嘉庆以来的词坛。济字介存，《论词杂著》是词论中佳作。吾友任二北说："世人但知惠言为常州派，而不知介存为'变常州派'，颇有要义。之琦字稚圭，他的《金梁梦月词》颇有浑融深厚之致。春霖字鹿潭，有《水云楼词》。他身经洪、杨之乱，很能当作'词史'读。"我以为近几十年在中国文学里，词中的鹿潭远胜于诗中的金和呢。到道、咸时，庄、谭两人齐名。庄棫字中白，丹徒人。他的《蒿庵词》是自皋文、介存那般人光大而出之的。谭献字仲修，仁和人。所录《箧中词》，搜罗富有，议论也多有独到处。论浙江的弊病，无不中肯。所以吴瞿安先生说他是"变浙江词"。谈到我们这近三十年的词，源出广西。王鹏运字幼霞，临桂人。他除校刻《花间》以来的词集，自已有《半塘词》，体制都备。吾乡端木埰、吴县许玉瑑，和他同邑人况周颐，皆其词友，各有造作。归安朱孝臧字古微也与之游。朱的《彊村语业》、况的《蕙风词》，可算清末词集中的杰制。与王同时的郑文焯字叔问，有《樵风乐府》。当时南北相持，称两大家。名宦中金坛冯煦也有《蒿庵词》，与况、朱学南宋的作风大不相同。总之，词到这时候，作者虽然风景云往，词的精神已渐消失。清代词人，词集最多，在我所说，不过万一，只要从此研求，自得一个系统（自惠言以下，词集便于购求，在此处就不详注了）。

问题：

一、南宋与北宋词的作风的比较。

二、从历代的背景辨别苏、辛异同。

三、姜白石的受周美成的影响如何？

四、试寻金的元好问与元的张翥两家词的出处。

五、何以明人不以长调见长？

六、清词虽盛，为何不能比于两宋？

七、浙派与常州派其主旨差异何在？

参考书：

这两章可参考的书很多，有下面这几部已足够初步的研究。

刘毓盘　《词史》，北京大学讲义。

吴梅　《词学通论》，东南大学讲义，不久可在商务出版。

郑振铎　《中国文学史》第四、五章，商务。

徐珂　《清代词学概论》，大东。

钱基博　《现代中国文学长编稿本》上编第四章。

（最后这两书，研究清词不可不参阅）

第五章　从词到曲底转变

刘熙载《艺概》说:“曲之名古矣,近世所谓曲者,乃金、元之北曲,及后复溢为南曲者也。未有曲时,词即是曲;既有曲时,曲可悟词。苟曲理未明,词亦恐难独善矣。”这一段话,于曲有相当的认识,但还有些不彻底。我在论词时,已约略说过,这种“音乐文学”,讲文学叫做词,指声音(乐谱)便是曲,所以词的谱还是曲,而且曲的文字仍然称词。于此可知词曲是对称的名词,而“词”与“曲”又同时是两种体裁,这儿说的“曲”,是指曲体而言。“曲”从何而来的呢?王世贞说得好:“曲者,词之变。自金元入中国所用胡乐嘈杂凄紧,缓急之间,词不能按,乃更为新声以媚之。”可见也是为着音乐的关系了。

不过我在此处要先给大家一个清晰的分界,然后才好谈曲的起源。大概平常见了“曲”这一个字,都要联想到“戏剧”上去。其实,戏剧的曲是“剧曲”,而诗歌的曲就是所谓“散曲”。“散曲”和诗词同一抒情的诗体,为韵文正统。有了情节、动作、白文,然后演成“戏剧”。我们所应研究者是“散曲”,而非“剧曲”。谈“剧曲”的源流可以上溯巫尸,到宋杂剧、金院本。讲到“散曲”,干脆说就是从“词”变出来的。何以见得曲是从词变的呢?我们观察曲所沿袭于词的可知:

一、曲的宫调牌名多根据词的。南宋时候所存七宫十二调(见前），考核《中原音韵》只存六宫十一调，故有十七宫调之名。到了元又亡了歇指调、角调、宫调，于是变成十四宫调，后来南曲又失商角调，仅存十三了，因为六宫也改称调，所以明蒋惟忠有《十三调谱》之作。这北十四、南十三，皆由十七宫调而来，那么南北曲宫调出于词的宫调，可无疑义。至曲的调名（俗所谓曲牌）与词相同的颇多。《中原音韵》所纪三百三十五章，细细分析，出于古曲的一百十章，占全数三分之一。不过在北曲中牌名虽同，句法并不一样。到南曲里像〔虞美人〕、〔谒金门〕、〔一剪梅〕，完全无差池。这或者因为北人音乐与中原差异太大，而南曲正是折衷词与北曲的缘故。

二、曲的体裁也多根据词的。可分三种：确是一体而曲自词变化出来的，如寻常散词变成曲的小令；词中成套的，变成曲中套数（不过在词甚少见），词的犯调成为北曲的过带曲、南曲的集曲；词的联章变为曲的重头。还有虽不是一体而极相当的，如词的"大遍"与曲的"套数"、词的"摘遍"与曲的"摘调"。至于自词变出而未成曲形的，如"诸宫调"、"赚词"，这又属于词曲难分的一种。

从以上论述可知曲之渊源所自。但这演变之理，我们也可以看得出：

一、由词发达而为曲，如词的成套变成曲的成套。词中大遍，无论法曲、大曲，皆有散序、歌头，这不是套曲里的散板引子么？大曲的杀衮，这不是套曲的尾声么？所以法曲，大曲，虽仍认他是一词多遍相联，其实已有几套的形式。换一句话说，便是套词的一种。套在词，起初是一词多遍，后来是一宫多调。将变为曲的时候，诸宫调可以联套；已变为曲了，一套里还可借宫，再进一步可以联合南北曲成套。

二、由词退化为曲，如词的散词，变为曲的小令。在词中双叠、三叠、四叠的调子，必不容割去下叠，或下数叠不填，但曲的原调虽有么篇，或者么篇换头的，除了〔黑漆弩〕、〔昼夜乐〕几个曲调一填两叠外，例多略而不填。所以词调有二百多字极长的，而曲除增句格、带过曲，或集曲外，大都不满一百字的。于此可见词的进化、退化便渐渐形成曲了，而在宋元之间，词曲本不分的。从这历史上与组织上两种关系，可知词曲同是合乐文学，又有相互的因果，所以词曲合并的研究非常需要。吾友任二北先生就有此提议，主张成《词曲备体》和《词曲通谱》二书。假使此种工作有人完成，词与曲的分合状态，便十分的显著了。他的话很可供研究词曲者参考，并且有很好的方法，容我摘述其要。

第一步，所谓“列体”。就是把词曲中自简到繁的一切体裁，罗列出来。每体标一名，再说明他的形式、精神、来源、变迁、创始者、盛行的时期，更举一例。集合各体，说明完备，这《词曲备体》一书就可成稿，但非一时所能作好的。词曲各体，并列一表：

- 词
  - 寻常散词
    - 令……引……近……慢……犯调……摘遍……序子
    - 单调……双调……三叠……四叠……叠韵
    - 不换头……换头……双拽头
  - 联章
    - 一题联章……分题联章
    - 演故事者——每词演一事……多词演一事
  - 大遍——法曲……大曲……曲破
  - 成套者——鼓吹……诸宫调……赚词
  - 杂剧词——用寻常词调者……用法曲者……用大曲者……用诸宫调者

- 曲
  - 小令
    - 寻常小令……摘调
    - 重头……一题者……分题者
    - 带过曲——北带北……南带南……南北兼带
    - 集曲——兼集尾声者……不集尾声者
    - 演故事者——同调重头……异调间列
  - 套数
    - 寻常散套——南北分套……南北合套
    - 重头加尾声
    - 无尾声者——寻常散套无尾声……重头无尾声
  - 杂剧院本传奇
    - 四折
    - 有楔子——一用……再用《如孔文卿东窗事犯》
    - 一折……二折……三折……五折……六折
    - 用北曲……用南曲

（以上表中所列各体，有些需要解释，可参阅任著《词曲通谊》①，商务发行。）

第二步，所谓“辨体”。就是因词曲间彼此比较，而观历史和形式两方面相互关系。如原是一体，或并非一体；进化的或退化的（说见前），可以晓得消长之源。

第三步，所谓“计调”。调本是词曲所完全寄托的，词曲皆合乐的，这调的发生和变迁，正是乐的发生和变迁。词乐既变成曲乐，词乐即亡；词乐虽亡，还有词调。现在寻曲乐与词乐的变迁之迹，就不能不详究词调与曲调。

词调在第二章曾经说过。杜文澜刻《词律》附《拾遗》共八百七十余调、一千六百七十余体，可算较完备的数目。譬如《钦定词谱》、《历代诗余》，调数虽多，不大可靠。至于调名，比体调还要复杂，可以分别统计：甲、补列宋元词调。万树与徐本立所编《词律》，

① “谊”当作“义”。——整理者注

摈除明清人的创调,而容纳元人的。不过元人创的调,颇多是曲。应当词归词,曲另归曲。杜、万、徐几家当时见到宋元人词集很少,自来笔记词话中谈词调的也不少,几家已引未引,我们都要留意,如果有遗调,便当补列。乙、搜汇明清词调。明清人所创调,虽不能与宋元有同等价值,但亦不应当抛弃了他。这种材料散见明清人集中。如近人《怀豳杂俎》里的《新声谱》就是这种工作,我们应广而正之。丙、统计词调别名。补列宋元人调时,往往遇着新异的调名而实际已见词谱中的,最容易被蒙混过去,应细加考订。何为正名?何为别名?这于整要词调上很有贡献的。

至于曲调的统计,也可分三点:甲、罗列曲调数目。大概谱书愈古调愈简,后出的愈繁。有时却于应用的曲谱,僻调删除,较旧出为省。我们可就普通的谱书,分南北两项。按宫排比,填入调数,所有消长可考见出来的。乙、搜罗曲的遗调。《九宫大成谱》是比较收曲调最完备的。但未收的也很多,如永乐时诸佛名歌里北南曲都有,而未采入。其他,元明曲本中也会有的。至于犯调、集曲,可仿搜明清人所创词调一例搜集。丙、统计曲调别名。曲调的别名比较少得多,然而间或也有,如〔折桂令〕又作〔折桂回〕,〔碧梧秋〕即〔梧叶儿〕,〔梅边〕就是〔阅金经〕之类,仿词调别名例,免得搜遗调者多一重障碍。

为做这样工作便利计,可编一辞典式的小册。遇到发现一个新异的调名,我们可据以知前人谱书收过没有?是词,还是曲?是词,有几字?是曲,在南北和宫调何属?别名是什么?一名数调的,也知某体如何,某体如何。这种小册的排列,可以第一字笔画为准。如〔天香〕、〔天仙子〕、〔天净沙〕,凡“天”字是调名第一字,概归“天”字下。“天”下又以调名字数排次,〔天香〕两字在前,〔天仙子〕三字在后。同为两字或三字,即以第二字的笔画顺序。如此在新材料入手时，很顺利的检查着。积久下来，重加编排，岂不成了研究之助。举例如下：

〔一画〕　一

〔一煞〕（曲）（一）北中吕、（二）北高宫、（三）北黄钟。

〔一七令〕（词）四十五字。

〔一寸金〕（词）一百八字。

〔一片子〕（词）二十字。

〔一片锦〕（曲）即〔十样锦〕。

〔一匹布〕（曲）南越调。

〔一半儿〕（曲）北仙吕。

〔一年春〕（词）即〔青玉案〕。

〔一江风〕（曲）南南吕。

〔一枝春〕（词）九十四字。

〔一枝花〕（曲）（一）北南吕、（二）南南吕引子。

〔一盆花〕（曲）南仙吕。

〔一封书〕（曲）南仙吕。一名〔秋江送别〕。

〔一封歌〕（曲）南仙吕集曲。

〔一封莺〕（曲）南仙吕集曲。

〔一秤金〕（曲）南仙吕集曲。

〔一封罗〕（曲）南仙吕集曲。

〔一捻红〕（词）（一）即〔一萼红〕、（二）即〔瑞鹤仙〕。

〔一痕沙〕（词）（一）即〔昭君怨〕、（二）即〔点绛唇〕。

〔一斛叉〕（曲）北仙吕。

〔一斛珠〕（词）五十七字。一名〔醉落魄〕、〔怨春风〕。

〔一丝风〕（词）即〔诉衷情〕。

〔一丝儿〕(词)即〔诉衷情〕之双叠体。

〔一萼红〕(词)一百八字。一名〔一捻红〕。

〔一络索〕(词)四十五字。一名〔玉连环〕、〔洛阳春〕、〔上林春〕。

〔一剪梅〕(词)五十九字。一名〔腊梅香〕。

〔一叶落〕(词)三十一字。

〔一锭银〕(曲)北双角。

〔一撮棹〕(曲)南正宫。

〔一点春〕(词)二十六字。

〔一机锦〕(曲)(一)北双角、(二)北大角石、(三)南仙吕。

〔一丛花〕(词)七十字。

〔一萝金〕(词)即〔蝶恋花〕。

〔一封河蟹〕(曲)南仙吕集曲。

〔一緺儿麻〕(曲)北双角。

至于内容条例,也可以大略如下式:

词

一、调名

二、宫调　宋以前如何,宋如何,宋以后如何,明清曲谱中如何,能详则详。

三、源流　或源自唐教坊曲,或源自法曲、大曲;令、近、引、慢之繁衍如何,南北曲之转变如何?

四、名解　毋穿凿,毋附会,毋蹈虚。毛先舒《填词名解》、汪汲《词名集解》与明清各家词话之所载,皆宜慎审采录。

五、创始者　依成说为易,自行考订为繁,二者宜参酌行之。

六、别名　列其名,并明其始自何人,务详备无遗。

七、片数

八、字数

九、句数　分片说明。

十、韵数　平仄分别说明。

十一、别体　扼要数语不能繁。

十二、律要　四声不能够易之字法，骈散不能随便之句法，择要述之。

曲

一、调名

二、宫调　用元明谱书所通属者，《大成谱》所属若与之异亦及之。

三、源流　与词之关系，南与北之关系。

四、名解　有解之必要，或确有的解者，及之。

五、创始者　集曲始见于何种传奇，尤宜注意。

六、别名

七、句法　因曲盛行衬字之故，辨调者必求正衬分明，故此处有逐句指明字数之必要。集曲犹需指明所集何调？某调用某某句。句数则亦附及焉。

八、韵数　同词。

九、板数　于南曲则注明，可就《南词定律》所载者录之，北曲毋庸。

十、曲性　南曲声音方面，分别粗、细、可粗可细三种，前后二种宜注明。配搭方面分联套、兼用、专用三种，亦宜注明。此项依《曲律易知》一书。

十一、别体　同词。《大成谱》所列，凡增字格概可免，盖所增多属衬字也；增句者或减句者，或字句迥异者，方可认为别体。

十二、律要　同词。于一定之格，尤需注明。

现在就词、南、北曲，各举一例以示范：

〔一斛珠〕

词，《宋史·乐志》有〔一斛夜明珠〕，属中吕；《尊前集》注商调；《董西厢》属仙吕，嗣后谱书多从之，故《大成谱》列北仙吕。本唐乐府明皇封珍珠一斛赐梅妃，妃谢以七言绝句，明皇命以新声度之，曰〔一斛珠〕，见《梅妃传》。词始于后主李煜。张先词名〔怨春风〕，晏幾道词名〔醉落魄〕，后多从之。双叠，五十七字，前后各五句，四仄韵。南宋人创别体：或将换头平仄仄平平仄仄，易为平平仄仄平平仄，而前后用去平仄作结；或将前后次句上四下三句法，易为上三下四；或改每句十韵。《董西厢》所用仍本体，惟间入平韵，参看〔醉落魄·缠冷〕条。

〔一半儿〕

曲，北仙吕宫。始自元人，就词调〔忆王孙〕改成。句法七七七三九，五句，五韵，四平一上。上韵在结句，且此句必作"一半儿口口一半儿口"是格。调亦以此得名。第三句宜作平仄仄平平仄平，旧谱多误。

〔一封歌〕

集曲，南仙吕。联套用。见《节孝记》者为〔一封书〕首八句，及〔排歌〕七句至末句。共十二句，九韵，六仄，三平。三十二板。见《十孝记》者，〔排歌〕用四句至末句，共十五句，十一韵，六仄，五平，三十八板。（按，不云"粗曲"抑可粗可细者，即明其为"细曲"也。集曲无不是一板三眼，细唱者。）

照这样搜罗完备，统计精详，再行着手探寻词曲间的变迁，至少可看出九种关系来：

一、名同调同。曲借词用，丝毫没有变更的。沈雄《古今词话》说有六十调,或者还不止此。

二、名同调同,而词易为曲,颇有变动的。如〔醉花阴〕词中句法与曲便不相同。

三、名同调异,而曲中借名之由,一时无可寻迹的。如南曲〔醉落魄〕、〔望远行〕、北曲〔感皇恩〕、〔乌夜啼〕皆是。

四、名相同或相似尚可见,而调之同异已不可知。如词中大曲〔降黄龙〕前衮、中衮与曲之〔降黄龙衮〕是。

五、名异调同,曲借词用,仅换一名的。如北曲〔柳外楼〕就是词之〔忆王孙〕。

六、名异调同,而曲中略增格律的。如〔一半儿〕是。

七、名异调同,而曲中略减格律的。如北曲〔也不罗〕,即词中〔喜迁莺〕是。

八、名属相似,而调确有关的。如南曲〔捣白练〕和词中〔捣练子〕是。

九、名虽相似,而调并无关的。如北曲〔川拨棹〕与词中〔拨棹子〕是。

照这九种关系,分类搜集,并列一处,加上说明和推解,于是完成《词曲通谱》一书。有了《词曲备体》和《词曲通谱》,不独从词到曲的转变完全了解,而且词与曲的形式、内容、来源、体段,无不明白。根据此种合并研究法,还有三种长处:

一、词曲的异同显著了。譬如词曲同是长短句,何以词有其名,而曲没有呢?因为词继承诗,由整齐到长短,所以得名。而词本长短,曲承继他,自然不必标异。又如叶韵,平仄兼叶,词曲相同。入声分派三声又与平上去兼叶,词中便没有此例。再如词中禁"尖新",而曲中便优容之。于是可知词尚新,而必清新;曲尚新,而不妨“尖新”。……诸如此类异同可见。

二、概念可以正确。平常专治词或曲的，其意见多偏。一经相提并论，自然可以贯悟。如贵词贱曲之习，如知重剧曲而漠视散曲之陋，都可校正。

三、讨论周密。因为比附对勘的关系，可以另得见解。譬如词没有衬字，但一调数体，字数就会有差异，与曲加衬字，有无因果呢？又如曲中大套，往往不得通首俱佳，我们偶采其中一二支，好像有割裂的毛病，迟疑起来，见词中摘遍，有先例在，可证明不是自我作古了。

上面所说皆空泛的理论，不过主张合并以及合并研究的方法。至词曲的比较，再附简明的表式。此聊供借镜而已，未必便是完美的比较表。

<table>
<tr><th colspan="2">纲目 \ 项别</th><th>词</th><th>曲</th><th>备注</th></tr>
<tr><td rowspan="6">名称</td><td>见成因者</td><td>乐府、乐章、琴趣、鼓吹</td><td>乐府</td><td>乐章如柳永之《乐章集》，鼓吹如夏元鼎《蓬莱鼓吹》</td></tr>
<tr><td>见渊源者</td><td>诗余</td><td>词余</td><td>晏幾道《词名乐府补亡》、黄载万《词名乐府广变风》可参证</td></tr>
<tr><td>见形状者</td><td>长短句</td><td></td><td></td></tr>
<tr><td>见精神者</td><td>词（意内言外）</td><td>曲（音曲、意曲、词直①）</td><td></td></tr>
<tr><td>其他</td><td>歌曲、曲子、词曲</td><td>叶儿</td><td>词之所列三名，可证词曲自来合一</td></tr>
<tr><td>………</td><td>………………</td><td>……………………</td><td>……………………</td></tr>
</table>

① “直”或作“曲”。——整理者注

纲目 \ 项别		词	曲	备　注
历史	创始	唐、宋	宋、元	词除序子外,各体皆始于唐
	最盛	两宋	元、明	
	衰微	元、明	近世	
	………	………………	………………………	………………………
体裁	成套者	鼓吹、诸宫调、赚词	南北分套、南北合套	
	不成套者	令、引、近、慢、序子	小令、重头、带过曲、集曲	
	演故事者	杂剧	杂剧,传奇	
	………	………………	………………………	………………………
	律	分阴阳平、上、去、入五声	北阴阳平、上、去四声,南四声各分阴阳	
	韵	分十九部(平上去十四入五)	分二十部(平上去十二入八)	
	………	………………	………………………	………………………
	音调	七宫十二调	北六宫十一调,南十三调	
	牌调	约九百调	北约四百五十,南约千三百五十	
	………	………………	………………………	………………………
	源于诗	得风雅比兴者多	得赋颂者多	
	进度	妥溜、清新、沉郁、浑脱	妥溜、尖新、豪辣、灏烂	
	其他	深、内旋	广、外旋	
	………	………………	………………………	………………………

但是词与曲分合的大概，于此略可窥见了。

问题：

一、曲在诗的传统里应占什么样的地位？

二、何以知道曲是从词变化出来的？

三、如何可成《词曲备体》一书？

四、有了“词曲通谱”对于词曲研究有什么便利？

五、试在词曲比较表内寻绎词曲的不同处。

参考书：

吴梅 《词余讲义》，北京大学讲义本。

任讷 《词曲研究法》，广东大学讲义本。

第六章　曲各方面的观察

“曲”这个名称的意义，就是曲曲折折的情意，直直爽爽的说出来。因为这个缘故，什么在“诗”、在“词”所不能表现的，都可以从“曲”表现。又因为曲是词的继承者，所以同词名“诗余”一样的受了“词余”的命名。我们所以说“散曲”，是为着与戏剧对待而言。实际散曲是曲的“正体”，而剧曲是曲的“变体”，为使人清晰，故标明出来。

从前章曲的分类表看来，曲的包涵甚广，但取散曲说，只小令与套数两种。“小令”与词的“小令”不同，词小令以字数计，而曲小令是指一支而言，在元人叫做“叶儿”。除了只有一支外，有五类。无论一题或者多题，有好几支，曰“重头”。在南曲里有无尾的套数常同重头混淆，其实通体一韵便成套，重头前后异韵是无妨的。还有一种“摘调”，是从一套里摘一支出来的。所谓“带过曲”是二支或二支以上的曲子凑合成一支。“集曲”也是节取几支的词句，替他另创一个调名。又有“演故事的”，纪动的如《雍熙乐府》中《摘翠百咏》，即以〔小桃红〕一调重头；纪言的如《乐府群玉》中〔双渐小青问答〕，以〔天香引〕做问，〔凌波仙〕做答，二调相间的排列。这五类皆属于小令的变态。

套数呢，是宫调相同的曲子联贯而成的。王季烈的《螾庐曲谈》上说：“套数南北曲中皆有一定之体式，在北曲虽有长套、短套之别，而各宫调之套数，其首尾数曲，殆为一定，不过中间之曲，可以增删改易及前后倒置耳。在南曲则惟引子必用于出场时，尾声必用之于归结处，至中间各曲，孰前孰后，颇难一定。然非无定也，盖南曲有慢急之别，慢曲必在前，急曲必在后，欲联南曲成套数，先当辨别何者为慢曲，何者为急曲，何者为可慢可急之曲，而后体式可无误也。”北套数或南套数所谓通常套数。自沈和创合套，于是南北合成套数。在南曲中，又有以一调重头加尾声而成套，也有通常套数无尾声，或者重头无尾声的。

至于南曲与北曲的分别究竟何在？我想大家必定要怀疑的。这种分别大约很早。宋人胡翰说过：“晋之东，其辞变为南北，南音多艳曲，北俗杂胡戎。”吴莱也说：“晋宋六代以降，南朝之乐，多用吴音；北国之乐，仅袭夷虏。”这种话很空泛，不如明人说南北声律同异来得清楚一点。康海说：“南词主激越，其变也为流丽；北曲慷慨，其变也为朴实。惟朴实故声有矩度而难借，惟流丽故唱得宛转而易调。”王元美的《艺苑卮言》说：“北主劲切雄丽，南主清峭柔远，北字多而调促，促处见筋；南字少而调缓，缓处见眼。北辞情少而声情多，南声情少而辞情多。北力在弦，南力在板。北宜和歌，南宜独奏。北气易粗，南气易弱，此其大较。”但臧晋叔在《元曲选序》中就驳他这些话：“予尝见王元美之论曲曰：北曲字多而声调缓，其筋在弦；南曲字少而声调繁，其力在板。夫北之被索，犹南之合箫管，偃藏掩抑，颇足动人，而音亦袅袅，与之俱流，反使歌者不能自主。是曲之别调，非其正也。若板以节曲，则南北皆有力焉。如谓北筋在弦，亦谓南力在管，可乎？惜哉元美之未知曲也。”这么一争论，分外乌烟瘴气使人莫明其妙了。于是遂有人说“是固非后人所能尽明”。其实，简单的一句话可以解释。近来常有人来问我，我便说："你要知道南北曲的差异，正在北曲是北曲，南曲是南曲。"好像很滑稽似的，然而这句话知者可以晓得妙处。因为北曲与南曲完全两事，大家不可无此观念。假使以为曲有北曲，再变为南曲，便纠缠不清。这与词中小令到长调，丝毫不相似的。

其次谈曲的宫调。北曲常用的只黄钟、正宫、仙吕、南吕、中吕、大石、商调、越调、双调九种宫调。南曲有仙吕、正宫、中吕、南吕、黄钟、道宫、越调、商调、双调、仙吕入双调、羽调、大石、小石、般涉十四种。北曲套数就在这九宫调中有下列的限制：

仙吕宫

1.〔点绛唇〕、〔混江龙〕、〔油葫芦〕、〔天下乐〕、〔哪吒令〕、〔鹊踏枝〕、〔寄生草〕、〔煞尾〕。

2.〔点绛唇〕、〔混江龙〕、〔油葫芦〕、〔天下乐〕、〔后庭花〕、〔青歌儿〕、〔赚煞〕。

3.〔点绛唇〕、〔混江龙〕、〔村里迓鼓〕、〔寄生草〕、〔煞尾〕。

4.〔村里迓鼓〕、〔元和令〕、〔上马娇〕、〔胜葫芦〕、〔煞尾〕。

南吕宫

1.〔一枝花〕、〔梁州第七〕、〔四块玉〕、〔哭皇天〕、〔乌夜啼〕、〔尾声〕。

2.〔一枝花〕、〔梁州第七〕、〔牧羊关〕、〔四块玉〕、〔骂玉郎〕、〔元鹤鸣〕、〔乌夜啼〕、〔尾声〕。

3.〔一枝花〕、〔四块玉〕、〔骂玉郎〕、〔感皇恩〕、〔采茶歌〕、〔草池春〕。

4.〔一枝花〕、〔梁州第七〕、〔九转货南儿〕。

黄钟吕

1.〔醉花阴〕、〔喜迁莺〕、〔出队子〕、〔刮地风〕、〔四门子〕、

〔水仙子〕、〔煞尾〕。

2.〔醉花阴〕、〔出队子〕、〔刮地风〕、〔四门子〕、〔水仙子〕、〔尾声〕。

中吕宫

1.〔粉蝶儿〕、〔醉春风〕、〔石榴花〕、〔斗鹌鹑〕、〔上小楼〕、〔煞尾〕。

2.〔粉蝶儿〕、〔醉春风〕、〔迎仙客〕、〔石榴花〕、〔上小楼〕、〔幺篇〕、〔小梁州〕、〔幺篇〕、〔朝天子〕、〔煞尾〕。

3.〔粉蝶儿〕、〔醉春风〕、〔迎仙客〕、〔红绣鞋〕、〔石榴花〕、〔斗鹌鹑〕、〔快活三〕、〔十二月〕、〔尧民歌〕、〔上小楼〕、〔幺篇〕、〔煞尾〕。

4.〔粉蝶儿〕、〔醉春风〕、〔十二月〕、〔尧民歌〕、〔石榴花〕、〔斗鹌鹑〕、〔上小楼〕、〔幺篇〕、〔煞尾〕。

5.〔粉蝶儿〕、〔上小楼〕、〔幺篇〕、〔满庭芳〕、〔快活三〕、〔朝天子〕、〔四边静〕、〔耍孩儿〕、〔三煞〕、〔二煞〕、〔一煞〕、〔煞尾〕。

正宫

1.〔端正好〕、〔滚绣球〕、〔叨叨令〕、〔脱布衫〕、〔小梁州〕、〔幺篇〕、〔快活三〕、〔朝天子〕、〔煞尾〕。

2.〔端正好〕、〔滚绣球〕、〔叨叨令〕、〔脱布衫〕、〔小梁州〕、〔幺篇〕、〔上小楼〕、〔幺篇〕、〔满庭芳〕、〔快活三〕、〔朝天子〕、〔四边静〕、〔耍孩儿〕、〔五煞〕、〔四煞〕、〔三煞〕、〔二煞〕、〔一煞〕、〔煞尾〕。

3.〔端正好〕、〔蛮姑儿〕、〔滚绣球〕、〔叨叨令〕、〔伴读书〕、〔笑和尚〕、〔俏秀才〕、〔滚绣球〕、〔煞尾〕。

4.〔端正好〕、〔滚绣球〕、〔俏秀才〕、〔滚绣球〕、〔俏秀才〕、

〔滚绣球〕、〔俏秀才〕、〔滚绣球〕、〔煞尾〕。

5.〔端正好〕、〔滚绣球〕、〔叨叨令〕、〔俏秀才〕、〔滚绣球〕、〔白鹤子〕、〔耍孩儿〕、〔三煞〕、〔二煞〕、〔一煞〕、〔煞尾〕。

大石调

1.〔六国朝〕、〔喜秋风〕、〔归塞北〕、〔六国朝〕、〔雁过南楼〕、〔擂鼓体〕、〔归塞北〕、〔好观音〕、〔好观音煞〕。

商调

1.〔集贤宾〕、〔逍遥乐〕、〔上京马〕、〔梧叶儿〕、〔醋葫芦〕、〔幺篇〕、〔金菊香〕、〔柳叶儿〕、〔浪里来〕、〔高过随调煞〕。

2.〔集贤宾〕、〔逍遥乐〕、〔金菊香〕、〔梧叶儿〕、〔醋葫芦〕、〔幺篇〕、〔后庭花〕、〔柳叶儿〕、〔浪里来煞〕。

越调

1.〔斗鹌鹑〕、〔紫花儿序〕、〔小桃红〕、〔金蕉叶〕、〔调笑令〕、〔秃厮儿〕、〔圣药王〕、〔麻郎儿〕、〔络丝娘〕、〔尾声〕。

2.〔斗鹌鹑〕、〔紫花儿序〕、〔金蕉叶〕、〔小桃红〕、〔天净沙〕、〔幺篇〕、〔秃厮儿〕、〔圣药王〕、〔尾声〕。

3.〔看花回〕、〔绵搭絮〕、〔幺篇〕、〔青山口〕、〔圣药王〕、〔庆元贞〕、〔古竹马〕、〔煞尾〕。

双调

1.〔新水令〕、〔折桂令〕、〔雁儿落〕、〔得胜令〕、〔沽美酒〕、〔太平令〕、〔鸳鸯煞〕。

2.〔新水令〕、〔驻马听〕、〔乔牌儿〕、〔搅筝琶〕、〔雁儿落〕、〔得胜令〕、〔沽美酒〕、〔川拨棹〕、〔大平令〕、〔梅花酒〕、〔收江南〕、〔清江引〕。

3.〔新水令〕、〔驻马听〕、〔沉醉东风〕、〔雁儿落〕、〔得胜令〕、

〔挂玉钩〕、〔川拨棹〕、〔七弟兄〕、〔梅花酒〕、〔收江南〕、〔煞尾〕。

4.〔新水令〕、〔驻马听〕、〔胡十八〕、〔沽美酒〕、〔太平令〕、〔沉醉东风〕、〔庆东原〕、〔雁儿落〕、〔得胜令〕、〔搅筝琶〕、〔煞尾〕。

5.〔新水令〕、〔步步娇〕、〔沉醉东风〕、〔搅筝琶〕、〔雁儿落〕、〔得胜令〕、〔挂玉钩〕、〔殿前欢〕、〔煞尾〕。

6.〔夜行船〕、〔乔木查〕、〔庆宣和〕、〔落梅风〕、〔风入松〕、〔拨不断〕、〔离亭宴〕、〔带歇拍煞〕。

至于南北合套，也有定例，此处取最通常的示例如下：

仙吕宫

北〔点绛唇〕、南〔剑器令〕、北〔混江龙〕、南〔桂枝香〕、北〔油葫芦〕、南〔八声甘州〕、北〔天下乐〕、南〔解三醒〕、北〔哪吒令〕、南〔醉扶归〕、北〔寄生草〕、南〔皂罗袍〕、〔尾声〕。

中吕宫

北〔粉蝶儿〕、南〔泣颜回〕、北〔石榴花〕、南〔泣颜回〕、北〔斗鹌鹑〕、南〔扑灯蛾〕、北〔上小楼〕、南〔扑灯蛾〕、〔尾声〕。

黄钟宫

北〔醉花阴〕、南〔画眉序〕、北〔喜迁莺〕、南〔画眉序〕、北〔出队子〕、南〔摘溜子〕、北〔刮地风〕、南〔滴滴金〕、北〔四门子〕、南〔鲍老催〕、北〔水仙子〕、南〔双声子〕、北〔煞尾〕。

正宫

南〔普天乐〕、北〔朝天子〕、南〔普天乐〕、北〔朝天子〕、南〔普天乐〕、北〔朝天子〕、南〔普天乐〕。

仙吕入双调

北〔新水令〕、南〔步步娇〕、北〔折桂枝〕、南〔江儿水〕、北〔雁儿落〕带〔得胜令〕、南〔侥侥令〕、北〔收江南〕、南〔园林好〕、北〔沽美酒〕带〔太平令〕、南〔尾声〕。

南词的套数，例子更繁，因为无一定的格式。除以上所举合套，在散曲中用重头最多，这儿不必详叙。至于各宫调的声调，其特色是：

仙吕宫清新绵邈，南吕宫感叹伤悲，中吕宫高下闪赚，黄钟宫富贵缠绵，正宫惆怅雄壮，道宫飘逸清幽。（以上六宫）

大石调风流蕴藉，小石调旖旎妩媚，高平调条拗滉漾，般涉调拾掇抗堑，歇指调急并虚歇（已亡），商角调悲伤宛转（南亡北存）。双调健捷激袅，商调凄怆怨慕，角调呜咽悠扬（已亡），宫调典雅沉重（四十八调中无此，不详其理），越调陶写冷笑。（以上十一调）

谈到曲韵，必先清楚清浊阴阳。大概天下的字，不出宫、商、角、徵、羽五音，分属人口，就是喉、腭、舌、齿、唇五声。喉属宫，腭属商，舌属角，齿属徵，唇属羽。宫音最浊，羽音最清。北曲用韵是周德清的《中原音韵》，南曲便不同了，明人多本《洪武正韵》，后来范善臻的《中州音韵》出来，大家都用他，因为南北曲皆可用。讲韵的阴阳、平声、入声极容易辨别，上、去便比较难些。因为上声的阳近于去，去声的阴近于上。周氏《中原音韵》只有平声别阴阳，去、上皆不辨。而范氏于上去皆一一分别。凡曲中上去去上，最重在每句末处，曲之末句末字，能完全遵守上去方好，不得已时也只可多用去，勿多用上。而两去两上，也不宜叠用。入声字作平上去三声用，遇平上去三声用字欠妥，常以入声字代之。但韵脚以入声代平上去总是不妥当的。

以下论曲的字法。王骥德《曲律》说："下字为句中之眼，古谓百炼成字，千炼成句"，要新又要熟，要奇又要稳，可分几层来解释：

一、用字。周德清《作词十法》说："不可用生硬字，太文字，太俗字。”《曲律》里《曲禁》四十则说:“用字忌陈腐(不新采)、生造(不现成)、俚俗(不文雅)、寒涩(不顺溜)、粗鄙(不细腻)、错乱(无次序)、蹈袭(忌用旧曲语意,若成语不妨)、太文语(不当行)、太晦语(费解说)、经史语(如《西厢》靡不有初,鲜克有终之类)、学究语(头巾气)、书生语(时文气)。”

二、衬字。此是曲比词特异的地方。在北曲中除遵谱格,可加衬字。不论四声,虚实也能并用。南曲普通加三虚字。

三、务头。吾师吴先生说:“务头者,曲中平上去三音联串之处也。如七字句,则第三、第四、第五三字,不可用同音。大抵阳去与阴上相联,阴上与阳平相联,或阴去与阳上相联,阳上与阴平相联。每一曲中必须有三音或二音相联之一二语,此即务头也。”

四、重字。上下文有重字,要勘换去。除“独木桥体”用一韵到底,重韵也当避免。

五、闭口字。如侵、覃、盐、咸等部撮唇收鼻之音,都闭口读的字,在曲中只许单用。

六、叠字。曲中多新异的叠字,如扑腾腾、宽绰绰、笑呷呷、疏刺刺……大半是当时俗语。

七、字音。曲中字面,要先正其音读。譬如“倩”这个字,雇倩之“倩”作“清”字的去声读,巧笑倩兮的“倩”音“茜”。两种读法,不可不知。这七种皆曲中的字底规范。

曲的句法,《曲律》说得好:“句法宜婉曲不宜直致,宜藻艳不宜枯瘁,宜溜亮不宜艰涩,宜轻俊不宜重滞,宜新采不宜陈腐,宜摆脱不宜堆垛,宜温雅不宜激烈,宜细腻不宜粗率,宜芳润不宜噍杀。又总之:宜自然不宜生造。……”《作词十法》说:“可作:乐府语、经史语、天下通语。不可作:俗语、蛮语、谑语、市语、方语、书生语、讥诮语、全句语、构肆语、张打油语、双声叠韵语、六字三韵语、语病、语涩、语粗、语嫩。”黄周星《制曲枝语》道：“曲之体无他，不过八字尽之，曰少列圣籍，多发天然而已。”

造句普通有四法：

一、叠字句。如“一声梧叶一声秋，一点芭蕉一点愁”。

二、叠句。如“我銮舆，返咸阳；返咸阳，过宫墙；过宫墙，绕回廊……”

三、排句。如“得一会家缥缈呵，忘了魂灵；一会家精细呵，使着躯壳；一会家混沌呵，不知天地”。

四、比较句。如“日长也愁更长，红稀也信更稀”。对偶也是曲的胜处。《曲律》说：“凡曲遇有对偶处，得对，方见整齐，方见富丽。”《作词十法》说：“逢双必对。”而对有“扇面对”、“重叠对”、“救尾对”、“合璧对”、“连璧对”、“鼎足对”、“联珠对”、“隔句对”、“鸾凤和鸣对”、“燕逐飞花对”……好在我们要完全研究作法，可看任二北先生《作词十法疏证》(《散曲丛刊》中有，中华出版)，此处不必详释。

至曲体，《太和正音谱》分为黄冠、承安、玉堂、草堂、楚江、香奁、骚人、俳优、丹丘、宗匠、盛元、江东、西江、东吴、淮南十五体，眉目不清；俳体如短柱、独木桥、叠韵、犯韵、顶真、叠字、嵌字、反覆、回文、重句、连环、足古、集古、集语、集剧名、集调名、集药名、概括、翻谱、讽刺、嘲笑、风流、淫虐、简梅、雪花二十五体，大部分都在纤巧上用工夫，失了曲的精神。姚华《曲海一勺》说：“一物之微，一事之细，尝为古文章家不能道，而曲独纤微毕露，譬温犀之照象，象禹鼎之在山。”曲是多么自然的文体，我们应当知道。

问题：

一、试论小令、套数的区别。

二、南北曲的分别，何以一般人说不清楚？

三、各宫调声调的特色，与曲人的情感有无关系？

四、曲中用字的标准何如？

五、试比较曲的句法与词的句法。

六、对偶于句法有什么影响？

七、制作北曲套数与南曲套数有何差异？

八、辨别上去的阴阳，始自何时？

参考书：

许之衡　《曲律易知》，饮流斋刊本。

吴梅　《词余讲义》，北京大学讲义本。

任讷　《散曲概论》，中华。

卢冀野　《最浅学曲法》，大东。

第七章 几个重要的曲家(上)

研究曲之难,何以较词为甚?一则因为许多年来,人人以为曲就是戏剧,而不知为词的承继者正有散曲在。二则曲集的佚亡,使治曲者无从下手,幸最近发现不少向来罕见的曲集,庶乎可供我们的赏鉴。现在以我所得,取元明以来的曲家和每人的作品,略为叙述,俾知曲海之中,也有杰出之士。

从来称元曲四大家关、马、郑、白,是指元剧而言。但四家中也有散曲(吾友任二北有四家曲辑本,中原书局出版)。

关汉卿,号已斋叟,大都人,金末为太医院尹,金亡便不做官了。好谈妖鬼,有《鬼董》一书,而于剧曲所作至多。杨维桢《元宫词》:"开国遗音乐府传,白翎飞上十三弦。大金优谏关卿在,伊尹扶汤进剧编。"这儿所说的关卿就是他(《伊尹扶汤》是郑德辉作,杨先生弄错了)。他平生轶事,颇有有趣的:他曾见从嫁一婢,非常美貌,百计想得到她,但为夫人阻止,于是不得已,作了一支小令,道:"鬓鸦,脸霞,屈杀了将陪嫁。规模全似大人家,不在红娘下。巧笑迎人,文谈回话,真如解语花。若咱,得她,倒了蒲桃架。"夫人见了,以诗为答:"闻君偷看美人图,不似关王大丈夫。金屋若将阿娇贮,为君唱彻醋葫芦。"汉卿只有太息而已。他的小令四十一首,套数十一套。现在录〔一半儿·题情〕两支如下:

云鬟雾鬓胜堆鸦，浅露金莲簌绛纱，不比等闲墙外花。骂你个俏冤家，一半儿难当一半儿要。

碧纱窗外悄无人，跪在床前忙要亲，骂你个负心回转身。虽是我话儿嗔，一半儿推辞一半儿肯。

《正音谱》评他的词："如琼筵醉客。"我说他在谐谑之中，有人所不敢言的话，这正是当家的曲子。

马致远，字东篱，也是大都人。《正音谱》评他的词："如朝阳鸣凤。"又："其词典雅清丽，可与灵光、景福相颉颃，有振鬣长鸣，万马皆喑之意。又若神凤飞鸣于九霄，岂可与凡鸟共语哉！列群英之上。"他的〔秋思·夜行船〕一套，周德清评为元人之冠，《尧山堂外纪》称为元人第一，而为后来曲人所喜步武的。

〔双调·夜行船〕　百岁光阴一梦蝶，重回首往事堪嗟。昨日春来，今朝花谢，急罚盏夜阑灯灭。

〔乔木查〕　想秦宫汉阙，都做了衰草牛羊野，一恁渔樵没话说。纵荒坟断碑，不辨龙蛇。

〔庆宣和〕　投至狐踪与兔穴，多少豪杰。鼎足三分半腰折，如今是魏耶？晋耶？

〔落梅风〕　天教富，莫太奢，没多时好天良夜。看财奴硬将心似铁，空辜负锦堂风月。

〔风入松〕　眼前红日又西斜，疾似下坡车。晓来青镜添白雪，上床和鞋履相别。休笑我鸠巢计拙，葫芦提一任妆呆。

〔拨不断〕　利名竭，是非绝。红尘不向门前惹，绿树偏宜屋角遮。青山正补墙头缺,更那堪竹篱茅舍。

〔离亭宴带歇拍煞〕　蛩吟一觉才宁贴,鸡鸣万事都休歇。争名利何年是彻,密匝匝蚁排兵,乱纷纷蜂酿蜜,急攘攘蝇争血。裴公绿野堂,陶令白莲社。爱秋来那些:和露滴黄花,带霜烹紫蟹,煮酒烧黄叶。人生有限杯,能几个登高节?分付俺顽童记者:便北海探吾来,道东篱醉了也。

沉郁苍凉,他的胸襟是如何的高旷。还有一支〔越调·天净沙〕所谓直空今古的:

枯藤老树昏鸦,小桥流水人家,古道西风瘦马。夕阳西下,断肠人在天涯。

王静庵先生说元曲文章好处是自然而已,此曲正足为自然的代表。

郑光祖,字德辉,襄陵人。他的散曲仅有小令三首,套数三首,是比较不重要的。

白朴,字仁甫,号兰谷,澳州人[1]。著有《天籁集》,也刊在《九金人集》中。集中所未刊的〔阳春曲〕二支:

笑将红袖遮银烛,不放才郎夜看书,相偎相抱取欢娱,止不过造更举[2],便及第待何如?

---

① “澳”当作“隩”。——整理者注

② “造更举”另作“迭应举”。——整理者注

百忙里绞甚鞋儿样，寂寞罗帏冷串香，向前搂定可憎娘。止不过赶嫁妆，便误了又何妨？

可谓妙绝了。《正音谱》评："如鹏抟九霄。"又："风骨磊块，词源滂沛，若大鹏之起北溟，奋翼凌乎九霄，有一举万里之志，宜冠于首。"

和汉卿同时的有同乡人王鼎，字和卿，最喜谐谑。和卿死时，鼻垂双涕一尺多长，人皆叹骇，刚刚关来吊唁，问人，有人说："这是佛家的坐化。"问鼻下所悬物？说是"玉筋"。汉卿道："我道你不识，不是玉筋，是嗓。"（六畜劳伤，鼻中便流脓水，谓之嗓病）闻者大笑。于是或对汉卿说："你被和卿轻侮半世，死后才还得一筹。"可见和卿平日滑稽佻达的程度了。在中统，初燕市有一大蝴蝶，或以为仙蝶，请他作曲。遂拈〔醉中天〕一支：

挣破庄周梦，两翅驾东风。三百处名园，一采一个空。难道风流种，谎杀寻芳蜜蜂。轻轻的飞动，卖花人搧过桥东。

还有些文士所不屑道的题目，而和卿为之词，如有妓于浴房中被打，对他诉苦，他便作〔拨不断〕道："假胡伶，聘聪明，你本待洗腌臜，倒惹不得干净。精尻上匀排七道青，扇圈大膏药刚糊定，早难道假装无病。"这是多么诙谐的话。

说起张可久，他才是唯一的散曲家。可久字小山，有人说他名伯远，又有人说仲远是他的字。庆元人。他的曲集有《吴盐》、《苏堤渔唱》、《小山小令》、《北曲联乐府》等一共八种刊本。以任氏新辑为最完善（此书在《散曲丛刊》中，中华出版），共四十二调，七百五十八首。《正音谱》评云:“如瑶天笙鹤。”又:“其词清而且丽,华而不艳,有不吃烟火气,真可谓不羁之材矣。若被太华仙风,招蓬莱之海月,诚词林宗匠也,当以方九皋之眼相包。”李开先称他为词中仙才,王骥德说:“乔多凡语,似又不如小山更胜也。”徐阳初《三家村老委谈》:“北词马东篱、张小山自应冠首。”可见小山在曲中应占的地位了。无怪钱大昕《元史·艺文志》里说张小山等包罗天地。张宗棣也说:“孰谓张小山不如晏小山耶?”沈德符说:“惟马东篱‘百岁光阴’、张小山‘长天落彩霞’,为一时绝唱。”但李开先评“莺穿残杨柳枝”云:“小山此曲,古今绝唱。世独重马东篱〔夜行船〕,人生有幸不幸耳。”这套的确如李开先的话:“韵窄而字不重,句高而情更款,通首全对尤难。”现在引录如次:

〔南吕·一枝花〕　莺穿残杨柳枝,虫蠹损蔷薇刺,蝶捎干芍药粉,蜂蹙断海棠枝。怕近花时,白日伤心事,清宵有梦思。间阻了洛浦神仙,没乱煞苏州刺史。

〔梁州第七〕　俏情缘别来久矣。巧魂灵梦寝求之,一春多少探芳使。着情疼热,痛口嗟咨,往来迢递,终始参差。一简儿写就情词,三般儿寄与娇姿。麝脐薰五花瓣翠羽香钿,猫眼嵌双转轴乌金戒指,獭髓调百合香紫腊胭脂。念兹,在兹。愁和泪须传示,更嘱付两三次,诉不尽心间无限思,倒羞了燕子莺儿。

〔尾声〕　无心学写钟王字,遣兴闲观李杜诗,风月关情随人志。酒不到半卮,饭不到半匙,瘦损了青春少年子。

与马东篱比较起来,马词苍古,而张词清劲。小山的曲可以说已成形的曲体底正宗，完全是整齐的美。他的小令也是如此的。如〔醉太平·感怀〕：

> 人皆嫌命窘，谁不见钱亲。水晶丸入面糊盆，才沾粘便滚。文章糊了盛钱囤，门庭改作迷魂阵，清廉贬入睡馄饨。葫芦提倒稳。

与张并称的是乔吉，字梦符，或作吉甫，太原人。号笙鹤翁，又号惺惺道人。美容仪，能词章，以威严自饬，人多敬畏他。居在杭州太乙宫前，有题西湖〔梧叶儿〕百篇，流落四十年江湖，想把他刊印出来，始终没有成功。我常说："元曲的中心是杭州，明曲的中心是南京。"这时候的西湖常被曲人的赞颂。张小山的《苏堤渔唱》、乔梦符的题西湖《梧叶儿》，是同时最著的。《正音谱》评乔词："如神鳌鼓浪，若天吴跨神鳌，叹沫于大洋，波涛汹涌，截断中流之势。"梦符又论作曲之法："曰凤头、猪肚、豹尾六字。大概起要美丽，中要浩荡，结要响亮。尤贵在首尾贯穿，意思清新。"李开先以张、乔比如唐诗中的李、杜，而王骥德说："乔、张盖长吉、义山之流。"我以为拿词来比喻：小山是温飞卿，而梦符是韦端己。小山词的色彩浓，梦符较淡；梦符风趣活跃，小山较严（可参看拙著《乔张研究》）。姑举几首小令，以见他的作风。

> 并刀翦龙须为本，玉丝穿龟背成文，襟袖清凉不染尘。汗香晴带雨，肩瘦冷搜云，是玲珑剔透人。（〔卖花声·咏竹枕〕）

> 细研片脑梅花粉，新剥珍珠豆蔻仁，依方修合凤团春。醉

魂清爽,舌尖香嫩,这孩儿那些风韵。(〔卖花声·咏香茶〕)

莺莺燕燕春春,花花柳柳真真,事事风风韵韵。娇娇嫩嫩,停停当当人人。(〔天净沙·叠字体〕)

清俊秀丽,读起来满口生香,不能自已呢。到明朝像梁伯龙那般人以词法入曲,其实不过乔、张的余绪而已。吾友任二北盛称乔、张而不满意伯龙,我便做了一首小诗:“二北词人如是说,乔张小令夺天工。卢生一事痴于汝,我爱江东梁伯龙。”此话下章再说。

此处还有《酸甜乐府》的作者必须论及。酸斋,畏吾人,是阿里海涯之孙,父名贯只哥,所以他就姓了贯,自名小云石海涯。甜斋姓徐名饴,又一说名再思,字德可,嘉兴人,又有人说是扬州人。在当时以什么斋做别号的,非常之多,而酸、甜齐名。《正音谱》评酸斋“如天马脱羁”,甜斋“如桂林秋月”。两人的作风相异处,约略可知了。这时候阿里西瑛,也是一个曲人。自己新筑别业,名“懒云窝”,作〔殿前欢〕:

懒云窝,醒时诗酒醉时歌。瑶琴不理抛书卧,无梦南柯。得清闲尽快活,日月似撺梭过,富贵比花开落。青春去也,不乐如何。

酸斋和道:

懒云窝,阳台谁送与姮娥?蟾光一任来穿破,遁迹由他。蔽一天星斗多,分半榻蒲团坐,尽万里鹏程挫。向烟霞笑傲,任世事蹉跎。

又:

懒云窝,云窝客至欲如何?懒云窝里和云卧,打会磨陀。想人生待怎么,贵比我争些大,富比我争些个。呵呵笑我,我笑呵呵。

又:

懒云窝,懒云窝里客来多。客来时伴我闲些个,酒灶茶锅。且停杯听我歌,醒时节披衣坐,醉后也和衣卧。兴来时玉箫绿绮,问甚么天籁云和。

他的曲境是这样的超卓。并且他很善于武事,在十二三岁时,叫健儿驱三恶马疾驰。他持槊等着,马到便腾身上去,越一跨三,连槊生风,见者惊服。后来在仁宗朝,拜翰林学士。忽然厌倦起来,叹道:"辞尊居卑,昔贤所尚。"于是换了冠服,变易姓名到杭州去卖药。有一次过梁山泺,看见有个渔父,织芦花为被。酸斋爱其清,想以绸和他交换,渔父说:你要被,当作一诗。他赋诗即成,取被径去,后来便自号芦花道人。西湖也是他每日流连的地方,那一套中吕〔粉蝶儿·描不上小扇轻罗〕就是当时得意之作(这套在曲选中常见,《北宫词纪》里就有)。又在立春的一天,大家宴会,座上客请作〔清江引〕一支,并限每句第一字用金木水火土,而且各用春字,酸斋于是如制的题道:

金钗影摇春燕斜,木杪生春叶。水塘春始波,火候春初熟,土牛儿载将春去也。

大家都笑了起来。他有二妾,一名洞花,一名幽草。临终作辞世诗:"洞花幽草结良缘,被我瞒他四十年。今日不留生死相,海天秋月一般圆。"张小山把他改成曲子道:"君王曾赐琼林宴,三斗始朝天,文章懒人编修院。红锦笺,白纻篇,黄柑传。学会神仙,参透诗禅。厌尘嚣,绝名利,逸林泉。天台洞口,地肺山前。学炼丹,同货墨,共谈玄。兴飘然,酒家眠。洞花幽草结良缘,被我瞒他四十年,海天秋月一般圆。"此曲可作贯酸斋一生的小传了。甜斋的曲如〔折桂令〕二支,可称绝唱:

荆山一片玲珑,分付冯夷,捧出波中。白羽香寒,琼衣露重,粉面冰融。知造化私加密笼,为风流洗尽娇红。月对芙蓉,人在帘栊,太华朝云,太液秋风。(〔赠伎玉莲〕)

平生不会相思,才会相思,便害相思。身似浮云,心如飞絮,气若游丝。空一缕余香在此,盼千金游子何之。证候来时,正是何时?灯半昏时,月半明时。(〔春情〕)

刻骨镂心,直开剧曲中汤玉茗一派。又〔水仙子·咏夜雨〕:

一声梧叶一声秋,一点芭蕉一点愁,三更归梦三更后。落灯花棋未收,叹新丰孤馆人留。枕上十年事,江南二老忧,都在心头。

这是多么俊逸的文章。他的儿子善长,也能继家声,不过不如甜斋如此情致。

同时以斋名自号如杨朝英,也是名家。他所选的《阳春白雪》、《太平乐府》是散曲的宝筏。曾请酸斋作序,贯道:"我酸则子当澹矣。"于是他便号澹斋。《正音谱》评杨词:"如碧海珊瑚。"还有杨立斋,他的名里不可考了。

周德清,字挺斋,高安人。所著《中原音韵》,是曲韵中的开山,自他才把平韵分作阴阳。后来明代范善臻《中州全韵》分去声,王鵕《音韵辑要》、周少霞《中州全韵》分上声,都是从他发轫的。他的词所谓"玉笛横秋",如我下面所引的〔朝天子·庐山〕便是佳作。

早霞,晚霞,妆点庐山画。仙翁何处炼丹砂?一缕白云下。客去斋余,人来茶罢。叹浮生指落花,楚家,汉家,做了渔樵话。

钟嗣成,字维先,号丑斋,汴人。他的《录鬼簿》是曲人的传纪,分上下二卷。上卷记前辈,所谓已死之鬼。下卷记并世的人,所谓未死之鬼。每人并以〔凌波曲〕一支吊之。《正音谱》评钟词"如腾空宝气",实则他的词颇多惆怅低徊之情。所作《自序丑斋》一套,非常诙谐(近有任二北辑本,商务古活字本)。兹择〔梁州〕一支为证:

只为外貌儿不中抬举,因此内才儿不得便宜。半生未得文章力,空自胸藏锦绣,口吐珠玑。争奈灰容土貌,缺齿重颏,更兼着细眼单眉,人中短髭鬓稀稀。那里取陈平般冠玉精神,何晏般风流面皮,潘安般俊俏容仪。自知,就里,清晨倦把青鸾对,恨杀爷娘不争气。有一日黄榜招收丑陋的,准夺高魁。

可谓滑稽之至了。

疏斋,姓卢名挚,字处道,涿郡人。在元初能文章者曰姚、卢,姚燧字牧庵,卢就是指疏斋,论曲尤以他为首。当时有官伎珠帘秀,疏斋送别辞:

才欢悦,早间别,痛杀俺好难割舍。画船儿载将春去也,空留下半江明月。

这是一支〔落梅风〕,婉约可诵。珠帘秀也作一支相答:"山无数,烟万缕,憔悴杀玉堂人物。倚蓬窗一身儿活受苦,恨不得随大江东去。"疏斋所作,大都小令(有我的辑本)。

姚牧庵〔凭栏人·寄征衣〕一支,极脍炙人口:"欲寄君衣君不还,不寄君衣君又寒,寄与不寄间,妾身千万难。"

刘逋斋,名致,字时中,宁乡人。所作〔水仙子·西湖四时渔歌〕每首以西施二字为绝句,颇著盛名。

徐容斋,名琬,字子方,东平人。

萧复斋,名德润,杭州人。

曹以斋,名鉴,字克明,宛平人。

马谦斋,名九皋,畏吾人。

吴克斋,名仁卿,字弘道,蒲阴人(有《金缕新声》,已失传)。

郝新斋,名天挺,字维先,陵川人。这就是我所谓"元十四斋"

（甜、酸、丑、疏、澹、挺、复、克、遒、谦、容、以、新、立）。

滕斌，字玉霄，睢阳人，也是专作散曲，不为戏剧的。《正音谱》评“如碧汉闲云”。

邓玉宾，《正音谱》评“如幽谷芳兰”。

刘庭信，俗呼为黑刘五，《正音谱》评“如摩云老鹘”。

周文质，字仲彬，建德人。《正音谱》评“如平原孤隼”。

朱庭玉，《正音谱》评“如百卉争放”。

还有孟西村，名志，盱眙人。也以散曲著，颇近小山。

汪元亨，字云林，所著《小隐余音》。

张苍浩①，字希孟，所著《云庄休居自适小乐府》，皆有足取（两书有新辑本，见《散曲集丛》）。

顾均泽，名德润，松江人，有《九山乐府》。

曾瑞，字褐夫，大兴人，有《诗酒余音》。在元曲中也都算得第二流的作者。褐夫〔春思〕一套颇佳，现在录在此处：

〔南吕·一枝花〕 春风眼底思，夜月心间事。玉箫鸾凤曲，金缕鹧鸪词。燕子莺儿，殢杀寻芳使。合欢连理枝，我为你盼望着楚雨湘云，担阁了朝经暮史。

〔梁州第七〕 你为我堆宝髻羞盘凤翅，淡朱唇懒注胭脂。东君有意偷窥视，翠鸾寻梦，彩扇题诗，花笺写怨，锦字传词。包藏着无限相思，思量杀可意人儿，几时得靠纱窗偷转秋波，几时得整云鬟轻舒玉指，几时得倚东风笑捻花枝。新婚，燕

① “苍”当作“养”。——整理者注

尔,到如今,抛闪人的独自。你那点志诚心有谁似,休把那海誓山盟作戏词,相会何时。

〔尾声〕 断肠词写就龙蛇字,叠做个同心方胜儿。百拜娇姿谨传示,间别了许时。这关心话儿,尽在这殢雨尤云半张纸。

又王元鼎曲名很大的,这时有歌儿郭氏顺时秀者,是刘时中所赏识的,与元鼎交谊甚密。偶有病,想吃马版肠。元鼎于是杀他所骑的五花马,剖腹取肠,一时都下传做佳话。阿鲁温正官中书参政,也颇属意于郭,有次问她:"我与王元鼎何如?"对道:"参政,宰相也。元鼎,才人也。燮理阴阳,致君泽民,则学士(即元鼎)不及参政。嘲风弄月,惜玉怜香,则参政不如学士。"可见她心中于他是如何的恋着了。尝有〔折桂令·咏桃花马〕云:

问刘郎骥控亭槐,觉红雨萧萧,乱落苍苔。溪上笼归,桥边洗罢,洞口牵来,摇玉辔春风满街,摘金鞍流水天台,锦绣毛胎,嘶过玄都,千树齐开。

更有一件很足为怪的事,其人即号怪怪道人,姓冯名子振,字海粟。当时有白无咎作〔鹦鹉曲〕一支:"侬家鹦鹉洲边住,是个不识字渔父。浪花中一叶扁舟,睡煞江南烟雨。〔幺篇〕觉来时满眼青山,抖擞绿蓑归去。算从前错怨天公,甚也有安排我处。"传遍旗亭。海粟为之续了百余首,完全步韵,是曲中联篇之最富者(全词在《太平乐府》中可见)。虽有警语,但不免有些拼凑。费无限力气,替他人作续貂的狗尾,又何苦呢。在无大名的曲人,有时倒还

有绝妙的曲作，如临川陈克明〔美人八咏〕，无怪周挺斋为他击节叹赏。调是〔一半儿〕：

梨花云绕锦香亭，蝴蝶春融软玉屏，花外鸟啼三两声。梦初惊，一半儿昏迷一半儿醒。（〔春梦〕）

琐窗人静日初曛，宝鼎香销火尚温，斜倚绣床深闭门。眼昏昏，一半儿微开一半儿盹。（〔春困〕）

自将杨柳品题人，笑捻花枝比较春，输与海棠三四分。再偷匀，一半儿胭脂一半儿粉。（〔春妆〕）

厌听野鹊语雕檐，怕见杨花扑绣帘，拈起绣针还倒拈。两眉尖，一半儿微舒一半儿敛。（〔春愁〕）

海棠红晕润初妍，杨柳纤腰舞自偏，笑倚玉奴娇欲眠。粉郎前，一半儿支吾一半儿软。（〔春醉〕）

绿窗时有唾茸黏，银甲频将彩线挦，绣到凤凰心自嫌。按春纤，一半儿端详一半儿掩。（〔春绣〕）

柳绵扑槛晚风轻，花影横窗淡月明，翠被麝兰熏梦醒。最关情，一半儿温馨一半儿冷。（〔春夜〕）

自调花露染霜毫，一种春心无处描，欲写素心三四遭。絮

叨叨,一半儿连真一半儿草。(〔春情〕)

写女子心理,可算得细腻之至了。

任昱,字则明,四明人。所作曲也不少,颇有可诵之句。《乐府群玉》中选录甚多,如〔寨儿令〕、〔折桂令〕:

锦制屏,镜涵冰,浓脂淡粉如故情。酒量长鲸,歌韵雏莺,醉眼看丹青,养花天云淡风轻,胜桃源水秀山明,赋诗题下竺,携友过西泠,撑船向柳边行。(〔寨儿令〕)

盼春来又见春归,弹指光阴,回首芳菲。杨柳阴浓,章台路远,汉水烟迷,彩笔谁行画眉?锦书不寄乌衣,寂寞罗帏,愁上心头,人在天涯。(〔折桂令〕)

吴本世,字中立,杭州人,有《本道斋乐府小稿》。

钱霖,字子云,松江人,有《醉边余兴》:

梦回昼长帘半卷片,门掩荼蘼院。蛛丝挂柳绵,燕嘴粘花片,啼莺一声春去远。

高歌一壶新酿酒,睡足蜂衙后。云深鹤梦寒,石老松花瘦,不如五株门外柳。

春归牡丹花下土,唱彻莺啼序。戴胜雨余桑,谢豹烟中树,人困昼长深院宇。

恩深已随纨扇歇，攒到愁时节。梧桐一叶秋，砧杵千家月，多的是几声儿檐外铁。

这四支〔清江引〕就是《醉边余兴》中的好曲子。

高克礼、曹明善，间有佳作。

至于"南北合套"，始自沈和，后来曲中合套是寻常的办法，然而追溯其源不能不说他的。

总共元代的曲人，据《正音谱》所载，有一百八十七家（原书八十二家有评，一百五家无评）。其中大半是努力戏剧的，在散曲上稍有述造者，本章都约略说过了。

问题：

一、张小山何以称为元代唯一的散曲家？

二、四大家在散曲上的贡献何如？

三、试述乔梦符与张小山的作风不同处。

四、"十四斋"以哪一家为最重要？试论断之。

五、如以西湖为中心，曲人之流连与曲品之题制，其影响于元代文学者奚似？

六、"曲韵"之创作，与"曲人传记"之刊布，其价值若何？

参考书：

吴梅　《顾曲麈谈》，商务印书馆。

卢前　《散曲史》，稿本。

任讷、卢前　《散曲集丛》，商务印书馆。

第八章　几个重要的曲家(下)

元代曲家那么多,使我们不得很有系统的叙述出来,但自明以来,曲家人数固然不如元之多,而散处四方,接踵而起,也很难理出头绪。大概可以昆曲之创制为一沟界,在昆曲前,北词风气之盛,以视元代有过无不及。曲的体制,没有改变,不像昆曲以后的作者,行文既求整齐,又为附合音律的关系,失了自然的趣味。

现在还是从明初讲起。明初有所谓十六家,如王子一、刘东生、谷子敬、汤式、杨景言、贾仲名、杨文奎、杨彦华、蓝楚芳、穆仲义、李唐宾、苏复之、王文昌、陈克明、夏均政、唐以初。大部分还是就剧曲而言,如陈克明在前章谈元末的曲子时已说过,而这儿所须特别论列的,就是汤式。

式字舜民,号菊庄,四明人。《正音谱》评谓"如锦屏春风",著有《菊庄乐府》(有新辑本,见《散曲集丛》)。试举〔送王姬往钱塘〕一套:

〔双调·新水令〕　十年无梦到京师,卧书窗坦然如是。几偿沽酒债,不惜买花资。今日个折柳题诗,又感起少年事。

〔驻马听〕　槁木容姿,对花月羞斟鹦鹉卮,扭宫商强作鹧鸪词,我道是碧梧栖老凤凰枝,他道是雕龙锁定鸳鸯翅。急煎煎捻断吟髭,只被你紫云娘奚落杀白衣士。

〔沉醉东风〕 讲礼教虚心儿拜辞，说艰难满口儿嗟咨。蛾眉浅淡颦，花靥啼红渍，向尊前留下个相思。我本是当年杜牧之，休猜做苏州刺史。

〔庆东原〕 雨歇阳关至，草生南浦时。好山一路供吟视，沉点点莺花担儿，稳拍拍鸠藤桥儿，矻刺刺鹿顶车儿。趱过若耶溪，赶上钱塘市。

〔离亭宴带歇指煞〕 我不向风流选内求咨示，谁承望别离卷上题名字。关心为此，闲了问花媒，荒了寻芳友，罢了追芳使。春残小洞天，门掩闲构肆。不是我愁红怨紫，一纸姓名留，五字箫声去，两地音书至。明牵双渐情，暗隐江淹志。你从头鉴兹，搜锦绣九回肠，扫云烟半张纸。

这样的规模，可以说未改元人的法度。在明初没有行科举以前，完全承继元风；科举既兴以后，八股文、传奇都盛，而散曲亦渐渐变了原来面目。

汤式外还有生于元而名于明的，如高栻，字则成（与《琵琶记》作者高则诚是两人），所作北词小令很多。曾有〔殿前欢·题小山《苏堤渔唱》〕：

小奚奴，锦囊无日不西湖。才华压尽香奁句，字字清殊。光生照殿珠，价等连城玉，名重长门赋。好将如意，击碎珊瑚。

又徐畛，字仲由，淳安人。自己尝说道："吾诗文未足品藻，惟传奇词曲不多让古人。"他虽这样自负，所作《杀狗记》却鄙陋极了。但小令有时颇好，如〔满庭芳〕：

乌纱裹头，清霜林落，黄叶山邱。渊明彭泽辞官后，不事王侯。爱的是青山旧友，喜的是绿酒新刍。相拖逗，金尊在手，烂醉菊花秋。

王九思是比较重要的曲人。字敬夫，号渼陂，鄠县人。他因为刘瑾乱政时，得升吏部，后来瑾败，降官而去，于是以剧曲泄其愤恨，但散曲集《碧山乐府》雄放奔肆，颇有好评。如〔新水令〕："忆秋风迁客来天涯，喜归来碧山亭下。水田十数亩，茅屋两三家。暮雨朝霞，妆点出辋川画。"又有些像学马东篱的。

与王齐名是康海，字德涵，号对山，武功人。他为着向刘瑾救了李献吉，后来瑾败，落职为民。著《东郭先生误救中山狼》杂剧，有人说便是为献吉而作。所为散曲，小令、套数都不少，集名《沜东乐府》，如〔春游南山〕、〔苦雨〕诸套（见《南北宫词纪》），颇负名望，且看〔春游南山〕中〔调笑令〕一支："说甚么翠肩映金杯，争似这握手临歧我共伊。便有莺莺燕燕尊前立，怎如咱语话襟期。一任他笑杀山翁醉似泥，此境谁知。"情趣充溢。

陈铎，字大声，金陵人。官至指挥使。有一次进谒显贵，问道："你就是通音律的陈铎么？"对曰："然。"随即从身边取出一笛，奏演一曲，当时传为"短笛随身的指挥"（事见周珲《金陵遗事》）①。《艺苑卮言》说他浅于才情，真是不确。他的《梨云寄傲》、《秋碧乐府》（有我的新刊本，与二北所辑《秋碧轩乐府》全本），宫商稳协，允推明曲一大家，试看下列〔双调 · 胡十八〕四支：

① "珲"当作"晖"。——整理者注

美名儿常在心，那一日恰相见。灯影下，酒筵前，脸儿微笑眼儿涎。走在我耳边，说三言两言。也不索央外人，各自要取方便。

天生的美脸儿，所事儿又相称。道倾国，是倾城，腰肢袅娜步轻盈。半晌价定睛，越教人动情。模样儿都记的，则忘了问名姓。

才说些好话儿，烘的早脸儿变。道不本分，使闲钱，服低坐小索从权。跪在他面前，曲膝似软绵。所事不敢说，一千声可怜见。

眼皮儿怕待合，好梦儿怎能够。听更鼓，数更筹，青鸾无信入红楼。新月儿半钩，印纱窗上头。沉沉梅影儿，仿佛似玉人瘦。

视元人无愧色。

又金銮，字在衡，号白屿，金陵人。何元朗说："南都自徐髯仙后，惟金在衡最为知音。"的确，他写风情固不亚大声，所以王元美批评他："白屿诸作颇是当家，为北里所赏。"他的《萧爽斋乐府》（汪廷讷四词宗合刊之一，近有武进董氏翻刻本）也是曲中的宝物。北词如〔水仙子·广陵夜泊〕，浑厚朴质之至。

城边灯火几家楼，江上风波一叶舟，月中箫鼓三更后。听谁家犹唤酒。正烟花二月扬州，人已去，锦窗鸳甃。物犹存，青蒲细柳。怨难平,舞态歌喉。

海棠阴轻闪过凤头钗,没人处款款行来。好风儿不住的吹罗带。猜也么猜,待说口难开,待动手难抬。泪点儿和衣暗暗的揩。

这是〔河西六娘子·闺情〕中之一,可谓写情能品。南词亦不恶,如〔一封书·闲适〕:

青溪畔小堂,四壁虽空书满床。碧岩下小窗,半世虽贫酒满缸。好山有意常当户,明月多情远过墙。伴诗狂,与酒狂,睡向西风枕簟香。

青溪畔小园,任荒芜种几年。黄庭畔小牋,任生疏写半篇。分来红药春前好,摘去青葵雨后鲜。又不癫,又不仙,拾得榆钱当酒钱。

这种悠淡处,又是他特殊的作风。

当时南京是曲的渊薮,一般曲人流连竟日,陈、金固是两大先导,继起者如陈所闻、史廷直、陈全……可算得云起霞蔚了。就中尤以所闻为最。

所闻字荩卿,他的《濠上斋乐府》(我的辑本见《散曲集丛》)虽不是重要的创作,但所辑《南北宫词纪》,元明曲品被他保存了不少。

章丘李开先,字伯华,号中麓,也是嗜曲者,所藏至富,自称"词山曲海”。王元美《曲藻》说:“北人自康、王后,推山东李伯华。伯华以百阕〔傍妆台〕为对山所赏。今其词尚存,不足道也。”不过他又自许马东篱、张小山无以过呢。

论这当儿曲家,杨慎夫妇是非常伟大的。慎号用修,字升庵,新都人。所著《陶情乐府正续》(任二北校刊,见《散曲集丛》)脍炙人口。其中佳句,如“费长房缩不尽相思地,女娲氏补不完离恨天”,“别泪铜壶共滴,愁肠兰焰同煎”,“和愁和恨,经岁经年”,“傲霜雪镜中紫髯,任光阴眼前赤电,仗平安头上青天”,读之可味。他的夫人黄氏在曲中的地位,如词中之李清照,为曲史中放一异彩。升庵曾为议礼事,谪戍云南。她寄〔罗江怨〕四支,令人读了酸鼻。

空亭月影斜,东方既白,金鸡惊散枕边蝶。长亭十里,唱阳关也。相思相见,相见何年月?泪流襟上血,愁穿心上结,鸳鸯被冷雕鞍热。

黄昏画角歇,南楼雁疾,迟迟更漏初长夜。愁听积雪,溜松稠也。纸窗不定,不定如风射。墙头月又斜,床头灯又灭,红炉火冷心头热。

关山望转赊,征途倦历,愁人莫与愁人说。遥瞻天关,望双环也。丹青难把,难把衷肠写。炎方风景别,京华音信绝,世情休问凉和热。

青山隐隐遮,行人去急,羊肠鸟道马蹄怯。鳞鸿不至,空相忆也,恼人正是,正是寒冬节。长空孤鸟灭,平芜远树接,倚楼人冷阑干热。

此外如高邮王磐的《西楼乐府》、常伦的《莺情集》、王骥德的《方诸馆乐府》，亦间有佳作。

在吴中工南词的，祝枝山，字希哲；唐寅，字子畏，号伯虎；郑若庸，字中伯，号虚舟，《南宫词纪》内选录不少（唐子畏的《六如居士曲》在《散曲集丛》中有）。

昆山梁辰鱼，字伯龙，是这时名望最大的。与太仓魏良辅商订曲律，词成即制谱。吴梅村诗所说："里人度曲魏良辅，高士填词梁伯龙。"伯龙的散曲集名《江东白苎》（近有《曲苑》石印本），颇多情语，因此倾倒他的人很多。王元美有诗道："吴阊白面冶游儿，争唱梁郎绝妙词。"不过他为北词有时很可笑的，有一次在一位盐尹宴席上，观演他自己所作的戏剧《浣纱记》。遇一佳句，盐尹敬酒一杯，喝了不少的酒，歌到〔打围〕，那一支〔北朝天子〕中忽有"摆开摆开摆摆开"的句子。盐尹道："此恶语也。"于是用污水一杯，强灌伯龙口中去。他又好改古人作，颇有人讥评他。不过清词艳曲，整美的文章却是他的特色（我说梁受小山影响见前）。如沈仕的《唾窗绒》（有任氏辑本）、施绍莘的《花影集》，都与此成一派别。《唾窗绒》是"青门体"的创始，《花影集》也除了言情无好曲子，这可说是曲中写情的一路。

冯惟敏的《海浮山堂词稿》便不相同了，惟敏字汝行，临朐人。他于南词流行的时候，独工北词。王元美说他"板眼务头，撺抢紧缓，无不曲尽，而才气亦足以发之。只恨用本色太多，北音太繁，为白璧微颣耳。然其妙处固不可及也"。其实，他的南词也很好：

红粉多薄命，青春半残景。人去瑶亭怨，花落胭脂冷。袅娜腰围，强把绣裙整。弓鞋浅印，浅印残红径。三月韶光，背阑干无限情。情，离别几曾经？再相逢扯住衣衫，影儿般不离形。

又：

玉宇明河浸，琼窗朔风凛。展转蝴蝶梦，寂寞鸳鸯锦。阁泪汪汪，长夜挨孤枕。从来不似，不似今番甚。一片闲愁，生砣查恼碎心。心，害得死临侵。欲待要再不思量，急煎煎怎样禁？

这两支〔月儿高犯〕远出李中麓〔傍妆台〕之上了。

著《南曲谱》的吴江沈璟是万历间曲的领导。璟字伯英，号宁庵，世称词隐先生。他主张宁协律而词不工，读之不成句，而讴之始协者。可见他最持曲律的，有〔题情〕一套，是《宁庵乐府》压卷之作。

〔四季花〕 秋雨过空墀，正人初静更初转，渐觉凄其。人儿多应傍着珊枕底，刚刚等咱才睡时，觉相将投梦思。若伊无意，谁教梦迷。多情又恐相见稀，抵死恨着伊，恰又添萦系。更怜你笑你，愁你想你冤你。

〔猫儿坠〕 浮萍心性，只得强禁持。任你风波千丈起，到头心性没挪移。猜疑，又怕泼水难收，弦断难医。

〔尾〕 过犯多，权休罪。且幸得回嗔作喜，把今夜盟香要

烧到底。(据文梓堂原刊,此套如是)

他的侄子自晋有《鞠通乐府》(最近有家刊本)。沈氏一门之盛,我们翻出南词任何谱来,都可以看得出。

崇祯时,吴县人冯梦龙,字子犹(一作犹龙),也有不少曲子,近来大家爱读的小曲〔树枝儿〕①,就是出他的手。

刘效祖的《词脔》(有石印本)也有一些小曲,但他的曲子模写社会各种状况,颇有可采。

还有张瘦郎的《步雪初声》(此集间有钞本,我最近将刊布),虽小小的册子,在明曲中并非下品。

以下将谈清曲。清曲是从来没有人论过,今日说到清人散曲集的收藏,一般朋友都不大注意,就我所知,在此处只好略一叙述。

吴江毛莹,字湛光,晚号大休老人,是明朝的遗民。他的《晚宜楼集》词曲两卷,跋中自称好而不精,可谓有自知之明,的确绳之以律,不能无出入的。

仁和沈谦,字去矜,《东江别集》散曲极富,分北曲小令、套数、南曲小令、套数四卷。姑举南、北小令各一于下:

〔北醉高歌〕　到跟前数黑论黄,背地里眠思梦想。俺病得来全不成模样,不信呵,多情再访。(〔私寄〕)

〔南黄莺儿〕　临镜强寒温,怪鹦哥鬼混人,晚妆帘底东风紧。一回待嗔,一回又颦,画栏斜靠头儿晕,岂伤春? 宽衣缓

① “树”当作“挂”。——整理者注

带，不称小腰身。（〔春恨〕）

虽不能迈乎前人，尚清婉可诵。

朱彝尊的《叶儿乐府》、厉鹗的《樊榭山房集南北曲》颇多佳构（这两种在清曲中最易得的，《散曲丛刊》中有）。吴锡麒《有正味斋集》南北曲长套冗繁，如〔喜洪北江归〕等篇终嫌夹杂。

尤侗的《百末词余》滑稽之作不少，但全集平淡之中，饶有情致。如《驻云飞·十空曲》本“黄冠体”，然其中亦有可诵的。

竖子英雄，触斗蛮争蜗角中，一饭丘山重，睚眦刀兵痛。嗏，世路石尤风，移山何用。瓦虚舟，不碍松风梦，君看尔我恩雠总是空。

至于什么〔美人乳〕、〔满妆美人〕，不免有伤大雅。〔戏惧内者〕虽形刻薄，却是元曲嘲谑之遗。全集附汤传楹〔秋夜·懒画眉〕一套，虽只此一套，如〔江儿水〕倒是新颖可喜的曲子：“热揾珍珠性，低呼小玉名，香魂一缕香初定，花身一捻花还隐，莺喉一转莺难佞。月下端详小咏，涩涩闲行，手勒芭蕉持赠。”

蒋士铨的《忠雅堂集》南北曲仅寥寥十二题，远不如他在戏剧上的成就，并且词文直率，没有生气。大概这些人在刻集时，补此一体，而平时又往往以此赠别题图，于是曲的精神几乎散失了。

沈清瑞的《樱桃花下银箫谱》（见《沈氏群峰集》）、石韫玉的《花韵庵南北曲》稍好一些。不过《银箫谱》完全套数，《花韵庵》尚有几支小令，如〔金络索·访杜子美草堂旧迹〕：

林花着雨浓,茅屋临溪竦。乱石成蹊,迸裂苍苔缝。初疑是梵宫,访幽踪,原来杜老当年住此中。想当日门前小队来严武,座上圆蒲款巳公。真尊重,高天厚地一诗翁,竹影遥峰,花飏微风,都触我寻诗梦。

在这两位苏州人外,又有一位秦云的《花间剩谱》。云字肤雨,又号西脊山人。也尽是大套,如〔梧桐树〕、〔翁仲叹〕也还可看。我在《剩谱》外,曾发见他〔懒画眉·题愿为明镜圆〕一套,我最爱他〔江儿水〕一支:

愿化青鸾镜,妆台暮复朝。把翠眉儿照见春山埽,绛唇儿照见樱桃小,绿鬟儿照见花枝袅,照见低颦浅笑。杏脸桃腮,贪把倾城看饱。

至于范湖草堂完全以曲题画,那是无聊之至的,这一类不必叙及。谢元淮的《养默山房散套》全用旧谱,而曲中颇括时事,如〔一枝花·感怀〕套中〔货郎儿九转〕:

悔平生都只为多言遭忌,出戎幕仍居旧职。当日个忧天尽笑杞人痴,到后来补天还亏了娲皇力。割珠崖定策原非,阻内附维州还弃,赔香港援的是澳门旧例。听风传粤东民勇众志高,他呵结义社专制英夷。过年春月是进城期,恐难免争端又起。怕只怕相逢狭路难回避,因此上绸缪阴雨这鳃鳃计,俺已是眼睁睁见过一遭儿,试听那号哭呻吟声未已。

这近于以曲为史了，和词中蒋春霖相仿佛的。

魏熙元的《玉玲珑曲存》却大都儿女之词，或者来几句什么“戏场中人暮朝，梦场中潮长消，莽乾坤一个糊涂套”的达语。许宝善的《自怡轩乐府》整饬有余，但毫无活跃之趣，这终非当家之曲。幸而清人有了许光治和赵庆熹，清曲庶免记载的寂寞了。这是清曲的两大家，所以我很谨慎的在诸家之后把他宣扬出来。光治集名《江山风月谱》，他序的好：

汉魏乐府降而六朝歌词，情也。再降而三唐之诗、两宋之词，律也。至元曲，几谓俚音诽语矣。然张小山、乔梦符散曲，犹有前人规矩在，俪辞进乐府之工，散句撷宋唐之秀。惟套曲则似倍翁俳词，不足鼓吹风雅也。

所以他曲中时有学小山之作，如〔水仙子·海棠〕：

红绵绣凤扑华铅，红锦回鸾散舞钱，红丝颤雀翘妆钿。过清明百六天，画墙低何处秋千？宿粉晕流霞炫，明妆洗垂露鲜，是花中第一神仙。

橛头船，划开双桨镜中烟，船唇弄水琼珠溅。棹转涡旋，望天光四岸悬，看地势孤城转，指人影中流见。湖山图画，云水因缘。（双调〔殿前欢·湖上〕）

有时写农家时序，非常自然。如中吕〔满庭芳〕里有一支就是。

绿阴野港,黄云陇亩,红雨村庄。东风归去春无恙,未了蚕忙。连日提笼采桑,几时荷锸栽秧?连枷响,田塍夕阳,打豆好时光。

有时较明人转胜了。

赵庆熹,字秋龄,仁和人。集名《香消酒醒曲》。小令、套数,并皆超绝。如〔驻云飞·沉醉〕一支,无一虚语,的是名隽的曲子,读后令人有很深的印象。

等得还家,澹月刚刚上碧纱。亲手递杯茶,软语呼名骂。他,只自眼昏花,脚踪儿乱蹁。问著些儿,半晌无回话,偏生要靠住侬身似柳斜。

活活一个醉人在我们眼中也。

杨恩寿在《词余丛话》中说在吴幼樵《尘梦醒谈》见〔咏月〕、〔葬花〕、〔写恨〕,无一套不佳。仅采数语,犹有断凫截鸭之叹。我率性引录于此:

〔忒忒令〕 热红尘无人解愁,冷黄昏有侬生受。团空月亮,照心儿剔透。把一个闷葫芦恨连环,呆思想问谁知道否?

〔沉醉东风〕 闷嫦娥青天上头,憾书生下方搔首。云影净,露华流,中庭似昼,闹虫声新凉时候。星河一团,光阴不留。银桥碧汉,又人间尽秋。

〔园林好〕 想谁家珠帘玉钩,问何人香衾锦裯,任年少虚空孤负?无赖月,是扬州;无赖客,是杭州。

〔嘉庆子〕 九回肠生小多软就，把万种酸情彻底兜，空向西风谈旧。搴杜若，采扶留，悲薄命，怨灵修。

〔尹令〕 廿年前胡床抓手，十年前书斋回首，五年前华堂笑口。一样银河，今日无情做泪流。

〔品令〕 浮生自思，多恨事难酬。花天酒地，还说甚风流。参辰卯酉，做了天星宿。江湖席帽，三载阻风中酒。只落得下九初三，月子弯弯照女牛。

〔豆叶黄〕 清高玉宇，冷淡琼楼。再休提雾鬟云鬓，那里是乌纱红袖。生涯疏放，天涯漫游。博得个花朝月夕，博得个花朝月夕，消受了梦魔情魔，酒囚诗囚。

〔月上海棠〕 归去休，一齐放下谁能够。算山河现影，石火波沤。哭青天泪眼三秋，忏青春心魂一缕。蒲团叩，广寒宫何处回头？

〔玉交枝〕 痴顽生就，闯名场名勾利勾。瑶台一阵罡风陡，吹落下魂灵滴溜。寒簧仍在月宫留，吴刚不合凡尘走。一年年新秋暮秋，一年年新愁旧愁。

〔玉胞肚〕 飞萤似豆，扑西风罗衫乱兜。看玉阶景物凄凉，话碧霄儿女绸缪。我吹笙恰倚红楼，只怕仙山不是缑。

〔三月海棠〕 银匣初开，真难得团圆又。问何年怎样，宝镜飞丢。他愁，兔儿捣碎此生臼，蟾儿跳出清虚走。红桥侣，鹤驭俦，有个人无赖把紫云偷。

〔江儿水〕 自古欢须尽，从来满必收。我初三瞧你眉儿斗，十三窥你妆儿就，廿三觑你庞儿瘦，都在今宵前后。何况人生，怎不西风败柳。

〔川拨棹〕 年华寿，但相逢杯在手。要今朝檀板金瓯，要明朝檀板金瓯,莽思量情魂怎收,怅良宵漏几筹,剔银缸梦里求。

〔尾声〕　梦中万一钧天奏,舞霓裳仙风双袖,我便跨上青鸾笑不休。(〔咏月〕)

〔梧桐树〕　堆成粉黛茔,掘破胭脂井。检块青山,放下桃花椁。名香爇至诚,薄酒先端整。兜起罗衫,一角泥干净,这收场也算是群芳幸。

〔东瓯令〕　更红儿诔,碧玉铭,巧制泥金直缀旌。美人题着名和姓,描一幅离魂影。再旁边筑一个小愁城,设座落花灵。

〔大圣乐〕　我短锄儿学荷刘伶,是清狂是薄幸。今生不合做司香令,黄土畔,叫卿卿。单只为心肠不许随侬硬,因此上风雨无端替你疼。一场梦醒,向众香国里槃涅斯称。

〔解三醒〕　收拾起风流行径,收拾起慧眼聪明。收拾起水边照你娉娉影,收拾起镜里空形。收拾起通身旖旎千般性,收拾起澈胆温和一片情。荒坟冷,只怕你枝头子满,谁奠清明?

〔前腔〕　撇下了燕莺孤另,撇下了蝴蝶伶仃。撇下了青衫红泪人儿病,撇下了酒帐灯屏,撇下了蹄香马踏黄金镫,撇下了指冷鸾吹白玉笙。难呼应,就是那杜鹃哭煞,你也无灵。

〔尾声〕　向荒阡,浇杯茗,替你打圆场证果成,叮嘱你地下轮回,莫依然薄命。(〔葬花〕)

〔懒画眉〕　生来从不会魂消,怎被莽情丝缚牢,天公待我忒蹊跷。做就愁圈套，把瘦骨棱棱活打熬。

〔步步娇〕 合是聪明该烦恼，恨海凭空造，把风流一担挑。八字儿安排，合为情颠倒。我何处问根苗，只的是命宫磨蝎无人晓。

〔山坡羊〕 冷冰冰性将人拗，好端端自将愁讨。一年年越样痴魔，一天天写个疯颠照。神暗销，相思禁几遭，我当初早是早是魂灵掉，不肯勾消一场恼懊。无聊，湿衙香何处烧？空劳，醉笙簧何处调？

〔江儿水〕 白昼帘双押，黄昏烛一条。把纸牌儿打个鸳鸯笤，笔尖儿写幅鸳鸯稿，梦魂儿打个鸳鸯鸟，不许蜂哆蝶咆。怎底宵来，遍是南柯潦草？

〔玉交枝〕 没头没脑，这章书模糊乱嚣。愁城筑得似天高，打不进轰天情炮。心酸好似醋梅浇，眼辛却被虀姜捣。要丢开心儿越撩，不丢开心儿越焦。

〔园林好〕 恨知音他偏寂寥，恨闲人他偏絮叨，只算些儿胡闹。波底月，镜中潮。潮莫信，月难捞。

〔侥侥令〕 成团飞絮搅，作阵落花飘。我宛转车轮肠寸绞，好比九曲三湾仄路抄。

〔尾声〕 闲愁怎样难离掉，除非做一个连环结子绦，向那没情河丢下了。(〔写恨〕)

此等曲品，置诸元明人集内也可算得佳作了。

此外像凌霄的《振檀集》、陈栋的《北泾草堂北乐府》、吴绮的《林蕙堂集填词》、孔广森的《温经堂戏墨》，都是很少的篇章，也不是自己经意之作。杨恩寿的《词余丛话》总算一部还好的曲话，而所作《坦园词余》，并不当行。

晚清以来的曲集有顾氏《勴堂乐府》、陈氏等《三家曲》，更非当家。要以吾师吴瞿安先生的《霜厓曲录》(我所编的，现在商务印行)为曲坛生色的集子。我自己有《晓风残月曲》、《灯窗夜语》，友人郑振铎先生说："你的曲大约已是曲的尾声了。"我就用他的话作本书的尾声罢。

问题：

一、明初曲家当以谁人为代表?

二、陈大声与金在衡在明曲中地位何如?

三、如以南京为中心，曲人之流连与曲品之题制，其影响于明代文学者奚似?

四、曲中女作家有何人可与词中李易安相拟?

五、香艳曲词的制作是受谁的影响?

六、清代曲之所以衰微有什么原因?

七、清代曲家有没有能与元明作者相抗衡的?

参考书：

吴梅　《顾曲麈谈》，商务。

卢前　《散曲史》，成都大学讲义本。

任讷　《散曲概论》，中华。

任讷、卢前　《散曲集丛》，商务。

卢前　《清人散曲十七家》，会文堂。

附录　一个最低度研究词曲的书目

甲　总集(包含汇刻的别集与丛书)

一、《全唐词》(附《全唐诗》后)

二、《宋六十一家词》(毛晋刻,有博古斋石印本)

三、《四印斋所刻词》(王鹏运刻)

四、《宋元名家词》(江标刻)

五、《双照楼刻词》(吴昌绶刻)

六、《彊村丛书》(朱祖谋刻)

七、《词苑英华》(毛晋刻)

八、《词学全书》(毛先舒,有石印本)

九、《词学丛书》(秦恩复)

十、《词话丛钞》(王文濡)

(以上词)

一、《奢摩他室曲丛》(吴梅,散曲有一部分)

二、《散曲丛刊》(任讷,中华出版)

三、《散曲集丛》(任讷、卢前,商务)

四、《清人散曲十七家》(卢前编)

五、《读曲丛刊》（董康）

六、《曲苑》（中国书店有石印本、第二次重印本）

（以上曲）

乙　选集

一、《花间集》（赵崇祚，本子很多）

二、《尊前集》（现有者疑非原书）

三、《草堂诗余》

四、《阳春白雪》（赵闻礼）

五、《花庵词选》（黄昇）

六、《绝妙好词》（周密，厉鹗笺本）

七、《中州乐府》（元好问）

八、《花草粹编》（陈耀文）

九、《词统》（卓人月）

十、《草堂诗余四集》（沈雄）

十一、《历代诗余》（沈辰垣）

十二、《词综》（朱彝尊原编，又王昶《明词综》及《国朝词综》、黄彝清《词综续编》、陶梁《词综补》暨丁绍仪《词综补》均可购置）

十三、《词选》（张惠言原选，董毅续选）

十四、《词辨》（周济）

十五、《宋四家词选》（周济）

十六、《宋七家词选》（戈载）

十七、《唐五代词选》（成肇麐，商务有古活字本）

十八、《宋六十一家词选》（冯煦）

十九、《宋词三百首》（朱祖谋，唐圭璋笺本）

（以上词）

一、《阳春白雪》（杨朝英，徐积余刊本）

二、《太平乐府》（杨朝英，《四部丛刊》影刊本）

三、《乐府群玉》（《散曲丛刊》本）

四、《乐府群珠》（无刊本，有钞稿）

五、《乐府新声》（《散曲丛刊》本）

六、《词林摘艳》（张禄）

七、《雍熙乐府》（郭勋）

八、《南词韵选》（沈璟）

九、《南北宫词纪》（陈所闻）

十、《吴骚合编》（张旭初）

十一、《词林逸响》（许宇）

十二、《太霞新奏》（顾曲散人）

十三、《曲雅》

十四、《续曲雅》（卢前，开明书店本）

十五、《元曲三百首》（任讷，民智书局本）

十六、《荡气回肠曲》（王悠然，大江书店本）

（以上曲）

丙　别集

一、《南唐二主词》（刘维增笺本、卢前补正本）

二、《阳春集》(冯延巳)

三、《珠玉词》(晏殊)

四、《小山词》(晏幾道)

五、《六一词》(欧阳修)

六、《安陆集》(张先)

七、《乐章集》(柳永)

八、《东坡词》(苏轼)

九、《淮海词》(秦观)

十、《片玉词》(周邦彦)

十一、《东山寓声乐府》(贺铸)

十二、《稼轩词》(辛弃疾)

十三、《白石词》(姜夔)

十四、《梅溪词》(史达祖)

十五、《梦窗词》(吴文英)

十六、《蘋洲渔笛谱》(周密)

十七、《花外集》(王沂孙)

十八、《山中白云词》(张炎)

十九、《漱玉集》(李清照)

二十、《遗山乐府》(元好问)

二十一、《蜕岩词》(张翥,以上各集散见各家汇刻)

二十二、《饮水词》(纳兰成德,唐圭璋辑本)

二十三、《曝书亭词》(朱彝尊)

二十四、《迦陵词》(陈维崧)

二十五、《樊榭词》(厉鹗)

二十六、《茗柯词》(张惠言)

二十七、《水云楼词》（蒋春霖）

二十八、《半塘定稿》（王鹏运）

二十九、《樵风乐府》（郑叔问）

三十、《蕙风词》（况周颐）

三十一、《蒿庵类稿词》（冯煦）

三十二、《彊村语业》（朱祖谋）

（以上词）

一、《乔梦符小令》（乔吉）

二、《小山北曲联乐府》（张可久）

三、《酸甜乐府》（贯云石、徐再思）

四、《小隐余音》（汪元亨）

五、《丑斋乐府》（钟嗣成）

六、《云庄休居自适小乐府》（张养浩）

七、《疏斋小令》（卢挚）

八、《诗酒余音》（顾君泽）

九、《醉边余兴》（曾瑞）

十、《沜东乐府》（康海）

十一、《碧山乐府》（王九思）

十二、《写情集》（常伦）

十三、《王西楼先生乐府》（王磐）

十四、《海浮山堂词稿》（冯惟敏）

十五、《菊庄乐府》（汤式）

十六、《六如居士曲》（唐寅）

十七、《萧爽斋乐府》（金銮）

十八、《秋碧乐府》（陈铎）

十九、《梨云寄傲》(陈铎)

二十、《江东白苎》(梁辰鱼)

二十一、《花影集》(施绍莘)

二十二、《唾窗绒》(沈仕)

二十三、《濠上斋乐府》(陈所闻)

二十四、《方诸馆乐府》(王骥德)

二十五、《词脔》(刘效祖)

二十六、《步雪初声》(张瘦郎)

二十七、《杨升庵夫妇散曲》(杨慎、黄氏)

二十八、《自怡轩乐府》(许宝善)

二十九、《香消酒醒曲》(赵庆熹)

三十、《江山风月谱》(许光治)

三十一、《霜厓曲录》(吴梅)

(以上曲)

丁　评记

一、《词源》(张炎)

二、《作词五要》(杨缵)

三、《乐府指迷》(沈义父)

四、《碧鸡漫志》(王灼)

五、《浩然斋雅谈》下卷(周密)

六、《词旨》(陆辅之)

七、《词品》(杨慎)

八、《词评》(王世贞)
九、《渚山堂词话》(陈霆)
十、《古今词话》(沈雄)
十一、《柳塘词话》(沈雄)
十二、《历代词话》(沈辰垣)
十三、《历代词人姓氏录》(沈辰垣)
十四、《词衷》(邹祇谟)
十五、《花草蒙拾》(王士祯)
十六、《词筌》(贺裳)
十七、《词绎》(刘体仁)
十八、《词苑丛谈》(徐釚)
十九、《词林纪事》(张宗橚)
二十、《西河词话》(毛奇龄)
二十一、《窥词管见》(李渔)
二十二、《词名集解》(汪汲)
二十三、《词麈》(方成培)
二十四、《词曲概论》(刘熙载)
二十五、《乐府余论》(宋翔凤)
二十六、《词选》(孙麟趾)
二十七、《填词浅说》(谢元淮)
二十八、《论词杂著》(周济)
二十九、《词学集成》(江顺诒)
三十、《灵芬馆词话》(郭麟)
三十一、《莲子居词话》(吴蘅照)
三十二、《初白庵词评》(许昂霄)

三十三、《芬陀利室词话》(蒋敦复)
三十四、《爰园词话》(俞彦)
三十五、《赌棋山庄词话》(谢章铤)
三十六、《听秋声馆词话》(丁绍仪)
三十七、《白雨斋词话》(陈廷焯)
三十八、《词源斠律》(郑文焯)
三十九、《人间词话》(王国维)
四十、《宋大曲考》(王国维)
四十一、《蕙风词话》(况周颐)
四十二、《词史》(刘毓盘)
(以上词)
一、《录鬼簿》(钟嗣成)
二、《唱论》(芝庵)
三、《南词叙录》(徐渭)
四、《曲律》(魏良辅)
五、《曲律》(王骥德)
六、《曲藻》(王世贞)
七、《曲论》(何良俊、徐复祚)
八、《度曲须知》(沈宠绥)
九、《弦索辨讹》(沈宠绥)
十、《制曲枝语》(黄周星)
十一、《顾曲杂言》(沈德符)
十二、《衡曲麈谈》(骚隐居士)
十三、《曲品》(吕天成)
十四、《韵白》(王先舒)

十五、《雨村曲话》(李调元)

十六、《藤花亭曲话》(梁廷枏)

十七、《北泾草堂论曲》(陈栋)

十八、《词余丛话》(杨恩寿)

十九、《乐府传声》(徐大椿)

二十、《曲录》(王国维,有任氏、唐氏补正本)

二十一、《录曲余谈》(王国维)

二十二、《顾曲麈谈》(吴梅)

二十三、《霜厓曲话》(吴梅)

二十四、《曲海一勺》(姚华)

二十五、《菉漪室曲话》(姚华)

二十六、《曲律易知》(许之衡)

二十七、《螾庐曲谈》(王季烈)

二十八、《曲谐》(任讷)

二十九、《散曲概论》(任讷)

三十、《散曲史》(卢前)

(以上曲)

戊 谱

一、《钦定词谱》(王奕清)

二、《词律》(万树)

三、《白香词谱》(舒梦兰)

四、《自怡轩词谱》(许宝善)

五、《碎金词谱》（谢元淮）

（以上词）

一、《太和正音谱》（朱权）

二、《南曲谱》（沈璟）

三、《南词新谱》（沈自晋）

四、《北词广正谱》（李玉）

五、《南词定律》（吕士雄）

六、《南北九宫大成谱》（周祥钰）

七、《钦定曲谱》（王弈清）

八、《纳书楹曲谱》（叶堂）

九、《集成曲谱》（王季烈、刘富梁）

（以上曲）

己　韵

一、《词林正韵》（戈载）

（以上词）

一、《中原音韵》（周德清）

二、《中州全韵》（范善榛）

三、《韵学骊珠》（沈乘麟）

（以上曲）

卢前先生学术年表[①]

1905 年(光绪三十一年)

3 月 2 日(农历正月二十七),先生生于南京。先生原名正坤,后改为前,字冀野,号饮虹等。

1908 年(光绪三十四年)

自本年开始入私塾学习。

1919 年

入南京高等师范学校附属中学读书,并开始从事新诗创作。

1921 年

报考东南大学,因数学零分未被录取。

1922 年

考入东南大学国文系。同年 9 月,曲学大师吴梅受邀到东南大学国文系执教,两人结下深厚的师生情谊。

1925 年

与佘之惠结婚。冬,父亲病故。

1926 年

本年从东南大学毕业,在钟英中学任教。

---

① 本年表由苗怀明编制,主要依据卢前本人的相关著述,并参考了朱禧的《卢冀野年表、书目》,载其《卢冀野评传》(江苏古籍出版社 1994 年版)。

11 月，所著《春雨》由南京书店出版。

1927 年

本年在钟英中学、金陵大学及安徽一所学校任教。

所编《石达开诗钞》由泰东图书局出版。

1928 年

本年在金陵大学、中山大学任教。

2 月，所编《时代新声》由泰东图书局出版。

5 月，所著《三弦》由泰东图书局出版。

6 月，所著《木棉集》刊行。

9 月，所编《元曲别裁集》由开明书店出版。

所著《卢冀野少作》自印刊行。

1929 年

在光华大学任教。

1930 年

3 月，所著《何谓文学》由大东书局出版。

5 月，所著《春雨》、《绿帘》由开明书店出版，《近代中国文学讲话》由会文堂新记书局出版。所校阅《元明曲选》由会文堂新记书局出版。

6 月，所著《温飞卿及其词》由会文堂新记书局出版。

8 月，至国立成都大学任教。

10 月，所编《曲雅》由存古书局刊行。

1931 年

4 月，所著《饮虹五种》、《论曲绝句》由渭南严氏刊行。

10 月，所编《曲雅》由开明书店出版。

12 月，所编《霜厓曲录》由商务印书馆出版。

冬，至河南大学任教。

《散曲史》由国立成都大学刊行。

1932 年

在河南大学任教。

9 月，所编《清文选》由会文堂新记书局出版。

1933 年

在河南大学、暨南大学任教。

10 月，所编《续曲雅》由开明书店出版。

12 月，所著《明清戏曲史》由钟山书局出版。

1934 年

在暨南大学任教。

1 月，所编《太平天国文艺三种》由会文堂新记书局出版。

3 月，所著《中国戏剧概论》由世界书局出版。

6 月，所著《酒边集》由会文堂新记书局出版。

12 月，所著《词曲研究》由中华书局出版。

1935 年

在暨南大学任教。

2 月，所补注《唐诗绝句补注》由会文堂新记书局出版。

6 月，所著《明清戏曲史》由商务印书馆出版。

8 月，与任中敏校订《北曲拾遗》由商务印书馆出版。

本年 11 月至 1936 年 8 月，所编《元人杂剧全集》由上海杂志公司陆续出版。

1936 年

在暨南大学、中国公学、南京中学任教。

3 月，所校《梨园按试乐府新声》收入《四部丛刊》三编，由商务印书馆刊行。

10 月，所校订《清都散客二种》由商务印书馆出版，《红雪楼逸稿》由中华书局出版。

11 月，所校订《词谑》由中华书局出版。

1937 年

在暨南大学任教。

5 月，所著《八股文小史》，所编《明杂剧选》、《元明散曲选》由商务印书馆出版，所校订《明代妇人散曲集》由中华书局出版。

8 月，带领全家人离开南京，至芜湖、无为、南昌等地避难。

11 月，所编《唐宋传奇选》由商务印书馆出版。

12 月，所著《广中原音韵小令定格》由商务印书馆出版，《曲韵举隅》由中华书局出版。

1938 年

2 月，至武汉，在民国政府教育部供职。

5 月，所主编《民族诗坛》陆续刊行。

7 月，担任国民参政会参政员。

9 月，所著《炮火中流亡记》由艺文究研会。

所著《楚凤烈传奇》由独立出版社出版。

1939 年

在中央大学任教。

6 月，《中兴鼓吹》由独立出版社出版，该书后多次增补再版。

1940 年

在中央大学任教。

1—3 月，参加华北慰劳视察团，至西北地区视察。

6 月，所编《民族诗选》由黄埔出版社出版。

10 月,所著《读曲小识》由商务印书馆出版。

12 月,所著《民族诗歌论集》由国民图书出版社出版。

所著《小疏小令》由成都黄氏茹古堂刊行。

1941 年

在中央大学任教。

7 月,所编《散曲集丛》由商务印书馆出版。

11 月,所著《黔游心影》由交通书局出版。

1942 年

9 月,在国立编译馆任职。所著《卢冀野诗钞》、《中兴鼓吹选》由交通书局出版。

10 月,至福建出任国立音乐专科学校校长。

1943 年

2 月,所编《乐章选》由建国出版社出版。

3 月,从福建回重庆,后辞去国立音乐专科学校校长之职。所著《中兴鼓吹抄》由建国出版社出版。

10 月,任国立礼乐馆礼制组主任。

11 月,所著《卢冀野散曲抄》由独立出版社出版。

1944 年

在国立礼乐馆任职。

3 月,所著《民族诗歌续论》由国民图书出版社出版。

5 月,所编《曲选》由国立编译馆出版。

6 月,所著《冶城话旧》由万象周刊社出版。

1945 年

在国立礼乐馆任职。

1 月,与任中敏合编的《元曲三百首》由中华书局出版。

10 月,所译《孔雀女》由正中书局出版。

1946 年

任《中央日报》主笔、《泱泱》副刊主编,在中央大学任教。

6—8 月,随于右任到新疆考察。

8 月,所著《丁乙间四记》由南京读者之友社出版。

11 月,任南京通志馆馆长。

1947 年

在中央大学任教。

1 月,当选民国政府第四届参政会参政员。

2 月,所编《元明散曲选》由商务印书馆出版。

5 月,所译《五叶书》由正中书局出版。

7 月,所著《新疆见闻》由中央日报社刊行。

11 月,所著《冀野选集》由中国文化服务社出版。

12 月,所编《全元曲》由国立编译馆刊行。

1948 年

在中央大学任教。

1 月,任南京文献委员会主任委员。

9 月,所编《敦煌文钞》由正中书局出版。

10 月,所著《东山琐缀》由江宁文献委员会刊行。

冬,所著《饮虹乐府》自印刊行。

1949 年

4 月,南京解放,中央大学改名南京大学,先生未被聘用。

所著《天京录》由金陵秘笈征献楼刊行。

1950 年

3 月,应周恩来之邀赴北京。应聘长春师范大学教授,未能成行。

所校《南唐二主词》刊行。

1951 年

4 月 17 日，先生去世。其藏书由家属捐赠长春师范大学图书馆。

卢前和他的曲学研究

苗怀明

1938 年 10 月 15 日,一代曲学大师吴梅躺在病床上,饱受着病痛的煎熬。自抗战爆发以来,他带领家人辗转各地,艰难度日。这一段时间,他的病情格外严重,“咳急则喉中如烧,心荡则身中无主”。他预感到自己“王命将尽,此子恐不永年矣”,决定写信向自己的一位弟子托付后事。在信中他这样写道:“计生平撰述,约告吾弟,身后之托,如是而已。”在讲完所托之事后,吴梅还特别郑重地强调:“弟台当主任此事耳。”①

如此郑重其事,可见对这位弟子的器重和信任。吴梅曾先后在北京大学、中央大学等国内著名学府设帐授徒多年,门下弟子众多,出类拔萃的也有不少。显然,能获得如此器重和信任,不仅要人品端正、办事干练,值得信任,而且在学问上也要能得其真传。毕竟吴梅托付的后事主要是整理、刊印自己精心撰写的著述,这不是谁都可以胜任的,也不是谁都能让他放心的。

这位弟子果然不负厚望,吴梅去世后,在十分艰苦的条件下一一完成了恩师所托付的后事,将其三部遗著相继刊行。但令人遗

① 吴梅 1938 年 10 月 15 日致卢前函,载《霜厓遗札》,《文讯》第 2 卷第 1 期(1942 年 1 月)。

憾的是，他完成了恩师吴梅的重托，却无法解决自身面临的难题。十多年后，时值壮年的他在极度苦闷抑郁中默默离开人世。在特殊的社会环境中，他很快就被人们遗忘，而且被遗忘得那么彻底，成为现代学术史上的失踪者。

此人就是被称作“江南才子”的现代曲家卢前。

一

说到卢前的曲学造诣与成就，不能不提及他所接受的教育和学术训练，不能不提及他与恩师吴梅之间的渊源与交往。

卢前与吴门弟子任中敏、钱南扬、唐圭璋、王季思等人一样，都是在新的教育制度和学术制度下培养出来的第一代曲学人才。如果没有蔡元培的改革北大学制，如果没有陈独秀、胡适等人发起的五四新文化运动，也就不会有吴梅的将曲学搬上大学课堂；而吴梅没有进入高等学府讲授曲学的机会，也就不会有卢前这样的新一代曲学人才。顺应历史潮流建立起来的新型教育制度和学术制度不仅改变了中国传统学术的基本格局，而且还改变了一代年轻学人的生活道路和人生选择。从这个角度，可以将卢前作为新一代学人的代表，通过对其学术道路及治学特点的梳理和归纳，来把握中国现代学术发展演进的一些内在脉络。

1922 年秋，数学成绩奇差的卢前在经历过一次升学的挫折之后，被破格录取，终于如愿走进当时国内仅有的两所国立大学中的一所——东南大学。此时，已在北京大学任教五年的曲学大师吴梅也在东南大学国文系系主任陈中凡的盛情邀请下，来到这座学府任教。这似乎有些巧合，两人可谓有着天生的师生缘分。

“余十八从长洲先生学为曲，粗识门径”①。是曲学使两人结下了师生之缘。在吴梅的精心传授下，天资过人的卢前在曲学上突飞猛进，很快就脱颖而出，受到学界的关注。对这位得意门生，吴梅掩饰不住自己的欣赏、喜悦之情，他曾在日记中这样写道：“余及门下，唐生圭璋之词，卢生冀野之曲，王生驾吾之文，皆可以传世行后，得此亦足自豪矣。”②在自己的日记中说卢前的曲可以“传世行后”，说明吴梅的欣赏和自豪是发自内心的。

在吴梅门下的众弟子中，不乏出类拔萃的英才俊杰。吴梅之所以特别欣赏卢前，是因为他最能得自己的真传。所谓真传，就是卢前能较为全面地学习和继承吴梅的曲学事业和治学风格，这表现在卢前不仅像吴梅那样专力研究曲学，而且还能制曲、度曲、唱曲，全面发展，并达到了相当高的水准，是一位不可多得的曲学新秀。

在当时，曲学虽然已走入大学课堂，成为一门专学，获得了正当的社会文化地位，有不少年轻后进开始涉足这一领域，但就研究的对象、范围及治学方法而言，大多继承的是王国维所开创的曲学研究模式，吴梅这种重实践、重音律的研究模式却面临着后继乏人的尴尬局面。因此，吴梅虽然能将曲学搬进大学课堂，却无力扭转这种研究格局和学术风气，他所精通的声律之学只能无奈地成为绝学。吴梅本人也清醒地意识到这一点，他曾告诉卢前：“唐人歌诗之法废，而后有词，词之歌法废，而后有南北曲，今南北曲又垂废

① 卢前：《论曲绝句》，附载《曲雅》，开明书局1931年版。

② 吴梅1936年1月11日（农历十二月十七）日记，载王卫民编《吴梅全集》日记卷，河北教育出版社2002年版，第667页。

矣。执途人而语，毋乃过劳，不如与子拍浮高呼，寻味于酸咸之外，而自得于晓风残月之间，誉我我勿喜，嗤我我亦勿怒，吾固无望于今世之赏音也。”①时代文化风气的变迁往往不以人的意志为转移，有时候会显得十分残酷，从吴梅这种故作放达的语气中不难感受到其背后的凄凉和无奈。

吴梅门下弟子大多专攻一个领域，正如任中敏所说的：“曲虽小技，艺兼声文，此中全才，旷代难得。迩来同好，有曲学会之集。各从所好，分科研讨。要皆得先生曲学之一体，未尝有一人能集其成者也。望文运之日颓，叹绝学之难继。”②话虽说得有些绝对，却也道出了实情。像卢前这样能较为完整地继承吴梅的曲学，全面发展者并不多见。也正是因为这个缘故，吴梅才特别欣赏卢前，器重卢前，将继承、发扬曲学的希望寄托在这位得意弟子身上。人们后来之所以称卢前为吴梅“第一高足”③，也正是基于这一点来说的。

五四新文化运动之后，受时代文化因素的影响，采用白话的新文学成为文学创作的主流，旧体文学创作特别是那种按照传统曲体进行创作的人越来越少，年轻一代更是如此，正如当时一位论者所言：“中国青年，现肆志于旧诗词者，已不多见，而致力于度曲者，则尤绝无仅有。”④卢前就是这少数人中的一个，而且是其中的佼佼者。唯其少，才显得特别，显得可贵。

---

① 吴梅：《卢冀野〈饮虹簃曲丛〉序》，载王卫民编《吴梅戏曲论文集》，中国戏剧出版社1983年版，第489页。

② 任中敏：《奢摩他室曲丛》序，商务印书馆1928年刊行。

③ 易君左：《卢前传》，载《冀野选集》，美中文化出版公司1997年版，第192页。

④ 浦江清：《卢冀野五种曲》，载浦汉明《浦江清文史杂文集》，清华大学出版社1993年版，第70页。

卢前的旧体文学创作主要集中在两个方面：一是传统剧曲的写作，二是旧体诗词、散曲的写作。

卢前所作传统剧曲的数量并不算多，现在能看到的有八个短剧和一部传奇。其中《饮虹五种》包括《琵琶赚》、《茱萸会》、《无为州》、《仇宛娘》、《燕子僧》五个短剧，这五个短剧还曾以《木棉集》之名刊行过。《女惆怅爨》包括三个短剧，即《窥帘》、《课孙》和《赐帛》①。这些短剧虽采用传统剧曲体制，但并非简单的模仿，亦非游戏之作，而是有所寄托，充分表达了卢前对历史人物的感触和评价，具有较强的思想性，并达到了很高的艺术水准。吴梅对这些作品有着很高的评价："五折皆俊语，不拾南人余唾，高者几与元贤抗行，即论文章，亦足寿世矣。"②从如此高的评价中可见吴梅对卢前的赏识，他对自己的这位高足是相当满意的。

"与元贤抗行"，这并非吴梅的过誉之词，因为当时其他学人也有类似的看法，如浦江清就称赞《琵琶赚》中的一些曲辞"俊爽处直逼元人"，"善学洪孔"③。于右任在《题冀野北游草》中也这样写道："这可是关和郑，这可是马与王，曾记得雠书老辈推宗匠，曾记得填词后进希高望。"④此外，陈衍、吴宓、夏敬观、叶恭绰等人亦有

① 朱禧认为《女惆怅爨》是卢前为《课孙》、《窥帘》"这两个剧本取的总名"（《卢冀野评传》，江苏古籍出版社 1994 年版，第 81 页），这个说法有误，因为《赐帛》发表时题为"女惆怅爨之一"，参见《文史杂志》4 卷第 11、12 期合刊（1944 年 12 月）。

② 吴梅：《饮虹五种序》，载王卫民编《吴梅全集》理论卷，河北教育出版社 2002 年版，第 1014 页。

③ 浦江清：《卢冀野五种曲》，载浦汉明《浦江清文史杂文集》，清华大学出版社 1993 年版，第 70 页。

④ 于右任：《题冀野北游草》，《冀野选集》，美中文化出版公司 1997 年版，第 143 页。

类似的评价,可见对卢前剧曲之作的评价,当时的文坛和学界是存在共识的。

《楚凤烈传奇》是卢前创作的一部传奇作品。该剧据王国梓的《一梦缘》敷演,卢前将其定位为“历史悲剧”,并自信“无一事无来历”。全剧十六出,较之一般传奇稍短些,这主要是出于搬演的考虑:“传奇惯例以二十出或四十出为准,但梨园搬演每多删节。《楚凤烈》旨在发扬忠烈,取便登场于通常场合,故多改易。”该剧写于日寇入侵、国家危亡之时,显然是有所寄托的。同时又严守曲律:“自信颇守曲律,不似近贤墨脱陈式、不问腔格者。”[①]意在追求内容、形式的兼美。尽管该剧未能如卢前所愿,获得演出机会,但面世之后,还是得到了不少人的称赏。

卢前创作的旧体诗词主要见于《中兴鼓吹》(独立出版社 1939 年版)、《中兴鼓吹选》(文通书局 1942 年版)、《中兴鼓吹抄》(建国出版社 1943 年版)、《卢冀野诗钞》(文通书局 1942 年版)等诗集。他写的散曲数量也不少,相继结集出版的有《卢冀野少作·晓风残月曲》(自印本)、《小疏小令》(成都黄氏茹古堂 1940 刊行)、《黔游心影》(文通书局 1941 年版)、《卢冀野散曲抄》(独立出版社 1943 年版)、《饮虹乐府》(1948 年自印本)等。相比之下,其散曲水平最高,这是当时人们所公认的。能取得这样的成就,与卢前对散曲的特别兴趣有关,他曾对此进行过解释:“今日吾徒之所以致力于曲,不欲枉费心血于词者,曲可歌,词不可歌也。一曲脱手,管弦流播,其乐非诗与词所能有。”[②]对卢前的散曲创作,吴梅很是欣赏,他认

① 以上见卢前《楚凤烈》例言,独立出版社 1938 年版。
② 卢前:《饮虹曲话》,河南马集文斋 1931 年刊印。

为这是“自己所教的学生中,最能写散曲的一个”①。

此外,卢前还曾和杨宪益一起,用传统剧曲的形式翻译印度名剧《沙恭达罗》,译名《孔雀女》。对于当时翻译的情况,杨宪益是这样介绍的:“他对外国文学也很感兴趣,但自己不能看外文书。我当时手头有一本印度古代剧作家迦黎达沙的《沙恭达罗》或译《沙恭达伦》的英译本,他很喜欢,因为过去苏曼殊曾提起过这个印度戏剧,他建议仿林琴南过去译《说部丛书》之例,由我口述,他再整理译成中国传统式传奇。我们花了几天时间就搞完了,他又给这本戏起名为《孔雀女重合金环记》。‘孔雀女’当然就是剧中女主角‘沙恭达罗’的意译。”②杨宪益说:“记得此书当时没有出版过,现在他的译稿是否还在人间,我就不知道了。”实际上,该书在当时出版过,笔者就曾在南京图书馆见到过正中书局 1945 年刊行的本子,该书后来还被再版。

以旧体诗词翻译国外诗歌,自晚清以来十分常见,但以传统剧曲形式来翻译外国戏剧,则相当少见,十分别致。因为两种剧目形式差异很大,这种翻译实际上是一种再创作,这是一种很有趣的文化现象,值得深入探讨。

作为在五四新文化运动之后成长起来的青年学人,卢前竟然如此醉心于旧体文学的创作,这似乎有些逆时代潮流,不合时宜,其创作好像也没有多大价值和意义。但如果换个角度来看,则完全可以有不同的解读。首先,旧体文学尽管已经被新文学所替代,

① 转引自朱禧《卢冀野评传》,江苏古籍出版社 1994 年版,第 32 页。

② 杨宪益:《冀野选集》序,美中文化出版公司 1997 年版。

但它毕竟有着悠久的历史和丰厚的积累,需要一些人来做继承和研究的工作。再说没有一定的创作实践,体会其中三昧,研究起来难免会有隔靴搔痒之弊。其次,新文学的创作固然以西洋文学为参照,但未必不需要本土文学的滋养,通过对旧体文学的深入把握,也许能探索出一条文学创作的新路来。对此,浦江清曾有精彩的论述,他指出:"夫入而后能出,先摹拟而后能创制,今日有青年作家,能摹拟元曲,实一好现象,不可以'遗少'目之也。"①可惜当时这样的年轻人太少了。

特别需要强调的是,卢前固然喜欢旧体文学的创作,但对采用白话的新文学并不排斥,同时也在进行着新文学的创作,并有专门的新诗集、小说集、散文集问世,其中新诗集有《春雨》(南京书店1926年版、开明书店1930年版)、《绿帘》(开明书店1930年版)等,小说集有《三弦》(泰东图书局1927年版),散文集有《酒边集》(上海会文堂新记书局1934年版)、《炮火中流亡记》(艺文究研会1938年版)、《丁乙间四记》(南京读者之友社1946年版)等。可以说,即便没有曲学方面的成就,仅凭这些作品,卢前也是一位很值得研究的新文学家。值得一提的是,卢前的新诗很有特点,他取法旧体词曲,作品朗朗上口,便于记诵,其中有不少被谱成歌曲,在当时曾得到较为广泛的传唱。

① 浦江清:《卢冀野五种曲》,载浦汉明《浦江清文史杂文集》,清华大学出版社1993年版,第72页。

二

与乃师吴梅一样,卢前尽管曾担任过多种社会职务,如国民参政会参政员、南京通志馆馆长等,但多数时间还是在各类学校里教书、做学问,过着教师和学者的生活,其著作有不少是根据讲义修改而成的,这也是当时学者们通常的著述方式。

卢前平生治学,所涉及的领域较多,这里只谈有关曲学的部分。其曲学研究可以分两个方面来谈:一是对曲学自身的研究,二是对曲学文献的搜集、整理和研究。

这里先说卢前在曲学研究方面的建树。

名师的真传,先天的禀赋,加上个人的刻苦努力,使卢前在曲学研究方面具备良好的素养和条件,在此领域颇有建树,有不少著述面世,如《散曲史》、《明清戏曲史》、《中国戏剧概论》、《读曲小识》、《词曲研究》、《曲韵举隅》等。与同时期的其他学人相比,卢前的曲学研究有着自己的优势和特色,当时曾有人称卢前为"国中治曲之第一人"①。总的来看,他的研究主要集中在如下几个方面:

(一)对戏曲史的研究

卢前在此领域的著作有两部,即《明清戏曲史》、《中国戏剧概

① 张友鸾:《战时逸事》,《冀野选集》,美中文化出版公司 1997 年版,第203 页。

论》。前者为断代史，后者为通史。两书都是作者在成都大学、河南大学等学校讲授戏曲史课程时所写的讲义，据卢前本人介绍，1927年，他在金陵大学授课时，曾编写过一种名为《中国戏剧史大纲》的讲义，后因“迁徙频仍”，无法找到，于是另起炉灶，“想写出一部像样些的东西”①，便相继撰写了《中国戏剧概论》和《明清戏曲史》等著作。

《明清戏曲史》是一部写得颇为用心的戏曲断代史，目的在“使学者知元后未尝无曲”。它是卢前为接续王国维《宋元戏曲史》一书而独立撰写的，“海宁王国维《宋元戏曲史》，行世且二十年。余髫年读其书而慕之。欲踵斯作，拾其遗阙”②。该书部分内容虽“采陈编”，但与《中国戏剧概论》一书明清部分的重复并不多。朱禧所云《中国戏剧概论》“其中第七、八、九、十及第十一篇的第一段，基本上是《明清戏曲史》的缩写，占了全书近乎一半的篇幅”③，就笔者实际比照的结果来看，这样的概括并不符合实际。

该书的写法与《中国戏剧概论》有所不同，它在保持史的脉络梳理的前提下，更重视横向的拓展，基本上采取了专题式的写法。全书七章，涉及了七个方面的问题，即明清剧作家之时代、传奇之结构、杂剧之余绪、沈璟与汤显祖、短剧之流行、南洪北孔及花部之纷起。点面结合，主次分明，篇幅虽不长，却完整地勾勒出明清时期戏曲发展演进的情况，颇见学术功力。

---

① 以上见卢前《中国戏剧概论》序，世界书局1934年版。

② 卢前：《明清戏曲史》自序，商务印书馆1935年版。该书初版本为南京钟山书局1933年版。

③ 朱禧：《卢冀野评传》，江苏古籍出版社1994年版，第110页。

(二)对戏曲目录的研究

卢前在这方面的著作主要有《读曲小识》一书。该书由商务印书馆于1940年出版,这是一部颇有新意的戏曲目录著作。此前,卢前曾将书稿部分内容以《曹氏藏抄本戏曲叙录》为名刊发在《艺文》、《暨南学报》上。①

对该书的写作缘起,卢前在自序中有如下介绍:"《读曲小识》,四卷,岁乙亥,前在涵芬楼作也。是年涵芬楼购得怀宁曹氏所藏抄本戏曲都七十种,海盐张菊生、闽县李拔可两先生介前董理,费时半年,抉择始定。复理札记成此书,……前于七十种中,录四十种,已可概见一斑。"②《曹氏藏抄本戏曲叙录》一文对此介绍的稍详细些:"今日藏抄本戏曲最多者,为孔德学校。民国二十二年,杭县邵锐介怀宁曹氏所藏,以让商务印书馆,张菊生先生因李拔可先生来邀余,为之整理,费时半年,始为厘定。曹氏藏者,共列五百三十目,分罕见总本、总本、罕见单本与单本四类,汰去坊间习见戏文之节本,所存仅七十种。案所签注,最早为顺治的抄本,最晚则在咸同之际。"③

该书的可贵之处在于它不仅详细介绍了四十种稀见剧目的基本情况,而且还对戏曲目录的编撰体制进行改进和创新。卢前在

① 参见卢前:《读曲小识》,《艺文》第1卷第2、3、5、6各期(1936年5月-12月);卢前:《曹氏藏抄本戏曲叙录》,《暨南学报》第2卷第2期(1937年6月)。

② 卢前:《读曲小识》自序,商务印书馆1940年版。

③ 参见卢前:《曹氏藏抄本戏曲叙录》,《暨南学报》2卷2期(1937年6月)。

整理过程中，对《曲海总目提要》的著录形式感到不够满意，认为它未能充分体现戏曲自身的特点，“但述本事如说部者，前所不取也”。于是他根据戏曲自身的特点，创造了一种新的著录方式，“今兹所记，体由自创，首录牌调，次详脚色，次述本事，间录曲文，俾不得见此抄本戏曲者，仿佛见之”①。

这种新型的戏曲目录较之《曲海总目提要》、《今乐考证》、《曲录》等同类著述，著录项更多，除剧名、作者、卷数、折数、版本、本事等基本情况之外，还介绍了牌调、脚色等内容，不少剧目后还附有卢前的案语，对其体制、得失进行评述。总的来看，这种目录为读者提供了更为丰富的信息，同时也更符合戏曲自身的特点，其长处是显而易见的，正如当时一位论者所言：“《读曲小识》于情节外，兼录出目及曲牌联套名，是其胜过《曲海总目提要》处。”②这是对戏曲目录编制的一次可贵的尝试。令人感到遗憾的是，这种对戏曲目录的改进未能受到学界应有的关注，因而也就谈不上被广泛采用了。

（三）对散曲的研究

散曲研究是卢前在继承吴梅曲学基础上所开拓的一个新的研究领域，他在这方面的主要著作有《散曲史》、《词曲研究》、《论曲

---

① 卢前：《读曲小识》自序，商务印书馆 1940 年版。

② 赵景深：《读曲小识》，载其《读曲小记》，中华书局 1959 年版，第 103 页。

绝句》、《饮虹曲话》、《中国散曲概论》①等，单篇论文则有《词曲文辨》、《道藏及大藏经中散曲之结集》、《读道藏中之自然集》、《曲海浮生》、《散曲书目初稿》、《散曲做法》等。

与诗文、戏曲、小说等文学样式较为红火的研究状况相比，散曲在当时是最为冷清的一个领域，关注者甚少，正如卢前所言："散曲比诗，就不同了。这是一片荒地，多年没有耕种。不像诗和词经过许多人的努力，各方面都有着相当的成绩。"②卢前对散曲的研究既有个人爱好的因素在，也是出于学术的自觉。对自己学习创作、研究散曲的缘起，卢前是这样介绍的："甲子之岁，余始治曲，从长洲吴先生游，既三四年，乃专致力于散曲，以杂剧传奇，粉墨登场者日以少，场上之书，案头置放，转不若散曲之可抒为情性也。盖诗道广而难精，词境窄，已难辟户牖，惟散曲为前人所未克之业，且一篇脱手，播诸管乐，亦一乐也。当时同志，惟江都任君二北，共相搜求。"③

卢前的同门任中敏对散曲同样怀有浓厚的兴趣，他们二人通过文献资料的搜集整理、大学课堂的讲授、研究论著的撰写等方式，做了大量奠基性的基础工作。经过他们与同时代其他学人的共同努力，散曲研究终于从词曲研究中独立出来，被提升为一门专学。他们开辟了一片新的学术天地，为散曲研究这门学科的建立奠定了扎实的基础，影响深远。对他们在散曲研究中的开拓性贡

① 《中国散曲概论》一书据云系大东书局出版，但笔者多方查询，未见该书。参见《本馆出版物著作人履历》（廿九）之《卢前先生》，《出版周刊》新第138号（1935年7月20日）。

② 卢前：《民族诗歌论集》，民国图书出版社1940年版，第11页。

③ 卢前：《霜厓师序文》，载其《冶城话旧》，万象周刊社1944年版。

献，是应当给予充分肯定的。对此，赵景深曾做过这样的评价："散曲是中国文学上较新的闯入者。在千余年前，一般中国文学史的论著对于散曲几乎只字未提。经任讷、卢前等人的努力，散曲才逐渐在中国文学史上占据重要的地位。"①两人同为现代散曲研究的开创者，可谓二十世纪散曲研究史上的双璧。

由于师出同门，志趣相投，两人在散曲研究上体现出不少共性，比如他们都很重视散曲的创作，时有新作，特别是卢前创作的数量更多。当时有人选录他们二人与恩师吴梅的曲作为《三家曲选》，将他们对曲的贡献与常州词派对词的贡献进行对比："晚近曲学之昌，实自霜厓翁始，犹词中之有张惠言；二北著论校律，功比周济；饮虹奋笔而作，又何让于蒋春霖也。"②这种创作实践对研究也很是有帮助的，卢前对此深有体会："一种文体必自含有与其他文体不同的特性，词与曲，也是各具特性的。如何知道特性的存在呢？惟有在规律里去寻，因此，作法是不可不知道的。现代的文人是主张研究词曲，而不需要制作词曲的，于是有许多不合事实的论断，便发生了。"③两人对散曲的许多观点也较为一致，比如他们都很重视曲体的研究，将词纳入研究范围，进行整体观照。

由于兴趣、关注点不同，两人的散曲研究实际上形成了一种分工，相比之下，任中敏更为偏重散曲本体特征及美学特性的揭示，而卢前则更为注重对散曲发展演进脉络的梳理。

---

① 赵景深：《明人散曲的辑逸》，载其《明清曲谈》，古典文学出版社 1957 年版，第 132 页。

② 常芸庭：《三家曲选》序，《国风》第 3 卷第 4 期（1933 年 8 月 16 日）。《三家曲选》载《国风》第 3 卷第 4、5、7 期（1933 年 8 月 16 日、9 月 1 日、10 月 1 日）。

③ 卢冀野：《词曲研究》自序，中华书局 1934 年版。

(四)对曲律的研究

曲律也是卢前较为关注的一个领域,在这方面的著述主要有《曲韵举隅》(中华书局1937年版)、《广中原音韵小令定格》(中华书局1937年版)、《南北曲小令谱》(河南大学1931年版)等。

《曲韵举隅》一书的写作目的在为制曲者提供方便和指导,“俾填词者用之,依谱填句,守部选韵,不致偭越规矩”,“以供填词用为主,如度曲时以此参考亦可”。卢前对曲韵素有研究,他曾“搜罗曲韵多种,如《中原音韵问奇集》、王注《中原音韵》、卓从之《中州乐府音韵类编》等书,与习见诸韵本,细心参订”。之所以取名《曲韵举隅》,是因为该书“但选常用之字”,意在方便实用。

全书将曲韵分为二十一部,具体分配则依据《集韵》一书,编排合理,眉目清晰,读者使用时按图索骥即可,颇为方便。卢前对自己这本书还是很自信的:“案头置此一编,庶无迷惘之失矣。”①

《广中原音韵小令定格》一书系对元人周德清《中原音韵》所收四十首小令定格的订补之作,全书分上下卷,其中上卷为北曲之部,下卷为南曲之部。该书所做工作主要有二:一是订,即对《中原音韵》原书所选小令的音律、体制进行考订;二是补,其中北曲之部补充六十二个小令定格。原书不涉南曲,南曲之部为卢前所增补,收录小令定格四十四个。全书共补充小令定格一百零六个。对每

① 以上见卢前《曲韵举隅》例言,中华书局1937年版。

一定格均说明其声律、句法，为制曲者提供了一个可资参照的范本①。

总的来看，卢前对曲律的研究着眼点在创作，为创作及演出提供声律基础，同时也具有较高的学术价值。

接下来说说卢前对曲学文献的搜集、整理和研究。

与当时许多研究者一样，卢前十分重视曲学文献的搜集和整理，其本人也藏有不少珍贵的曲学书籍，他曾称自己的书斋饮虹簃"庋宋元乐府千卷"②，由此可见其所藏词曲类书籍的数量也是相当可观的。王謇将其收入《续补藏书纪事诗》一书，并称其为"别开生面之藏书家"③。卢前去世后，其藏书经其同门好友唐圭璋介绍，转让给当时的长春师范学院图书馆即今天的东北师范大学图书馆，这些藏书大多为词曲类，有近十部明代刊本，还有一些卢前本人的手稿、手抄的书籍及吴梅的书信等珍贵文献。东北师范大学图书馆已将这些珍贵资料辟专室予以陈列，④该馆网站的特藏文献数据库也对其中的一些珍籍进行介绍，可惜这些重要文献直到目前为止还未得到充分的利用。

收藏之外，卢前还注意珍贵曲学书籍的刊布，先后编印了不少质量精良、影响较大的曲学集，其中规模最大、影响最著者当数《饮

---

① 赵景深对该书不甚满意，认为存在选调不当、部勒不严、出处不明和按语不确等缺陷。见其《广中原音韵小令定格》一文，载其《读曲小记》，中华书局 1959 年版。

② 卢前：《饮虹簃记》，载其《冀野选集》，中国文化服务社 1947 年版，第 5 页。

③ 伦明等：《辛亥以来藏书纪事诗》（外二种），北京燕山出版社 1999 年版，第 227 页。

④ 具体情况参见奉文《卢冀野藏书被东北师大辟专室陈列》，《古籍整理研究学刊》1994 年第 3 期。

虹簃所刻曲》和《元人杂剧全集》。

《饮虹簃所刻曲》是一部大型元明散曲总集。该书共收录元明散曲集六十种，其中后两种为卢前本人所写的《饮虹曲话》和《饮虹乐府》，全书于三十年代、四十年代分两次刻成。广陵古籍刻印社1980年曾重印。

该书精心挑选版本，所收多为珍本秘籍，其中有些如明成化刊本《云庄休居自适小乐府》、《秋碧乐府》等均十分稀见。为搜集这些散曲集，卢前下了不少工夫，投入大量时间、精力和财力。正如一位论者所言："其中除了《诚斋乐府》、《词脔》借自吴瞿庵，康王乐府、杨夫人乐府借自潘景郑外，其余的都是他自己南北迻录，节衣食之资而勉强雕镂的；真可谓曲苑功臣。"①对所收曲集，卢前还尽可能使用不同的版本进行校订，并写出校记。

该书化珍本秘籍为易得读本，为阅读研究提供了便利。在二十世纪上半期所刊印的散曲总集中，没有一部能达到《饮虹簃所刻曲》的规模，正如叶恭绰所言："年来公私刊印历代曲集者时有所闻，第断代巨编如此者尚未之见，冀野斯举有功于斯道之探讨，固不待言。"②质量能赶上该书的也不多见。该书所收只有少数几种与任中敏所编的《散曲丛刊》重复，且大多为后者所无，两套大型散曲总集各有特点，形成互补，保存了大量珍贵的散曲文献，对散曲研究具有积极的推动作用。

《饮虹簃所刻曲》刊出后，受到了学界的一致好评。《剧学月

① 罗锦堂：《论饮虹簃所刻曲》，载其《锦堂论曲》，台湾联经出版事业公司1977年版，第596页。

② 叶恭绰：《饮虹簃所刻曲》序，民国间饮虹簃刊行。

刊》刊文予以推介:“近世学者,多喜挟秘本以自重,独卢先生慷慨有古君子风,余义先生斯举,并重先生之为人,谨为之介绍于海内同志。”[①]《图书季刊》对该书也有简要的介绍:“《饮虹簃丛书》,卢前辑刊,曾于二十二、三年间成三十余种,皆吾国曲学秘籍,极为文学界所珍视。”[②]《词学季刊》、《艺文》、《河南图书馆馆刊》等刊物也都进行了推荐和介绍。

《元人杂剧全集》(上海杂志公司1935年版),是卢前所编的一部元代戏曲总集。该书在充分吸收前人研究成果的基础上,对当时所能见到的元人杂剧进行校勘整理,全书共八册,收录元人杂剧作品一百三十多种。全书按作家进行编排,兼收佚曲,每位作家都写有跋语,对其生平事迹、创作风格进行介绍,对有些作家的佚失作品还附有存目。

《元人杂剧全集》之外,卢前还准备编印一套名为《全元曲》的大型元人散曲总集,并于1947年编写、刊印了第一册,该册分七卷,收录了伯颜等十九位元代曲家的散曲作品。此后未见该书再出版,大概只出了第一册。

不管是否完成,《元人杂剧全集》、《全元曲》都是编纂元人戏曲、散曲总集的先声,其探索是十分可贵的,为后来《全元散曲》、《全元戏曲》、《全元曲》的编纂提供了重要的启发和借鉴作用。

《饮虹簃所刻曲》、《元人杂剧全集》之外,卢前还整理、编印有如下几种曲集:

《饮虹簃校刻清人散曲二十种》,卢前辑,国立成都大学刊行。

① 《饮虹簃丛书》,《剧学月刊》第4卷第11期(1935年)。

② 《饮虹簃丛书之续刊》,《图书季刊》第5卷第1期(1944年3月)。

该书分甲乙丙丁四集，共收录尤侗《百末词余》、杨恩寿《坦园词余》等清人散曲二十种。清人散曲关注者不多，卢前汇刻之举显然有引起注意、提倡研究的用意在。

《清都散客二种》，卢前校订，中华书局1936年版。该书收录明人赵南星的两种著述《笑赞》、《芳茹园乐府》，其中后一种为散曲集。

《明代妇人散曲集》，卢前校订，中华书局1937年版。该书收录明人王端淑所辑明代女子所作散曲。

《红雪楼逸稿》，卢前校订，中华书局1939年版。该书收录蒋士铨未列入《红雪楼九种曲》的三部戏曲作品，即《庐山会》、《采樵图》和《采石矶》。

另据赵景深介绍："卢前在河南大学教书时，他的学生们也曾辑过《元明散曲七种》，已有刻本，惟流传极少。"①

此外，卢前还编选了为数不少的曲选读本，其中大多为有关散曲者，主要有《元曲别裁集》（开明书店1928年版）、《曲雅》（存古书局1930年版）、《续曲雅》（开明书店1933年版）、《元明散曲选》（商务印书馆1937年版）、《散曲选》（1939年自印本）、《曲选》（国立编译馆1944年版）等，也有少数剧曲选本，如《明杂剧选》（商务印书馆1937年版）等。

这些曲选对普及曲学具有积极的推动作用，受到学界的好评。比如《散曲选》一书，《图书季刊》杂志曾做过这样的介绍："编者美好张惠言《词选》，能于词学就衰之顷，振兴颓风，拟为曲学重拓疆

---

① 赵景深：《关于吴骚合编和吴骚集》，载其《明清曲谈》，古典文学出版社1957年版，第146页。

土，以与诗词竞爽，爰选录小令套数为二卷，小令一卷凡元三十家七十首，明二十七家四十八首，套数一卷凡元十一家十六首，明十家十四首，复为别正衬，明规律，藉示途辙，俾足遵循，便利初学匪浅。”①

曲学之外，卢前还有不少其他方面的著述，如《何谓文学》（大东书局1930年版）、《近代中国文学讲话》（上海会文堂新记书局1930年版）、《八股文小史》（商务印书馆1937年版）、《民族诗歌论集》（国民图书出版社1940年版）、《民族诗歌续论》（国民图书出版社1944年版）、《冶城话旧》（万象周刊社1944年版）、《书林别话》等，涉及的领域相当广泛。卢前可谓一个多面手，其著述不仅数量多，而且涉猎的领域也相当广泛，曲学体现了其学术研究的主要成就，但不是其平生治学的全部。

“平生跃马横戈意　只惜风云纸上过”②，这是卢前四十岁时所写《四十杂诗》中的两句，检视平生，感慨良多。显然，其志向并不止于纸上风云，而是有着“跃马横戈”的远大抱负，可惜历史并没有给他实现人生理想的机会，即便是纸上风云，也未能达到圆满。不过，能在文学创作和曲学研究上取得这样的成就，也可以稍稍满足，有些成就感了。毕竟人生的得与失，是不能一概而论的。

① 《图书季刊》新2卷1期（1940年3月）。

② 卢前：《四十杂诗》，载其《卢前诗词曲选》，中华书局2006年版，第95页。

三

下面简要介绍本书所收卢前的三部曲学著作。

(一)《散曲史》

前文已经说过,在二十世纪上半期的古代文学研究中,散曲是一个颇为冷清的领域,后经卢前、任中敏等人的提倡、耕耘和示范,散曲研究终于成为一门专学,《散曲史》一书正体现了这一时期散曲研究的成就和特色。

该书写于卢前任教国立成都大学期间,当为作者在该校授课所用的讲义,书稿完成的时间为 1930 年 12 月 2 日,后由国立成都大学刊行,具体刊行时间当在 1931 年。

全书分散曲、散曲史发端、元一代散曲盛况、明曲前后两时期、自清以来散曲家及散曲史编后补志五个部分,对散曲从孕育产生到发展演进的整个过程以及各个历史时期的重要作家作品进行了全面、详尽的梳理和介绍。

总的来看,其内容是相当系统、完备的,这种完备主要体现在两个方面:一是在纵的时间向度上,从散曲的孕育产生讲起,一直讲到散曲的衰落乃至作者所处的时代,将散曲发展演进的全过程脉络清晰地展现出来,给人以清晰、完整的印象;二是在横的断代层面上,对每一历史时期曲学的特点及重要曲家、代表作品进行介绍及评述,涉及的曲家及其作品众多。这样纵横交叉、点面结合,勾勒出散曲发展演进的全貌。

对散曲进行如此完整、系统的梳理和归纳，这在此前是从来没有的，其中不少曲家及作品都是其他研究者未曾涉及或关注不够的。该书是学术史上第一部散曲史，由此可见卢前的开创之功。论者对卢前的散曲研究曾给予这样的定位和评价："卢氏第一个明确提出了'散曲史'的概念，写出了元明清三代散曲的第一本通史——《散曲史》。"[①]卢前本人对此也有较为明确的认识："于词，刘毓盘有《词史》矣；于剧曲，许之衡有《剧曲史》矣。散曲史之设学程，肇端于兹，不有述造，何以阐发。"[②]

该书较为完整、深入地体现了卢前对散曲的认识，其中不乏真知灼见，比如对曲的起源、名称的辨析，对曲体的梳理等，都是颇为精到的。

（二）《中国戏剧概论》

卢前动笔写作该书是在其 1932 年至 1933 年执教河南大学时，后受世界书局之邀继续撰写，完成时间是在 1933 年秋，世界书局于 1934 年 3 月出版。

在其所有著述中，卢前对《中国戏剧概论》一书是比较看重的，原因在于"这还是记载全部中国戏剧的第一部"[③]。卢前之所以这样说，是有其依据的。《中国戏剧概论》完稿于 1933 年，在此之前

① 杨栋：《中国散曲学史研究》（续篇），山东大学出版社 1998 年版，第 178 页。
② 卢前：《散曲史》第一《发端》，国立成都大学民国间刊印本。
③ 卢前：《中国戏剧概论》序，世界书局 1934 年版。

出版的戏曲史著作并不多,称得上通史的几乎没有。王国维的《宋元戏曲史》只讲到元代,吴梅的《中国戏曲概论》则仅从金元讲到清代,都不能算是真正意义上的戏曲通史。青木正儿的《中国近世戏曲史》虽从南戏北剧之由来讲起,一直讲到花部的勃兴,但对各个时期并非平均用力,重点在明清戏曲,此前的内容相当简略,作者"原欲题为《明清戏曲史》,以易入日人耳目之故,乃以《中国近世戏曲史》为名"①。因此也不能算是严格意义上的戏曲通史。

相比之下,卢前的《中国戏剧概论》一书篇幅虽然不大,却是真正意义上的戏曲通史,他本人也是这样看的。该书从戏曲的起源、萌芽一直讲到乱弹的纷起、话剧的输入,不仅时间跨度长,涵括了戏曲发展演进的全过程,而且各个时期所占比重较为均衡、合理,较为系统、完整地展现了中国戏曲的全貌。这种展现并非走马观花式的信口开河,而是建立在深入研究基础上的简要概括,具有较高的学术含量。

此外,该书还有如下两个值得注意的特点:

首先,它充分吸收前人及当时学界的研究成果。该书每一章之后都列有参考书目。在正文中,作者不时引述他人的意见,比如在谈到中国戏曲的起源时,引述了王国维、刘师培、许之衡三人的观点,并进行归纳分析,认为"三家各有其说,但以歌舞为戏曲之前身,却是相同的",最后指出其合理性与局限性:"综合三家之说,可知在古代歌舞之中,已含有很浓厚的'戏曲意识'。谓之为戏曲不可,而又不可不承认这些事实为后来戏曲所本。至于已成形的戏

① 青木正儿:《中国近世戏曲史》原序,作家出版社 1958 年版。

曲，究起于何时，因为什么样原因，形成这样的‘戏曲型’？这的确是戏曲史上一大问题。又非三家之说所可解决的了。”[①]这样，《中国戏剧概论》一书实际上是对当时戏曲研究成果的一个总结。

其次是它开阔的学术视野。全书所论虽以中国戏曲为核心，但不时以国外戏剧为参照，具有比较的眼光。比如在谈到中国戏曲的起源时，作者指出印度梵剧与中国戏曲之间存在着许多相同之处，他认为：“固然不能说中国戏是出于梵剧的。然而作一个简单的比较，我们已感觉有无穷的兴味。这是值得在此提出来的一段材料。”[②]此外，在谈到《戏与曲与戏曲及其作用》这一部分时，作者将中国戏曲放到世界戏剧史的大背景中来探讨；在谈到元代杂剧时，择专门介绍其在异域特别是在欧洲的翻译和传播情况。这些介绍在当时都给人耳目一新之感，由此也可看出卢前知识面之广。[③]

（三）《词曲研究》

该书虽然字数不多，但前后用了将近五年时间，完成于作者任教暨南大学期间，时间是在 1934 年 5 月，中华书局 1934 年 12 月出版。

全书从词的起源和创始讲起，一直讲到曲的式微，讲到恩师吴

---

① 卢前：《中国戏剧概论》，世界书局 1934 年版，第 2、4 页。

② 卢前：《中国戏剧概论》，世界书局 1934 年版，第 6 页。

③ 绿依：《中国戏剧概论》一文指出了该书的一些不足之处，可参看。该文载《剧学月刊》第 3 卷第 9 期（1934 年 9 月）。

梅和作者本人的创作。表面上看起来只是梳理了从唐宋到近代词曲的发展历程,实际上却是涉及了很多重要的学术问题,该书颇能体现作者治学的眼光和特色。

在该书中,卢前将词曲纳入一个大的史的框架即中国音乐文学的发展演进历程中进行观照,梳理两者的渊源关系,介绍两者的承继关系并辨析其体制的异同。卢前很赞成任中敏将词曲合并研究的想法,并在书中用较长的篇幅引述了其观点①。词曲之辨在清代就已成为一个文人颇感兴趣的话题,进入二十世纪,再次受到学人的关注,吴梅等皆有较为深入、精辟的论述,卢前则另辟蹊径,通过词曲发展演进轨迹的梳理,从史的角度重新观照这一问题,使这一问题更为明晰。

从上述三书也可看出卢前研究曲学的思路和脉络,他不仅重视曲学自身的研究,比如曲史的梳理、曲体的精研、曲家的考辨、曲作的品赏等,而且还注重对曲学的整体观照。在曲学内部,他强调剧曲之外散曲的研究;在曲学外部,他强调曲与词之间的比较和辨析。《散曲史》、《中国戏剧概论》、《词曲研究》三书看似涉及不同的领域,实际上有着内在的关联和呼应,它们既是卢前曲学研究的代表作,代表了其学术成就,也体现了其治学特色,较之此前的曲学研究,更成系统,也更为深入。将三书放在一起对读,从整体上进行把握,不仅对卢前的治学成就和特色有更多的了解,而且还可以对曲学有更为全面、深入的把握,这正是整理者将三书放在一起整理出版的初衷。

---

① 参见卢冀野:《词曲研究》第五章《从词到曲底转变》,中华书局 1934 年版。

四

最后对卢前三种曲学著作的版本及整理情况进行简要介绍：

《散曲史》由国立成都大学于1931年刊行，在此后很长时间内都未再版，读者颇不容易看到。2012年3月，台湾秀威资讯科技股份有限公司出版整理本，但错误较多。

《中国戏剧概论》由世界书局于1934年3月出版，1936年世界书局将其收入《中国文学八论》中。两个版本内容基本相同，唯后一个版本错字较多。1981年，台湾庄严出版社再版。1992年，上海书店影印出版。2007年，广西师范大学出版社抽去《中国文学批评》，将《中国文学八论》改名《中国文学七论》出版，《中国戏剧概论》得以再版。

《词曲讲义》由中华书局于1934年12月出版。香港建文书局1963年再版。2012年1月，岳麓书社将其收入《民国学术文化名著丛书》再版。

上述三书都是卢前研究曲学的重要著作，颇能体现其研究实绩与特色，对治曲学者颇有参考价值，遗憾的是自1949年之后，大陆地区因各种因素的影响，长期未能再版，读者不易看到。有鉴于此，本书将其集中整理出版，为读者研读提供便利。

各书的整理均以原刊本为底本，并参考了一些后出的再版本或整理本。在内容上尊重原著，不擅改原文，对明显错误的字句出注，予以说明。

三书所引作品文字，时与通行本有异，甚至征引同一篇作品，三书之间也存在文字差异，这当是作者所据版本不同等原因所致，整理时不作统一和改动。对这些征引作品，依据较为可信的版本进行校勘，如有明显的错字则出注，予以说明。

《散曲史》原书基本不分段，也没有标点，为照顾读者的阅读习惯，整理时划分段落，加上标点，其中所引曲文，依据《全元散曲》、《全明散曲》、《全清散曲》等进行断句。另外两书的分段和标点也本着便于阅读的原则，在尊重原书的基础上进行了适当的调整。

《词曲研究》一书后原有《名词索引》，为统一体例，节省篇幅，未予保留。

因整理者水平有限，书中想必会存在一些疏误，恳请读者诸君批评指正。